D0477718

DE NAAM VAN DE KONING

Jo Walton bij Mynx:

SULIENS SAGE

De koningsvrede
De naam van de koning

www.mynx.nl

Jo Walton

DE NAAM VAN DE KONING

Tweede boek in Suliens Sage

Oorspronkelijke titel: The King's Name
Vertaling: Gerard Grasman
Omslagillustratie: © Julie Bell
Omslagontwerp: DPS Design & Prepress services, Amsterdam

Eerste druk oktober 2006

ISBN 10: 90-225-4649-7 / ISBN 13: 978-90-225-4649-9 / NUR 334

Mynx is een imprint van De Boekerij bv, Amsterdam

Hier is dan de rest, Gangrader. Hopelijk is dit wat je wilde.

Dit deel is speciaal opgedragen aan de participanten in de nieuwsgroep rec.arts.sf.composition, zowel voor hun specifieke hulp, alswel omdat ze er eenvoudigweg waren – een gemeenschap waarin het normaal is dat je over schrijven wilt praten.

Nogmaals dank aan Graydon, Emmett en Hrolfr; jullie lazen de hoofdstukken zodra ik ze had geschreven. Julie Pascal bedank ik voor haar titelsuggestie voor dit deel, Michael Grant voor alle puntkomma's en Mary Lace voor haar toepasselijke reacties.

Ook sta ik in het krijt bij David Goldfarb, Mary Kuhber en Janet Kegg voor hun nuttige leeswerk, de Sketty Library voor het bijeenzoeken van alle boeken, en Patrick Nielson Haydon voor al het moeilijke werk.

Inleiding

Ik verwelkom de verschijning van dit tweede deel van de vertaalde *Sulien-teksten* met evenveel genoegen als waarmee ik de publicatie van het eerste deel heb verwelkomd: *De vrede van de koning* (Boekerij, New Caravroc, 2753). Het was de hoogste tijd voor een vertaling van deze werken in het moderne Yalnic, ruim honderd jaar na de ontdekking van deze geschriften en de publicatie van de eerste Vincaanse uitgave. Het is geen ontoegankelijk werk; integendeel, het is zelfs enerverend en goed leesbaar. Het uitblijven van de vertaling werd veroorzaakt door een politieke controverse die we in deze liberalere tijden maar gauw moeten vergeten.

Deze vertaling bevat, net als het eerste deel, uitsluitend de tekst, zonder geleerde commentaren. Zij die deze serieus willen bestuderen dienen het Vincaans machtig te zijn en zouden er beter aan doen mijn *The Complete Sulien Texts* te raadplegen (2733, ref. 2748, Thurriman University Press, New Caravroc). Ik voel mij echter vereerd met de gelegenheid enkele woorden aan dit werk te wijden voor de leek die deze moedertaaleditie voor hun genoegen lezen, maar voor wie de naakte tekst onvoldoende is.

Het boek – de auteur is onbekend, evenals het doel dat hem of haar voor ogen stond – speelt in de roerige en nauwelijks gedocumenteerde historie van de dertiende eeuw. Het gaat dus over een periode die we beter uit mythen en legenden kennen, dan uit nuchtere geschiedschrijving. De Vincaanse legioenen hadden het eiland Tir Tanagiri al veertig jaar verlaten voordat de eerste gebeurtenissen in deze teksten zich voordeden. De tussenliggende periode was gekenmerkt door chaos, strooptochten van invallers langs de kust en burgeroorlogen, omdat het eiland werd opgedeeld in een reeks kleine vorstendommen, terwijl de barbaarse Jarns elk jaar de zee overstaken om te komen plunderen. Ze voerden zelfs een grote invasie uit en vestigden zich in delen van het eiland. Zoals elk schoolkind van Tanaga weet, slaagde koning Urdo erin het eiland te herenigen en vrede te bewerkstelligen.

Het eerder gepubliceerde eerste deel van deze vertaling bestond uit twee 'boeken' van een document dat zegt de memoires te bevatten van Sulien ap Gwien, een van de legendarische armigers of wapendragers van koning Urdo. Dit tweede deel bevat het derde, langste en laatste 'boek'. Het eerste boek, *De vrede van de koning*, begint met de verzekering dat de auteur Sulien ap Gwien is, heerschap van Derwen, die op haar drieënnegentigste haar memoires te boek stelt met het doel de gebeurtenissen objectief over te leveren aan het nageslacht.

In de tijd dat zij haar verslag schreef, zegt ze, hadden de Jarnse invallers van overzee vrede gesloten met de Tanaganen en de Vincanen die Tir Tanagiri bewoonden, en ze stelde zich ten doel te beschrijven hoe zij één volk zijn geworden. Het boek documenteert Suliens loopbaan, vanaf de moord op haar broer en haar verkrachting door de jonge Jarnsman Ulf Gunnarsson, een neef van Sweyn, koning van Jarnholme. Hij wijdde haar tegen haar wil met een plengoffer aan de oorlogsgod Gangrader van de Jarns en liet haar vastgebonden en naakt achter, blootgesteld aan de elementen; maar ze zag kans op eigen kracht te ontsnappen. Onkundig van het feit dat ze zwanger was vanwege Ulf, trad ze in dienst van de Grote Koning Urdo ap Avren. Toen haar baby ter wereld kwam, gaf ze hem de shockerende naam Darien Suliensson, in de trant van de Jarns. Veel mensen geloofden dat dit kind de zoon was van Urdo, vanwege een nacht die Sulien als meisje van achttien ooit *slapend* had doorgebracht in Urdo's werkkamer in Caer Gloran, waar de koning die nacht aan het werk was. Darien werd achtergelaten in het klooster Thansethan om daar door de monniken te worden opgevoed, waarna Sulien terugkeerde naar een van Urdo's ruitereskadrons of *alae* (vleugels), zoals ze in het Vincaans werden genoemd, waar ze al spoedig werd gepromoveerd tot commandant (*decurio*) van een uit vierentwintig wapendragers bestaand ruiterdetachement dat *penoen* (lett. 'slagpen') werd genoemd.

Nadat Sweyn het eiland binnen was gevallen en er een rampzalige veldslag bij Caer Lind in Tevin had plaatsgevonden, werd zij bevorderd tot prefect van haar ala, bestaande uit zes penoenen. Sulien had zich zonder het te beseffen de vijandschap van Morwen, de heks-koningin van Demedia en een zus van Urdo, op de hals gehaald. Deze Morwen kwam in Suliens bijzijn jammerlijk aan haar eind door een magisch auto-da-fé. Hierop volgden zes jaren van oorlog, culminerend in een daverende overwinning van de strijdkrachten van de Grote Koning bij de heuvel Foreth. Na die zege ging Urdo niet akkoord met een wapenstilstand van de Jarnse koningen, maar slaagde hij erin hen over te halen tot een bondgenootschap met hem, onder erkenning van zijn oppergezag als Grote Koning. Voortaan leefde de hele bevolking onder zijn wetten.

Het tweede boek in dit eerste deel, *De koningswetten*, beschrijft de eerste zeven jaar van Urdo's vrede. Op de eerste middag van die vrede werd de krijgsgevangene Ulf Gunnarsson berecht door koning Urdo, terzijde gestaan door de Jarnse koning Ohtar. Hij bekende zijn misdaad en bood Sulien schadeloosstelling aan, maar toen zij in een tweegevecht het geschil moesten beslechten, weigerde Ulf zich te verdedigen tegen Sulien. Zij besloot hem in leven te laten en nam hem zelfs op in haar ala.

Kort na de grote overwinning bij Foreth werd het eiland Tir Tanagiri binnengevallen door drie grote groepen van Isarnaganen, een barbaars volk van het westelijke eiland Tir Isarnagiri, dat in zee dreigde te verdwijnen. Sulien slaagde erin een contigent Isarnaganen, geleid door koning Lew ap Ross en zijn gemalin Emer ap Allel (de zus van Urdo's koningin) over te halen zich te vestigen in een nagenoeg onbewoond deel van Derwen, het grondgebied van haar broer Morien, onder het gezag van Morien en Urdo. Tijdens de onderhandelingen ontdekte Sulien dat Emer een overspelige, geheime relatie onderhield met Conal ap Amagien – hetgeen des te schokkender was omdat deze Conal Emers moeder, Maga, in de strijd had gedood. De andere twee contingenten Isarnaganen werden uiteindelijk overwonnen. Een ervan, oorspronkelijk aangevoerd door Zwarte Darag, die later sneuvelde, en daarna door Atha ap Gren, keerde terug naar Tir Isarnagiri. Het tweede werd verraderlijk afgeslacht door een uit Narlahena afkomstige prefect van Urdo, Marchel ap Thurrig, *nadat* ze zich hadden overgegeven. Marchel werd wegens deze schanddaad verbannen naar haar vaderland Narlahena, en als haar vader Thurrig koning Urdo niet zo lang en trouw had gediend, zou ze zijn geëxecuteerd.

Na de zes jaren van strijd werd er een groot Feest van de Vrede gevierd in Caer Tanaga, bijgewoond door alle koningen van de landen waaruit Tir Tanagiri bestond – zowel de Jarns als de Tanaganen. Niet alle koningen waren verrukt van de gang van zaken, maar er bleef een onbehaaglijke vrede heersen. Enkele jaren later probeerde een van deze vazallen, Cinon van Nene, een moordaanslag te plegen op Suliens zoon Darien, die nog in het klooster Thansethan verbleef. Die aanslag mislukte door tussenkomst van een enorm everzwijn, Turth, een van de machten van het land. Sulien was ervan overtuigd dat Morthu, de inmiddels volwassen zoon van de heks Morwen, de aanstichter was het plan; hij haatte Sulien omdat hij vond dat zij zijn moeder had gedood. Urdo weigerde echter om zonder bewijs iets tegen Morthu te ondernemen. Twee jaar later bracht Urdo's koningin, Elenn, een zoon dood ter wereld. Zij verdacht Morthu ervan haar te hebben vergiftigd, maar hij werd door de non Teilo – die geacht werd iedere leugen te kunnen ontmaskeren – aan de tand gevoeld en onschuldig verklaard. Urdo en Elenn maakten met hun hele hofhouding een pelgrimstocht naar Thansethan om daar te bidden om een zoon. Dit bezoek – en daarmee het tweede boek – eindigde met twee gruwelijke duels: het eerste tussen Sulien als kampioene voor koningin Elenn, die door Conal ap Amagien in scherts was beledigd, en Conal zelf. Het tweede duel had plaats tussen Ulf Gunnarsson en Suliens broer Morien, die van de intrigant Morthu te horen had gekregen dat Ulf de moordenaar was van hun broer. Ulf won dit duel, waarna Sulien het nieuws van Moriens dood vernam, kort nadat zij de eer van de koningin met succes had verdedigd zonder Conal te doden. Door Moriens dood werd zij de nieuwe heerschap van Derwen en moest zij – zeer tegen haar zin – de ala verlaten om naar huis terug te keren. Het onderhavige deel neemt de draad van het verhaal op als er daarna vijf jaren zijn verstreken.

Ik heb de gebeurtenissen van het eerste deel 'herverteld' alsof het om vaststaande historische feiten gaat die in de woorden van Sulien zelf zijn beschreven. Helaas kunnen we er geenszins zeker van zijn dat dit werkelijk zo is.

Het manuscript dat ons ter beschikking staat, beslaat de laatste zeven delen van de verzameling die bekend is als *Het witboek van Scatha*. De hele geschiedenis van dit *Witboek* zou elf delen vullen, maar laat me volstaan met erop te wijzen dat het *Witboek* in de vorm zoals wij het kennen ergens in de eenentwintigste eeuw naar het eiland Scatha is gekomen, en dat er sindsdien in geen geval aan is gesleuteld. Het is onaangeroerd gebleven totdat de eerste drie delen, bestaande uit proza en poëzie in het Tanagaans, in een veelgeprezen vertaling van vrouwe Gladis Hanver in 2564 het licht zagen. Er gingen luide stemmen op om ook de rest van het werk te publiceren, maar hoewel er latere delen aan het licht kwamen, bleven de *Sulien-teksten* verborgen. De middendelen van het *Witboek* bestaan grotendeels uit minder interessante Vincaanse poëzie uit de viertiende en vijftiende eeuw; algemeen werd aangenomen dat er verder geen belangstelling meer was voor het werk. De publicatie van professor Malaki Khans Vincaanse editie van *De vrede van de koning – een uittreksel uit het Witboek* in 2658 was voor iedereen een verrassing.

Het verrassende was niet zozeer dat Kahn ervoor had gekozen zijn editie in het Vincaans te publiceren. De tekst, die in strijd is met nagenoeg alle bekende feiten over koning Urdo en veel van de bekende feiten over de vroege Eilandkerk, kon destijds niet in het Yalnic worden uitgegeven. Zelfs in het Vincaans werd het boek onmiddellijk door velen gebrandmerkt als een vervalsing. De aankondiging van professor Kahn dat hij in Derwen opgravingen ging doen, werd met hoon ontvangen. Het is natuurlijk waar dat opgravingen de sloop van een groot deel van wat nu een aantrekkelijke haven uit de eenentwintigste eeuw is zou vereisen, alleen om de dertiende-eeuwse woning (en wellicht het oorspronkelijke manuscript) die de auteur van de *Sulien-teksten* beschrijft te ontdekken.

Stilistische en handschriftmatige kenmerken van het *Witboek* zelf wettigen het vermoeden dat de *Sulien-teksten* halverwege de twintigste eeuw moeten zijn gekopieerd, vermoedelijk in het Thansethan óf het Thanmarchel, op verzoek van het Huis Hanver van Scatha, dat opdracht had gegeven tot de vertaling van het *Witboek*. Een voetnoot van de kopiist vermeldt dat het een kopie betreft van een oudere kopie die zonder twijfel werd gemaakt in

Thansethan, hoogstwaarschijnlijk voor de Grote Koning Alward. Dit kan alleen de zestiende-eeuwse Alward van Munew zijn geweest, die onder zijn banier heel Tanagiri herenigde en erin slaagde een invasie van Noorlanders tegen te houden. Hij was een groot geleerde en had vermoedelijk grote belangstelling voor het leven van Urdo. Er zijn geen intrinsieke redenen om te betwijfelen dat de kopiist van het *Witboek* de waarheid schreef zoals hij die kende. (Zie Jeyver, *The Scribes of the White Book*, 2723).

Aan deze zestiende-eeuwse kopiist van Alward danken we de indeling in hoofdstukken van het werk zoals wij die kennen. De noot van de kopiist begint met de gebruikelijke aanhef: 'Ik ontdekte in de bibliotheek van Thansethan een werk over de Vrede van de koning.' Bovendien danken we aan hem de citaten aan het begin van ieder hoofdstuk. Sommige van deze citaten zijn wel omschreven als 'waardevoller dan de tekst zelf' (Prof. Bint Kerigan, 'The Poetic Fragments of Aneirin ap Erbin from the so-called *Sulien Texts*'). Veel onderzoekers hebben verklaard dat deze fragmenten zonder twijfel authentiek zijn. Een deel ervan geniet grote bekendheid; andere worden nergens anders aangetroffen. Het zijn op zijn minst deze fragmenten die onmiskenbaar uit Urdo's tijd van leven stammen, of uit de er direct op aansluitende periode.

Zij die volhouden dat de tekst een moderne vervalsing zou zijn, vooral degenen die prof. Kahn religieuze motieven of andere beweegredenen toeschrijven, houden zichzelf voor het lapje. Het manuscript bestáát en is uitvoerig met moderne middelen onderzocht. Ofschoon we veel redenen zouden kunnen bedenken waarom iemand er behoefte aan zou hebben een verzonnen verslag van Urdo's leven te schrijven – met name een biografie die zo sterk afwijkt van de algemeen aanvaarde versie en bovendien zo pro-paganistisch is als Suliens lezing – zou het vrijwel zinloos zijn geweest zoiets te doen zonder het resultaat uit te geven. 'Als iemand werkelijk de moeite heeft genomen een dergelijke vervalsing te schrijven, waarom heeft hij of zij dan niet ook de moeite genomen het te doen verspreiden?' zo luidt de vraag die dr. Enid Godwinsson opwerpt in haar 'The Sulien Texts: Who's Agenda', in *The Journal of Vincan Studies* (voorjaar 2749).

Hiermee is niet gezegd dat de tekst daadwerkelijk het werk is van de schimmige Sulien ap Gwien. Er is over haar heel weinig bekend, afgezien van wat er in het boek over haar geschreven staat; en bovendien is dat weinige vaak vierkant in strijd met 'haar eigen' tekst. Dit is niet de plaats om in te gaan op religieuze controversen, maar er zij op gewezen (zie Camlings 'Irony in "The Glory of Morthu"', *The Urdossian Quarterly*, herfst 2685) dat het Vincaanse woord *pius*, dat in de latere kronieken en de poëzie over Urdo vrijwel algemeen op Sulien betrekking heeft, destijds zoveel betekende als 'getrouwe' en niet, zoals het tegenwoordig in de regel wordt vertaald, 'vrome'.

In de vijf eeuwen die verstreken zijn tussen Suliens tijd en die van Alward kan het werk door iederéén zijn geschreven. Echter, wie zou zich al die moeite op de hals hebben gehaald? Of wat dat aangaat, wie zou de tijd én de kunde hebben gehad die ervoor nodig waren? Zonder onze toevlucht te nemen tot Godwinssons op niets gebaseerde conclusie dat de 'vervalser' kort na of tijdens de voltooiing van het manuscript zou zijn gestorven, is het niettemin de moeite waard stil te staan bij de vele tijd die het maken van een dergelijke vervalsing zou hebben gevergd. We hebben het niet over een paar bladzijden, maar over een gewichtig werk dat twee dikke boeken vult. Zo'n onderneming moet jaren in beslag hebben genomen. De tekst is geschreven in vrijwel klassiek Vincaans, hetgeen wijst op iemand die beslist zeer erudiet moet zijn geweest. Buiten de kloosters uit die tijd zullen er weinigen zijn geweest die er bekwaam toe waren. En in de kloosters zelf zullen niet veel monniken de lust ertoe hebben gehad.

Een van de meest controversiële eigenschappen van de tekst is uiteraard de manier waarop de auteur over religies schrijft. De monniken van de Eilandkerk hebben manuscripten uit andere tradities opmerkelijk getrouw gekopieerd, maar zij gaven zich beslist niet zoveel moeite om werken te vervalsen die henzelf in diskrediet konden brengen. Suliens algemene visie op de Kerk als een vergaderplaats van idioten, de wijze waarop zij de H. Gerthmol afschildert als een dwaas, de H. Dewin als een manipulator en, het ergst van alles, de H. Marchel als een heethoofdige godsdienstfanate, getuigt van de instelling van iemand die een afkeer had van de Kerk. Alleen in haar behandeling van de H. Arvlid en de H. Teilo zien we iets dat zweemt naar de hagiografische werken die kenmerkend zijn voor die periode. Zelfs in die delen van de tekst komen bij uitstek menselijke heiligen naar voren, zoals broeder Ivor van Thanmarchel opmerkt over Arvlid in zijn *Sulien and the Early Insular Church* (2722): 'Dit beeld van de gezegende martelaarster die vrouwen bijstond in het kraambed en zich toelegde op het imkerambacht, is niet dat wat de Kerk ons voorschotelt, ofschoon de Kerk het niet snel zal verwerpen.' Feitelijk was de Kerk zelfs de eerste om zich het door 'Sulien' geschetste beeld van het leven in Thansethan toe te eigenen, onder gelijktijdige, ongemotiveerde verwerping van andere delen van dit 'ooggetuigenverslag'.

Veel delen van de tekst verraden echter een opmerkelijke vertrouwdheid met het leven in de dertiende eeuw, de periode waarin de gebeurtenissen zich zouden hebben afgespeeld. 'Sulien' duidt de eilanden Tir Tanagiri en Tir Isarnagiri altijd aan met het voorvoegsel *Tir*, ofschoon dit al niet meer de gewoonte was tegen de tijd dat Gwyn Dariensson zijn *Wetboek* uitvaardigde en het eiland al tegen de tijd van Alward algemeen bekend was als Tanagiri. Toch blijft zij de eilandbewoners 'Tanaganen' en 'Isarnaganen' noemen, in plaats van 'TirTanagan', zoals we die naam aantreffen in werken uit de Vincaanse periode, bijvoorbeeld die van Decius Manicius. Dit is exact wat we zouden mogen verwachten van deze overgangsperiode. In veel andere opzichten – bijvoorbeeld haar beschrijving van de alae-exercities en het ontstaan van dorpen – wordt zij door de archeologie weersproken. Zo moet Martinssons afwijzing van het gebruik van de naam 'Masarn' in haar *Proof of Forgery of the Sulien Texts* (2731) – omdat het woord *masarn* voor 'esdoorn' pas in gebruik is geraakt na de ontdekking van esdoorns in de Trans-Iarlalanden in de tweeëntwintigste eeuw – worden verworpen. Het is onmogelijk dat dit het boek in diskrediet zou brengen, aangezien het al ruim een eeuw voor de ontdekking van de Nieuwe Wereld naar Scatha is gekomen en sindsdien in het bezit van het Huis Hanver is geweest. De naam Masarn moet dus een andere oorsprong hebben. Ook Hartleys van verbeeldingskracht getuigende verbinding van de naam met de algemene Sificiaanse naam 'Massinissa' (in 'A Possible Southern Connection', *The Journal of Vincan Studies*, zomer 2745) moet helaas worden verworpen, want hoe zou een Sificiaan ooit in die tijd in Tanagiri kunnen zijn als hij niet, in navolging van Elhanen de Grote, op een olifant door alle landen van het Vincaans Imperium was getrokken?

Tegenover deze historische accuratesse staan de typische verhalen over wonderen uit die periode. Wat te denken van een werk dat enerzijds een gedetailleerde beschrijving bevat van een stallencomplex die exact klopt met de plattegrond van zo'n complex dat later is opgegraven, maar anderzijds wonderverhalen bevat, zoals dat over de drie etmalen durende nacht en het magisch verschenen drinkwater op de heuvel Foreth? De opmerking van broeder Ivor dat zij 'er niet eens in slaagt consequent te kiezen voor een combinatie van de heidense godheden die zij vereert' (Ivor, op. cit.) is niet billijk, maar het lijdt geen twijfel dat de persoonlijke verschijningen van goden in de tekst dit werk vanuit het domein van de geschiedschrijving overplaatst naar het rijk der fabelen.

Helaas moeten we ook het idee verwerpen dat dit wellicht de beroemde 'schriftrol' is die volgens de bewering van Galfrid van Thanmarchel de basis zou zijn geweest van zijn beroemde *The King and the Kingdom*. Om te beginnen verklaart Galfrid zelf duidelijk dat zijn schriftrol geschreven was in 'de taal van het oude Tanagan', terwijl de *Sulien Texts* in het Vincaans zijn gesteld en niet recentelijk zijn terugvertaald naar het Vincaans. Bovendien is er dat weloverwogen argument van Gunnarsson in zijn *The Sulien Texts: A Reconciliation*: 'Indien de auteur van de *Sulien Texts* heeft geprobeerd ons het historische kader achter de mythe te schetsen, heeft hij of zij de blunder begaan ons de verkeerde helft voor te schotelen, door de dingen die toch niemand zou geloven te verklaren, maar de geloofwaardige delen van het verhaal, die zo bemind zijn onder dichterlijke zielen, weg te laten.' Mét prof. Gunnarsson huldig ik de overtuiging dat deze emissies nu juist wijzen op de authenticiteit, of op zijn minst de hoge ouderdom, van deze geschriften.

De bewijslast voor de aanname dat het werk níet door Sulien ap Gwien kan zijn geschreven onder de door haar in de teksten geschetste omstandigheden, ligt dan ook bij hen die deze stelling aanhangen. Er zullen voor beide mogelijkheden geen harde bewijzen zijn voordat wij permissie krijgen om de levensdroom van prof. Kahn te verwezenlijken en in Derwen opgravingen te gaan verrichten, of voordat en tenzij we het met lood beklede vat vinden dat zij in de muren van Derwen wilde laten inmetselen (en waarover haar achterneef beweert dat hij dit op haar verlangen heeft gedaan).

– Prof. Estin Jonson
Universiteit van Dunidin, afd. Sub-Vincaanse Geschiedenis, 2754 AUC.

Tot nu toe plachten zij te sidderen, iedere keer als er sprake was van de bekwaamheden van de Romeinen in de strijd, maar nu zijn *zij* degenen die overwinnen, en *wij* degenen die sterven – weliswaar nobel, als passend voor moedige mannen, maar uiteindelijk toch morsdood.
– Libanius, 378

Laat de doden zacht gedragen worden; en laat hen die leven zich afvragen wat er morgen te kiezen valt.
– Graydon Saunders in *The Pebble*, 1998

1

Vanavond vliegen de zwaluwen laag,
rondcirkelend en scherend langs de hemel.
Weldra zal de regen komen.

Moeizaam klim ik op naar het duister;
de kinderen dartelen langs mij heen.
Mijn adem komt langzaam.

Ze zagen mij allemaal als machtig, totdat
de lanspunt rood werd van mijn bloed en
ik de dood vond in het held're zonlicht.

O had die lans mij maar gevonden
in mijn trotse jonge jaren,
voor deze nederlaag.

Het verdriet mij, troost mij niet,
dat hij zo lang geleden stierf,
rechtop in 't zadel als een man.

Nu hebben weinigen aandacht voor mij;
de regen pijnigt mijn oude botten.
Mijn daden zijn allang vergeten.

De zwaluwen doen mij weer denken
aan voorbije tijden en gemiste kansen,
en aan mijn enige zoon.
– Uit: *De klaagzang van Atha ap Gren*

De eerste keer dat ik besef kreeg van de burgeroorlog, was de dag waarop mijn zuster Aurien mij vergiftigde. Ik was toen in haar hal in Magor. De meeste tijd bracht ik door in Derwen, maar de helft van de ala was op een halve dag rijden van Magor gelegerd. Regelmatig reed ik erheen om hen te zien en van penoenen te wisselen. Ik genoot van die uitstapjes; ze verbraken de sleur voor mij. Ik hoefde er niets anders te doen dan het werk van de prefect. Aurien had van mij geen hulp nodig om Magor te bestieren. Ze gedroeg zich altijd koel en beleefd tegenover mij, maar meer niet. Haar zoontjes waren echter altijd blij mij te zien. Ze had het fatsoen gehad te wachten totdat zij naar bed waren voordat ze mij vergiftigde, en dat heeft me vermoedelijk gered. Ze was erdoor genoodzaakt geweest het gif door de cider te mengen, in plaats van door het eten; in het laatste geval zou iedereen hebben gedacht dat ze wat al te royaal was geweest met kruiden. Het gebeurde tegen het eind van de lente, toch al nooit een goede tijd voor vlees, en ze had vier extra monden te voeden.

Ik had namelijk Conal Vissensnoet en Emlin meegenomen, en Emer was er ook – op de terugweg na een bezoek aan Caer Tanaga. Zodra ik haar zag, wist ik dat Conal moest hebben geweten dat ze er zou zijn, waardoor ik nijdig op hem was omdat hij me voor zijn karretje had gespannen. Hij at niet bij ons aan tafel, uiteraard, maar voegde zich na het eten bij ons in de familiealkoof. Op dat moment wenste ik de jongens welterusten. Galbian, de vijftienjarige hertog van Magor, boog voor hem, als de volwassene die hij bijna was. Gwien, de dertienjarige erfgenaam van Derwen, was nog jong genoeg om het moment zo lang mogelijk te rekken en te smeken om een verhaaltje, en een ritje te paard, de volgende ochtend. Aurien beschermde hen te veel. Als ik er een opmerking over had gemaakt, zou ze hebben gezegd dat ze rekening zou houden met mijn grote rvaring met het opvoeden van kinderen. Het gevolg van al haar bemoeienissen was echter dat de kinderen, als het even kon, wegglipten naar de barakken van de wapendragers en haar niets vertelden van hun avonturen. Ik verheugde me erop dat Galbian volgend jaar lid zou worden van de ala; de discipline en de exercities zouden hem goed doen. Aurien perste haar lippen altijd opeen als de kinderen enthousiast praatten over het vergaren van roem in de oorlog, en zei dan geen woord.

Conal kwam naast me zitten, juist toen Aurien de cider inschonk. Ze had een dienblad binnengebracht met bekers en een zware stenen kruik erop. Ze schonk eerst een beker vol voor Emer, daarna een voor mij, een voor Conal en een voor zichzelf. Niemand van haar getrouwen hield ons die avond gezelschap, zelfs broeder Cinwil niet, die in de regel aan haar zijde was te vinden. Ze hief haar beker naar mij op en dronk. Ik deed hetzelfde. Ik proefde vrijwel direct een bittere bijsmaak, maar dronk uit beleefdheid de beker half leeg voordat ik hem neerzette. Ik voelde mijn tong onmiddellijk dik worden in mijn mond.

'Wat voor nieuws is er uit Caer Tanaga?' vroeg Aurien aan Emer.

'Heel weinig,' antwoordde ze. 'Het schijnt dat een paar van de geallieerde koningen dit jaar erg laat zijn met het afdragen van hun belastingen.'

'En hoe maken Urdo en je zus het?' vroeg Aurien.

Ik boog me naar voren om mijn beker te pakken en nog een slokje te nemen, om te zien of dat vreemde gevoel in mijn mond en keel over zou gaan. Op dat moment merkte ik dat mijn lichaam niet reageerde zoals het zou moeten doen. 'Ik voel me niet goed...' zei ik, maar kon de woorden niet articuleren.

'Ik ben bang dat de cider Sulien wat te machtig is,' lachte Aurien. 'Ze heeft voor het eten zitten drinken met de wapendragers; kennelijk is deze beker net even te veel voor haar.'

Ik probeerde tegen te werpen dat ik sinds de vorige avond geen druppel gegiste drank had gehad, maar gleed in plaats daarvan weg naar de tafel. Mijn ogen bleven half open. Ik kon zien, maar was de beheersing over mijn lichaam kwijt.

Conal boog zich naar mij toe en rook vlug even aan mijn beker, waarbij zijn lichaam zijn handen aan Auriens zicht onttrok. Hij tilde mij op, zodat ik weer rechtop kwam te zitten. 'Ze heeft niet met de armigers zitten drinken, maar met mij,' zei hij. 'We hielden een wedstrijdje, en zo te zien heb ik gewonnen.'

Ook nu probeerde ik te protesteren door te zeggen dat er geen woord van waar was, maar mijn mond weigerde dienst. Mijn geest werkte langzaam, want nu was ik de enige die wist dat ik vergiftigd was. Vergiftigd worden aan de tafel van mijn eigen zus was iets waarvoor ik nooit beducht was geweest.

'Die krijgslieden – ik begrijp niet hoe ze het met elkaar uithouden,' zei Aurien tegen Emer, die beleefd lachte. Ik kon haar niet zien; ze moest hebben geweten dat Conal had gelogen. 'Ik zal wat water laten komen,' hernam Aurien.

'Aangezien het mijn schuld is dat de prefect in deze toestand is geraakt, lijkt het mij alleen maar eerlijk als ik haar naar bed breng,' zei Conal terwijl hij mij overeind trok. 'Ze kan lopen – de benen begeven het altijd het laatst. Misschien zou jij me even een handje kunnen helpen, Ap Trivan?'

'Leg haar maar op bed, dan trekt ze wel weer bij,' zei Aurien. 'Ze heeft dit wel vaker en het is altijd over als het ochtend wordt.'

Ik zag geen kans iets te zeggen om het tegen te spreken. Ik voelde hoe mijn tribuun, Emlin ap Trivan, mij onder mijn andere oksel pakte, maar had geen greintje gevoel meer in mijn benen. 'Mijn verontschuldigingen, vrouwe,' zei hij tegen Aurien.

'Heus, niet jij bent degene die zich moet verontschuldigen,' zei ze. 'Ik zal morgenochtend ongetwijfeld allerlei excuses van mijn zus te horen krijgen. Ik zal wat water naar haar kamer laten brengen, maar ik denk niet dat ze vanavond nog tot haar positieven komt, zoals gewoonlijk.'

'Ze moet het wel ontzettend moeilijk hebben, als ze zoveel drinkt,' hoorde ik Emer zeggen terwijl Conal en Emlin mij half slepend, half dragend de hal uitbrachten. Zodra we op de gang waren, had ik het gevoel alsof ik in tweeën werd getrokken.

'We moeten díe kant uit,' zei Emlin.

'Eerst naar de mestvaalt,' zei Conal. 'Ze moet dringend braken.'

'Als ze zoveel heeft gedronken...' begon Emlin, maar Conal viel hem in de rede en fluisterde scherp: 'Ze heeft behalve die halve beker cider geen druppel gedronken. Ik moest mezelf een reden bezorgen om me tijdig over haar te kunnen ontfermen. Ze is vergiftigd en we moeten zorgen dat we die troep uit haar krijgen.'

'Vergiftigd?' herhaalde Emlin. 'Vergiftigd? Waarom?'

Ze begonnen me verder te slepen, maar deze keer snel naar buiten, naar de mestvaalt. Buiten schemerde het. Er stond een kille wind. Ik probeerde diep in te ademen, maar zelfs dat was me onmogelijk. Ik wist niet eens zeker óf ik wel ademde; ik kon het zelf niet voelen.

'Ik heb geen idee waarom; het is bespottelijk iemand aan je eigen tafel te vergiftigen, maar ik weet wel wie en waarmee. Het was bilzekruid; ik rook het meteen. Zo te zien moet het een sterke dosis zijn geweest – in de regel werkt het niet zo snel. Als ze erna water had gedronken, zou dat een wisse dood hebben betekend; het water zou het gif door haar hele lichaam hebben verspreid – en het is haar twee keer aangeboden.' Mijn hoofd hing slap op mijn schouder. Ik vroeg me af hoe Conal zoveel kennis kon hebben opgedaan van giffen.

'Maar waarom zou Galba's weduwe haar eigen zus vergiftigen?' vroeg Emlin.

'Omdat ze misschien goede redenen heeft om haar dood te wensen,' opperde Conal.

'Waarom zou ik jou moeten geloven?' vroeg Emlin.

'Wat is het ergste wat jou kan overkomen als je dat deed?' kaatste Conal terug. Er klonk woede in zijn stem door. 'Ben je soms bang dat je prefect met haar zware koppijn kwaad op je zal zijn omdat je te veel hebt gedaan? Trouwens, heb je haar ooit in een dergelijke conditie gezien? Ik dacht van niet. En als je niet meewerkt, tja, dan zal ze straks dood zijn. Overladen met schande. Je dood drinken is geen geschikt slot van een heldengeschiedenis.' We hadden de mestvaalt bereikt. Ik kon de stank nauwelijks ruiken. 'Steek nu je vinger in haar keel.'

'Waarom ik?' vroeg Emlin, maar hij omklemde mijn onderkaak en deed wat Conal hem had gezegd. Zodra zijn vinger mijn huig raakte begon ik te kokhalzen en vloog de cider eruit, samen met de rest van de inhoud van mijn volle maag, precies over Emlins laarzen.

'Dáárom,' zei Conal, die me zo diep gebogen hield als hij kon. Onder het kotsen begon ik me wat prettiger te voelen.

'Nog eens,' zei ik, maar het klonk als wat gerochel.
'Wat zei je?' vroeg Emlin gretig.
Ik probeerde opnieuw te braken, maar er kwam niets.
'Probeer of er nog iets naar buiten wil komen,' stelde Conal voor. Emlin deed het en deze keer keerde ik mijn hele maag om. Daarna veegde Conal mijn gezicht schoon met zijn mouw en kneep me fronsend in een wang. Ik kon zijn hand zien, maar voelde de aanraking nauwelijks. 'We moeten haar hier meteen weg zien te krijgen,' zei hij.
'Hoezo?' vroeg Emlin. 'Waar is dat goed voor?'
'Deels omdat de vrouwe van Magor het opnieuw zou kunnen proberen,' zei Conal. 'En deels ook omdat Sulien alsnog hieraan zou kunnen sterven als het zich zover verspreidt dat het haar longen verlamt. Of, erger nog, als ze op deze manier in leven blijft, verlamd of grotendeels verlamd.'
Ik maakte heftige bewegingen in zijn handen, wanhopig proberend me te bewegen. Hij had gelijk – het zou beter zijn om dood te gaan dan zo in leven te blijven.
'We moeten haar naar Derwen brengen, haar thuis,' vervolgde Conal. 'Daar zal het land haar bijstaan.'
'Hoe spelen we dat klaar?' vroeg Emlin. 'In deze toestand kan ze niet rijden.'
'We binden haar op haar paard, als een zak meel,' stelde Conal voor. 'Ik weet het – ik moet haar naar haar kamer brengen, voor het geval iemand poolshoogte komt nemen. Zadel jij haar paard, en het jouwe, en breng ze dan naar de plek onder het raam van haar kamer. Ik zal haar laten zakken zodra ik je hoor aankomen, en daarna kun jij met haar naar Derwen rijden.'
'Ik...' Emlin aarzelde. Hij keek mij aan. 'Prefect...?'
Ik probeerde hem te zeggen dat hij moest doen wat Conal zei, maar ik kon niets anders uitbrengen dan wat ongearticuleerde klanken. Met alle kracht die me nog restte concentreerde ik me op mijn rechterhand. Het lukte me met grote moeite het handsignaal te geven dat Emlin duidelijk maakte dat hij Conals instructies moest uitvoeren. Tot meer was ik niet in staat.
'Begrepen,' zei hij. Hij keek bezorgd, en tegen dat hij uit het zicht was, kauwde hij op zijn baard.
Conal legde me over zijn schouder en liep door het huis terug naar mijn kamer. We passeerden een paar dienaren, die verbijsterd naar ons staarden, zonder iets te zeggen. Zodra we binnen waren, zette Conal me in half zittende houding rechtop tegen de muur. '
Adem zo diep mogelijk,' zei hij. 'Water is voorlopig nog geen goed idee.' Ik liet me verder zakken en deed mijn best te ademen. Hij nam mijn harnas van de harnasstand naast mijn bed. 'Ik ga proberen of ik je dit aan kan trekken,' kondigde hij aan. 'Het is beter voor de rit en veiliger, met het oog

op eventuele pijlen. Ik wou dat ik wist wat ze in haar schild voert; ze kan onmogelijk hebben gehoopt dat ze het kon doen zonder door de mand te vallen. Er moet iets gaande zijn.'

Ik kreunde instemmend. Conal hees me overeind, maakte mijn stola los en liet die op de grond glijden. Hij stak een van mijn armen in het leren harnas en staarde verbijsterd naar de borstriemen. Het liefst zou ik hebben gelachen, maar ik zou nog liever hebben gehad dat ik mijn armen wat meer kon bewegen. Juist op dat moment werd er op de deur geklopt. In één snelle beweging schepte Conal me op in zijn armen, liet me op het bed vallen en trok mijn mantel over me heen. Ik kon mijn hoofd niet draaien, zodat ik niets kon zien, behalve mijn harnasstand en het gebogen Vincaanse raam erachter. Buiten zag ik de donker wordende hemel en een tak van een wilde vijgenboom waarvan de drielobbige bladeren donker afstaken tegen de donkerblauwe avondhemel.

'Ja?' zei Conal. Hij stond ergens waar ik hem niet kon zien. 'Vrouwe?' Ik wilde dat ik wat meer vertrouwen kon hebben in zijn mogelijkheden om Aurien ervan te weerhouden me in alle beleefdheid nog eens te vergiftigen. Ik kon niet bedenken wat ik recentelijk kon hebben gedaan om te maken dat ze mij zo intens haatte. Het was al twaalf jaar geleden dat ik Galba's stoffelijk overschot na de Slag bij Foreth had thuisgebracht.

'Ik ben het,' zei Emers stem. Ik hoorde de deur opengaan en er kwam iemand de kamer in. 'Wat voor spelletje spelen jullie?' vroeg ze, en daarna riep ze uit: 'Conal!'

Conal begon te lachen en deed de deur dicht, nog steeds lachend. 'Heb je zo weinig vertrouwen in mij?' hijgde hij, tussen zijn lachbuien door. 'Nee, ik ben niet weggeslopen om je te bedriegen met Sulien ap Gwien, hoe vreemd het er ook voor je moet uitzien mij hier in haar kamer aan te treffen, met haar stola op de vloer.'

'Wat dan wel?' Emers stem klonk ongeduldig. 'Sulien?'

'Ze kan niet praten,' zei Conal. Ik rolde wat met mijn hoofd en maakte een geluid dat instemming te kennen moest geven. Ik kwijlde en vond het afschuwelijk. 'Ze is vergiftigd. Ap Trivan en ik gaan proberen haar hier weg te krijgen. Jij kunt me helpen haar in haar harnas te hijsen. Waarschijnlijk weet jij beter hoe die verdomde borstriemen werken.'

Bij die woorden schoot Emer in de lach en liep om het bed heen, zodat ik haar in het zicht kreeg. Ze had een kruik water bij zich. Die zette ze op de vloer, waarna ze mijn mantel wegtrok en zij en Conal mij aan begonnen te kleden. Ik voelde me afschuwelijk en, erger nog, heel slaperig. Ik wist echter dat ik niet in slaap mocht vallen, want dan zou het gif me de baas worden.

'Waar brengen jullie haar heen?' vroeg Emer.

'Ap Trivan zal haar naar huis brengen, in Derwen,' zei Conal.

'Ach, natuurlijk, het land zal haar helpen,' knikte Emer terwijl ze de borstriemen vastmaakte. Ik voelde me net een grote, onhandelbare baby toen ze mijn benen in mijn beenkappen wrong.

'Het schijnt je niet erg te verbazen dat de vrouwe van Magor zoiets ergs doet,' zei Conal.

Emer keek even opzij naar mij, slaakte een zucht en keek naar hem op. 'Ik heb hooglopende ruzie met míjn zus gehad. Ze weet het over jou en heeft me verstoten. Vanmorgen kwam er een roodmantel naar Aurien, om haar brieven te overhandigen.'

Conal zoog met een scherp geluid lucht in zijn longen. 'De grootste onzin,' zei hij heel teder. Hij nam een van Emers handen in de zijne en koesterde die een ogenblik. 'Elenn kan misschien reden hebben jou dood te wensen, en beslist ook mij, maar Sulien? Ze was haar kampioen! Bovendien is ze prefect, goed bevriend met Urdo en de moeder van zijn zoon. Als zij zo'n schandalige dood stierf, zou dat de Grote Koning een slechte dienst bewijzen.'

'Elenn is Urdo niet,' zei Emer, nog altijd naar hem opkijkend. 'Ze is een Isarnagaan en bovendien een vrouw. Gif is het wapen van vrouwen.'

'Aurien is een vrouw,' knikte Conal. 'Als Elenn iemand dood heeft gewild, zou ze het ook op mij hebben voorzien, en waarschijnlijk ook op jou, als ze het werkelijk weet. Dit zou voor haar een te gunstige gelegenheid zijn om voorbij te laten gaan, nu we alle drie hier waren – maar in geen van de andere bekers zat gif. Trouwens, voor zover ik heb gehoord, is Elenn niet bepaald een vriendin van Aurien. Wie zijn eigenlijk wél haar vrienden?'

'Die van Thansethan,' zei Emer zonder aarzelen. 'Dat kan evengoed op Elenn wijzen. Kerys ap Uthbad en haar broer Cinvar, heerschap van Tathal. En Veniva en de mensen van Derwen. Maar waarom zou een van hén haar dood willen? Verder zou ik niet weten wie er in aanmerking komt.'

'Thansethan kan méér betekenen dan alleen Elenn,' zei Conal. Ik was nu gekleed; hij liep naar het raam en keek naar buiten. 'Het is echter niet iets dat de Bleken doen – hun eigen familieleden vergiftigen. Ik weet dat de Blanke God beschermt tegen vele gevaren, maar hij beschermt toch zeker geen mensen die hun eigen familieleden vermoorden?'

Emer draaide zich naar hem om. Een lok van haar lange haar hing los over haar rug. 'Ik ben bang dat hij hen beschermt tegen elk gevaar dat hen in zijn dienst bedreigt,' zei ze. 'En het zijn nooit vrienden geweest van Sulien.'

Ik probeerde te praten, maar het was zinloos. Ik kon me heel moeilijk voorstellen dat vader Gerthmol mij zou laten vergiftigen. Dat zou een casus belli zijn voor Derwen en Urdo's vrede schenden. Urdo zou mij wreken, ongeacht wie er schuldig was aan mijn dood, en dat gold ook voor Darien. Hij was inmiddels vaandeldrager. Ik was eerder geneigd te geloven dat

Aurien het had gedaan om te voorkomen dat Gwien de zomer bij mij in Derwen zou doorbrengen. Het was buiten iedere proportie, maar het wás een reden die ik kon begrijpen.

Ik had kennelijk wat geluid geproduceerd, want ze draaiden zich allebei naar mij om. 'Wat wil je zeggen?' vroeg Emer.

Conal trok zijn wenkbrauwen op. 'Weet jij soms waarom Aurien dit heeft gedaan? Geloof jij zelf dat de monniken van Thansethan jou zouden willen vergiftigen?' vroeg hij mij.

Ik rolde met mijn ogen, tot meer was ik niet in staat.

Conal snoof. 'Ik kan het me evenmin voorstellen.'

'Hoe pakken we het morgenochtend aan, als ze weg is?' vroeg Emer praktisch.

'Suggereren dat ze er met Ap Trivan vandoòr is en doen alsof we met Aurien te doen hebben vanwege het schandalige gedrag van haar zus, die te veel drinkt en een deken deelt met haar ondergeschikten,' zei Conal.

Opnieuw rolde ik met mijn ogen.

'Zouden we zelf ook niet vanavond nog moeten vertrekken?' zei Emer. 'Lopen we hier geen gevaar? Als ze ons ook heeft willen vergiftigen, heeft ze de beste kans daartoe gemist.'

'Niet als wat wij zeggen haar te pas komt. Dat verhaal dat Sulien te veel zou hebben gedronken, zou gemakkelijk geloof hebben gevonden als ze in de loop van de nacht was overleden. Een onsmakelijk einde voor Urdo's eigen prefect, maar niet ongeloofwaardig. Het zou heel wat minder overtuigend zijn geweest als ze ons alle drie te pakken had genomen, denk je niet?'

'Veniva zou het nóóit hebben geloofd,' zei Emer. 'Zij weet hoeveel Sulien drinkt – wie kan het beter weten? En Urdo zou het evenmin hebben geloofd, hoewel Aurien misschien heeft gedacht van wel. Ik neem aan dat ze, als ze vermoedde dat ik verdenkingen jegens haar koesterde, me nooit dat water naar boven had laten brengen.'

'Ze had ons niet verwacht,' zei Conal. 'Misschien heeft ze maar één dosis bij de hand gehad. Ik heb in een opwelling besloten hierheen te komen. Ik was naar Dun Morr geweest om Lew wat berichten te brengen. En omdat het me te lang duurde om op je te wachten, ben ik naar Derwen gereden, waar ik hoorde dat Sulien hierheen ging. Ik ben toen met haar meegegaan. Aurien moet weliswaar hebben geweten dat jij zou komen, maar niet wanneer. Je weet zelf hoe verrast ik was je hier te zien, liefste.' Hij glimlachte bemoedigend.

'Ze is wakker en hoort alles wat we zeggen,' zei Emer, met een verlegen blik mijn richting uit. 'Het is volgens mij veiliger als we vanavond allemaal vertrekken.'

'In dat geval moet ik Ap Trivan vragen om meer paarden te zadelen,' zei

Conal. Hij boog zich uit het raam. 'Deze boom hier komt goed van pas. Aha, daar hebben we hem.'

Ik dwong mijn hand het signaal te geven dat betekende: de hele ala. Emer zag het, maar uiteraard begreep ze het niet. Ik kon mijn mensen hier niet achterlaten, in gevaar. Verder waren er nog de beide jongens – maar ik wist dat Aurien haar zoons nooit iets aan zou doen, zelfs niet als ze krankzinnig was geworden.

Conal liep om het bed heen en trok me overeind. Ik kon me niet of nauwelijks in evenwicht houden. Ik had niet kunnen staan zonder zijn ondersteuning, maar mijn benen leken uit zichzelf te bewegen. Hij hielp me naar het raam. Toen ik omlaag keek, zag ik twee gewapende ruiters en Bode. Ik was blij dat het Glimmer niet was. Hij was niet blij met alles wat buiten de normale routine viel, sinds onze ontmoeting met Turth. De ene ruiter was Emlin, de andere Garian ap Gajus. Ik wenste dat ik me had geoefend in het vanaf een hoogte op een paard laten vallen, op mijn buik, maar ik zou er weinig aan hebben gehad. Conal liet me voorzichtig zakken en Emlin ving me op en zette me in het zadel. Ik zakte onmiddellijk naar voren, over Bodes hals. Garian bond mijn benen aan het zadel, zodat ik er niet af kon vallen. Ik zag Emlins blik en herhaalde mijn handsignaal. 'De ala,' beduidde ik hem. 'Naar Derwen, bij het krieken van de dag.' Hen nu wegsturen zou vermoedelijk gevaarlijker zijn dan wanneer ze de nacht hier doorbrachten. Als ze vertrokken tegen het aanbreken van de dag zou het niet verdacht lijken, in ieder geval niet zodanig dat iemand in huis het nodig zou vinden Aurien te gaan wekken. Dat hoopte ik, tenminste.

Emlin keek me verbaasd aan. 'Hoe kan ik de ala bij het ochtendkrieken wegleiden als ik nu met jou meega?' vroeg hij.

Dat was natuurlijk onmogelijk. 'Blijf jij hier om de ala weg te leiden,' zei Conal. 'Wij brengen haar weg. Kun je nog een paard voor mij halen? De koningin van Dun Morr kan het jouwe berijden.'

Ik had hem opgedragen naar Conal te luisteren. Conal mocht dan fouten hebben, maar hij was een snelle denker en slagvaardig in een noodsituatie. Aarzelend steeg Emlin af, keek mij aan, en keek toen omhoog naar Conal. Conal liet Emer uit het raam zakken, boven het zadel van Emlins paard. Garian ving haar op. Ze mompelde iets waarin het woord 'strijdrossen' voorkwam, waarna ze zich in het zadel oprichtte. Emlin repte zich terug naar de stallen en kwam veel sneller terug dan de eerste keer, toen hij Garian had moeten wekken. Toch leek het voor mij nog een eeuwigheid te duren, voorover liggend op Bodes brede rug. De avondlucht leek me goed te doen. Ik begon wat gemakkelijker te ademen. Ik worstelde om me op te richten, maar zag er nog geen kans toe. Bode stond heel stil, zonder te protesteren. Hij was te goed gemanierd om bezwaar te maken tegen het feit dat ik besloten scheen te hebben als een zak zout op zijn rug te gaan liggen.

Juist toen Conal in het zadel sprong, kwamen er mensen met brandende toortsen de hoek van het huis om. 'Houd de dief!' schreeuwden ze. Ik zag hun wapens blikkeren toen er licht op viel.

'Rijd voor je leven!' brulde Conal. Ik kon alleen achter me kijken, niet vooruit. Ik ving een glimp op van Emlin die terugrende naar de stallen. Ze hadden geen schijn van kans ons te pakken te krijgen – wij zaten te paard en zij waren te voet – maar Emlin was andere koek. Ik hoopte dat de duisternis hem zou opslokken. Ik zag kans Bode aan te sporen met mijn knieën en we vlogen als de gesmeerde bliksem achter de anderen aan.

2

Wie een verrader verhoort, zette alle gevoelens opzij en luistere aandachtig.
– Gajus Dalitius in *De betrekkingen van heersers*

We konden, zo wist ik, in één nacht terug zijn in Derwen zonder de paarden in gevaar te brengen. Ik had het vaker gedaan. Ik zat passief in het zadel en liet me door Bode door het duister meedragen, achter de anderen aan. We reden zo snel we durfden en gedurende het grootste deel van de rit in stilzwijgen. Garian stelde niet één vraag. Ik denk dat hij zonder een greintje nieuwsgierigheid geboren is. Nadat we de achtervolgers ver achter ons hadden gelaten, zongen Conal en Emer een poosje samen oude Isarnagaanse liederen over vetes, veldslagen en onmogelijke queesten. Hun stemmen pasten goed bij elkaar. Na een tijdje stierven hun stemmen weg en reden we weer in stilte verder.

Als ik het mezelf had toegestaan, had ik kunnen slapen. Mijn toestand leek niet erger te worden, maar verbetering kon ik evenmin ontdekken. Ik vond het vreselijk me als een zak knolrapen te moeten laten meeslepen. Af en toe probeerde ik – vergeefs – overeind te komen. Zo nu en dan hoestte ik. Ik kon mijn knieën wat bewegen, en een hand of zelfs mijn hele arm, als ik me heel erg inspande. Het was vreselijk om zo zwak te zijn. Het ergste van alles was nog dat ik geen woord kon uitbrengen. Tot die avond had ik me altijd in een goede gezondheid mogen verheugen, afgezien van de verwondingen en kneuzingen die ik in de strijd opliep en die altijd snel genazen. Ik had altijd gedacht dat ouder worden betekende dat je op je achtendertigste een stuk langzamer zou zijn dan op je achttiende, maar dat je dat met een betere techniek zou kunnen compenseren. Deze vergiftiging liet me voor het eerst kennismaken met echte zwakheid. Ik haatte het. Ik probeerde er niet aan te denken wat ik zou doen als bleek dat het land me niet kon helpen, zodat ik voorgoed in deze toestand verder zou moeten leven. De Vincaanse oplossing was zelfmoord. Die uitweg stond voor mij niet open. Ik had mijn verantwoordelijkheden; ik had Derwen beloften gedaan, en mijn mensen, en Urdo. Er was niemand anders in staat om voor het land te zorgen. Het zou nog vijf jaar duren voordat Gwien oud genoeg was om mijn taak over te nemen. Vijf jaar tot niets anders in staat zijn dan je vingers te krommen, wat te kreunen en te kwijlen – een ontmoedigend vooruitzicht.

We waren de grens van Derwen genaderd maar waren die nog niet over toen we de achtervolgers hoorden. Het waren ruiters en ze maakten veel kabaal. Ik kon ze niet zien, maar ze klonken me in de oren als een ongetrainde halve penoen – tien tot vijftien man. Zonder een woord te wisselen zetten we onze paarden aan tot volle galop. Toen hoorde ik een stem schreeuwen: 'Wie rijdt hier in Magor?'

Dat klonk niet als de aanroeping van een patrouillerende ala. 'Het lijkt me dat we het beste de waarheid kunnen zeggen,' zei Conal. 'Daardoor zal het hun moeilijker vallen te beweren dat ze ons in het donker voor rovers of plunderaars hebben aangezien. Trouwens, het zouden ook Emlin en zijn mannen kunnen zijn.'

'Wij zijn niet met ze in oorlog en jij bent een heraut van Atha,' stemde Emer in. Ik probeerde een waarschuwing te schreeuwen en perste er een paar gesmoorde lettergrepen uit, maar het was al te laat.

'Ap Gajus van de ala van Magor; Emer ap Allel, koningin van Dun Morr; Sulien ap Gwien, persoonlijke prefect van de Grote Koning en heerschap van Derwen; en ikzelf ben Conal ap Amagien, afgezant van Oriel, beter bekend als Conal de Overwinnaar.'

Ik kon nauwelijks geloven dat hij het verbod vergat dat Emer hem had opgelegd om ooit ook maar een deel van zijn naam prijs te geven als hij in haar aanwezigheid was, omdat dit voor hen beiden de dood zou betekenen. Ik probeerde Bode aan te sporen, en ergens vond hij de kracht om zijn snelheid nog wat te verhogen, juist toen er een regen van pijlen op ons neerdaalde. Een ervan kletterde tegen een van de schouderplaten van mijn harnas.

'Ergerlijk,' zei Conal.

'Ik wou maar dat we de tijd hadden gehad om mijn zwaard mee te nemen,' zei Emer.

'Neem dat van Sulien, zij kan het op dit moment toch niet gebruiken,' zei Conal. Meteen kwam Emer naast mij rijden en trok mijn zwaard. Ik gromde iets dat toestemming moest uitdrukken, maar toen mijn zwaard weg was, voelde ik me naakt en kwetsbaar. Mijn schild hing opzij aan mijn zadel, maar dat liet ze hangen. Ik hoopte dat ze dat van Emlin had.

Plotseling waren de eersten van hen in ons midden. Dit was de enige schermutseling in mijn leven waarin ik geen vinger heb uitgestoken. Ik gaf geen bevelen, doodde niemand en liep geen verwondingen op; ik reed alleen zo snel als ik kon verder. Af en toe ving ik een glimp op van Emer, Garian en Conal, die zich verdedigden. Conal sprong vanuit zijn zadel regelrecht naar een van de achtervolgers en smeet hem tegen de grond. Die truc zou hem nooit zijn gelukt bij een wapendrager die vertrouwd was met zijn paard, en alleen een waanzinnige zou zoiets hebben geprobeerd. Conal lachte alleen en zwaaide met het zwaard dat hij bij die abrupte ontmoeting had veroverd. Hij moest zich sinds dat duel met mij in Thansethan ijverig hebben geoefend in vechten te paard. Ik zag hem nog een andere man neerhouwen met het zwaard. Hij beschikte niet over een schild en uiteraard droeg hij alleen de tuniek en broek die hij ook na de maaltijd aan tafel had gedragen.

Geen van de achtervolgers leek zich prettig te voelen op zijn paard. Sommigen hadden pijl en boog en de meesten hadden een zwaard, maar ze hadden geen van allen een speer. Ze waren niet uitgerust als wapendragers. Ook hieven ze niet de strijdkreet van onze ala aan, 'Galba!', maar brulden af en toe 'Magor!' om elkaar te laten weten waar ze zich bevonden. Na een poosje bedacht ik dat het de gardisten van Auriens hofhouding moesten zijn, gezeten op strijdrossen. Garian leek zich uitzonderlijk goed tegen hen te weren. Hij was de enige volleerde en uitstekend getrainde wapendrager hier. Ik zag hoe hij er twee doodde, maar op dat moment sprong Bode een stroompje over en bevonden we ons in Derwen.

Het was alsof ik in donker water viel. Het land leek me op te slokken als een golf. Het was niet alleen maar het gevoel thuis te zijn, gekend en bekend. Er zijn naast de getijden van de zee ook getijden van het land; en het waren de getijden van het land die me omlaag trokken naar waar de bomen en ik broeders zijn en waar het trage drijven van de rotshuid op de aardkern een lied zingt dat ik kan vernemen. Ik vroeg niet om kracht, noch stak ik mijn mentale voelhorens ernaar uit. Welke bezweringsspreuken konden er tegen vergif zijn? Het land kende mij echter, en het herkende mij dadelijk. Ik werd opgenomen in een groots moment van saamhorigheid, en gedurende een kort ogenblik, tussen het zweven van een zaadpluisje van een paardenbloem en het groeien van een eik, zat ik in de eerste glinstering van een nieuwe voorjaarsdag recht overeind op Appels rug, in de wetenschap dat ik het land kende, en het land mij. Er heerste grote beroering langs de grenzen van Magor, en de verre geluiden van die roerselen vermengden zich met het nieuwe lied van de waterraderen bij Nant Gefalion. Toch groeide alles zoals het hoorde en was alles wel met het land. Wat mij betrof – er was iets dat mij verstikte. Ik kokhalsde en spuwde, en al het gif dat door mijn aderen had gestroomd viel in één grote, zure, kronkelende fluim uit mijn mond. Een tintelende pijn doorstroomde mijn lichaam, gevolgd door folterende krampen toen ik overeind ging zitten. De arme Bode kwam tot staan toen ik dit deed. Hij zweette en sidderde, en zijn oren lagen plat tegen zijn hoofd. Ik was dorstiger dan ik ooit van mijn leven was geweest. Ik had mijn kracht terug en bedankte de landgeesten van Derwen met alle woorden die ik kende.

De geluiden van de strijd met onze achtervolgers klonken ver achter ons. Ik sprak Bode geruststellend toe en tastte naar mijn waterzak. Ik dronk hem in één keer leeg. In het oosten grauwde de hemel, maar onder de bomen was het nog aardedonker. Ik maakte mijn vastgebonden benen los van het zadel. Toen wendde ik Bodes hoofd en liet hem stapvoets teruglopen naar de plek waar we de anderen het laatst hadden gezien, ook al wist ik niet wat voor goed wij daar konden doen. Hij was nagenoeg aan het eind van zijn krachten en ik had geen zwaard.

Conal was de eerste die ik terugvond. Hij lag op zijn buik bij de beek, bezig zijn helm met water te vullen. Hij keek met grote ogen op toen hij mij in het zadel zag zitten. 'Je hebt het gehaald naar Derwen, zie ik,' zei hij. 'Dan is deze expeditie niet helemaal voor niets geweest.'

'Je hebt me het leven gered,' zei ik onomwonden. Bode waadde door de beek en kwam naast hem tot staan. 'Bedankt.'

'Ik wilde alleen beleefd zijn,' zei hij glimlachend. 'Ik had het veel beter kunnen doen, als ik had geweten wat me te wachten stond. Wat heb jij in naam der goden gedaan, dat je zus zo woedend op je is dat ze het nodig vindt jou te vergiftigen en zelfs gewapende kerels achter je aan te sturen?'

'Geen idee,' zei ik. 'Ik begrijp er helemaal niets van.'

'Heel jammer. Het zou wel aardig zijn te weten wat er nu eigenlijk gaande is. Het spijt me het je te moeten vertellen, maar Ap Gajus is dood. Hij en ik vochten tegen de laatsten van het stel.'

'Bij Turths slagtanden!' vloekte ik. Garian was een prima wapendrager geweest. 'Hebben jullie ze allemaal weten te doden?'

'Niemand van hen zal het kunnen navertellen,' zei Conal. 'Zie jij kans dit water naar Emer te brengen? Ze zit iets verderop langs het pad, die kant uit.' Hij gebaarde met zijn helm en morste wat water.

'Natuurlijk,' zei ik terwijl ik afsteeg. Mijn benen voelden heel slap aan. Ik wilde zelf nog meer water drinken. Bode liet zijn hoofd zakken zodra hij zag dat ik op de grond stond. 'Maar waarom breng je het haar zelf niet?' Toen pas zag ik dat zijn andere arm, de arm die niet de helm hanteerde, nauwelijks nog vastzat aan zijn schouder. 'O, Vissensnoet, jij idioot!' zei ik. 'Dit kan je dood worden! Waar is het wapen dat dit heeft aangericht?'

Conal snoof verontwaardigd. 'Nu sterf ik nog in aanwezigheid van een vrouw die mij veracht,' zei hij. 'Dat is precies wat ik volgens mijn vader en mijn oom verdiende, zoals ze altijd zeiden. Het wapen ligt daarginds, bij Emer. Ik heb al alle spreuken die ik ken gezongen, en dat heeft me tot nu toe in leven gehouden. Overigens lachen de goden mij uit. Ik heb de ban doorbroken en zal ervoor boeten met mijn leven. Ik had ze wijs moeten maken dat ik Vissensnoet heet.'

'Ik ga je erheen dragen en het met mijn bezweringen proberen,' zei ik. Hij moest een enorme houw van bovenaf hebben gekregen nadat hij al was afgestegen. Het kon door een zwaard of een bijl zijn aangericht, dat viel niet te bepalen. Een harnas zou hem misschien hebben beschermd, maar naar alle waarschijnlijkheid niet veel. 'En trouwens, ik veracht jou niet. Je drijft me vaak tot waanzin, maar ik heb je nooit veracht.'

'Goed om te weten,' zei hij met een grijns, waarvoor hij al zijn charme bijeen moest rapen. 'Ik zou er werkelijk de voorkeur aan geven als je Emer dit water bracht. Ze is misschien ook voorbestemd te sterven, maar haar voet schijnt weer aan haar been vast te zitten, zodat er vermoedelijk nog hoop voor haar is. Zeg haar – nou ja, zeg haar dat ik meer van haar hou dan van mijn adem, wil je? Ze zal weten dat het met mij gebeurd is, als ze tenminste zelf nog in leven is. Ik erken graag dat het een mooier lied zou opleveren als we allebei stierven, maar ik heb liever niet dat zij doodgaat. Ik veronderstel dat we er alle drie hadden moeten aangaan, voor een echt goed lied. Vreemd dat juist jij hier nu moet zijn, na al die verhalen over het afschuwelijke overspel dat jij en ik geacht worden te hebben bedreven. Maar als ik het me goed herinner geef jij de voorkeur aan een dooie melaatse kabeljauw.' Hij grijnsde opnieuw.

'Je ijlt,' zei ik lomp, om niets te laten merken van het brok in mijn keel. 'Hou die emmer goed vast, dan draag ik je met emmer en al naar haar toe.'

'Zoals je wilt,' zei hij onverschillig. De vogels begonnen al overal om ons heen aan hun luide ochtendconcert. Ik nam Bodes hoofdstel vast om te voorkomen dat hij te snel te veel zou drinken. 'Toen ik mijn vader vertelde dat Zwarte Darag gesneuveld was, vroeg hij me waarom ik dan nog in leven was,' zei Conal mijmerend, toen ik me bukte om hem op te pakken. Ik hoopte dat Emer niet te ver weg lag en vroeg me af of ik hem niet op Bode kon leggen.

'Dat heb je me al eens verteld, destijds in Thansethan,' zei ik terwijl ik mijn armen onder zijn lichaam werkte.

'Nou ja, als je in de gelegenheid mocht komen, zeg hem dan dat ik kans heb gezien voor een niet-onwaardige zaak te sterven, en niet geheel verstoken van waardigheid.'

'Alleen als het niet anders kan,' zei ik en tilde hem op. Conal schoot in de lach en haalde adem om iets te zeggen. Op dat moment zwaaide zijn gewonde arm weg van zijn lichaam en spoot er een enorme, pulserende fontein van bloed uit de gapende wond. Het gutste over mijn harnas en belandde in de beek. Bode snoof van afkeer. Ik vlijde hem weer neer, hoewel het niet echt nodig was. Hij was onmiskenbaar dood.

Ik nam de helm en zette die voorzichtig op een steen. Toen spoelde ik met het stromende water zo goed mogelijk het bloed van mijn harnas. Daarna vulde ik mijn waterzak. Er zat voldoende water in voor Emer, maar op de een of andere manier was het naar haar toe brengen van die helm vol water een plicht die ik Conal schuldig was. Ik leidde Bode over het pad terug. Ik had daardoor mijn handen zo vol, dat ik mijn tranen noodgedwongen de vrije loop liet. Het was vreemd dat ik om Conal moest huilen; ik had zelfs nooit beseft dat ik hem graag mocht.

Emer zat rechtop tegen een aardwal. Ze scheen in leven te zijn, maar uitermate zwak. Ik gaf haar de helm met water.

Garians strijdros liep in de nabijheid te grazen. Garian zelf lag op zijn rug, de ogen wijd open alsof hij naar de hemel staarde. Zijn dijbeen was doorstoken en al het leven was uit hem weggestroomd. Er lagen nog zes andere doden in het zicht, en vier dode paarden. Ik bekeek de lijken een voor een. Ik herkende ze stuk voor stuk als mensen van Aurien. De laatste was Cado, wiens vader, Berth, mijn trompetter was, en wiens dochter Pierian tot mijn verspieders behoorde. Het leek afschuwelijk verkeerd dat hij had geprobeerd mij te doden. Ik staarde een ogenblik naar hem en keek toen om naar Emer, juist toen ze de helm liet zakken.

'Conal?' vroeg ze, alsof ze het antwoord al kende.

'Dood,' bevestigde ik. Ze deed haar ogen even dicht, en haalde toen adem. 'Het was de mooiste dood die een krijgsman zich maar kan wensen,' zei ik. 'Hij vroeg me jou te vertellen dat hij meer van jou hield dan van zijn adem. Hij zei het op die manier van hem die je wel kent, maar ik weet dat hij het meende.'

'Daar heb ik nu veel aan,' zei ze lusteloos. Toen begon ze te huilen.

Ik kreeg Garians merrie te pakken. Het leek zinloos dat wij tweeën nu een brandstapel zouden maken. Als we een paar uur dieper Derwen in reden, konden we met meer dan genoeg mensen terugkomen. Trouwens, als er iemand van Magor hierheen mocht komen, wilde ik mijn wapendragers achter me hebben.

Ik hielp Emer op Garians merrie en hees mezelf in Bodes zadel. We reden weg zonder iets te zeggen. Toen we de beek bereikten, hield Emer haar adem in, maar ze steeg niet af. We reden verder, Derwen in. De bomen en het voetpad waren niet veranderd, maar toch was alles anders omdat ik het land kende en het land mij kende.

Na een tijdje depte Emer haar ogen af. 'Ik heb hem gedood,' zei ze toonloos. 'Ik heb hem even zeker gedood alsof ikzelf dat zwaard heb gehanteerd,' vervolgde ze. 'Vervloek nooit iemand als je niet weet wat je doet.'

'Ik ken geen vervloekingen,' zei ik.

'Het zijn geen bezweringsspreuken die je leren moet,' antwoordde ze. 'Er zijn zoveel dingen in Tir Tanagiri die jij niet schijnt te kennen. Ik denk dat het komt omdat jullie hier geen orakelpriesters hebben.'

'Vertel mij dan eens hoe ik iemand kan vervloeken,' vroeg ik, minder omdat ik het wilde weten, dan om haar af te leiden van haar verdriet.

'Je kunt alleen iemand die je na staat een verbod opleggen, zoals een minnaar, een familielid of een persoonlijke vijand. Je moet hem of haar echter voor je hebben, maar het is nog beter als je die persoon kunt aanraken. Dan richt je je tot de goden en legt die persoon een verbod op dat, als ze het verbreken, maakt dat hij komt te sterven. Als de goden het ermee eens zijn, zul je kunnen voelen hoe het deel gaat uitmaken van de wereld zoals je die kent. Het verbod verbindt je met de vervloekte persoon en als hij of zij het schendt, zul je dat weten. Het is én een bescherming én een vloek, omdat de betrokkene niet aan iets anders zal sterven. Sommige mensen spreken zo'n verbod uit over hun kinderen om hen te beschermen. Er gaat een verhaal over een moeder die een beschermvloek uitsprak over haar zoon, om te voorkomen dat hij binnenshuis of buitenshuis de dood zou vinden door wapengeweld of ziekte. Hij stierf toen het huis instortte terwijl hij in de deuropening stond. Het hele gezin werd verpletterd door het puin.'

'Je wendt je tot de goden? Da's alles?' vroeg ik.

'Misschien is het beter dat de mensen het hier niet zo vaak doen,' zei ze. 'Conal...' Haar stem brak.

'Ik had hem die ochtend voor de muren van Derwen ook kunnen doden,' zei ik hardvochtig.

'Ik had je moeten vertrouwen,' zei ze.

'Daar had je weinig redenen voor.'

Ik maakte me zorgen over Emlin en de rest van de ala in Magor. Zodra ik thuis was, zou ik Urdo bericht moeten sturen; de koerier zou echter via Nant Gefalion en Caer Gloran moeten rijden, in plaats van de kortere weg door Magor te nemen.

Ik had mijn waterzak al vier keer gevuld en leeggedronken toen we de stadsmuren bereikten, en nog steeds was mijn dorst niet te lessen. Ik was ook uitgeput, maar van slapen zou niets kunnen komen, wist ik. Ik beval de poortwachters de poorten te sluiten en de decurio's naar mij toe te sturen. Daarna reden Emer en ik naar boven en stegen af voor de stallen van het huis. Ik wilde met Veniva praten voordat ik iets ondernam.

Daldaf ap Wyn, de huismeester van mijn moeder, kwam naar voren om mij te verwelkomen. 'Welkom thuis, vrouwe, u bent eerder terug dan wij dachten.'

Omdat ik hem op dat moment niet wijzer wilde maken, zei ik alleen: 'Ja.' Hij reikte mij en Emer dampende bekers warme appelsap aan. Zo snel was hij nog nooit met een warme drank aan komen zetten, zelfs niet op koude dagen. Ik vermoedde dat hij de drank al was gaan verwarmen toen hij hoorde dat wij voor de poort stonden.

'Vrede in deze hal,' zei hij tegen Emer. Ik bracht de beker naar mijn mond maar wachtte ondanks mijn dorst totdat zij het traditionele antwoord had gepreveld voordat ik met haar zou drinken. Op dat moment drong de geur in mijn neus en smeet ik de beker neer, terwijl ik Emer háár beker uit handen sloeg. Mijn beker was van koper, zodat hij alleen een deukje opliep en met een rinkelend geluid over de plavuizen rolde. Emers beker was de kostbare rode Vincaanse beker van mijn moeder, die in scherven uiteenspatte. Ik greep Daldaf bij zijn bovenarmen en tilde hem van de grond.

'Niemand levert me die streek twee keer!' snauwde ik. De angst in zijn ogen was genoeg om mij de zekerheid te geven dat hij schuldig was. 'Wie heeft jou opgedragen mij te vergiftigen? En waarom?'

Juist op dat moment kwam Veniva de hal binnen. Ze rook naar rozemarijn en had groene vlekken op haar schort; vermoedelijk was ze bezig geweest met het maken van een balsem. Ze nam het tafereel even in zich op en vroeg toen met opgetrokken wenkbrauwen: 'Wat doe je daar met Daldaf?'

'Hem beletten mij en mijn gast te vergiftigen,' zei ik. Pas op dat moment drong het tot me door dat hij, als Emers appelsap eveneens vergiftigd was, iets onvoorstelbaars had gedaan: hij had de welkomstbeker vergiftigd. Dit was een enormiteit in vergelijking waarmee Auriens poging tot zustermoord aan haar eigen tafel bijna acceptabel leek.

Veniva haastte zich naar voren. Daldaf wrong zich in allerlei bochten. Ik had gedacht dat ik zwak en uitgeput was, maar het kostte me geen moeite hem in mijn greep te houden. 'Heb je dat werkelijk gedaan?' vroeg ze. Hij zei niets. Ik schudde hem door elkaar, maar hij zei nog steeds niets. Veniva bukte zich om de scherven van haar kostbare rode beker op te rapen en rook eraan. 'Bilzekruid?' zei ze met afschuw in haar stem. 'Daldaf! Waarom?'

'Ik zeg geen woord,' zei hij. 'De Blanke God zal mij beschermen!' Hij probeerde naar mij te spuwen, maar miste.

'Het is nog veel erger,' zei ik, hem op afstand houdend. 'Gisteren heeft Aurien geprobeerd mij te vergiftigen. Toen dat was mislukt, stuurde ze haar gardisten achter ons aan toen we op weg waren hierheen. Ze hebben Garian gedood, en Conal de Overwinnaar.' Ik geloof dat het de eerste keer was dat ik hem niet 'Vissensnoet' noemde en pas op dat moment geloofde ik echt dat hij dood was en besefte ik dat ik nooit meer een van zijn vermetele uitspraken zou horen.

'Heeft Aurien dat gedaan?' zei Veniva. 'En Daldaf beroept zich op de Blanke God?'

'Ik krijg hem wel aan het praten,' zei ik.

'Hij is *mijn* huismeester, Sulien,' zei mijn moeder. 'Ik denk dat ik wel weet wat mijn plichten zijn. *Ik* zal hem aan het praten brengen.'

'Ik heb recht op een eerlijk proces,' zei Daldaf met – terecht – doodsangst op zijn gezicht.

'Dat krijg je,' zei Veniva. Ze klapte in haar handen en plotseling vulde de zaal zich met dienaren en leden van de hofhouding. Ik vermoed dat ze aan de deuren hadden staan luisteren. Mijn drie decurio's stonden te dralen op de bordestrap; Veniva vroeg ook hen binnen te komen. Ik gaf Daldaf over aan mijn decurio Ap Madog, die hem in een stevige greep nam, zijn beide handen op zijn rug.

'Ten overstaan van alle goden die het behaagt dit aan te horen!' zei ik met mijn luide heerschapsstem. 'Daldaf ap Wyn, je staat hier terecht op beschuldiging van poging tot moord op jouw heerschap en een gast van dit huis door de welkomstbokaal te vergiftigen.' Het was het meest directe proces dat ik ooit had voorgezeten, maar het was volkomen legaal. 'Heb je iets te zeggen?'

'Ik weiger te spreken,' zei hij.

'De scherven van de bokaal zijn hier en ze stinken nog naar bilzekruid,' zei ik. 'Ik ben getuige van deze daad; en dat geldt ook voor jouw andere beoogde slachtoffer, Emer ap Allel, koningin van Dun Morr. Indien iemand aan de bokaal wil ruiken, laat hij dan naar voren komen en dat doen. Dat er vergif in zat, spreek je dus niet tegen. Als je het er niet zelf in hebt gedaan, zeg me dan wie dan wel.'

Daldaf schudde alleen het hoofd en zweeg.

'Ik vraag je opnieuw de namen te noemen van degenen die bij deze daad met je hebben samengezworen. Of heb je iets te zeggen dat als een verzachtende omstandigheid kan worden aangemerkt?'

'Ik zeg niets, en jullie kunnen me er niet toe dwingen!' herhaalde hij.

Veniva nam de gebogen gouden kam uit haar lange haar en maakte een wrong zonder kam. Toen liet ze haar vingers over de scherpgepunte tanden glijden en zei glimlachend: 'De straf voor poging tot moord is de dood; en de straf voor de heiligschennis, begaan door de welkomstbokaal voor onze gasten te vergiftigen, zal na de voltrekking van de doodstraf plaatsvinden.'

'De Blanke God zal mij beschermen!' herhaalde Daldaf. Onder de vele toeschouwers ontstond geroezemoes; velen onder hen hadden de halssteen aangenomen.

'Jij bent geen martelaar, Daldaf, maar een lage moordenaar,' zei ik. Ik nam de koperen beker die hij mij had aangereikt en zette hem rechtop, zodat iedereen die dat wilde naar voren kon komen om eraan te ruiken. 'Ik veroordeel je tot de doodstraf. Omdat de samenzwering waarbij jij bent betrokken verband houdt met aangelegenheden van het grootste belang, en aangezien jij niets wilt zeggen, zul je voor de voltrekking van je straf worden verhoord. Ap Madog, breng hem naar...' Nooit eerder hadden we iemand hoeven te martelen, zolang ik me kon heugen. Ik kon geen geschikte plaats ervoor bedenken. 'Breng hem naar de plaats die mijn moeder je zal wijzen.'

Daldaf verzette zich hevig toen Ap Madog hem begon weg te voeren.

Ik beduidde de twee andere wapendragers met hem mee te gaan, voor het geval hij hulp nodig mocht hebben. Het viertal liep naar Veniva. Ze bleef roerloos staan en nam Daldaf een ogenblik aandachtig op, haar hand op de tanden van haar gouden haarkam.

'Je hebt schande gebracht over mijn hal,' zei ze tot hem, zo luid dat iedereen het kon horen. Toen draaide ze zich om en liep weg in de richting van de provisiekamers, gevolgd door de anderen.

Nadat ik een andere beker had gevonden, verwelkomde ik Emer alsnog naar behoren in Derwen. Daarna stuurde ik Hiver en haar volledige penoen weg naar de grens om de lichamen te bergen en uit te zien naar Emlin en de penoenen uit Magor. Ook stuurde ik een roodmantel naar Dun Morr om Lew ap Ross op de hoogte te brengen van de heldendood van Conal, met de verzekering dat Emer veilig was. Ik gaf de koerier ook een boodschap mee voor Govien ap Caw, commandant van de in Dun Morr gelegerde penoenen, met het bevel zo snel mogelijk met hen naar Derwen te komen. Daarna zette ik iedereen weer aan het werk, overtuigde me ervan dat de schildwachten waakzaam waren en zette verspieders uit.

Hoewel ik ontzettend moe was en er beter aan zou hebben gedaan te wachten totdat Daldaf had gesproken, begon ik aan een bericht voor Urdo.

3

Kom weer leven, o hart in ballingschap!
Diep beneden aan de hellingvoet zie ik het ros
van een boodschapper die mij brieven brengt.

Er nadert nieuws dat mijn bloed zal beroeren,
nieuws uit Vinca; Vinca dat altijd bruist van
politiek en schandaal, liefde en literatuur.

Niet langer is al wat ik liefheb buiten mijn bereik.
De boodschapper komt steeds dichterbij.
Onder mijn raam is de sneeuw al smeltende.
– Naso, uit: 'De oevers van de Vonar', nr. 61.

Ik trok me terug in de kleine schrijfkamer, nam plaats aan de tafel voor het raam dat uitkeek op het oosten, en nam perkament en veder voor me. De afgelopen vijf jaar had ik veel tijd in dat vertrek moeten doorbrengen om de boeken bij te houden en rapporten aan Urdo te schrijven, terwijl ik de rechthoek van zonlicht over de plavuizen zag kruipen. Alles in mijn leven was ingewikkeld, behalve mijn brieven aan Urdo. Hij had zelf lange tijd moeten worstelen met familieproblemen en had er slag van om de vraagstukken waarmee ik geen raad wist op te lossen. Daarom schreef ik hem niet alleen om nieuws te melden, maar ook om alle problemen waarmee ik werd geconfronteerd aan hem voor te leggen. Jaren geleden had Angas me verteld hoe eenzaam het was om koning te zijn en nu ervoer ik het zelf. Zonder de briefwisseling met Urdo zou ik niet hebben geweten hoe ik me erdoorheen moest slaan. Elk jaar reisde ik voor een halve maand naar Caer Tanaga, meestal in hartje zomer. De rest van de tijd hielden mijn plichten me vast in Derwen. Ik had het gezelschap van mijn moeder, Veniva, en dat van Emlin en de ala, maar het was niettemin moeilijk voor me, en eenzaam. Ik deed werk dat me niet lag en waarvoor ik nooit was opgeleid.

Na de dood van Morien was ik op slag verantwoordelijk geworden voor alles en iedereen in het land Derwen. Ik geloof niet dat ik een slecht heerser was, zelfs toen niet, maar er was zoveel dat ik niet wist. Al doende kreeg ik nieuw respect voor mijn vader, en voor hertog Galba. Ik leerde als rechter op te treden en hoe de boeken moesten worden bijgehouden. Ik deed mijn best eerlijk te zijn en zo goed mogelijk het land te bestieren. Ik las Urdo's wetten en begon ze steeds beter te begrijpen. Ik herinnerde me soms dingen die Urdo erover had gezegd, jaren geleden, toen hij er nog over nadacht. In onze briefwisseling ging het dikwijls over rechtspraak en de wetten; soms brachten de roodmantels een maand lang onze brieven over en weer, handelend over een bepaald punt in de geschriften van Dalitius. Af en toe stortte ik eenvoudigweg in een lange brief mijn hart uit, over alles wat me bezighield. Vaak bracht alleen al het schrijven erover rust in mijn hart, waarna zijn antwoord me hielp de dingen helderder te zien. Hij antwoordde altijd, vaak binnen een dag of twee nadat mijn brief hem had bereikt. Een keer, toen Cinvar ap Uthbad van Tathal de loop van de grens boven Nant Gefalion betwistte, was hij zelf naar Derwen gekomen, onaangekondigd.

Vandaag zat ik op het uiteinde van mijn veder te kauwen en trok gedachteloos de veertjes eruit. De aanhef had ik al zo vaak geschreven dat ik er niet meer bij hoefde te denken:

Van Sulien, de dochter van Gwien, heerschap van Derwen te Derwen, aan de Grote Koning Urdo, opperbevelhebber der Tanaganen te Caer Tanaga of waar hij ook moge zijn, gegroet!

Ik doopte de pen weer in en liet voldoende ruimte onder de aanhef om te zorgen dat, als het vel eenmaal was opgevouwen en verzegeld, alleen de aanhef zichtbaar zou zijn. Nadat ik de woorden 'Mijn zuster Aurien' had geschreven, hield ik op en staarde naar deze drie woordjes, zo eenzaam in alle lege ruimte eromheen. Hoe vaak had ik ze op deze manier de afgelopen vijf jaar niet aan Urdo geschreven, vroeg ik me af. Hoeveel verschillende zinnen waren ermee begonnen? 'Mijn zuster Aurien wenst niet dat haar zoons worden geoefend in het hanteren van wapens.' Alsof er voor een kind met blauw bloed een andere keus was. Of dacht ze misschien dat de monniken van de Blanke God ons allemaal tegen de plunderaars zouden beschermen? 'Mijn zuster Aurien heeft er bezwaar tegen de jonge Gwien te benoemen tot erfgenaam van Derwen.' Wat had ik anders kunnen doen? Mijn zoon Darien was beloofd aan Urdo, die nog altijd geen andere erfgenaam had. Veniva zinspeelde dikwijls zuchtend op meer kleinkinderen en zei dan dat ze dit niet had verwacht toen ze vier kinderen ter wereld had gebracht. Uiteindelijk heb ik haar onomwonden te verstaan moeten geven dat ik nooit zou trouwen. Gwien was een even geschikte erfgenaam als een kind van mijzelf zou zijn geweest en het land accepteerde hem. Iedereen zou hebben gedacht dat Aurien in haar schik zou zijn met de wetenschap dat haar beide zoons eens koning zouden zijn, maar na de dood van Galba kon niets haar meer een genoegen doen.

Ik haalde mijn handen door mijn haar en staarde weer naar de woorden. 'Mijn zuster Aurien.' O, ik had al jaren geweten dat Aurien mij haatte, net zoals ik had geweten dat het deels mijn eigen schuld was. Desondanks, hoe had ze kunnen denken dat ze mij kon vergiftigen zonder dat er een haan naar kraaide? Het verhaal over dronkenschap zou door niemand van de mensen die mij het beste kenden zijn geloofd, en al helemaal niet door Veniva of Urdo. Ze was echter niet op haar achterhoofd gevallen. Er moest iets zijn dat ik over het hoofd zag, iets dat bezig was te gebeuren zonder dat ik er iets van wist. Ze had niet gehandeld als een krankzinnige of iemand die bezeten was van boze geesten; en Daldaf had met haar samengespannen. Ik bleef maar naar die drie woordjes staren, alsof ik er antwoorden van mocht verwachten, in plaats van steeds meer vragen.

Ik stond op en begon heen en weer te lopen. De kleine schrijfkamer stond vol kasten met administratieve boeken en ontvangstbewijzen, zodat er net genoeg plaats was voor drie passen heen en drie terug. Op een van de kasten stond in grote, duidelijke letters: 'Belastingen'. De vorige zomer was het laatste van de twintig jaar verstreken, de belastingvrije periode die voor ons begonnen was nadat mijn vader Gwien onze familieschat had opgegraven om die aan Urdo te geven; nu betaalde Derwen belasting, net als alle andere koninkrijken. Mijn moeder bekreunde zich erover en zei vaak dat ze zou hebben betoogd dat het goud meer waard was, als ze destijds ooit had kunnen denken dat iemand van ons lang genoeg in leven zou blijven om die dag mee te maken.

Ik keek door het raam naar buiten. De Oostpoort kon ik nog net zien; afgesloten en bewaakt. Nog geen spoor van de penoen die eropuit was om de stoffelijke overschotten van Conal en Garian te halen. De hemel was vol van dreigende, laaghangende bewolking, maar het regende nog niet. Ik keek om naar de divan en moest me verzetten tegen het verlangen om te gaan liggen en wat te slapen. Als ik wakker werd, zou ik de dingen misschien wat helderder zien. Ik ging terug naar de tafel en ging weer zitten. Die drie woordjes 'Mijn zuster Aurien' lagen nog in hinderlaag voor mij. Ik schudde nee tegen ze. Ik voelde mijn oogleden zakken en verzette me niet. Als ik wakker was, zou Veniva komen om te zeggen dat Aurien mij wel moest haten, en dan zou ze willen weten wat ik haar had aangedaan.

Ik wist dat ik droomde, maar toch leek het geen droom, maar precies datgene wat ik had verwacht dat er zou gebeuren. Veniva was in de kamer, gehuld in een witte stola met donkerblauwe zomen. Hij was onberispelijk gedrapeerd en werd bijeengehouden door Auriens paarlen fibula uit de familieschat. Afwezig zag ik dat haar zorgvuldig opgestoken haar weer even zwart was als het was geweest toen ik nog een kind was. Ze zag er heel kalm uit. Ze had een grote leren tas in haar handen, die er precies zo uitzag als de koerierstassen van de roodmantels. 'Sulien, ik kom je toestemming vragen om dit hier naar Aurien te zenden.' Hierop trok ze een rol touw en een dolk uit de koerierstas. Ik had bij Cornelien gelezen over dit aloude gebruik om de benodigdheden voor zelfdoding aan iemand van adel te sturen, bij wijze van barmhartig gebaar. Het was een gebruik geweest, maar nooit een wet, zelfs niet in Vinca, lang geleden. Ik wist dat het nooit in Derwen was gedaan, niet zolang mensen zich konden heugen. 'Ze is de moeder van mijn kleinzoons,' zei Veniva. 'Laat me haar dit sturen als persoonlijk geschenk. Verraad schreeuwt om wraak. Ik heb een fraai stelletje verraders opgevoed. Laat haar tenminste sterven als een Vincaan.' Toen stak ze opnieuw haar hand in de koerierstas en trok Daldafs hoofd eruit, de afgesneden nek nog druipend van bloed. Het leek springlevend te zijn, want hij keek naar me op en zei: 'En het leven van de komende wereld.'

Toen schrok ik wakker, niet omdat Veniva er was, maar een van de dienaressen die zich over mij heen boog. Ik wreef mijn ogen uit en voelde me sloom, misselijk en dom.

'Ze hebben de lichamen thuisgebracht en willen weten wat ermee moet gebeuren,' stamelde ze.

'Heeft mijn moeder – is mijn moeder er al?' vroeg ik terwijl ik me geeuwend uitrekte.

'De weduwe van heer Gwien is nog...' Ze aarzelde. 'Ze is nog in de oude melkerij, met Daldaf.'

Achter in mijn mond proefde ik een gruwelijke smaak. Ik voelde er niets voor toe te zien hoe Daldaf werd gefolterd. 'Breng me wat heet muntwater in de hal,' zei ik, waarna ze zich weg haastte naar de keukens.

Toen ik de hal binnenstapte, werd ik plotseling omringd door iedereen en vuurden ze allemaal vragen op mij af. De meeste hadden betrekking op de dagelijkse gang van zaken in huis, die zo wreed was verstoord. Ik zag in dat we onmiddellijk een nieuwe huismeester nodig hadden. Ik had er nooit zo bij stilgestaan wat Daldaf allemaal uitvoerde.

De vraag wat er met de lijken moest gebeuren, was al evenmin eenvoudig te beantwoorden.

Garian was een volgeling van de Blanke God en zijn moeder, vrouw en kinderen woonden in Magor. Uiteraard was Conal een Isarnagaan. Lew in Dun Morr was de verwant die het dichtstbij woonde, maar zijn vader leefde nog in Oriel en zou misschien willen dat zijn lichaam naar huis werd gebracht. Hij behoorde tot de koninklijke familie van Oriel. Ik overwoog of ik Emer zou vragen wat zij wilde, maar realiseerde me dadelijk hoe ongepast dat zou zijn. Toch wist ik niets over zijn persoonlijke band met de goden. Ik gaf opdracht de beide lichamen eerst maar eens eervol op te baren. Toen ging ik in de vensterbank zitten om na te denken, terwijl ik af en toe een teugje van mijn muntwater nam. Steeds kwam er iemand naar me toe om een vraag te stellen, en ik gaf zo goed mogelijk antwoord. Tussen al die onderbrekingen in zat ik te dutten of me zorgen te maken. Ondanks alle irritante stoornissen wilde ik niet naar bed gaan, of verder schrijven aan mijn brief. Ik wilde alleen maar in de zonneschijn zitten en naar de mensen kijken, zoals ik de afgelopen jaren al zo vaak had gedaan. Buiten zag ik hoe de tweede penoen bezig was aan de dagelijkse exercities; en bij de kade werd een schip uitgeladen. In de hal was het een voortdurend komen en gaan van mensen.

Laat op de middag kwam Veniva terug. Ze droeg nog de roodbruine overgooier die ze die ochtend aan had gehad. Op de plaatsen die haar schort onbedekt liet zag ik bloedvlekken. Ze zag er ontsteld uit.

'En?' vroeg ik.

'We moeten in beslotenheid praten,' zei ze. Terwijl ik haar volgde, terug naar de kleine schrijfkamer, zag ik haar in de hal om zich heen spieden. In de kamer lagen de drie woordjes onheilspellend op me te wachten.

'Wat zei hij?' vroeg ik, zodra ze de deur had dichtgedaan.

'Burgeroorlog,' zei Veniva kort, waarbij ze haar lippen sloot om dat ene Vincaanse woord alsof ze er verder niets over wilde zeggen. Toen, terwijl ik haar met open mond aanstaarde, haalde ze adem en sprak verder. 'Je moet direct alle koningen schrijven dat het niet waar is, om te voorkomen dat ze in opstand komen.'

'Wat is niet waar?' vroeg ik.

Veniva zag er opeens afgetobd en hologig uit. 'Het is precies als die keer toen Flavien ons allemaal had geschreven dat Urdo zich had ontwikkeld tot een tiran en dat hij voornemens was hem af te zetten,' zei ze. 'Die keer hebben je vader en hertog Galba alle koningen geschreven om hen gerust te stellen. Misschien lukt ons dat opnieuw, als we snel genoeg zijn.'

'Maar wát wordt er dan beweerd? En waarom heeft niemand er met óns over gepraat?' wilde ik weten. Ik had het gevoel alsof ik in volle galop door een bos reed, in dichte mist.

'Het houdt verband met die kwestie-Bregheda. Dat is echter alleen de vonk. Sommige koningen ergeren zich aan Urdo; ze zeggen dat hij een heiden en een tiran is en de voorkeur geeft aan de Jarns boven zijn eigen mensen. Daldaf had het over een samenzwering tussen Cinvar ap Uthbad, Cinon ap Cinon en Flavien ap Borthas, terwijl Ayl, Angas en Custennin nog overwegen of ze zich erbij zullen aansluiten. Uiteraard zit Aurien, die stomkop, er tot over haar oren in.'

'Dan zitten we hier in een afschuwelijke positie,' zei ik, mijn hand naar de kaart uitstekend. Het was een van die nieuwe, duidelijke kaarten die Rauls mensen hadden getekend. 'Dat van Ayl en Angas kan ik niet geloven, maar Custennin is er stom genoeg voor. Hoe staat het met Wenlad?'

'Daar heeft hij geen woord over gezegd,' zei Veniva. 'Maar wacht, volgens hem zal Marchel ap Thurrig binnenkort in Magor landen, gevolgd door twee complete alae uit Narlahena mét hun paarden. Blijkbaar hebben ze gehoopt dat als jij eenmaal een schandelijke dood was gestorven en Aurien erom vroeg, onze ala zich bij hen zou aansluiten. Dan hadden ze het hele hart van het eiland kunnen beheersen en zouden de weifelaars zich bij hen hebben aangesloten.'

'Emlin is daar veel te trouw voor,' zei ik werktuiglijk. Echter, Emlin had ooit onder Marchel gediend. Ik geloofde niet dat hij tot zoiets in staat was, maar onmogelijk was het niet.

'Dat deel van het plan is in duigen gevallen. Daldaf is zich wezenloos geschrokken toen hij jou terug zag komen en besloot toen spontaan je te vergiftigen.'

'Hij had me beter kunnen neersteken, als hij hoopte ermee weg te komen – ik had geen argwaan en het zou niet zo goddeloos zijn geweest.' Ik had een gevoel alsof het me allemaal niet aanging.

'Hij is nooit goed geweest in strategisch denken, ook al was hij een prima huismeester. Wat dat aangaat zal ik hem missen.' Veniva glimlachte grimmig. 'Hij heeft bekend dat hij brieven van jou heeft onderschept.'

'Mijn brieven?' herhaalde ik schaapachtig. Mijn brieven aan Urdo? Ik had echter steeds antwoord gekregen, hoewel Daldaf ongetwijfeld in staat zou zijn die te vervalsen. De gedachte dat hij ze had gelezen was al vreselijk genoeg. Ik vroeg me af wie mij verder nog kon hebben geschreven en wat er in die brieven zou hebben gestaan. Ik had al een tijdlang niets meer van Ap Erbin gehoord.

'We hebben de roodmantels te veel vertrouwd,' zei Veniva. 'We namen aan dat alles wat we schreven ook werd bezorgd. Blijkbaar is er hier veel misgegaan. We zullen zijn kamer ondersteboven moeten halen. Hij zegt dat hij de meeste heeft vernietigd, maar dat hij er een paar had bewaard om die naar Demedia te sturen.'

'Naar Morthu?' vroeg ik, ook al wist ik meteen dat het waar was. We keken elkaar aan en ze knikte bevestigend. Veniva had Morthu even hevig gehaat als ik, sinds de dag waarop Morien de dood had gevonden. Ik werd misselijk bij de gedachte dat Morthu Urdo's brieven had gelezen en zoveel aan de weet had kunnen komen over zijn gedachtewereld en zijn dromen. Ik haalde langzaam adem en probeerde helder te denken. 'Het dringendst is die landing van Marchel,' zei ik, mijn hand weer op de kaart. 'Heeft hij ook gezegd waar ze precies zou landen?'

'Hij wist het niet,' zei Veniva. 'Maar je hebt het mis. Schrijven aan de koningen is het eerste wat er moet gebeuren. Als Marchel landt, is dat een invasie, geen inbreuk op Urdo's vrede. Maar als de koningen in opstand komen, wordt alles weer zoals het na de dood van Avren is geweest. Ik heb dat al eens moeten doormaken en we hebben destijds ternauwernood nog iets van beschaving kunnen redden. Als dit nog eens gebeurt, betekent dat volgens mij het einde van alles wat goed was aan de Vincaanse manier van leven. Ook betekent het het einde van Urdo's vrede, en de wereld zal opnieuw vervallen tot duisternis en eeuwige geschillen tussen de vorstendommen.' Ze boog zich naar voren en omklemde mijn arm met verbazingwekkende kracht. 'Zelfs als Urdo wint, zal hij het land niet zonder het vertrouwen van de koningen bijeen kunnen houden. Als het weer voortdurend oorlog is, zal er, de volgende keer dat iemand erin slaagt daar een eind aan te maken, niemand meer over zijn die nog weet hoe je buizen maakt voor warm water, of die zich kan herinneren hoe je wetten opstelt waaraan de mensen zich kunnen en willen houden. Wij moeten aan dit fragment van Urdo's vrede vasthouden, wat er ook gebeurt, anders is er straks niemand meer die kan begrijpen wat vrede zeggen wil.'

Ik had me nooit gerealiseerd hoe belangrijk dit voor haar was. 'Ik zal ze schrijven,' zei ik. 'Ik ben echter maar één persoon en weet niet in hoeverre ze mij vertrouwen. Ik weet in feite niet of ze mij als een koning zien, of dat ze in mij eerst en vooral de prefect van de Grote Koning zien, en daarna pas de heerschap van Derwen.' Ik wist dat op zijn minst sommigen er zo over dachten. Custennin had er nooit een geheim van gemaakt.

'En?' vroeg Veniva. 'Ben je dat werkelijk?' Ze liet mijn blik geen moment los.

Ik aarzelde. 'Ik heb nooit gewenst heerschap van Derwen te zijn, maar ik heb voor mijn land en volk altijd mijn best gedaan, net als mijn vader. En ik *ben* heerschap van Derwen; ik sta tussen het land en het volk ten opzichte van de goden. Zij zijn mijn verantwoordelijkheid en dat accepteer ik, net zoals ik het heb geaccepteerd toen we na Moriens dood thuiskwamen. Ik dien echter nog altijd Urdo, de Grote Koning, en zal dat altijd blijven doen.'

'Dat zal slecht vallen bij Flavien,' zei Veniva. Ze liet mijn arm los en stond op. 'Toch zul je hem moeten schrijven, al zal het misschien weinig bijdragen aan het handhaven van de vrede. Zeg hun dat jij achter Urdo staat en weet dat hij geen tiran is, ongeacht wat hij in Bregheda doet.'

'Welke keus heeft hij in Bregheda?' vroeg ik. 'Glyn is...'

'Als de koningen het niet accepteren, en daar ziet het naar uit, gedraagt Urdo zich stom,' zei Veniva resoluut.

'Er is niemand in leven die zich een kind of kleinkind van een koning van Bregheda kan noemen,' zei ik. 'Cyndylans paard struikelde, waardoor hij zijn nek heeft gebroken; en daarna is de oude Penda gestorven van verdriet om zijn laatste zoon. Urdo *moest* een beslissing nemen.'

'Een beslissing? Dat zeker. Maar hij hoefde geen beslissing te nemen waarmee hij de helft van de koningen tegen de haren in streek. Glyn mag dan de achterkleinzoon van Minmanton van Bregheda zijn, maar hij is een getrouwe van Urdo zelf en dat wéét iedereen. Het wekt de schijn alsof hij probeert het hele koninkrijk onder zijn heerschappij te brengen.'

'Waarvoor zou hij die moeite nemen?' zei ik met opgestoken handen. 'Toen ik het hoorde, vond ik dat hij Glyn en Garah opzadelde met een zware last en vroeg ik me af hoe hij zich zonder die twee in Caer Tanaga dacht te redden.'

Veniva liet een gesmoord lachje horen en draaide zich om naar het raam. 'Je kunt er zeker van zijn dat Cinvar van Tathal en Cinon van Nene iets heel anders dachten toen het nieuws hen bereikte. Zij kennen hun grootvaders en vaders helemaal tot in de dagen dat zij met de bomen huwden. Glyn is weliswaar opgevoed als hun gelijke en is een getrouwe van Urdo, maar zijn vrouw was een stalknecht en dochter van een boer. Ik weet dat de koningen daar afkerig van zijn. Echter, wat Urdo ook mag hebben gedaan, we hebben geen andere keus dan hem erin steunen.'

'Zou het verstandig zijn dit naar voren te brengen in de brieven aan Cinvar en Cinon, of is het beter van niet?' vroeg ik.

'Cinvar schrijven is hoe dan ook zinloos,' zei ze terwijl ze zich weer naar mij omdraaide en me aankeek. 'Als Uthbad Eenhand nog leefde, zou hij naar je hebben geluisterd, maar dat zal Cinvar niet doen. We hebben Daldaf ap Wyn terechtgesteld, iemand die hij als familie beschouwt. Hij en Marchel zullen ons dat nooit willen vergeven. Als het echter alleen Tathal en Magor zijn, is dat niet onoverkomelijk. Magor is in elk geval veilig; Aurien zal er beslist voor hebben gezorgd dat de jongens niets weten.'

'Goed,' zei ik hartgrondig. Ik nam mijn pen en een nieuw vel perkament, kostbaar genoeg voor een brief aan koningen. 'Zal ik gewag maken van Bregheda en mijn vriendschap met Glyn?' Aarzelend keek ik naar haar op. 'O, moeder, wil jij ook schrijven?'

Ze staarde me verbaasd aan. 'Wat heeft dat voor zin? Ik ben geen koning – ik ben je vader niet.'

Ik glimlachte. 'Dat niet, maar jouw naam is veelzeggend. Er zijn er onder de koningen die eerder naar jou zullen luisteren dan naar mij. Jij weet welke argumenten hen zullen aanspreken. Ze respecteren jou en beschouwen je als een der hunnen.'

'Een der hunnen?' Ze staarde me aan alsof ik gek was geworden. 'Dat ben ik nooit geweest. Ik ben geboren in Rutipia, in Bricinia dat nu Cennet heet, in het jaar dat de laatste Vincaanse legioenen Tir Tanagiri verlieten. Toen ik twaalf jaar oud was, verbande Avren ons van ons land en uit onze steden en schonk heel Cennet aan Hengist, zijn nieuwe schoonvader uit Jarnholme. Hij sloot een bondgenootschat met nota bene de Jarns, die we steeds met wapengeweld buiten onze muren hebben moeten houden zolang ik leefde. De Tanaganen streden tegen Avren en elkaar, maar staken voor ons geen vinger uit, net zomin als Avren zelf. Ze hebben ons niet in het minst geholpen. Mijn vader was de magistraat van Rutipia; zodra wij de poorten openden om de stad te verlaten, werd hij vermoord. De mensen verspreidden zich als kaf in de wind. Er waren geen steden meer. Steden bestaan bij de gratie van allerlei verschillende beroepen, maar ze waren naar alle windstreken verstrooid en hulpeloos. Gwien... je vader...' Ze aarzelde, en het was duidelijk dat ze zich had bedacht en eigenlijk iets anders had willen zeggen. 'Ze noemden mij "de laatste der Vincanen". Van mijn volk is nu niemand meer over. In Cennet zijn er nu kloosters in plaats van scholen en groepjes boerderijen rond de residenties van heerschappen, in plaats van steden. Mijn eigen kind vindt het prachtig dat er een algemene wet geldt en dat er nog maar weinig mensen in de strijd sneuvelen voordat ze volwassen zijn, althans, in de meeste jaren. En het ergste is dat je nog gelijk hebt óók!'

Ik wist niet wat ik moest zeggen. 'Je hebt me er nooit iets over verteld,' zei ik uiteindelijk.

Ze moest lachen. 'Wat zou het jou hebben geholpen dat soort dingen te weten? Ik heb je veilig en behoorlijk grootgebracht en je zo goed mogelijk alles geleerd wat ik wist. Bovendien denk ik er nooit aan; ik denk nooit terug aan de tijd voordat ik hierheen kwam. Jarenlang ben ik blijven geloven dat de Vincanen ooit zouden terugkomen, maar nu weet ik beter. De enigen die hierheen komen, zijn de plunderaars van overzee. Narlahena is gevallen en Lossia is onder de voet gelopen. Vinca zelf is de barbaren in handen gevallen en nu is er alleen nog Caer Custenn en wij, met de zee tussen hen en ons – terwijl we met elkaar ruziën en de enige mensen doden die nog weten wat beschaving is en er waarde aan hechten.'

Ik had nooit diep nagedacht over de vraag waar Veniva vandaan was gekomen. Ze was mijn moeder. En ja, ze was een Vincaan, dat wist ik, maar ik had nooit vermoed dat ze het zo letterlijk nam. Mijn hele leven was ze in Derwen geweest; ik wist niet beter. 'Toch zou je ook aan de koningen kunnen schrijven,' zei ik aarzelend. 'Ze zien jou als een van hen.'

'In geen geval degenen die zich heugen waar ik vandaan ben gekomen, al zullen dat er inmiddels niet veel meer zijn,' zei ze. 'Goed dan, ik zal het doen, als jij denkt dat het enig nut kan hebben. Ik ben bereid alles te doen dat ertoe kan bijdragen het strootje dat deze vrede bijeenhoudt in de wind te keren.'

Zo kwam het dat we de rest van die middag druk bezig waren met het schrijven van brieven aan alle koningen. Allereerst schreef ik aan Cinon, Flavien en Custennin. Het waren moeilijke brieven, stuk voor stuk, waarin ik mijn best deed hen te weerhouden van een verraderlijke opstand zonder hen daarvan te beschuldigen, of zelfs maar van de intentie ertoe. Daarna schreef ik aan alle andere koningen. Tot mijn verbazing had ik de minste moeite met mijn brieven aan Alfwin en Ohtar; ik had niet de minste reden wantrouwen jegens hen te koesteren. Het was merkwaardig dat verre Jarnse koningen voor mij gemakkelijker te begrijpen waren dan de koningen van mijn eigen volk die me nader stonden, maar zo lagen de zaken. Ik wist precies wat ik moest schrijven om hén gerust te stellen.

Ik was halverwege mijn brief aan Ayl en zat geeuwend boven mijn werk toen een dienaar aanklopte met de mededeling dat Emlin was gearriveerd, mét de halve ala die in Magor gelegerd was geweest. Ik was blij even weg te kunnen, hoewel Veniva nog zat te schrijven toen ik wegging. Ik heb zelden iets moeten doen dat zo moeilijk of volslagen zinloos was als het schrijven van die brieven aan de koningen.

4

O, mijn onstuimig kind, vanaf je eerste voetstap liep je langs mij heen, strekte jij je armen uit en stormde je het veld over. Wat kon ik doen? Je weigerde naar mijn waarschuwing te luisteren. Hoe meer ik je riep, des te koppiger je weigerde te zwichten. Wat had je een haast! Hoe dorstte je naar glorie! Hoe dapper was je, wetend dat de hele wereld voor je open lag! Je verwierf je reputatie, mijn kind, eenieder kent jouw verhaal. Niets van wat ik kon doen, kon jou weer veiligstellen.
Hoe ver draafde je door, mijn lachende kind, ver buiten mijn bereik! En hoe groot werd je, mijn kind, het kind dat ik niet vermocht te redden. Hoe fel brandde je en hoe weinig heb je mij nagelaten – niets dan wat koude as in een eenzaam graf.
– Rouwklacht uit Tir Isarnagiri

Emlin zat in de vensterbank. Hij zag er moe uit, maar was ongedeerd. Toen hij mij zag aankomen, stond hij op. Zodra ik hem zag, viel er een zware last van mijn schouders. Als Aurien bereid was geweest om mij te doden, zou ze misschien ook bereid zijn geweest deuren te vergrendelen en barakken in brand te steken. De hele dag was ik met mijn gedachten bij de veiligheid van mijn armigers en hun paarden geweest, hoewel ik die gedachte telkens had verdrongen zodra hij bij me opkwam.

'Sulien! Je bent weer beter!' waren de woorden waarmee hij me begroette. Ik beduidde hem weer te gaan zitten en nam naast hem plaats. Er was zoveel gebeurd dat de vergiftiging en verlamming inmiddels ver achter me leken te liggen. 'Het land heeft me genezen. Maar Garian en Conal zijn dood, vermoord door gardisten van Aurien. Hoe staat het met jou en de rest van de ala?'

'Allemaal veilig,' zei hij. 'Ik heb de nacht in de stallen doorgebracht en ben pas tegen het krieken van de dag vertrokken, zoals je had gezegd.'

'Nog moeilijkheden gehad?' wilde ik weten.

'Nee. Of eigenlijk, Galba's weduwe wilde dat we bleven. Ze zei dat iedereen die trouwer was aan Galba en de Blanke God dan aan jou en Urdo beter kon blijven. Toen ze merkte dat we het geen van allen van plan waren, scheen ze blij te zijn ons te zien vertrekken – ze wist niet hoe gauw ze ons kwijt moest raken.'

'Niemand wilde blijven?' Ik herinnerde me levendig hoe ze allemaal uit rouw om Galba hun haar hadden afgesneden. Zelfs de rekruten die na zijn dood tot de ala waren toegetreden kenden alle verhalen over hem. En een van die verhalen was zijn grote liefde voor Aurien. Ik had nooit pogingen gedaan hun liefde voor Galba af te zwakken. Hij was ook *mijn* vriend geweest; hij had deze ala geformeerd en er veel van zijn geest in gestoken. Ik deed mijn best een goed aanvoerder voor hen te zijn en had de ala van zes penoenen uitgebreid naar negen, maar ze waren niettemin nog altijd 'Galba's ala' en hadden met de Garde van Magor gewedijverd om hun ala-vaandel. Echter, wat de Blanke God betrof, veel wapendragers hadden de halssteen aangenomen. Het was interessant dat Aurien daar een beroep op had gedaan. Ik vroeg me af waar Thansethan stond, in dit alles.

Emlin keek bedremmeld. 'Er waren er een paar die eerst om zich heen keken om te zien wat hun kameraden zouden doen, maar niemand stapte uit de rijen.'

'Ik hoef geen namen te weten,' zei ik, zo vriendelijk mogelijk. Emlin zelf was Galba's tribuun geweest voordat hij onder mij kwam te dienen. De kans was groot dat Aurien wel een paar van hen zou hebben weten over te halen als ik inderdaad in dronkenschap was gestorven. 'Zit daar niet over in. Je kon dus vertrekken zonder te worden aangevallen?'

'Wie had dat dan moeten doen?' Emlin keek verbaasd. 'Ik begrijp dat Aurien haar gardisten wegstuurde, omdat ze alleen maar hoefden af te rekenen met vier mensen in een bos, maar ik had drie penoenen bij me, een halve ala!'

'Iets gemerkt van Marchel?' vroeg ik.

'Marchel?' Zijn wenkbrauwen schoten omhoog van verbazing. 'Nee. Zit ze dan niet in Narlahena?'

Terwijl ik hem zo goed mogelijk de nieuwe situatie uitlegde, kwam er een dienares naar ons toe om te zeggen dat de maaltijd waarvoor ik opdracht had gegeven kon worden opgediend. Ik herinnerde me nu pas dat de kok me er 's middags naar had gevraagd en dat ik met al zijn suggesties akkoord was gegaan.

Veniva kwam de schrijfkamer uit en kondigde aan dat ze een nieuwe huismeester moest zien te vinden. Emlin en ik volgden haar naar de familiealkoof, waar we spoedig gezelschap kregen van Emer en Duncan, mijn oude leermeester. Emer zag er afschuwelijk uit. Haar ogen waren rooddoorlopen van het huilen en de kringen eronder waren zo donker dat ze bijna blauw leken. Het oude litteken op haar wang leek boosaardig rood, alsof ze woest haar gezicht had staan boenen. Duncan zag er moe uit en opeens vroeg ik me af hoe oud hij zou zijn. Hij ging nog regelmatig naar de exercitieplaats, hoewel hij al sinds de dood van mijn vader geen aanvoerder meer was geweest.

Onder het eten bespraken we de moeilijkheden. Emer at niets anders dan brood, dat ze alleen uit beleefdheid af en toe in haar bouillon doopte. Ik had honger, maar omdat er zoveel vragen waren, praatte ik meer dan dat ik at. Toen ik over Marchels vermeende invasie begon, klakte Duncan met zijn tong.

'Waar zijn haar kinderen?' vroeg hij. 'Zijn ze nog in Nant Gefalion bij Ap Wyn de Smid? We zouden er als de bliksem snelle ruiters heen moeten sturen om ze gevangen te nemen als gijzelaars, zodat we haar kunnen dwingen zich behoorlijk te gedragen, met Ap Wyn erbij.'

'Welk behoorlijk gedrag?' zei ik slikkend. 'Ze is op straffe des doods in ballingschap gestuurd, dus heeft ze hier geen eer hoog te houden.'

'Dat niet,' knikte Emer, 'maar Duncan heeft gelijk. Als je gijzelaars in handen hebt, kan dat haar ervan weerhouden ons rechtstreeks te belagen.'

'Als ze niet tegen ons optrekt, zal ze dat tegen Urdo doen, en dat is even erg. Het enige wat tegen haar helpt, is haar verslaan. Ze moet dood. Haar alae kunnen weg, maar hoe zouden we haar ooit kunnen overhalen te doen alsof ze nooit hier is geweest en eenvoudigweg met haar alae terug te gaan naar Narlahena, of te verdwijnen naar Caer Custenn of... of Rigatona!' zei ik.

Veniva knikte. 'Da's waar. Maar als haar eigen kinderen in gevaar zijn, zou dat weleens genoeg kunnen zijn om haar ertoe te dwingen. Wat zouden de gardes van Magor en Tathal kunnen uitrichten zonder haar alae?'

'Het staat me niet aan,' zei ik. 'Als die zoons van haar onze vijanden zijn, zullen ze niet in Nant Gefalion zijn gebleven, maar zitten ze ergens ver weg in Talgarth of Caer Gloran om zich voor te bereiden op de strijd tegen ons; en als ze wel in Nant Gefalion zitten, zijn ze óf onschuldig óf buitengewoon stom.'

'We hoeven ze geen haar te krenken,' zei Veniva. 'We hoeven Marchel alleen maar duidelijk te maken dat wij ze in verzekerde bewaring hebben.'

'Trouwens, Urdo heeft al zo vaak gijzelaars genomen zonder dat hun iets is overkomen,' viel Emlin haar bij.

'In de regel kunnen mensen zelf kiezen of ze wel of geen gijzelaars willen uitleveren,' wierp ik tegen. 'Ze worden afgestaan in goed vertrouwen – niet ontvoerd.'

'Nood breekt wet, misschien,' opperde Duncan, strak naar zijn bord kijkend.

'Marchel is een balling en ze weet niet eens wat goed vertrouwen is,' zei Veniva schouderophalend. 'Trouwens, we hebben het niet over kinderen; die jongens zijn nu volwassen kerels. Op grond van hun familiebanden zijn ze als vijanden te beschouwen, dus moeten we ze gevangennemen zolang het nog kan. We hebben Daldaf geëxecuteerd; zijn hele familie zal tegen ons zijn.'

'Als ze kwaad tegen ons in de zin hebben, zullen ze niet gedwee zitten wachten totdat wij ze komen halen,' zei ik. 'Nee. Het is verkeerd en ik wil er niets mee te maken hebben.'

'Misschien kunnen we ze uitnodigen,' stelde Veniva voor. 'Het is hier veiliger voor hen dan daarboven in de heuvels, als er moeilijkheden komen. Dan zijn ze hier als geëerde gasten, in plaats van als gijzelaars. En als dat feit Marchel kan tegenhouden, is hetzelfde doel ermee gediend.'

Ik kauwde op mijn geweckte appel en slikte de laatste hap door terwijl ik er mijn gedachten over liet gaan. Toen ik opkeek, waren alle ogen op mij gericht. 'Ik ben bereid er een penoen heen te sturen om te zien of ze er zijn en Nant Gefalion te waarschuwen voor het dreigende gevaar. Als Cinvar vanuit Caer Gloran hier wil binnenvallen, zal hij uit die richting komen. Ik zal Ap Wyn en zijn zoons onze gastvrijheid aanbieden, maar van dwang kan geen sprake zijn.'

Duncan slaakte een zucht, maar ze spraken me geen van allen tegen.

Na het eten liep ik naar het midden van de hal en keek om mij heen naar de leden van mijn huishouding, verzameld in de alkoven. Hoewel ik als heerschap van Derwen genoodzaakt was vaker toespraken te houden, was ik er nooit goed in geworden. 'Jullie hebben het gerucht natuurlijk allang vernomen,' begon ik. 'Daarom is het beter dat het onomwonden wordt gezegd, en dat jullie het uit mijn mond vernemen. Er hebben zich aanvallen voorgedaan en er kunnen invasies en opstanden komen.' Het woord oorlog wilde ik niet gebruiken, maar het brandde me op de tong. 'Mijn zus Aurien ap Gwien is niet langer met ons bevriend. Stel dus geen enkel vertrouwen in boodschappen afkomstig van Magor. Ik zal spoedig gewapend tegen Magor optrekken, maar ik zal de reservistenmilitie oproepen en hier voldoende troepen achterlaten om jullie te beschermen. Ik weet dat jullie allemaal trouw zijn en dat iedereen zal doen wat hij of zij kan. Morgen zal ik mijn ala toespreken, als de rest van onze penoenen uit Dun Morr hier is. Er breken misschien moeilijke tijden aan, maar wij zullen de vrede van de Grote Koning weten te handhaven en de overwinning behalen.'

Onder luid geroezemoes liep ik terug naar Veniva en de anderen. Ik had eigenlijk regelrecht naar Daldafs kamer gewild om de brieven in zijn kist te lezen, maar Emer legde haar hand op mijn arm. 'Ik wil zingen, als je het goed vindt,' zei ze.

'Maar natuurlijk,' zei ik werktuiglijk, zodat mijn tong mijn gedachten te snel af was. *Zingen*? Nu? Het was waar dat we net hadden gegeten, maar dit leek niet het moment om te zingen. Het was echter al te laat om haar terug te roepen. Ik nam weer plaats op mijn kussen, naast mijn moeder.

Emer liep naar het midden van de hal en nam plaats op de kruk achter de grote harp, die sinds Moriens dood overdekt was gebleven, afgezien van af en toe een bezoek van muzikanten. Ze nam echter de kleine schootharp die ertegenaan leunde, trok de leren hoes eraf en begon hem te stemmen. De gesprekken werden een ogenblik luider toen ze de hal in liep. De mensen kenden haar, uiteraard. De koningin van Dun Morr kwam hier vaak, ook al was ze niet een van ons. Toen ze de snaren stemde, werden de stemmen zachter, en het werd doodstil toen duidelijk was dat ze iets ging zeggen, al keek ze niet op van de harp.

'Ik heb zojuist teruggedacht,' zei ze zacht, 'aan de eerste keer dat ik in deze hal heb mogen eten, als nieuweling in Derwen, nu twaalf jaar geleden. Het was een avond waarvan we niet hadden kunnen dromen, na de dag die achter ons lag; mijn volk was gewapend hierheen gekomen, maar die nacht werden er vriendschapsbanden gesmeed en werd een oorlog voorkomen. Er zijn inmiddels veel van deze vrienden niet meer in leven of ze wonen ver van hier. Morien ap Gwien ligt onder de aarde en Conal de Overwinnaar ligt vanavond opgebaard, nog onverbrand.' Ze plukte aan een snaar en liet de echo's wegsterven voordat ze verder sprak, misschien om het beven van haar stem te maskeren. 'Garian ap Gajus ligt naast hem, eveneens dood. Beiden zijn gevallen toen zij zich tegen een andere vijand verdedigden. Hoe alles kan verkeren en hoe allianties kunnen veranderen, blijkt wel uit het feit dat ik hier vanavond in deze hal zit en zojuist heb gehoord dat er weer oorlog op komst is.'

Toen sloeg ze een akkoord aan op de snaren van de harp en begon de melodie te spelen van een oude klaagzang uit Tir Isarnagiri – de rouwklacht van een moeder die zingt van haar gesneuvelde zoon. We kenden dat lied allemaal; we hadden het al dikwijls gehoord. Toen ze de melodie helemaal had doorgespeeld, speelde ze die nog eens en zong de woorden erbij, waarna ze de melodie heel zacht nogmaals speelde, in doodse stilte. Voor het eerst daagde in mijn hart het besef dat ook ik een zoon had die in een oorlog zou kunnen sneuvelen: Darien was vaandeldrager en zou voorop gaan in iedere stormaanval die Urdo's ala mocht ondernemen. Onmiddellijk wist ik echter ook dat het geen enkel verschil maakte. Iedere wapendrager was iemands kind. En op grond van mijn verantwoordelijkheden was iedereen in Derwen, zowel combattanten als burgers, een kind van mij. Ik kon hen niet onder mijn vleugels nemen en beschermen, alleen omdat iemands hart zou breken als zijn of haar kind sneuvelde, net zomin als een moeder haar kind kan beletten rond te rennen. Er zijn nu eenmaal oorlogen die gevochten moeten worden, tegen iedere prijs en ongeacht hoe lang de pijnlijke herinnering eraan zou blijven bestaan. Sinds Caer Lind had ik na iedere veldslag brieven moeten schrijven aan de nabestaanden van mijn gesneuvelde kameraden. Hoewel die taak nooit gemakkelijker voor me was geworden, wist ik dat degenen die ervoor hadden gekozen wapendrager te worden geen kinderen meer waren. Het waren stuk voor stuk volwassen krijgslieden die bewust gevaren trotseerden om hun dierbaren thuis te beschermen. Er zouden meer mensen gesneuveld zijn als ik de veldslagen die waren beslecht had gemeden; en veel van die doden zouden kinderen en ongewapende boeren zijn geweest. Iedere dood brak iemands hart, dat was waar, maar dat was de tol die ze bereidwillig betaalden voor de vrede. Emer had het recht te treuren, maar plotseling was ik nijdig op haar omdat ze op deze manier afbreuk deed aan Conals dood. Hij was lachend gestorven en, zoals hij zelf had gezegd, voor een niet-onwaardige zaak.

Veniva boog zich naar me toe, een traan op haar wang. Ik geloof dat er op dat moment geen droog oog meer in de hal te bekennen was. Emer speelde de melodie nog op de harp, en de tranen stroomden over haar gezicht. Ik dacht dat Veniva van plan was iets over Morien te zeggen, of zelfs over mijn andere broer, Darien, maar in plaats daarvan fluisterde ze: 'Om wie moet Emer eigenlijk zo diep treuren? Haar dochter is elf jaar oud en zit veilig en wel bij Lew in Dun Morr.'

Die vraag bracht me met een ruk terug uit mijn boosheid. 'Haar moeder, Maga...' begon ik zwakjes.

'Dit ís geen lied om te zingen over een moeder die al ruim tien jaar dood is,' siste Veniva me in het oor. 'Dit is een lied dat je zingt over een kind, of over een geliefde die je hebt verloren...' Ze dacht even na. 'Toch niet om Conal, mag ik hopen? Hij heeft nota bene haar moeder gedood!'

Ik schoof een beetje weg en keek haar recht in de ogen. 'Dat zou een ernstig gebrek aan piëteit zijn,' zei ik zacht.

'Zeg dat wel.' Veniva's blik sprak boekdelen. 'Wel, als iemand me erover mocht aanspreken, zal ik zeggen dat het komt door de oorlog die de arme vrouw in Connat heeft moeten doormaken voordat ze zestien was, vooral omdat ze zich dit soort dingen zo persoonlijk aantrekt.'

Toen Emer naar ons terugkwam, complimenteerden we haar met haar zang. Toen pakte ik een lamp en ging weg om Daldafs bezittingen te doorzoeken.

Nooit eerder had ik reden gehad zijn kamer binnen te gaan, zodat ik nu nieuwsgierig om me heen keek. De kamer lag vlak bij de hal, zoals nodig was voor een huismeester. De muren waren witgekalkt en ook de rest was wit. Er was een klein raam, met wingerdranken die naar binnen gluurden, een bed en een kist aan het voeteneinde. Het leek allemaal op mijn eigen kamer, of de kamer van wie ook. Ik vond het moeilijk me een voorstelling van hem te maken als iemand die verraad beraamde in zo'n vredige omgeving. Een donkere roetplek verried waar Daldaf altijd zijn lamp of kaars had gebrand. Ik opende de kist.

Het bundeltje brieven lag op de bodem, onder zijn kleren en sieraden. Het was een dikke map en ik trok hem er met tegenzin uit. Ik ging op het bed zitten en begon de map door te nemen. Hij bevatte kopieën van mijn drie laatste brieven aan Urdo, en zijn antwoord lag er bovenop. Het maakte me op slag razend. Als Daldaf op dat moment voor me had gestaan, zou het me grote moeite hebben gekost hem niet ter plekke te doorsteken. Hoe had hij het gewaagd mijn persoonlijke correspondentie te lezen! Ik legde de vier brieven terzijde. De volgende was aan mij gericht, maar ik had er nooit iets van gezien.

Van Ayl, de zoon van Trumwin, koning van Aylsfa te Fenshal, in het handschrift van zijn schrijver, Arcan van Thansethan, aan Sulien, de dochter van Gwien, heerschap van Derwen te Derwen, Wees gezegend!

Ayl had dus eindelijk een Jarnsman als schrijver, al was het een monnik. Zelf was hij nooit in staat geweest te leren schrijven; hij was er te laat mee begonnen en had zich er nauwelijks moeite voor gegeven. De paar brieven die ik eerder van hem had ontvangen, waren allemaal geschreven door Penarwen, de zus van wijlen de prefect Angas, koning van Angas. Ik maakte de brief open en las hem door. Daarna las ik hem nog eens over, ten prooi aan verwarring. Ik begreep absoluut niet waarom Daldaf deze brief had achtergehouden. Het was een omslachtig verhaal vol vrome zinswendingen, zodat ik nauwelijks kon geloven dat Ayl zoiets kon hebben gedicteerd, maar voor de rest waren het niet meer dan vage uitingen van vriendschap en trouw. Terwijl ik hem de tweede keer doorlas, werd ik getroffen door de toon en legde hem neer, geschokt. Deze brief leek op de brieven die ik vanmiddag zelf had zitten schrijven, maar dan vertroebeld vanwege het feit dat Ayl genoodzaakt was gebruik te maken van een secretaris die hij niet volledig vertrouwde. Het was een poging mij over de naderende rebellie te polsen, zonder er met zoveel woorden over te schrijven. Dit bracht me van mijn stuk. Ik had nooit gedacht dat Ayl zich in deze intrige zou laten betrekken en begreep niet wat hem ertoe had gebracht de kant van Flavien en Cinvar te kiezen. Het was alsof hij van me wilde dat ik hem over iets zou geruststellen. Wat het ook was, dat had ik niet gedaan; de brief had al een halve maand in Daldafs kist gelegen, onbeantwoord.

Ik nam de volgende brief op en knipperde met mijn ogen toen ik de aanhef las:

Van Rigga van Rigatona te Caer Custenn aan haar nicht Sulien ap Gwien te Derwen op het eiland Tir Tanagiri. Gegroet!

Sinds Rigg met ambassadeur Ap Theophilus naar Caer Custenn was vertrokken, vier jaar geleden, had ik niets meer van haar gehoord. Ze was niet het soort iemand dat graag brieven schrijft, zelfs als het versturen van brieven over zo'n enorme afstand niet moeilijk of welhaast onmogelijk zou zijn geweest.

Nicht Sulien, ik schrijf dit aan jou in plaats van aan Urdo, omdat ik zo stom ben geweest me door Lukas te laten verbieden het aan Urdo te schrijven. Aangezien het om iets oneervols gaat dat indruist tegen de mij betoonde gastvrijheid, had ik het aan Urdo behoren te schrijven als niet de list bij me was opgekomen het aan jou te schrijven; op die manier hoef ik de belofte die mijn gemaal me heeft afgedwongen niet te breken of te zondigen tegen de heilige banden van verwantschap en gastvrijheid die ik met jou én Urdo gemeen heb. Hij heeft er niet aan gedacht mij ook te verbieden jou te schrijven.

Ik moest bijna lachen om de bewoordingen en het idee dat Ap Theophilus bij machte zou zijn Rigg tot ook maar iets te dwingen. Ze was twee koppen groter dan hij en kon hem met één hand de ruggengraat breken.

De Jarns van Jarnholme en hun koning Arling Gunnarsson hebben een verzoek gestuurd aan Caer Custenn om militaire bijstand tegen het grote koninkrijk Tir Tanagiri. Keizer Sabbatian, slecht beraden door mijn gemaal Lukas ap Theophilus, heeft een bondgenootschap met hen gesloten en hun wat oorlogsmaterieel gezonden.

Haar Vincaans was aanmerkelijk beter geworden, merkte ik, maar ze scheen niet te weten om wat voor oorlogsmaterieel het ging, of ze vond het niet nodig het mij te vertellen.

Dit is zijn zaak en niet de mijne, zelfs als Arling jullie werkelijk mocht aanvallen. Jullie hebben sterke strijdkrachten en bovendien paarden, en die heeft hij niet. Ik heb echter in vertrouwen vernomen wat het Vincaanse Imperium ervoor in ruil krijgt, en dat is iets waar ik mij zorgen over maak. Het schijnt dat Urdo's neef Morthu ap Talorgen een bondgenootschap met deze Arling heeft gesloten. Hij stuurt Sabbatian zelfs plattegronden en modellen van veel dingen die in jullie land worden gebruikt, zoals een nieuw soort waterrad en vlegels voor het dorsen van tarwe. Volgens Lukas is het algemeen bekend dat Urdo al dat soort kennis voor zichzelf wil houden en weigert er anderen in te laten delen. Bovendien beweert hij dat wij krijgskunsten leveren en er zelf vredeskunsten voor terugkrijgen, wat voor ons een verlies is. Werkelijk, wat kunnen mannen soms toch dwazen zijn. Hoe het verder ook zij, deze Morthu is een landverrader en jij en Urdo doen er verstandig aan hem in geen enkel opzicht te vertrouwen. Hij is de man van wie koningin Elenn meende dat hij haar ziek had gemaakt; het ziet ernaar uit dat zij goede redenen had om hem te haten.

Ik staarde een ogenblik verbijsterd naar de brief. Dit was iets waarop ik al jaren had gehoopt, bewijzen van Morthu's verraad waar Urdo niet omheen zou kunnen. Toch stond er niets in de brief over de alliantie die mij bekend was, noch over Marchel. Het ging allemaal over een bondgenootschap met Arling, waar verder niemand weet van had.

Hiermee wil ik je mijn respect betuigen voor jou en je familie, en aan Urdo en zijn koningin, die ik een veilige gezinsvermeerdering toe wens. Ik moet eraan toevoegen dat Lukas en de meisjes zich bij deze goede wensen aansluiten, want ik weet zeker dat ze dat zouden hebben gedaan, als ze hadden geweten dat ik je schreef. De meisjes zijn nog te jong om te begrijpen dat iets wat geheim is geheim moet blijven. De jongste heb ik Laris genoemd, naar mijn tante die jouw grootmoeder van vaderskant was, dus je ziet, je familie wordt niet vergeten, zo ver weg! De oudste wordt Helena genoemd, naar Lukas' moeder. We hebben er echter ruzie over gehad, maar ik heb Lukas dit keer laten winnen. Ze kunnen al paardrijden. De nieuwe baby zal spoedig worden geboren en ik ben het wachten zat. Ik ben bevelhebber van Sabbatians ruiterij, en dat blijf ik totdat ik te zwaar word om nog te rijden. Mijn paarden maken het uitstekend en er is een veulen op komst. Ik stuur deze brief mee met een vriend van mij, die met dat oorlogsmaterieel naar Jarnholme gaat; hij zal beslist een manier vinden om de brief per schip uit Narlahena over de Smalle Zee te sturen. Je zult dit nieuws dus kort nadat zij daar hun machines hebben ontvangen kunnen vernemen.

Dit was nieuws dat ik ogenblikkelijk naar Urdo zou moeten laten brengen. Een alliantie met onze verklaarde vijanden zou Morthu zelfs in de ogen van zijn medestanders brandmerken als een verrader. Flavien en Cinon konden Urdo misschien haten, maar ze zouden ongetwijfeld nog meer haat jegens Arling Gunnarsson koesteren. Ik zegende Rigg in stilte en was blij dat het haar goed ging, in het verre Caer Custenn.

Er was nog een brief – en het was een grote en dikke. Het hart zonk me in de schoenen toen ik hem zag. Ik moest de lamp hoger draaien om de aanhef te kunnen lezen.

Van Gwyn ap Talorgen, heerschap van Angas en koning van Demedia te Dun Idyn, aan Sulien ap Gwien, heerschap en koning van Derwen te Derwen, of haar ter hand te stellen waar zij zich ook moge bevinden.

Angas! Ik wist dat er iets ontzettend mis met Gwyn moest zijn als hij genoopt was me zo'n uitvoerige brief te schrijven. Ik maakte hem met tegenzin open.

Sulien, dit is de moeilijkste brief die ik ooit heb moeten schrijven en het lijkt me

niet juist dat ik hem een tweede keer moet schrijven. Het was de eerste keer al erg genoeg. Het lijkt onmogelijk jou niet in vertrouwen te nemen, maar het leek me ook onmogelijk Urdo niet te vertrouwen, of andere mensen die altijd mijn vertrouwen hebben genoten, ware het niet dat ik over harde bewijzen beschik – ik heb ze hier voor ogen – die aantonen dat ze mij bedriegen en tegen mij samenzweren.
Maar Sulien, oude strijdmakker, zelfs al kan ik niet op mezelf of mijn oordeel vertrouwen, toch weet ik dat ik jou kan vertrouwen. Ik herinner me de eerste keer dat ik je ontmoette, mager en veel te lang als je was, met al dat haar dat in pieken uitstak; maar daar was je plotseling. Je kwam uit het niets vallen, je zwaard in je hand, bereid om met ons mee te vechten zolang je dat kon. Alles leek destijds nog zo eenvoudig. Ik was jong en hoefde geen moment te twijfelen over wie de vijand was. In die dagen dacht ik dat Urdo waarachtig, rechtvaardig en eerzaam was – ik kan trouwens niet geloven dat hij het toen niet was, ook al is hij sindsdien nog zo veranderd. We waren allemaal nog zo jong – jij en ik, en Osvran, onze dierbare Osvran, en Eirann, zo adembenemend mooi.
Vergeef me als ik van de hak op de tak spring, Sulien, maar ik neem aan dat je de andere brief, waarin het allemaal helder uit de doeken wordt gedaan, al hebt ontvangen. De mede heeft me geholpen bij het schrijven ervan, maar ik betwijfel of ik er nu iets aan heb, want ik wou maar dat ik nog die jonge decurio en prins was, met niets om zich zorgen over te maken behalve het in de juiste richting laten wijzen van zijn lans. Ze noemen mij 'de Fortuinlijke' vanwege Quintien. Echter, niemand is fortuinlijk die genoodzaakt is onder één dak te leven met Morthu en dag in dag uit diens gif in zijn oor voelt druppelen. Als je hem eenmaal het oor hebt geleend, al is het maar voor even, ben je verkocht. Je gaat steeds meer van hem geloven, totdat hij overal zijn klauw in heeft – en hij stelt zich nooit tevreden, met wat dan ook. Ik weet niet meer wie ik kan vertrouwen!

Ik kon de pijn door de woorden heen proeven. Echter, wat kon Morthu hebben gedaan om hem tegen Urdo te keren? Ik nam vluchtig de rest door; nog meer gekweldheid, voorbeelden van vrienden die hem hadden verraden en waarschuwingen tegen het vertrouwen op brieven, omdat Urdo ermee zou knoeien. Hoe kon hij zoiets geloven? Hij schreef dat Urdo machtshongerig was geworden en alles wilde controleren. Hoofdschuddend las ik verder. Toen kwam er een passage over Bregheda en begon ik weer langzamer te lezen.

Deze laatste belediging is bedoeld mij recht voor het hoofd te stoten. Ik heb hem er de ene brief na de andere over geschreven, maar óf hij negeert mijn brieven volledig óf schrijft me nietszeggende antwoorden waarin hij mijn opmerkingen negeert en zegt dat hij het allemaal beslist kan begrijpen. Penda van Bregheda is overleden, zoals je wel zult hebben vernomen. Zijn zoon en erfgenaam Cyndylan was al vóór hem gestorven, zonder kinderen achter te laten. In feite stierf Cyndylan in Dun

Idyn; hij was met zijn gemalin hierheen gekomen voor een pelgrimage naar Thandeilo, in de hoop dat zij zwanger zou worden. Er is dus niemand in leven die onbetwistbare aanspraken op de kroon van Bregheda kan laten gelden. Uiteraard was de keuze aan Urdo, maar uit alle mogelijke kandidaten koos hij een gewone burger. En niet zomaar een burger, maar een van zijn getrouwen, een Niemand die hij heeft opgevoed als een edelman, en wiens vrouw een stalknecht was en alleen trouw zal zijn aan Urdo, en niet aan het land. Deze Glyn heeft een oudere broer die heerschap is van Clidar, een deel van Bregheda. Hij kon niet over het hele land regeren, maar hij hád kinderen die er geschikt voor waren, met de heerschap van Clidar als regent. En als dit Urdo niet had gepast, was er nog mijn eigen grootmoeder – maar niet de zijne, want Branwen was Avrens eerste gemalin – die een dochter is van Minmanton. Kortom, al mijn verwanten kunnen aanspraken op Bregheda laten gelden. Al mijn kinderen – uitgezonderd mijn erfgenaam – zouden uitstekend geschikt zijn geweest, of anders een van Penarwens kinderen, behalve de oudste. Of het zou, zoals mijn eerste gedachte was, een goede gelegenheid zijn geweest om Morthu wat verantwoordelijkheid te geven die passend voor zijn status zou zijn; op die manier zou hij eindelijk mijn huis uit zijn. Hij zou zelfs een van de dochters van Clidar kunnen trouwen, als die oud genoeg zijn. Maar nee! Ik heb Urdo in een brief die suggestie gedaan en het is me bekend dat Morthu er zelf ook over heeft geschreven. Hij stuurde niet eens een weigering! Hij heeft me straal genegeerd en in plaats daarvan, zonder mij of het land zelf te raadplegen, een man van nederige afkomst tot koning aangesteld. Je weet zelf hoe belangrijk het is dat het land een kandidaat accepteert, en Urdo moet het weten als geen ander, maar toch benoemt hij een gewezen kwartiermeester die er al sinds zijn vijftiende niet meer heeft gewoond.

In dezelfde trant ging hij nog een poosje door. Blijkbaar voelde Angas zich diep gekrenkt. Het was allemaal onzin. Hij kende Glyn niet zoals ik hem kende, anders zou hij al dat geklets over 'geringe afkomst' wel achterwege hebben gelaten. Ik herinnerde me hoe hij aan de vooravond van zijn huwelijk met een brul een koek van eikelmeel uit het raam had gesmeten, of hoe hartelijk hij in het kamp had kunnen lachen met Osvran. Hoe kon al die levensvreugde zijn omgeslagen in verbittering? Hij had er gelijk in dat het land met een nieuwe koning behoorde in te stemmen, maar het land zou waarschijnlijk de voorkeur geven aan een volwassen man met kinderen van zichzelf, dan aan een jongen die nog volwassen moest worden. Trouwens, hoe kon hij het weten? Niemand kon voor het land spreken zonder er al de koning van te zijn, behalve Urdo zelf, die Grote Koning was over heel het eiland. En wat Morthu betrof, ik begreep niet dat Angas niet besefte wat voor afschuwelijk idee het zou zijn hem macht toe te kennen. Ik zou hier direct op moeten antwoorden. Angas was in de war en ongelukkig, maar hij zou wel op andere gedachten komen, als ik tenminste tot hem door kon dringen. Ik begreep echter ook dat geen enkele brief van mij hem ooit zou bereiken, net zomin als deze brief mij had bereikt. Morthu stond als een ondoordringbare muur tussen ons in. Ik zou iemand moeten sturen die ik kon vertrouwen en ook Angas' vertrouwen genoot – helemaal naar Demedia – als ik wilde dat mijn boodschap overkwam.

Ik schudde nogmaals het hoofd. Het zwakke 'bewijs van Urdo's tirannie' had Morthu geheel en al uit zijn duim gezogen, waarbij hij handig had ingespeeld op Angas' zwakheden: zijn trots, zijn eenzaamheid en het gebrek aan tolerantie voor mensen van lagere geboorte dat hij van zijn ouders had geërfd.

Er is niemand tot wie ik mij kan wenden. Osvran en Eirann zijn dood, Marchel is verbannen en jij en Penarwen zijn ver weg. Mijn decurio's zijn mijn gelijken niet. Hivlian is naar Thandeilo vertrokken om non te worden. Ik wilde haar niet laten gaan, maar toen Eirann de tweeling kreeg, na haar vierde zwangerschap, zei ze dadelijk dat Quintien een vervangster voor haar was in ons gezin, en een wonder. Toen kon ik haar niet meer tegenhouden. Ze weigerde te blijven, zelfs toen Eirann zwak werd en kwam te overlijden. Ze beschikt over bovennatuurlijke vermogens, net als mijn moeder, en zei dat ze in een klooster het veiligst zou zijn. Of ze is misschien bang krankzinnig te worden, net als mijn en Morthu's moeder, ik weet het niet. Ik ben daar soms zelf bang voor, ook al heb ik dergelijke krachten niet. Ik heb overwogen zelf de halssteen aan te nemen, ter herinnering aan Eirann en als een schild tegen de nacht.

Arme Angas! Wat hij nodig had, was een sterke vriend in zijn nabijheid die verstandig met hem kon praten. Morthu was in staat iedereen tot waanzin te drijven. Urdo had dat moeten bedenken voordat hij hem naar Demedia stuurde om van hem af te zijn. Opnieuw wenste ik dat ik Morthu had gedood zodra ik hem zag. Angas kon dat onmogelijk zelf doen, uiteraard. O, had Osvran nog maar geleefd, zodat hij het voor hem had kunnen doen!

Misschien is Morthu krankzinnig; ik heb dat al dikwijls gedacht. Hij beweert dat hij op grond van zijn vermogens weet dat Urdo van plan is alle koningen te degraderen tot stromannen – en daar zijn ook bewijzen voor, zoals ik al zei. Echter, hij heeft een haat tegen jou ontwikkeld die spot met alle logica. Hij beweert, vergeef het me, Sulien, dat jouw zoon Darien niet de zoon is van Urdo, maar dat je eigen broer Darien hem zou hebben verwekt. Incest, beweert hij! Het maakt niet uit hoe vaak ik hem vertel dat jij destijds in Caer Gloran de nacht hebt doorgebracht met Urdo, of hoe vaak ik hem wijs op de sprekende gelijkenis tussen Urdo en Darien, wiens huid even bleek is als van welke Jarn ook, net als die van zijn vader. Morthu weigert te luisteren. Ik vrees dat mensen die jou niet kennen en Darien nooit hebben gezien hem misschien zullen geloven. Ik weet echter dat dit een leugen is, en dat maakt dat ik ook geen vertrouwen stel in andere dingen die mijn broer beweert.

Dat is de reden dat ik je deze onmogelijke brief twee keer stuur (ik zal jou nooit meer tactloos noemen, na alles wat ik hier heb geschreven) – de eerste per roodmantel. Als die jou niet bereikt, maar deze wél, zul je weten dat Morthu de waarheid spreekt als hij beweert dat Urdo alle correspondentie die zij overbrengen zelf leest. Dat verklaart waarom sommige brieven die ik de andere koningen schrijf nooit worden beantwoord. Deze tweede brief vertrouw ik toe aan mijn persoonlijke dienaar, Vigen de Stomme. Jij zult je, met dat beroemde geheugen van je, Vigen wel herinneren uit de tijd dat we samen in Caer Gloran waren gelegerd – ik had hem werk bezorgd in de thermen, daar. Hij heeft lang geleden, in de strijd tegen de Isarnaganen, een been verloren – waarna mijn vader hem de tong heeft afgesneden om te verhinderen dat hij er tegenover mij en Osvran over zou praten toen we nog jong waren. Ik heb me sinds die tijd over hem ontfermd en weet dat hij me nooit zal verraden. Als raadsman heb ik weinig aan hem, aangezien hij niet kan spreken en ook niet kan schrijven, maar hij kan horen en is mij onwankelbaar trouw. Geef hem jouw antwoord en stuur hem naar mij terug.

Ik liet de brief vallen en snikte het uit. Vigen was dood. Daldaf had hem ervan beschuldigd dat hij hem op een marktdag, laat op de avond in de stad, had aangevallen om hem te beroven, inmiddels al een maand geleden. Ik had hem inderdaad herkend van heel vroeger, in Caer Gloran, maar een vreemde die niet kan spreken, kan zich moeilijk voor de rechter verdedigen tegen een plaatselijk gerespecteerde leugenaar. Hij had luidkeels gegromd en dreigende gebaren gemaakt naar Daldaf, waarbij hij af en toe mij smekend had aangekeken. Niemand had echter iets ten gunste van hem gezegd, en een van de kooplieden van een schip in de haven had gezegd dat hij hem op de markt op diefstal had betrapt en hem na een aframmeling had weggestuurd. Ik had niet lang hoeven nadenken voordat ik hem veroordeelde; ik zag in hem een crimineel zonder vaderland en dat soort lieden zag ik liever niet in Derwen. Angas had mij de laatste persoon gestuurd die hij kon vertrouwen en ik had de man op grond van de wet laten vonnissen. Ik kon me niet voorstellen wat Angas nu van mij moest denken, of wat hij moest geloven. Kon ik zelf maar naar Demedia, of naar Urdo; ik wist dat Angas ons zou geloven. Ik vroeg me af wat Morthu zou doen als we dat deden. We konden er echter niet heen; we waren in eigen huis nodig. Marchel stond op het punt Tir Tanagiri binnen te vallen, en misschien Arling Gunnarsson ook.

Nadat ik de brief ten einde had gelezen, las ik hem nog eens door, voordat ik mijn lamp nam en terugging naar de schrijfkamer. Het was donker in de hal; iedereen was al naar bed. Ik moest Urdo schrijven. Alleen, wat had het voor zin? Zou een brief hem ooit bereiken? Hoeveel correspondentie was er al niet onderschept? En waar was dat gebeurd? Ik merkte opeens dat ik siste van woede. Geen van de brieven waaraan ik 's middags zo verwoed had zitten schrijven kon worden verstuurd. En de kans was groot dat Morthu de enige was die ze zou lezen. Toch ging ik aan tafel zitten om naar Urdo te schrijven – een beknopt verslag van wat er was gebeurd. De brieven die ik in Daldafs kamer had gevonden sloot ik erbij in. Daarna verzegelde ik de brief en ging ermee naar de barakken. De nachtlucht was kil, ook al was het zomer. De hemel was donker, behalve in het westen, waar hij donkerblauw was en waar de Avondster schitterde als een helder baken.

De schildwacht groette mij, duidelijk verrast. Ik wenste dat ik zelf een paard kon nemen om regelrecht naar Caer Tanaga te rijden, zes dagreizen ver. Helderoog was uitgerust, net als Evenster. Het was echter onmogelijk; mijn plichten tegenover land en volk beletten het mij. Ik liep de barakken in en wandelde langs de slapende wapendragers. Wie onder hen kon ik zo onvoorwaardelijk vertrouwen dat ik hem of haar deze boodschap – die leven of dood kon betekenen – kon toevertrouwen? Ik was geneigd Pierian ap Cado te wekken, mijn beste verspieder, maar toen ik haar zag slapen, herinnerde ik mij dat haar vader vanochtend in alle vroegte was gesneuveld toen hij zich namens Aurien tegen mij had gekeerd. De man naast haar had de halssteen van de Blanke God om zijn nek; ik zag het ding langzaam met zijn adem op en neer gaan. Wie onder deze getrouwen kon elders banden en loyaliteiten hebben die tot verraad jegens mij konden leiden? Er was pas een dag voorbij, maar nu al haatte ik deze burgeroorlog uit de grond van mijn hart.

Ik bad tot de Boodschapper der Goden om mij te leiden bij mijn keuze en mij te helpen mijn boodschap over te brengen. Op dat moment wist ik opeens dat ik hen allemaal kon vertrouwen, of helemaal niemand – een andere keuze had ik niet. Ik kon me spiegelen aan Angas en helemaal niemand meer vertrouwen; in dat geval zou Morthu al gewonnen hebben. Of ik kon mijn mensen vertrouwen, de wapendragers die Urdo trouw hadden gezworen en daarbij hadden verklaard geen andere vijanden te hebben dan Urdo's vijanden; zij zouden geen van zijn vrienden kwaad doen en zijn bevelen opvolgen of degenen aanvallen die hij aanviel. Ik moest geen stommiteiten uithalen met verraders, maar als ik hen niet als zodanig kende, moest ik hen vertrouwen. Als ik erop vertrouwde dat zij mij niet zouden verraden, moest dat vertrouwen ons allemaal met elkaar verbinden en het rijk bijeenhouden. Rigg, Ayl en Angas – allemaal hadden ze mij geschreven omdat zij mij vertrouwden. Ik zou me hun vertrouwen zo goed mogelijk waardig tonen. Ik boog me voorover en schudde Flerian zacht aan de schouder.

'Word wakker,' zei ik zacht. 'Je moet voor mij een dringende boodschap overbrengen aan Urdo in Caer Tanaga. Ga meteen en rij zo snel als je kunt, maar geef de brief uitsluitend aan hemzelf af, begrijp je?'

Ze schudde moeizaam de slaap van zich af en ging voorzichtig rechtop zitten. 'Jawel, prefect,' zei ze terwijl ze haar haar slaperig naar achteren streek. 'Ik vertrek meteen.'

5

Wat heeft de zon volgens jou bedoeld
toen hij zo ondeugend naar je gluurde,
en, niet eens naar behoren gesluierd,
toch zijn mantel van vlammend licht
breed uitspreidde over de hemel?
Alleen jij laat je verrassen door de regen,
nog voor de avond is gevallen.
– Meditatie, toegeschreven aan
Alswith Vuurhaar

De volgende ochtend gebruikte ik om de ala toe te spreken en de militie op te roepen. In de dagen van mijn vader had Derwen nauwelijks reservisten gehad. Zelfs nu viel mijn militie niet te vergelijken met die van Bregheda, Tinala of een van de Jarnse koninkrijken. Voetvolk wordt door ruiters als een last ervaren; mensen te voet kunnen paarden niet bijhouden. Steeds als ik mét voetvolk een vijand tegemoet moest treden, had ik het gevoel dat we mobiliteit prijsgaven voor een gering voordeel. Desondanks had ik een behoorlijke militie gevormd uit de sterke jonge boeren in mijn koninkrijk. Ze kwamen exerceren in de seizoenen dat er weinig te doen viel op hun boerderij en ik rekende het als betaling van een tiende van hun belastingen, of zelfs als een vijfde als ik hen langer van huis moest houden. De meesten die geschikt waren voor dit werk beschouwden het als een goede ruil.

In de regel zorgde Duncan voor de juiste training. Ze wisten tenminste allemaal dat de punt van een speer vooraan zat en hadden op zijn minst een poosje samen met de ala geoefend. Dat betekende dat ze niet bang waren voor strijdrossen en ook onze hand-, trompet- en vlagsignalen en commando's kenden. Ze kenden elkaar en wisten wie er bevoegd was bevelen te geven. Ze zouden op een slagveld niet deserteren, althans, niet meteen, en veel meer kon ik niet van hen verlangen. In feite was het al meer dan ik had verwacht ooit nodig te zullen hebben. Voetvolk zet je in ter consolidatie van het terrein dat je ruiterij al heeft veroverd; en ik had gedacht dat ik hen hooguit nodig zou hebben om langs de stadsmuren als schildwacht te fungeren. Als we mochten worden aangevallen, ach, dan had ik de ala tot mijn beschikking.

Ik gebruikte de militie vooral als een bron waaruit ik rekruten kon putten. Na de oogst waren er altijd wel een paar die me schuchter benaderden met de vraag of ik misschien wapendragers nodig had. Als ze sterk gebouwd waren en konden rijden, overtuigde ik me er eerst van dat ze thuis konden worden gemist. Meestal liet ik hen dan beginnen als stalknecht of verspieder en maakte een begin met hun opleiding. Als ik na pakweg een jaar het idee had dat ze een paard en een zwaard waardig waren, nam ik ze de eed af. Op deze manier had ik in vijf jaar tijd drie penoenen extra geformeerd. De complete ala bestond dus in feite uit drie halve alae, in plaats van twee: een ervan was gewoonlijk gelegerd in Magor, de tweede in Derwen en de derde in Dun Morr.

Het land kon deze strijdmacht onderhouden. Derwen floreerde. De oogsten waren goed en elk voorjaar waren er meer dan genoeg veulens. Ook de handel was flink toegenomen; we konden zoveel linnenpapier en linnen verkopen als we konden maken – en ook dat werd elk jaar meer. We vervaardigden genoeg ijzer en smeedwerk in Nant Gefalion om ook daarvan een deel te verkopen. In ruil daarvoor importeerden we lood en tin uit Munew, boeken en graan uit Segantia, Jarns bier uit Cennet, verfstoffen en zuren uit Aylsfa, lederwaren uit Tevin, appels en cider uit Tathal en goud en leisteen voor dakbedekking uit Wenlad. We werden zelfs geregeld aangedaan door koopvaarders die zout leverden uit Nene, honing en geblazen glas uit Tinala, wollen stoffen uit Bregheda en Demedia en houtsnijwerk uit Bereïch. Ook kwamen er schepen uit Tir Tanagiri en Narlahena, en soms zelfs uit Varian, hoewel de meeste goederen uit dat land met schepen uit Munew of Segantia werden aangevoerd. Tot de goederen die mijn moeder 'keizerlijk' noemde, behoorden vooral boeken, wijnen, kruiden en gekonfijte vruchten. Olie kochten we nog maar weinig, omdat we meer dan genoeg lijnzaadolie hadden voor eigen gebruik.

Mensen die door de Jarns uit het oosten waren verdreven, waren naar ons toegekomen en hadden zich in Derwen gevestigd; zij brachten hun vaardigheden mee en droegen bij aan ons aller comfort. We hoefden zelfs geen aardewerk en ijzer meer in te voeren, zoals vroeger. De ene pottenbakker die mijn moeder vijftien jaar geleden had overgehaald om naar de stad te komen, woonde nu te midden van meer pottenbakkers. Een van hen maakte uitsluitend pannen voor daken en plavuizen voor vloeren; hij stond erop tegelbakker te worden genoemd, in plaats van pottenbakker. Als er op een boerderij een welkomstbeker werd gebroken, was dat weliswaar jammer, maar geen ramp; zo'n beker kon worden gerepareerd of vervangen. Er waren werkplaatsen te over in de stad, en neringen waar kaarsenmakers, tinnegieters en koperslagers hun waren verkochten. Vier keer per jaar hielden we markt – een markt die nauwelijks onderdeed voor de markt in Caer Tanaga.

Al deze neringen floreerden net als de stad zelf, die daardoor constant groeide en dreigde uit de muren te barsten die mijn vader zo verstandig was geweest te laten bouwen toen ze nodig waren. Het afgelopen jaar had ik de pers die we gebruikten om de olie uit lijnzaad te persen verplaatst naar een plek, even stroomopwaarts van de stad, uitgerust met een eigen waterrad. Op die manier bleef het waterrad stroomopwaarts van de kaden vrij voor het malen van koren en het zagen van hout. Al het hekelen en verven van vlas werd eveneens stroomopwaarts gedaan, buiten de muren. Dit vervuilde de rivier natuurlijk. Daarom had ik een plan in overweging genomen dat Glividen had voorgesteld – het bouwen van een aquaduct voor de aanvoer van schoon drinkwater uit de heldere stroom in de bossen. Dat zou het veel gemakkelijker maken om de paarden te drenken; nu moest al het water uit bronnen worden geput. Tot op heden had ik dat werk buiten de muren het belangrijkst gevonden. Het was niet bij me opgekomen dat het weleens nodig zou kunnen zijn het te verdedigen. We leefden in Urdo's vrede; geen plunderaar zou het wagen een stad aan te vallen die zo goed verdedigd was. Nu begon ik me er zorgen over te maken. Mijn vader had de muren zo ruim gemaakt dat zo nodig alle plaatselijke boeren er een veilige wijkplaats in konden vinden, zoals die keer dat de Isarnaganen Derwen hadden aangevallen. Maar als we nu alle mensen binnen moesten halen, zou er te weinig ruimte binnen de muren zijn, tenzij we ze opvingen in onze hal – en misschien zelfs dan niet.

Overal waar ik me liet zien, wilden mensen mij vragen stellen. De meeste kon ik niet beantwoorden. Die ochtend vroeg had ik Hiveths penoen naar Nant Gefalion gestuurd; ze hadden opdracht om onderweg ook de mensen op het land te waarschuwen. Ik had me voorgenomen eerst de militie bijeen te brengen en dan te wachten totdat de rest van de ala terug was uit Dun Morr. Daarna zou ik de militie met één penoen onder Duncans commando achterlaten om met de resterende zeven penoenen naar Magor op te rukken teneinde Marchel te verhinderen er te landen. Bij het krieken van de dag had ik verspieders naar de kust gestuurd.

Overal langs de kust tussen Derwen en Magor zijn er inhammen met kiezel- of zandstranden waar je een schip bij vloed kunt laten stranden om krijgsvolk veilig en wel aan wal te zetten, door de branding heen. Echter, Marchel was in aantocht met paarden, dieren die weliswaar door de branding kunnen komen, maar die geen steile kliffen kunnen beklimmen. Ik kon slechts vijf tot zes plekken bedenken waar ze haar paarden aan wal kon zetten. Magor lag niet dicht genoeg bij de kust om een haven te hebben, zoals wij in Derwen. Maar Marchel zou ze in Aberhavren kunnen lossen, en vandaaruit konden ze de heirbaan bereiken. Het leek me echter waarschijnlijker dat ze de dieren liever op een rustige plek aan land zou willen brengen, ergens waar ze een dag of wat konden bekomen van de zeereis zonder dat ze door iemand werden opgemerkt. Ze moesten half ziek en uitgeput zijn van de zeereis. Het was over open zee achthonderd mijl varen naar Narlahena, zoals de Malmse kooplieden me met een grijns plachten voor te houden als ik probeerde met hen te sjacheren. Het was heel iets anders dan met paarden en al een rivier opvaren, of zelfs met ze van Kaap Tapit naar Tir Isarnagiri varen. Ik hoopte haar die tijd niet te gunnen door haar te onderscheppen terwijl ze landde, zodat ik haar tot de strijd kon dwingen voordat ze er gereed voor was.

Laat in de middag arriveerde Govien met zijn drie penoenen uit Dun Morr, terwijl ik in de binnenhof met Nodol Zwijnsbaard over onze bevoorrading stond te overleggen. Tot mijn verbazing was Lew met hen meegekomen. Mijn eerste gedachte was dat hij alleen gekomen was om Emer naar huis te escorteren en Conals lichaam mee te nemen. Ik ging hem tegemoet om hem te verwelkomen en te helpen afstijgen.

'Gegroet en welkom in Derwen, Lew ap Ross,' zei ik met een buiginkje toen hij op de grond stond. Hij beantwoordde mijn buiging, even dik en gewichtig als altijd. Ook die belachelijke lange snor had hij nog. Ik wenste dat hij niet was gekomen, want hij zou alleen maar mijn tijd verspillen. Ik keek al om mij heen, op zoek naar Veniva, die me van hem kon verlossen, door hem mee te tronen naar de hal voor de welkomstbokaal, zodat ik in alle rust met Govien kon praten.

'Heerschap Sulien,' zei hij toen hij zich weer oprichtte. 'Ik ben gekomen zodra ik het nieuws had vernomen. Ik heb Ap Ranien achtergelaten, met het bevel mijn strijdkrachten bijeen te brengen. Ze vertrekken morgen en zullen zo snel komen als hun benen hen willen dragen. Het leek mij goed om gebruik te maken van de paarden en vooruit te gaan, om je te laten weten op hoeveel man je kunt rekenen. Ap Ranien komt met vierduizend man, gewapend met speer en schild, plus vijftig van mijn gardisten, die bovendien het zwaard kunnen hanteren.'

Ik staarde hem aan. Het was geen moment bij me opgekomen Lew te vragen zijn mannen op de been te brengen, laat staan te denken dat hij me zou gehoorzamen als ik dat deed. Hij had mij en Urdo echter trouw gezworen en beschikte werkelijk over deze gevechtskracht; hij was een koning en bovendien een bondgenoot. Nog voor ik hem had ontmoet, had Emer mij al verteld dat Lew een oude dwaas was; bovendien had ze niet al te subtiel laten doorschemeren dat ze hem als een lafbek beschouwde. Tot nu toe had ik niets van hem gezien dat die indruk had kunnen logenstraffen. Hij was weliswaar dik en pietluttig, maar raadpleegde zijn adviseurs dikwijls en uitvoerig. Nu bleek dat hij noch een dwaas, noch een lafbek was, want als handelen geboden was, deed hij dat ook. Hij had veilig in Dun Moor kunnen blijven en de halve ala alleen naar mij kunnen sturen. Er was voor hem geen enkele noodzaak zijn burcht te verlaten, wanneer dan ook. De opstandelingen zouden hem waarschijnlijk met rust hebben gelaten. In plaats daarvan had hij zijn eigen boeren van hun land geroepen om mij gewapenderhand te hulp te komen, al had ik hem er niet om gevraagd. 'Ik sta versteld,' zei ik dom. 'Ik weet niet wat ik moet zeggen; ik had niet op zoveel hulp gerekend.' Intussen vroeg ik me af of hij zelfs maar zou weten tegen wie we moesten optrekken. Ook vroeg ik me af hoe ik vierduizend man voetvolk zou moeten voeden. 'Dit is een daad van eer waarvoor jouw naam voor eeuwig zal worden geprezen.'

Bij die woorden boog Lew nog eens, glunderend van genoegen. 'Het is niet meer dan het gestand doen van mijn eed,' antwoordde hij.

'Ik hoop dat je genoeg strijdkrachten achter hebt gelaten om je huis te verdedigen,' zei ik, toen die gedachte bij me opkwam.

'O, er zijn genoeg krijgslieden om de muren te bemannen. Mijn dochter en erfgenaam voert het bevel, en drie van mijn meest ervaren adviseurs helpen haar. Ik ben hier om Derwen te verdedigen of daarheen te gaan waar je mij nodig hebt.'

Opeens herinnerde ik mij Demedia, dat vanuit Oriel ons eiland binnen was gevallen toen Angas bezig was om Bereïch binnen te trekken. Als ik Lew hier het bevel gaf, zou hij zich tijdens mijn afwezigheid meester kunnen maken van Derwen. Al te goed zijn van vertrouwen was niet verstandig. Ik wenste dat ik de echte reden wist die Lew had gehad om zijn troepen te verzamelen. 'Inderdaad, we zullen allebei genoeg mensen achter moeten laten om onze huizen te verdedigen,' knikte ik. Zijn dochter en erfgenaam was tenslotte pas elf jaar oud. 'Loop met mij mee, wil je?' Ik beduidde Nodol ons te vergezellen. 'Ik zal je vrouw en mijn decurio's laten roepen, zodat we krijgsraad kunnen houden.'

Uiteindelijk wachtte ik nog een dag om Ap Raniens leger te begroeten, en daarna nog een dag om hen veilig en wel te zien wegtrekken naar Magor. Inmiddels had ik ook mijn eigen militie op de been gebracht. Een deel ervan stuurde ik naar Dun Morr in het westen, maar het grootste deel hield ik in Derwen om de stad te verdedigen. Ik gaf Lew het bevel over de militie, Veniva kreeg het gezag over de stad en Emlin voerde het bevel over de penoen en de verdediging van de stad. Ik liet Lew door Emer duidelijk maken dat hij in mijn aanwezigheid alle militaire instructies van Emlin moest uitvoeren. Ze kleedde het diplomatiek in, iets wat mij niet lag. Emlin was bekwaam genoeg om de verdediging te leiden en hij kon op tactvolle manier omgaan met Lew, iets wat ik niet aan een van mijn andere decurio's kon overlaten. Ik wenste dat ik twee van zulke kerels had. Ik probeerde die gedachte te smoren, voordat ik mezelf erop zou betrappen dat ik al mijn vrienden om mij heen wenste, dood of levend. Tot hen behoorde – al wist ik heel goed dat ik hem had verwenst omdat hij me het leven zo vaak zuur had gemaakt – ook Conal; ik zou graag suggesties van hem hebben gehoord. Al bijna even intens en even vergeefs wenste ik dat Emer en Duncan bereid waren thuis te blijven, als ik hen daarom verzocht.

Emer bleef volhouden dat zij mee wilde vechten en dat zij aan het front hoorde. Wat voor argumenten ze tegenover Lew gebruikte, weet ik niet; de dingen die ze tegen mij zei sloegen nergens op en kwamen er alleen maar op neer dat ze ook iets wilde doen omdat Conal dood was. Ik kon met haar meeleven omdat ze niet wilde zitten afwachten, maar kon niet inzien wat voor nut het zou hebben als zij moedwillig de dood riskeerde. Wel kon ik haar beletten om met de ala mee te rijden; ze was ongetraind en zou ons alleen maar tot last zijn. Ik kon echter niet verhinderen dat ze meereed met het leger van Ap Ranien, die over weinig bereden verspieders beschikte.

Duncan was een nog groter probleem. Het was mijn bedoeling geweest hem de militie toe te vertrouwen en Lew naar Magor te vergezellen, zodat ik een oogje op hem kon houden. Tijdens de krijgsraad echter, nadat Lew had onthuld dat hij al verontrustende tips over de rebellie had gekregen en ik had uitgelegd waartoe ik had besloten, smeekte Duncan mij hem toestemming te geven om mee op te rukken tegen Magor. Hij zat er stug bij, wreef voortdurend zijn duimen over elkaar en meed de blik van mijn moeder.

'Jij hebt hier je plichten,' zei ik ongeduldig.

Hij stond op, boog en staarde over mijn hoofd naar buiten. 'Als ik ooit iets heb gedaan waarmee ik de dankbaarheid van de heerschappen van Derwen heb verworven, laat mij dan met je meegaan,' zei hij. Nu hij zijn verzoek zo inkleedde, kon ik het hem moeilijk weigeren. Het liet echter een leemte open in mijn rolverdeling. Als hij mee optrok, was Duncan niet meer dan een gewone wapendrager; maar als bevelhebber van voetvolk was hij betrouwbaar en van grote waarde. Ik beet op mijn lip en gaf Lew het bevel over mijn mensen, in de wetenschap dat hij weinig kwaad kon uitrichten, als hij dat had gewild. Zijn eigen strijdmacht onder Ap Ranien volgde mij naar het oosten. Toch reed ik met een bezwaard gemoed weg. Ik had twee kostbare dagen verspild, trok – met bondgenoten waarvan ik niet zeker kon zijn – op tegen vrienden die vijanden waren geworden en vroeg me af hoeveel anderen die met mij optrokken door doodsverlangen werden gedreven.

Ik was nog steeds in een slecht humeur toen we voor de middagrust en maaltijd halt hielden. Ap Madog kwam bij me zitten, terwijl ik wat van de heerlijke kaas at die Garahs moeder had gemaakt. 'Ik heb zitten denken...' begon hij.

Ik beet op mijn tong en slaagde erin hem niet te plagen met zoveel mentale inspanning. 'Ja?' zei ik, zo bemoedigend mogelijk. Het zal niettemin niet al te bemoedigend zijn geweest, want hij keek me nerveus aan.

'Het gaat over de bevoorrading,' zei hij. 'Ik weet dat Nodol wonderen heeft verricht om ons te helpen zo snel te vertrekken. Ik weet waar de voorraadbergplaatsen zijn en heb bedacht dat het dezelfde bergplaatsen zijn die we aldoor al hebben gebruikt.'

'Wel?' zei ik, omdat ik hem niet dadelijk kon volgen. Een duif vloog klapwiekend op uit de bomen en ik staarde er met nietsziende ogen naar totdat de vogel er weer in verdween. Plotseling begreep ik waarop hij doelde. 'Inderdaad,' zei ik, nu op heel andere toon. 'En Marchel heeft hier vóór Galba het commando over de ala gevoerd, nietwaar? Dus kent zij ze ook, bedoel je.'

Ap Madog knikte treurig. 'Ik hoopte dat u er iets op zou kunnen bedenken,' vervolgde hij.

'Heel goed van je om hieraan te denken,' zei ik. 'Ik zal Nodol berichten en Lew instructie geven om de bergplaatsen extra te laten bewaken door de militie.'

'Kan hij die niet beter gebruiken om ze te verplaatsen?' vroeg Ap Madog. 'Als voetvolk zoiets tegen ruiterij moet verdedigen, krijgen ze het verdomd moeilijk.'

'Ik weet het, maar als hij de voorraden verplaatst, weten wij ook niet waar ze zijn. Bedenk eens waarom we die bergplaatsen aanleggen en hoe gemakkelijk we ze kunnen vinden. Wat is de eerste opdracht die een nieuwe wapendrager krijgt? Nodol zou ze kunnen verplaatsen en mij dan een kaart kunnen sturen waarop staat waar ze te vinden zijn, maar zou iederéén die ze nodig heeft ze daarmee kunnen vinden? Voorraden die je niet kunt vinden, zijn even nuttig als wanneer ze op de maan zouden zijn.'

'Da's waar.' Ap Madog keek terneergeslagen. 'Er was nog iets anders waarover ik heb nagedacht. Zijn we van plan Magor zelf aan te vallen? De ouders van mijn vrouw wonen daar en...'

'We zullen doen wat noodzakelijk is, maar ik ben me er terdege van bewust dat veel leden van de ala familie in Magor hebben,' verzekerde ik hem. 'Maak je geen zorgen.'

Juist op dat moment zag ik een verspieder in volle galop naderen. Ik stond op, zodat hij me beter kon zien. 'Ze zijn geland!' schreeuwde hij. 'We hebben hun sporen gevonden. Ze trekken het binnenland in, richting Magor.'

'Hoeveel?' vroeg ik.

De verspieder rimpelde zijn voorhoofd. 'Moeilijk te zeggen. Ik denk op zijn minst een complete ala, maar misschien ook meer. Massa's paarden, vier- tot vijfhonderd, maar ze worden geleid en niet bereden, zodat ik niet kan raden hoeveel reservepaarden ze hebben. Er waren in elk geval heel wat mensen bij.'

'Het belangrijkste – wanneer?' vroeg ik dringend.

'Vanmorgen in alle vroegte, toen het vloed was.'

'Dan kunnen we ze misschien nog onderscheppen voordat ze Magor hebben bereikt,' zei ik. Ik gaf bevel weer op te stijgen en we braken meteen op.

We reden zo snel als we durfden en bereikten Magor tegen het eind van de middag. Ik reed naar de achterhoede toen we de bosrand hadden bereikt. De landweg daar is tamelijk breed, met greppels die hem aan weerszijden scheiden van de akkers. Ze stonden vol gerst, al bijna rijp voor de oogst. Uit het voorste gelid kwam een schreeuw toen ze onder de bomen vandaan kwamen en Magor in zicht kregen. Marchel was er eerder aangekomen dan wij; een colonne paarden stroomde door de hoofdpoort naar binnen, achter de muren die hertog Galba had laten bouwen. Wij reden in colonne en de eerste penoen begon op een draf de landweg te volgen, richting Magor. Ik beduidde Berth de aanval te blazen, hoewel dat nagenoeg overbodig was. Iedereen wist wat er moest gebeuren. Alleen de eerste penoen moest nu de strijd aanbinden, de rest reed erachteraan als ondersteuning. Meer konden we niet doen zonder alle gerst te vertrappen en het risico te nemen dat onze paarden hun nek braken op de onzichtbare en ongelijke grond.

De hoofdmacht van Marchels leger bleef Magor intrekken toen wij naderden. Onze voorste linies stormden er met omlaag wijzende lansen op af. Ik beduidde de decurio's dat ze zich per penoen moesten spreiden om vervolgens op eigen initiatief aan te vallen. Berth gaf de trompetsignalen die deze bevelen moesten overbrengen. Iedereen hield zijn wapens gereed, klaar om te spreiden zodra er ruimte voor was. Met donderende hoefslagen stormden we erop af. Evenster gooide het hoofd omhoog en hinnikte luid toen ze lucht van hen kreeg.

We zagen ze opstijgen en zich formeren, met bewonderenswaardige snelheid. Twee penoenen naderden ons in volle galop. Toen ze dicht genoeg waren genaderd, zag ik dat het allemaal Malms waren, met hun bleke huid, lange neus en donkere ogen. Ze hadden allemaal kinderen van Thurrig kunnen zijn. Ze waren net zo bewapend als wij, maar droegen een lichter harnas. Ze hadden ook verzamelwimpels en vaandels, net als wij, en het was duidelijk dat hun organisatie een afspiegeling was van de onze. Alleen waren hun paarden kleiner dan de onze. Het waren niettemin echte strijdrossen en geen kleine paarden zoals die van Sweyns 'ruiterij'. Alle paarden waren grijs, zwart of grijszwart gevlekt; ik kon er niet één vos tussen ontdekken. De schofthoogte van de grootste dieren was misschien een handbreedte minder dan die van onze paarden, maar bij de meeste scheelde het wel twee of drie handbreedten. Ze waren fijner gebouwd, lang niet zo krachtig en breed als de onze. Daarentegen waren ze snel genoeg, zoals we zagen toen ze op ons afstormden. De Malms brulden en joelden luid. Het duurde even voordat het tot me doordrong dat ze niet 'Glorie en dood!' scandeerden, maar 'De glorie van God!' Ik voelde hoe Evenster uit zichzelf haar snelheid opvoerde – hoewel we nog bij lange na niet in de buurt waren. Ik zag het geweld waarmee de linies op elkaar botsten.

Ze konden niet tegen ons standhouden – dat moesten ze hebben geweten toen ze hun stormaanval ondernamen. Ze probeerden het met slechts twee penoenen tegenover een complete ala, al konden we onze penoenen niet genoeg spreiden. Bovendien kon hun grotere snelheid het verschil in kracht niet compenseren. Ze vochten als duivels, en hadden het vooral gemunt op onze paarden. Als ze een fractie langzamer waren geweest of als we op de smalle weg niet zo weinig ruimte hadden gehad, hadden we hen nagenoeg allemaal in de pan kunnen hakken.

Zij vochten echter om tijd te winnen voor hun kameraden, die verwoed bezig waren zichzelf in veiligheid te brengen. En ze deden dat hoewel het hunzelf het leven kostte. Ze deden het tegen ons waarschijnlijk beter dan ze eigenlijk konden. Zij waren door en door getraind, maar strijden tegen andere ruiters was voor ons nog altijd nieuw. Ik wilde naar voren om mee te vechten. Er was echter eenvoudigweg geen ruimte voor. Het werd een van de meest frustrerende schermutselingen die ik ooit had meegemaakt.

Uiteindelijk doorbraken we hun gelederen en omsingelden hen. Ik beduidde Padarn te wachten, voor het geval ze een poging zouden doen terug te stormen naar de muren, terwijl ikzelf naar voren reed. Ze bleven zich verzetten, al konden ze geen kant meer op. Van de muren kwam een trompetsignaal, waarop de Malms die nog buiten de muren waren begonnen te juichen en zo mogelijk nog harder begonnen te vechten. Ze gaven zich geen van allen over; we moesten ze allemaal doden, tot de laatste man.

Ik staarde op naar Magor, stevig in handen van de vijand. De stallen en barakken, duidelijk zichtbaar omdat hun muren deel uitmaakten van de stadsmuur, waren nog maar twee dagen geleden in ons bezit geweest. Ik was er zo vertrouwd mee. Ik voelde dat het verkeerd was dat Magor nu tegen ons was. Hertog Galba zou zich in zijn graf omdraaien als hij zag hoe al zijn inspanningen om deze muren te bouwen zo werden misbruikt. Er zat niets anders op dan een belegering en ik wist hoe uitstekend ze binnen waren bevoorraad. Ik had er zelf zorg voor gedragen. Opeens merkte ik dat ik met mijn tanden stond te knarsen en hield ermee op.

Ik posteerde de penoenen van Padarn en Ap Madog – die de achterhoede hadden gevormd – zodanig dat ze de stad konden bewaken, waarna ik de rest van onze strijdmacht liet terugtrekken naar de bosrand. Daar lapten we onze gewonden zo goed mogelijk op en verzamelden onze doden. Er waren heel wat gewonden, maar ik zag dat ze allemaal werden verzorgd en ging hen langs om te zien of iemand mijn hulp nodig had met het zingen van geneeshymnen. Er waren er een paar die dat nodig hadden, zodat ik hen daarmee bijstond. Daarna wendde ik me tot Govien, om hem te vragen naar het dodental. Hij had er alle tijd voor gehad.

'Tien paarden dood, nog eens tien te zwaargewond om nog te kunnen redden – hoewel de stalknechten hun best doen met de wapens.' Bij paarden is dat altijd moeilijk, want zij kunnen niet zeggen door welk wapen ze zijn verwond. 'Slechts drie wapendragers,' liet hij er weifelend op volgen. Hij was nog niet gewend aan het tribuunschap en we waren allebei gewoon dat Emlin dit soort dingen deed.

'Goed werk,' zei ik.

Daarna ging ik naar de doden omzien, zoals ik altijd deed. Govien had hen van het slagveld gedragen en ze naar de bosrand gebracht. Elidah was een meisje dat een van de eerste vrijwilligers was geweest toen ik de militie had opgericht. Ik herinnerde me dat ik een bezoek had gebracht aan de boerderij van haar ouders, niet ver van Derwen, en hoe trots ze waren geweest bij de gedachte dat hun dochter wapendrager zou worden. Ik was van plan geweest haar binnenkort tot wimpeldrager te bevorderen. De tweede dode was Mabon, een man die vele jaren onder Galba had gediend. Hij was een veteraan van Caer Avroc en Foreth, en nu was hij gesneuveld in het zicht van zijn geboorteplaats. De derde dode was Duncan.

Hij was gedood door een speer die hem door de nek was gestoten. Hij zag er oud en verward uit, alsof de wereld weer eens zijn verwachtingen had bevestigd. Ik herinnerde mij hoe hij mij lang geleden de eerste beginselen van het hanteren van wapenen had bijgebracht. Nu was hij hierheen gekomen om te sterven en had gekregen wat hij wilde. Ik wiste de tranen weg die er niets aan konden verhelpen. O, had Marchel haar ala maar op dat moment tegenover de onze opgesteld; ik wilde niets liever dan opstijgen en een vernietigende aanval tegen haar ondernemen.

'Waar slaan we ons kamp op?' vroeg Govien, die me van achteren was genaderd. Het begon al donker te worden en de eerste regendruppels vielen. Ik wist net zo goed als hij hoe kwetsbaar we waren als we eenmaal waren afgestegen, en ook wist ik dat iedere greppel die we konden graven om hen op afstand te houden voor ons een even grote hindernis zou zijn.

Ik fronste mijn wenkbrauwen. 'We moeten zorgen dat ze binnen de muren blijven. Morgen zullen Ap Ranien en het leger van de Isarnaganen hier zijn; dan kunnen we ze naar behoren belegeren. Het lijkt me het beste dat we hier blijven rusten totdat het aardedonker is en zij ons niet kunnen zien vertrekken. Dan breken we op naar Aberhavren, waar we een dak boven ons hoofd en muren om ons heen hebben. Bovendien hebben we er voorraden. We moeten Aberhavren hoe dan ook beveiligen, en morgen zullen we Marchel de weg moeten versperren naar Caer Gloran.'

Govien zuchtte. Hij kwam uit Magor en was door Galba zelf tot decurio aangesteld. Hij was breed, met een gedrongen lichaamsbouw – een van mijn kleinste wapendragers, maar oersterk. Hij leek doodop. Mabon was een vriend van hem geweest. 'Dit is afschuwelijk,' zei hij. Hij keek echter niet naar de doden, maar naar de muren en de stadspoort.

'Je kunt het onmogelijk afschuwelijker vinden dan ik,' zei ik met opeengeklemde tanden. 'We zullen ze echter tegenhouden. We kunnen het, maak je daar maar geen zorgen over.'

Het verbaasde me bijna, te zien dat hij troost putte uit die woorden, en dat zijn stem zo zelfverzekerd en resoluut klonk toen hij wegreed om mijn bevelen door te geven.

6

[...] Dit is oorlogstijd en wij moeten pal staan tegen deze geduchte vijand, in plaats van ons leven te verspillen aan ijdele dromen van glorie of grotere vaardigheden. Elk leven heeft zijn waarde, met inbegrip van het mijne, dat ik zo lang lichtvaardig heb opgevat. Zij die sterven, geven hun leven om het vuur en het koren te sparen in deze hongerwinter. Onze huizen en boerderijen verwoest, meer doden dan wij kunnen tellen, het hele land gebrandschat en de vrede waaraan we zo lang hebben gebouwd vergeten. [...]
– Uit: *Dertig Zwaarden*

Het kostte tien dagen om haar naar buiten te lokken. Bij het aanbreken van de dag na onze aankomst belegde ik krijgsraad in Aberhavren. Het was geen stad, slechts een kleine nederzetting die was ontstaan rond de plaats waar de veerboot de Havren oversteekt. Er was geen stadsmuur, alleen een palissade die door Galba was vergroot om ruimte te maken voor de ala toen hij de plaats hier was gaan gebruiken als uitvalsbasis.

Bovendien hadden we er een voorraadbergplaats aangelegd. Ik had gevreesd dat ik zou ontdekken dat Marchel er zich meester van had gemaakt, of dat Aurien de bewoners had opgedragen mij de toegang te weigeren. Heel de geest van burgeroorlog gaat schuil in dat soort angst; je trekt op naar een sterkte die je goed kent, zonder te weten of de bewoners voor of tegen je zullen zijn. Gelukkig toonden de bewoners van Aberhavren zich onverschillig. De man bij de poort had ons gevraagd waarom we nog zo laat aan kwamen rijden, maar hij had geen aanstalten gemaakt ons tegen te houden toen ik hem mijn naam had genoemd. Waarschijnlijk zou hij evenmin hebben geprobeerd Marchel tegen te houden. Ik wist niet eens of de mensen hier al iets wisten van de burgeroorlog.

Ik ontbood mijn decurio's naar de schuur waar ik had geslapen en een voor een kwamen ze binnen en zochten een plaatsje, leunend tegen de muur. Toen het lichter werd, zag ik dat op sommige plaatsen de pleisterlaag had losgelaten en dat de wilgentenen erdoorheen schemerden. Ik liet Talog ons ontbijt brengen, zodat ze onder het eten van de pap hun mening en suggesties konden ventileren.

'De moeilijkheid is dat we haar naar buiten willen lokken, maar haar niet mogen laten ontkomen,' zei ik.

'We kunnen haar uithongeren,' meende Govien, gebarend met zijn kom.

'Op de voorraden in Magor houden ze het wel twee maanden vol,' zei Bradwen somber. Ze zette haar kom neer. 'Ik heb ze er zelf heengebracht.' Ze was wimpeldrager van Garians penoen geweest voordat ik haar na de dood van Garian tot decurio had gepromoveerd. Het was haar taak geweest om met Nodol Zwijnsbaard te onderhandelen over de voorraden in Magor.

'Ja, en dan houden we er niet eens rekening mee dat Aurien zelf ook voorraden kan hebben aangelegd,' voegde ik eraan toe. 'Heeft een van degenen die in Magor waren gelegerd iets gemerkt van zoiets?'

Bradwen en Golidan schudden het hoofd. Ik wenste dat ik eraan had gedacht er Emlin naar te vragen voordat ik hem in Derwen achterliet. 'Het is daar een slechte tijd van het jaar voor,' merkte Golidan op.

'Wij houden altijd voorraden voor de paarden aan, voor het geval we snel moeten opbreken,' zei Bradwen. 'De groene kool en de knolrapen zullen echter over een dag of tien rijp zijn – als ze dit na de oogst had kunnen doen, zou ze genoeg voorraden hebben gehad om de winter door te komen.'

'De zomer is een betere tijd om oorlog te voeren,' beaamde ik. 'Als ze echter twee alae binnen die muren heeft en slechts voorraden voor een maand, is haar uithongeren een reële mogelijkheid. Toch zou het weleens te lang kunnen duren als er elders ook moeilijkheden de kop opsteken.'

'Is er nieuws over?' vroeg Ap Madog. Hij schraapte de laatste restjes uit zijn kom en zette hem neer.

Ik schudde het hoofd en slikte de laatste hap van mijn ontbijt door. 'Niets. Maar Cinvar kan elk ogenblik uit het zuiden komen. Er is trouwens kans dat er nog meer Malms zullen landen. We hebben geen flauw idee wat Flavien of de andere koningen in hun schild voeren. Bovendien is er nog de mogelijkheid dat er elk ogenblik een invasie vanuit Jarnholme kan komen.'

Cynrig Mooibaard bewoog zich onrustig totdat hij merkte dat iedereen naar hém keek. Hij was uiteraard zelf een Jarnsman en een verre verwant van Sweyn, die na Foreth was opgenomen in de alae. Net als Ulf was hij een snelle leerling, die zich tot een betrouwbare wapendrager had ontwikkeld. Ik had hem tot decurio gepromoveerd toen ik de derde halve ala formeerde. Ik had er lang en ingespannen over nagedacht, maar ik had nooit reden gehad aan zijn loyaliteit te twijfelen en hij was de beste kandidaat. Het zou niet billijk zijn geweest hem op grond van zijn bleke huid te passeren, of alleen omdat hij twaalf jaar geleden tégen ons had gestreden.

'Daar heb ik niets over gehoord,' zei hij. 'Arling haat mij; iedere Jarnsman die met jullie rijdt noemt hij een landverrader. Eén ding kan ik er wel over zeggen: hij zal niet zomaar ergens landen; hij zal daar landen waar hij gelooft dat het land op zijn hand zou zijn – en dat is Tevin. Sweyn heeft daar het landoffer gebracht en Arling zal denken dat de goden om die reden naar hem zullen luisteren. Daar komt bij dat de zoon en dochter die Sweyn bij Gerda Hakonsdottar heeft nog in Caer Linder zijn, bij hun moeder, en dat Arling hen in veiligheid zal willen brengen.'

'Het verbaast me dat hij ze niet als zijn rivalen ter dood wil brengen,' zei Ap Madog. 'Die dochter zal – hou oud zal ze nu zijn, een jaar of achttien? En de zoon was precies een jaar vóór Foreth geboren, dus die moet een jaar of twaalf, dertien zijn. Dat is oud genoeg om je er zorgen over te gaan maken – te meer omdat ze door Alfwin Cellasson zijn opgevoed, in de vrede van Urdo.'

Cynrig keek hem aan, duidelijk geschokt. 'Geen enkele Jarnse koning zou ooit een neef of nicht van hem doden. Nog afgezien van het feit dat zoiets goddeloos is, waarvoor Moeder Frith hem zou straffen, zouden al zijn getrouwen nooit hun eer op het spel zetten voor een man die tot zoiets afschuwelijks in staat is.'

'Sweyn heeft zelfs zijn eigen dochter geofferd,' wierp Govien tegen. 'Je hebt het zelf gezegd en we weten het allemaal. Hij heeft haar geslacht alsof ze een offerdier was.'

'Dat was zijn *dochter*,' zei Cynrig, alsof dat alles verklaarde, maar bij het zien van onze gezichten begon hij te lachen. 'Jawel, dat maakt verschil! Het is echter moeilijk uit te leggen. Hoe het ook zij, velen onder ons vonden het een verdorven daad van Sweyn en we hadden daar gelijk in, zoals duidelijk is gebleken. Sweyns eerste vrouw, Hulda, heeft hem nooit vergeven dat hij haar dochter heeft vermoord of Gerda erbij tot vrouw heeft genomen.'

Govien deed zijn mond open, maar ik was hem voor. 'Als de kans groot is dat Arling in Tevin wil landen, maakt dat de kans dat er versterkingen voor ons hierheen komen een stuk kleiner,' zei ik, om hen terug te brengen bij de zaak waarom het ging, voordat ze langdurig uitweidden over de merkwaardige zeden van de Jarns. 'Hoe lokken we Marchel naar buiten?'

'Wat zou ons ertoe brengen een uitval te doen als wij in Magor zaten en werden belegerd?' vroeg Bradwen.

'Goeie vraag,' zei ik, en dacht erover na. Cynrig grijnsde naar Bradwen en ze blaakte van trots. Ik negeerde hen en probeerde iets te bedenken dat ons zou helpen. Niets zou ertoe in staat zijn, tenzij de muren dreigden in te storten. Behalve gebrek aan voorraden. 'We zouden niets doen,' zei ik. 'We zouden wachten totdat de belegeraars wegtrokken.'

'We zouden de Isarnaganen de stad kunnen laten bestormen,' opperde

Golidan. 'Ik weet nog goed hoe ze destijds Derwen hebben belegerd. We waren bang dat alleen al hun gewicht genoeg zou zijn om de poorten te doen bezwijken. Er was niets wat we daartegen hadden kunnen doen, behalve zo nu en dan een uitval doen en kokende teer van de muren gieten.'

'De Isarnaganen zullen vannacht aankomen,' knikte ik. 'We zouden het kunnen proberen. Maar als het ons zou lukken een bres in de muur te slaan en de Isarnaganen zijn eenmaal in de stad, is er niets dat hen in het gareel kan houden. Niemand onder ons is vergeten dat we niet alleen vijanden achter die muren hebben, maar ook vrienden.'

'Wat zou er gebeuren als we weggingen?' vroeg Ap Madog. 'Wat zou ze dan doen?'

'Waarschijnlijk naar de heirbaan gaan om naar Caer Gloran op te trekken en zich aan te sluiten bij Cinvar,' zei ik. 'Het laatste wat we willen, zijn twee losgebroken alae die buiten ons bereik zijn. Ze zijn niet sterk genoeg om tegenover ons stand te houden, maar tegen voetvolk zullen de lichte paarden niet veel verschil maken.'

'En als ze zou proberen eruit te komen en langs ons heen te stormen?' zei Ap Madog. 'Ze zijn verrekt snel. Misschien zullen ze proberen in formatie te vluchten.'

'Goed punt,' zei ik, me vooroverbuigend. 'We moeten haar zoveel te doen geven dat ze niet kan wegkomen. We moeten inderdaad verhinderen dat ze haar alae formeert en uitbreekt.'

'We zouden kunnen blijven proberen ze in de flank aan te vallen – de ene penoen na de andere, steeds als een detachement van ze zich probeert te formeren. Dat moet lukken.'

'Mogelijk,' zei ik langzaam terwijl ik erover nadacht.

'Volgens mij zal het werken,' hernam Ap Madog, peinzend zijn mok in zijn handen ronddraaiend. 'Mits we kans zien tussen hen en de heirbaan te blijven en ervoor zorgen dat we niet dwars door hun gelederen heen stormen.'

'Ik weet het niet,' zei Golidan. 'Het zou kunnen. Maar stel dat we ons in hinderlaag leggen? Stel dat we haar rustig naar buiten laten komen om naar Caer Gloran te rijden? Dan kunnen we haar onderscheppen. Dan zouden we ook geen last hebben van ruimtegebrek om te formeren. Als we van te voren een goeie plek kiezen, kunnen we ze van beide kanten tegelijk aanvallen. Zo'n plek kunnen we van tevoren verkennen.'

'Verleidelijk, maar te riskant,' zei ik na een ogenblik. 'Als ze in plaats daarvan naar Derwen reed, of hier de rivier overstak, zouden we op die plek even misplaatst zijn als een zadel op een koe. En intussen kan zij het land platbranden. We weten immers niet zeker wat haar plannen zijn.'

'Toch lijkt een hinderlaag me geen gek idee,' zei Cynrig, die zijn baard streelde. 'Als we deden alsof we vertrokken, maar dat niet doen.'

Bradwen lachte hem bewonderend toe. Die twee hadden al zo nu en dan een deken met elkaar gedeeld, voordat hij was gepromoveerd en naar Dun Morr was gedetacheerd. Ik bood weerstand aan de neiging om een emmer koud water over ze uit te gieten.

'We zouden de gewassen op de akkers in brand kunnen steken,' opperde Govien. 'Misschien zal ze daarvoor naar buiten komen – en dan zijn wij klaar voor haar.'

'We moeten dichterbij zijn,' zei ik.

'Als we een palissade op de heuvel bouwen, met de voorraadplaats even ten noorden van Magor, bij een goede bron, zouden we dicht genoeg bij zijn, maar niet té,' zei Bradwen. 'We kunnen hem laten bouwen door de Isarnaganen; en die kunnen hem ook bewaken en verdedigen als zij eraan komen. Op die manier zouden we kunnen beginnen met de oogst binnen te halen, ook al is niet alles al rijp. We zouden de kolen en knolrapen voor de paarden kunnen gebruiken. Als ze dat merkt, zal ze misschien een uitval willen doen, vooral als ze alleen maar Isarnaganen ziet.'

'We moeten denken als een vos,' zei ik. 'Wat zouden wij doen als we de indruk hadden dat onze belegeraars waren vertrokken?'

'Verspieders uitzenden,' zei iedereen in koor, zodat we allemaal in de lach schoten.

'Dat zou dus niet lukken,' zei ik, weer leunend tegen de beschadigde muur. 'De verspieders zouden algauw de feitelijke situatie door krijgen. Stel echter dat we probeerden haar het idee te geven dat we deden alsóf we waren vertrokken?'

'Ook dan zal ze verspieders uitzenden,' zei Ap Madog.

Ik dacht na over een manier om mij uit deze situatie te redden. 'Als we deden alsof we een halve ala hadden achtergelaten die de indruk probeerde te wekken dat het een complete ala was, versterkt door de Isarnaganen, zou ze wellicht het idee krijgen dat ze die wel aankon. Dan zou ze geen verspieders uitsturen, omdat een halve ala groot genoeg is om verspieders te pakken te nemen; en verspieders zouden de ala dwingen zich terug te trekken binnen de palissade, zodat er een eind kwam aan de bluf.'

'We zouden iemand anders jouw prefectmantel kunnen omhangen; dan zal ze denken dat jij weg bent gegaan en iemand anders laat doen alsof je er nog bent. Iemand die niet zo groot is,' zei de stille Padarn. Het waren de eerste woorden die hij die ochtend had gesproken. 'Ik wil het wel doen, als je wilt.'

'Laat mij het maar doen,' zei Bradwen. 'Het zal geloofwaardiger lijken als een vrouw het probeert, maar ik zal me dicht genoeg onder de muren wagen om te zorgen dat iemand me herkent of op zijn minst kan zien dat ik Sulien niet ben.'

'Waarom zou je weg moeten?' wierp Ap Madog tegen. 'Ik bedoel, dan zou ze raden dat het een list was. Je hebt geen enkele reden om ergens anders heen te gaan, Sulien.'

Ik dacht even na. Er was op dat moment weinig dat belangrijk genoeg kon zijn om mij ertoe te bewegen weg te gaan van Magor. 'Bijvoorbeeld als Derwen werd aangevallen, of als Urdo mij ontbood,' zei ik.

'We hebben dus een roodmantel nodig!' zei Govien opgewonden. 'Een boodschapper die overduidelijk uit de richting van Aberhavren komt; een roodmantel die uitgeput en met een paard dat onder het schuim zit ons kamp binnen komt stormen. Dan kun je die avond wegsluipen. Daar zal ze wel intrappen, denk ik.'

Gezamenlijk werkten we de krijgslist tot in alle bijzonderheden uit. Vervolgens reden we naar Magor terug en legden een cordon rond de heuvel en zetten de wegen af. Ik liet een halve penoen achter in Aberhavren, onder bevel van Ap Magor, en ik bond hem op het hart dat hij me onmiddellijk moest waarschuwen als er moeilijkheden dreigden, bijvoorbeeld als er troepen kwamen opdagen, uit ongeacht welke richting. We haalden de voorraden uit twee van de nabijgelegen bergplaatsen en sloegen ze op in de bergplaats op de heuvel. Het grootste deel van de dag gedroegen we ons demonstratief als een ala die voornemens is de muren te bestormen. De verdedigers gooiden speren naar ons, maar waren voor het overige totaal machteloos. Ik gaf bevel dat geen enkele plaatselijke boer een haar mocht worden gekrenkt en dat we zoveel mogelijk moesten proberen om schade aan de oogst of eigendommen te voorkomen. We zouden later wat bomen moeten kappen en wat gewassen verzamelen, maar ik legde uit dat we de boeren ervoor zouden betalen. Dit was nagenoeg onze standaardaanpak in een oorlog, zodat de ala dit rustig accepteerde.

Omdat ik niet over een heraut beschikte, zond ik Berth, mijn trompetter, met de herautentak naar voren om te proberen te onderhandelen. Aurien of Marchel stuurde broeder Cinwil, om ons te vragen weg te gaan en een eind te maken aan onze inval in Magor. De 'onderhandelingen' waren even zinloos als ik bij voorbaat had geweten; we verspilden er een heel uur van de ochtend mee.

Toen de Isarnaganen ons die avond bereikten, zetten we hen meteen aan het werk om de palissade op de heuvel te bouwen. Ap Ranien en Emer kwamen in de schemering naar mij toe. Ik stond bij de eerste in de grond gedreven palen van de palissade en keek door het dal omlaag naar Magor, met ver daarachter de kustlijn en de zee.

'Het zal onmogelijk zijn mijn mensen in het gareel te houden, prefect,' zei Ap Ranien zodra ik hem had verwelkomd. 'Dat was op het grondgebied van Derwen al moeilijk genoeg, maar hier? Hoe kun je ook anders verwachten? Ze zijn gewapend en belust op strijd. Dat móet uitdraaien op plunderen.'

Het duurde even voordat ik begreep dat ze het over mijn verbod op plunderen hadden. 'Dit is geen invasie; dit is een burgeroorlog,' zei ik zo rustig mogelijk.

'Van burgeroorlogen weten we alles af,' zei Emer. 'Meer dan jij, vrees ik. Deze mensen zijn hierheen gekomen om te vechten en zullen niet begrijpen wat jij bedoelt met terughoudendheid. Ik heb hun gezegd dat ze de boeren van Magor niet mogen doden, dat het oneervol zou zijn, en ik denk wel dat ze dat hebben begrepen. Maar als we ze verbieden oorlogsbuit te vergaren, zullen ze waarschijnlijk meteen rechtsomkeert maken en onderweg hun schade inhalen door vanaf hier helemaal tot aan Dun Morr alles te plunderen wat ze tegenkomen.'

'Dat is barbaars!' riep ik uit. Ze zeiden niets. Ik keek van de een naar de ander. Ap Ranien stond even stokstijf als de palissadepaal naast mij. Hij leek diep ongelukkig met de situatie.

Emer keek langs me heen. 'Het is de gewoonte bij ons,' zei ze. 'Er zal nog heel wat tijd moeten verstrijken voordat daar verandering in zal komen.'

De volgende ochtend ging ik de plaatselijke boerderijen langs om de mensen daar te waarschuwen voor de oorlog en uit te leggen dat niemand de Isarnaganen in toom zou kunnen houden, en dat ik daarom de boeren de bescherming van Derwen bood, als ze bereid waren daarheen te gaan. Er gingen meer boeren op het aanbod in dan ik had verwacht. Ik vond niet dat ze veel reden hadden om bang te zijn. Hoe dan ook, het zou thuis in Derwen erg vol worden. Ik kon alleen maar hopen dat Veniva ze goed zou opvangen.

Ik posteerde verspieders bij de beide poorten van Magor, voor het geval Marchel of wie ook een uitval zou willen wagen. Vervolgens stuurde ik de andere helft van Ap Madogs penoen én alle verspieders eropuit met het bevel consequent de hele omgeving af te speuren en onmiddellijk alarm te slaan als zij troepen zagen naderen, uit ongeacht welke richting. Ze stonden onder bevel van Ap Madog en konden Aberhavren als uitvalsbasis benutten en gebruikmaken van de voorraden en stallen daar. Op die manier hield ik zes penoenen over, plus een heel leger Isarnaganen. Ik probeerde dat leger zo veel mogelijk binnen de palissade te houden om het plunderen tegen te gaan. Een deel stuurde ik naar voren om de rijpste groene kolen dicht bij Magor te oogsten. Die zouden eigenlijk nog een dag of tien tot veertien in de grond moeten blijven, maar de paarden waren in hun sas met deze aanvulling van hun menu. Ik hoopte Marchel het idee te geven dat we uiteindelijk de hele oogst zouden binnenhalen, zodat er niets voor haar zou overblijven.

Die hele dag liet ik de helft van de ala rusten, maar gereed om op te stijgen zodra Marchel naar buiten mocht willen komen. Tegen de middag arriveerde de pseudo-roodmantel met wat eruitzag als een dringend bericht. Tegen de avond, toen het nog net licht genoeg was, reed ik aan het hoofd van de drie uitgeruste penoenen stilletjes over de heirbaan naar het noorden, alsof we probeerden weg te sluipen naar Caer Gloran. Zodra het volledig donker was, reden we nog stiller terug naar de heuvel met de palissade en trokken we ons erbinnen terug.

De volgende zeven dagen deden we wat we konden om te zorgen dat de zes penoenen eruitzagen als drie penoenen die hun best deden de indruk te wekken dat het er zes waren. Bradwen droeg mijn prefectenmantel met de gouden eikenbladeren en reed rond alsof ze probeerde buiten het zicht van Magor te blijven, maar in werkelijkheid hoopte ze te worden herkend. Zelf bleef ik binnen de palissade. Het bedrog deed me pijn, vooral naarmate er meer tijd verstreek en niets erop wees dat Marchel zich om de tuin had laten leiden.

De tiende dag kwam ze eruit, toen de Isarnaganen knolrapen begonnen te rooien. Het beeld wat Marchel zag, was dat van een halve ala die onder de bomen afwachtte, klaar om op te stijgen, en een groep Isarnaganen die ongeorganiseerd in de weer waren. De rest van de ala bevond zich binnen de palissade, ook volledig paraat. Inmiddels had ik het idee dat we daar al zo lang waren dat de uitval nooit zou komen en dat we er zouden moeten blijven totdat de Malms honger begonnen te lijden.

Het moeilijkste was nog het wachten totdat alle Malms de stadspoort uit waren, voordat we aanvielen. We hadden de palissade zo gebouwd dat we een deel ervan als een brede deur konden openen, om via die opening de heuvel af te stormen. Als Marchel ons zou opmerken voordat ze haar penoenen niet meer terug kon trekken, zou ze zich onmiddellijk weer achter de muren verschansen, wist ik. Het juiste moment afwachten was echter een kwelling. Evenster was rusteloos onder mij, en ik sprak haar geruststellend toe. Marchels wapendragers reden de poort uit en ik bleef maar toekijken. De halve ala onder bevel van Govien steeg op. Bradwen ontdeed zich van mijn reserve-mantel om verwarring te voorkomen. Steeds meer armigers van Marchel reden de poort uit. Zodra ze allemaal buiten waren, gaf ik mijn bevelen. De Isarnaganen trokken het scharnierende deel van de palissade naar binnen en we stormden met omlaag gerichte lansen de heuvel af, klaar om hen in de flank aan te vallen.

Het was een glorieus moment. Het leek op een van de stormaanvallen die we tijdens de oorlog zo vaak hadden uitgevoerd – totdat we er bijna waren. Toen drong het pas goed tot ons door dat ook zij te paard zaten en beweeglijk waren, zodat ze zich konden omdraaien voor een tegenaanval. Ze waren sneller dan ik had gedacht, ook al had ik hen al eerder zien strijden. Toen zaten we er middenin en was er geen tijd meer voor overpeinzingen – alleen maar tijd om aan te vallen, te ontwijken en te doden.

Evenster ramde de lichtere paarden hard, ook al probeerden ze haar te ontwijken. Hierdoor had ik mijn handen vrij om de berijders hun vet te geven. We waren niet gewend om tegen bereden tegenstanders te vechten, maar zij waren niet gewend om tegen ruiters te strijden wier paarden veel groter en sterker waren dan de hunne. Ik deed mijn best daar zoveel mogelijk voordeel uit te halen.

Ik streed met de lans totdat die me uit handen werd getrokken door een doorboorde, vallende wapendrager. Nu trok ik mijn zwaard, het zwaard dat ik al zo lang had dat het een verlengstuk van mijn arm leek te zijn, al vergat ik geen moment dat het van mijn vermoorde broer Darien was geweest. Dit was het zwaard dat tot Morwens dood had geleid en menige andere vijand had doen sneuvelen. Ik nam even de tijd om het zwaard op te steken naar het licht van de ondergaande zon en de gevallen vijanden op te dragen aan de Heer van het Licht. Toen steigerde Evenster en schopte naar een van de Malmse paarden, en meteen was ik terug in het eindeloze moment van de slag en resteerde er niets dan het strijdgewoel, mijn kameraden en de vijand.

Die slag heb ik niet best geleid. Ik wist eenvoudigweg niet hoe ik een slag tegen een andere ruiterij moest inkleden. Ik had plannen en gaf bevelen, maar toen we eenmaal slaags waren geraakt vochten we penoensgewijs en stormden erop af zodra ze zich leken te hebben geformeerd. De Isarnaganen zorgden ervoor dat Marchel zich niet terug kon trekken naar de muren van Magor en de ala bleef tussen haar troepen en de heirbaan. Zodra ze klem zat, gaf ik het afgesproken signaal dat alle Isarnaganen – niet alleen degenen binnen de palissade, maar ook degenen die knolrapen aan het rooien waren geweest – op de been bracht. Ze stroomden toe rond de muren en sneden de terugweg voor haar af. Ze hieven hun lansen op en gebruikten hun slingers met verwoestende gevolgen. Hierdoor was Marchel genoodzaakt weg te blijven van de muren en zich op oneffen terrein te wagen. Zo nu en dan keek ik om me heen, om me ervan te overtuigen dat ze bleven waar ik hen wilde hebben. Dat was het geval en ik zag vaandels met de zwarte raaf wapperen in de wind. Op de muren wierpen mensen van Magor zware dingen omlaag, zodat een deel van de Isarnaganen zich met hun schild moest beschermen. Ik ving een glimp op van Aurien, die boven op de muur bij de poort boven hen stond, met ontbloot hoofd. Vlug keek ik weg; haar wilde ik niet zien. De Malms die probeerden mij te doden waren vreemden voor mij.

Het werd een lange, zware strijd. We bleven aanvallen, vechten, ons verzamelen en opnieuw aanvallen, ons zo nu en dan wat terugtrekkend, totdat we allemaal uitgeput waren en onze paarden het schuim op de mond en de borst stond. Zelfs ik kon nauwelijks een gedachte wijden aan de meer omvattende strategie. We begonnen de overhand te krijgen en aangezien de

Isarnaganen tussen Marchel en haar troepen stonden, konden wij in theorie onze paarden verversen en zij niet. De Malms bleven echter aandringen en gunden ons niet de kans daartoe. Eindelijk zag ik Marchel aan de andere kant van het slagveld. Ze was duidelijk woedend en vocht als een furie, in gevecht met Cynrig. Juist toen ik keek zag ik hoe ze hem een snee in zijn arm bezorgde, maar direct daarop stormde zijn penoen naar voren en dreef hen uiteen. Inmiddels stonden we naar het oosten gekeerd; het strijdgewoel had een halve slag om zijn as gemaakt. Ik stond juist op het punt de hele ala naar voren te sturen toen ik op de weg naar Aberhavren iets in de zon zag blikkeren. Ik wachtte een ogenblik met mijn bevel, in de veronderstelling dat het een boodschapper van Ap Madog zou zijn.

Toen zag ik hen naar ons toe daveren en kreeg ik tranen in mijn ogen. Het was mijn ala, Urdo's eigen ala, die in onberispelijke orde naar voren stormde en er zo uitgerust uitzag alsof ze zojuist de barakken in Caer Tanaga had verlaten. Ze hadden zich geformeerd tot een speerpuntformatie, bedoeld om een wig tussen de Malms en de anderen te drijven. Ze voerden hun vaandels en in het midden wapperde de enorme purperen standaard die ik bij Foreth had mogen voeren, met daarnaast Urdo's goudkleurige rennende paard op een fond van groen-en-wit. Toen waren ze dichtbij en splitsten zich op hun eigen signalen in twee helften, die Marchel aan weerskanten aanvielen. Ze moet hebben geweten dat ze er waren, want de trompetsignalen waren luid genoeg, maar ze bleef doorgaan met haar eigen signalen om haar eigen penoenen om zich heen te verzamelen. Op dat moment zette ik met mijn penoen een volgende aanval in, in de mening dat ze op mij toekwam.

Terwijl we opdrongen, zag ik hoe de eerste penoen van Urdo's ala zich in het strijdgewoel stortte. Nagenoeg in de punt van de aanval, met het gouden vaandel van de vaandrig in zijn zadelbeker, zag ik mijn zoon Darien, rijdend op een goudkleurig zomerpaard. Hij was inmiddels twintig en volwassen, blakend van jeugd en kracht. Hij had zijn zwaard in de hand. Ik zag hem glimlachen en hij deed me denken aan een monnik die zo in zijn gebed opgaat dat hij zich nauwelijks nog bewust is van zijn omgeving. In zijn zeegrijze ogen glinsterde een vreemd licht. Toen bereikte hij de vijand en begon bedaard mee te vechten, met een zelfverzekerdheid die ik nog niet eerder van hem had gezien. Als je hem bezig zag, leek vechten bijna een gewijde bezigheid. Ik kon niet goed bepalen of het gevoel in mijn innerlijk voortkwam uit trots of afgunst. Hij leek een vreugdevolle jonge god in de dageraad van de wereld. Ik moest me losmaken van die aanblik om een houw van links te blokkeren die zo hard aankwam dat ik bijna mijn schild liet vallen. Op dat moment vocht ik voor mij leven. Het is heel gevaarlijk om je gedurende een slag te laten afleiden.

Ik wist dat we hen te pakken hadden. Het draaide uit op een slachting.

Ik ving een glimp op van Ulf, niet ver van mij vandaan. Hij gebruikte zijn strijdbijl en trok zich niets aan van de lichte harnassen van de Malms, aangezien de bijl er dwars doorheen ging, ongeacht waar hij de vijand raakte. Het ergerde mij te zien hoe effectief dat wapen was; bijlen slaan diepere wonden dan welk zwaard dan ook en geen moment leek Ulf gevaar te lopen door een vallend lichaam van zijn paard te worden getrokken.

Ongeveer de helft van de Malms zat klem tussen mijn zes uitgeputte penoenen en de verse troepen. Ze vochten dapper en er waren maar weinig Malms die zich overgaven, als we hun aanboden dat te doen. De andere helft bevond zich tussen Urdo's ala en de rivier. Daar was ook Marchel. Zodra Urdo zijn eerste aanval had ingezet, verzamelde ze haar penoenen en probeerde naar de heirbaan in het noorden te ontsnappen. Ze werd achtervolgd, uiteraard, en veel van haar volgelingen werden gedood. Tegen de tijd dat ze haar achtervolgers afschudde, had ze nog maar twee penoenen over; niet meer dan vijftig bereden wapendragers zonder reservepaarden. Ze vluchtten verbazingwekkend snel, hoewel hun paarden doodop moesten zijn. Urdo werd erdoor verrast; hij had hen nog niet eerder gezien en wist niet hoe snel ze waren. Tegen iedere tragere ala zou zijn strategie hebben gewerkt en zouden we de beide helften van haar ala volledig hebben opgerold.

Na Marchels vlucht begonnen de Malms om mij heen zich over te geven.

Ik zou van paard hebben verwisseld om Marchel te gaan achtervolgen, maar hoorde Grugin het trompetsignaal geven dat betekende dat al onze wapendragers zich moesten verzamelen. Dus wendde ik Evensters vermoeide hoofd weg van de bomen en terug naar Magor. Stapvoets staken we het bloederige slagveld over, af en toe om een gevallen ruiter of paard heen, of soms om allebei. Zo kwam het dat ik Urdo in het centrum van het slagveld ontmoette, net zoals de eerste keer dat ik hem had leren kennen, al zo lang geleden. Hij bereed Donder en was op en top zichzelf, zoals altijd.

'Heer koning,' zei ik, toen de alae zich om ons heen hadden geformeerd. Ik zag Darien, die zijn bezwete gezicht afdroogde. Naast hem zag ik de vertrouwde brede grijns van Masarn. Ik stond versteld. Ik begreep niet goed wat hij hier deed; hij had gezegd dat hij het vechten eraan had gegeven. Ik keek terug naar Urdo, niet wetend wat ik moest zeggen. 'Je bent gekomen.'

'Ik ben er,' knikte hij glimlachend.

7

Toen ging Tovran tegen zijn dochter te keer en zwoer dat zij Drusan huwen zou, goedschiks of kwaadschiks. Hij wilde niet dat zijn Lossiaanse of Tirtanagaanse onderdanen hem zagen als een barbaar; daarom doodde hij Naso niet, zoals hij had gedreigd, maar gaf hem werk dat hem aan de noordoostgrens van het imperium zou vasthouden, ver van Vinca. Helena echter bleef volhouden: 'Ook al is mijn geliefde slechts dichter, hij is mij trouw en ik bemin hem. Mij is dat meer waard dan een imperium.'
Drusan verklaarde dat hij de maagd niet wenste als zij niet bereid was, maar Tovran weigerde zijn plannen voor de dynastie op te geven. Toen Helena na twee jaar nog niet op andere gedachten was gekomen, stelde hij een huwelijksdatum vast. Op de ochtend van haar trouwdag begaf haar vader zich naar haar vertrekken en trof het arme meisje dood aan in bad, de polsen zo ver doorgesneden dat ze al haar bloed had verloren.
Hierop sprak Dalitius tot Drusan: 'Helena heeft slechts hetzelfde gedaan wat in de ogen van onze edele voorvaderen nobel was als ze zich met een ondraaglijke situatie geconfronteerd zagen. Gij en ik zouden ons moeten bezinnen op onze principes, ten overstaan van een keizer die een dergelijk offer verlangt. Is het wijs het hem te geven, of moeten we gaan nadenken over een andere koers?'
Drusan weigerde op dat moment te luisteren, maar als Dalitius later zulke dingen zei, begon hij hem het oor te lenen.
– Cornelien: *De annalen van het Vinca-imperium*

Ik wees langs de heuvelhelling omhoog naar de plek waar Marchel en de meesten van haar overlevende wapendragers tussen de bomen waren verdwenen. 'We zouden haar moeten achtervolgen,' zei ik.

'Een detachement, meer niet, op verse paarden,' zei Urdo, gebarend naar Grugin. Hij blies het signaal voor degenen onder ons die van paard moesten verwisselen. 'Zullen vier penoenen genoeg zijn, denk je?'

'Als ze haar te pakken kunnen krijgen,' zei ik vermoeid. Ik nam mijn helm af en masseerde mijn hoofd waar het me pijn bezorgde. Er zat een nieuwe deuk in de helm.

'Ze mag dan snelle paarden hebben, maar die moeten op hun laatste benen lopen,' antwoordde Urdo. Hij wenkte Masarn. 'Neem vier penoenen zonder gewonde armigers en zet op verse paarden de achtervolging in.'

'Tot hoever?' vroeg hij, argwanend opkijkend naar de helling in het noorden. 'Zijn er sporen?'

'Die kant uit niet,' zei ik. 'De heirbaan loopt naar het noorden en ze zal erop moeten blijven. Te paard komt ze nooit door die hoge, steile heuvels heen en ze beschikt niet over voorraden, dus ze zal moeten proberen een sterkte te bereiken.' Ik wendde me tot Urdo. 'Het spijt me. We hadden gehoopt haar naar buiten te lokken en haar dan te overmeesteren, zonder dat ze kon ontsnappen.'

'Ze is ervandoor met slechts twee penoenen en geen voorraden, in plaats van twee uitstekend toegeruste alae,' zei hij. 'Dat lijkt me reden voor tevredenheid. Masarn, volg haar zo goed je kunt, maar blijf in de buurt van de heirbaan. Ik zal verspieders vooruit sturen. Blijft ons op de hoogte houden. Ga weer de heirbaan op als het donker is, dat duurt nog een uur of twee. Blijf daar niet de hele nacht; als je bij de heirbaan je kamp opslaat, zou je veel te kwetsbaar zijn.'

Ik keek om mij heen, op zoek naar mijn decurio's. 'Neem de penoen van Bradwen,' zei ik. 'Zij kent deze landstreek op haar duimpje. En...' Er schoot me iets te binnen. 'Is de penoen van Ap Madog met jou meegekomen?'

'Uit Aberhavren, ja.'

'Neem dan ook wat mannen uit die penoen mee; ze hebben verkenningen uitgevoerd, maar hebben slechts kort aan de slag deelgenomen.'

Masarn knikte. 'Ik zal doen wat ik kan.'

'Maar wat doe jij hier eigenlijk?' vroeg ik.

'Geen tijd,' grijnsde hij. 'Ik heb me – net als zoveel anderen – in deze noodsituatie weer onder de standaard geschaard.'

Glimlachend keek ik hem na. Zijn woorden riepen levendige herinneringen op aan de oorlog, en aan alle mooie momenten die we destijds hadden beleefd.

'We moeten naar binnen,' zei Urdo, me terugbrengend in de realiteit. 'Kom mee.'

Ik zette mijn helm weer op en pakte mijn schild. Het was gehavend en zo gedeukt dat de geschilderde demon erop bijna onherkenbaar was. Zelfs de ijzeren rand was ingedeukt op de plaats waar ik hem hard had laten neerkomen op een vuist in een ijzeren handschoen. 'Welke voorwaarden gaan we stellen?' vroeg ik.

'Aurien moet worden berecht. De anderen hebben alleen haar bevelen opgevolgd en kunnen amnestie krijgen als ze nu meteen om vergiffenis vragen en zweren zich niet meer tegen ons te keren,' zei Urdo. Hij wenkte Grugin en Raul, die bij de voorraadcolonne waren blijven wachten. Raul had een herautentak bij zich. Mijn penoen stelde zich achter mij op. Ik nam hen kort in ogenschouw. Ik miste zeven man. Ik hoopte dat de meesten alleen gewond zouden zijn en niet dood. Daar zou ik me echter pas later van kunnen overtuigen. Zoveel wapendragers had ik nog niet eerder in één slag verloren. Nogmaals, we waren nog niet gewend de strijd aan te binden met een andere ruiterij.

We staken onze vaandels en reden naar de poorten van Magor, die nog steeds vastberaden voor ons gesloten waren gebleven. Terwijl wij naar voren reden, blies Grugin het signaal voor de rest van de wapendragers om af te stijgen. Govien begon de gewonden te verzorgen en de doden te bergen. Het handjevol Malms dat we hadden gevangengenomen, werd aan elkaar geboeid. Ik had geen idee wat we met hen aan moesten. Het leek niet waarschijnlijk dat we van hun families in Narlahena een fatsoenlijke losprijs zouden krijgen. Golidan had zijn halve penoen ingezet om loslopende Malmse paarden te vangen, die zich al mistroostig tot groepen begonnen te vormen, zoals alle paarden plegen te doen als ze hun berijder kwijt zijn.

De Isarnaganen stonden te brullen en met hun speren op hun schilden te beuken. Ze werden stiller toen wij naderbij kwamen, onder de indruk van de vaandels, de purperen standaard en Urdo's koninklijke uitstraling. Ze weken uiteen om ruim baan voor ons te maken. Onder hen ontdekte ik Emer, levend en ongedeerd.

De mannen op de muur boven de poort herkende ik. Twee ervan waren Auriens schildwachten bij de ingang van haar hal. De derde was broeder Cinwil en de vierde mijn jonge neef Galbian. Hoe had Aurien zo stom kunnen zijn de jongen daarboven te laten? Mijn maag kromp ineen toen ik naar hem opkeek. Als hij ook maar even iets van verzet liet blijken, zou hij zijn leven verbeuren. Volgens de wet was een vijftienjarige oud genoeg om verantwoordelijk te kunnen zijn voor zijn daden. Uiteraard mocht niemand van zo'n jongen verwachten dat hij zou proberen zijn moeder tegen te houden. Aurien wist dat; dat kon niet anders.

'De invallers van overzee, die Aurien ap Gwien onderdak verkoos te bieden, zijn dood, gevlucht of verslagen,' verklaarde Raul met luide stem. 'Aurien ap Gwien, die haar eigen zuster heeft vergiftigd en met de vijanden van de Grote koning heeft samengezworen, inbreuk heeft gemaakt op de vrede en de wet heeft geschonden, moet voor haar wandaden terechtstaan.'

Ik keek even opzij naar Urdo, die ik naar Galbian zag kijken. Ik was blij dat hij erbij was om de landverraders te berechten, zodat ik die last niet op mij hoefde te nemen.

'Voor het overige kan iedereen in Magor die zweert voortaan de vrede van de koning te eerbiedigen en de wet te gehoorzamen, op genade rekenen en zich weer onder de vrede van de koning stellen. Maar hij die valselijk op de naam van de Blanke God zweert, of op de naam van ongeacht welke god van het land, zal het slecht vergaan.'

Raul wachtte en haalde een paar keer adem. Wat hij daarna zei, klonk minder luid, maar het drong toch tot hen door. 'Open de poort in naam van Urdo ap Avren, Grote Koning van Tir Tanagiri!'

'Wij zullen de poorten openen,' verklaarde broeder Cinwil. Ik slaakte een zucht van verlichting. 'Op voorwaarde dat de heidenen niet binnenkomen.'

'Het volk van Dun Morr zal buiten blijven, maar jullie moeten hun eten en drinken brengen,' repliceerde Raul vlug.

'Daar hebben we niet genoeg voor,' zei broeder Cinwil. 'Kom binnen, dan laten we het u zien.'

Ik fronste mijn wenkbrauwen. Er moest meer dan genoeg zijn. Raul wierp een blik naar Urdo, met opgetrokken wenkbrauwen. Urdo moet hem een teken hebben gegeven dat ik niet kon zien, want Raul sprak gladjes verder: 'Goed, waar niet is verliest de keizer zijn recht. Doe de poorten open en aanvaard onze genade óf de gevolgen.'

'Wij zullen uw aanbod van amnestie aannemen,' zei Galbian, wiens stem gespannen en schril klonk omdat hij probeerde zich verstaanbaar te maken. Ik vroeg me af of Aurien hem naar boven had gestuurd om te voorkomen dat ze die woorden zelf moest uitspreken. Even later zwaaiden de poorten open en reden we naar binnen.

Galbian kwam dadelijk omlaag en knielde voor Urdo neer. Wat ze tegen elkaar zeiden weet ik niet, maar Urdo hielp hem overeind en omhelsde hem zonder aarzelen. Daarna kwam zijn jongere broer Gwien, die hetzelfde deed, en ook hem schonk Urdo ruimhartig vergiffenis. Vervolgens kwam Gwien naar mij toe, terwijl de mensen van Magor een voor een naar voren kwamen. 'Mag ik evengoed voor de zomer naar Derwen?' vroeg hij, met het egocentrisme van een kind.

'Waarschijnlijk zul je voorgoed in Derwen komen wonen, want je zult veel moeten leren als mijn toekomstige erfgenaam.'

'O, fijn!' zei hij en begon Evenster te aaien. Na enkele ogenblikken, verlegen en zonder op te kijken, zei hij: 'Ik ben heel blij dat moeder geen kans heeft gezien u te vergiftigen, tante Sulien.'

'Waar is je moeder eigenlijk?' vroeg ik. Er was geen spoor van haar te bekennen.

'Ze zei dat ze in grootvaders kamer zou zijn, als u haar wilde spreken, maar u moet alleen gaan, niet met ons erbij, dat heeft ze ons laten beloven.'

Op dat moment wist ik het, en in een flits kwam mijn droom terug – Veniva die een rol touw en een dolk uit een koerierstas opdiepte. Zelfmoord, de uitweg van de Vincanen. Ze zou daarmee een proces en haar executie kunnen ontlopen. Het zou in veel opzichten het beste zijn. Desondanks moest ik proberen het haar te beletten. Ze beschikte misschien over informatie over de plannen van de vijand die voor ons van het grootste belang was. Urdo had het nog druk met het afnemen van eden van trouw, dus hem kon ik niet lastig vallen. Daarom wenkte ik Raul, die met zijn paard aan de teugel naar mij toekwam.

'Ik moet de hal in om Aurien op te sporen,' zei ik. 'Gwien, vertel Raul wat ze tegen jullie heeft gezegd.'

Gwien herhaalde het. Rauls hand omklemde zijn halssteen, maar hij keek me in de ogen. 'Ik ga mee,' zei hij.

'Zorg jij voor Evenster, Gwien,' zei ik. Ik steeg af en voelde mijn benen wiebelen toen ze mijn gewicht zelf moesten dragen. Nu pas realiseerde ik me hoe uitgeput ik was. Evenster liet gewillig toe dat de jongen haar trots bij het halster pakte. Galbian had in de portiek voor de haldeur gewacht en keek me treurig aan, met donkere kringen onder de ogen, toen Raul en ik langs hem heen liepen. Anders dan zijn jongere broer wist hij het.

De hal leek verlaten; iedereen was buiten. Ik duwde de deuren open en stak de grote hal met de Vincaanse ligbanken over. Het liefst was ik op een ervan gaan liggen om te slapen, overmand als ik werd door de vermoeidheid van dagen in spanning afwachten, gevolgd door de uitputtende veldslag. Ik liep echter door en ging Raul voor over de brede trap naar boven. Ik kende de weg. De kamer van hertog Galba was de grote bovenkamer, behangen met tapisserieën waarop het leven en de heldhaftige dood van iedere hertog van Magor was uitgebeeld. De nieuwste, met de meest sprekende kleuren, beeldde uit hoe Galba de Jongere bij Foreth Sweyn had overwonnen. De tapisserie was door Aurien zelf gemaakt; ze had er twee jaar aan gewerkt. De lansen en zwaarden waren van echt zilverdraad, afkomstig uit het verre Caer Custenn.

Ze zat ervoor, in een van de rode gecapitonneerde stoelen. Even dacht ik dat we nog op tijd waren. Haar ogen waren open en het was alsof ze ons zag. Ze droeg een overgooier van rood linnen, bij de hals bijeengehouden door haar gouden fibula met parels. Ik kon me niet heugen wanneer ik haar voor het laatst met slordig haar had gezien. Ze had het voor Galba afgesneden, maar nooit los laten hangen. Nu ik dit zag, wekte dat een gevoel van hevige onrust in mijn binnenste, bijna om bang van te worden. Ik haalde diep adem en liep de kamer in, naar haar toe.

'Aurien?' zei ik. Ze had de halssteen aan een koord om haar nek hangen, zoals altijd. En ze had een beker in haar hand. Ze verroerde zich niet en zei niets. Ik verstarde, halverwege de kamer. Raul haastte zich langs mij heen en liep op haar toe. Hij drukte zijn vingers in haar hals om vast te stellen of haar hart nog klopte. Op dat moment ontspanden haar vingers zich en viel de beker op de grond, in tweeën. Een paar druppels bevlekten het geweven tapijt. Raul begon gebeden te prevelen voor haar zielenrust. Ik raapte de beide helften van de beker op en rook eraan. Bilzekruid.

Raul onderbrak zijn gebeden.

'Te laat,' zei ik met omfloerste stem.

'O nee,' zei hij, naar mij opkijkend. 'Het gif heeft haar verlamd, maar ze leeft nog.'

Vervuld van afschuw staarde ik naar haar, me herinnerend hoe ik me had gevoeld toen het gif mij overweldigde; ik had kunnen horen en zien, maar had niet kunnen reageren. Ze zou jaren in leven kunnen blijven zonder zich te kunnen bewegen. Conal had het gezegd, en hij had verstand gehad van gif. Ze kon in deze conditie onmogelijk terechtstaan. Ik keek naar Raul, want ik wist dat de volgelingen van de Blanke God zelfmoord als een doodzonde beschouwden, een daad waarmee de mens iedere kans op de wereld die volgens hun geloof komen zou, verspeelde. Het verwonderde mij bijna dat ze uiteindelijk zo Vincaans had kunnen worden. Ik wist dat Raul niet zou toestaan dat ik haar een kussen op het gezicht drukte om haar een zacht einde te bezorgen. Ik vroeg me af hoe groot zijn kennis van vergiften was. In Thansethan zou hij niet veel kans hebben gehad daar veel over aan de weet te komen.

'We moeten haar water te drinken geven,' zei ik, verbaasd hoe kalm mijn stem klonk. 'Misschien kunnen we het gif zo uit haar lichaam spoelen.'

Raul keek me kort aan en knikte. Toen ik de kamer verliet, was hij weer voor haar aan het bidden.

Ik rende naar beneden, griste een beker uit een kast en rende naar de achterzijde van de hal om water te putten. Ik draaide verwoed aan de slinger en schonk het water in de beker, waarbij ik veel vocht morste. Ik had pas twee stappen bij de put vandaan gezet, toen ik het bilzekruid rook. Ik bleef stofstijf staan. Ze hadden de waterput vergiftigd. Althans, iemand had dat gedaan – om haar het voordeel van de twijfel te gunnen. Ik kon niet geloven dat Aurien zoiets had kunnen doen zonder haar zoons op het hart te binden niet van dat water te drinken. En als ze ervan hadden geweten, zouden ze het Urdo hebben gezegd. Ik vroeg me kort af waar het bilzekruid vandaan kwam en hoe duur het zou zijn. Ik had geen idee of je er veel of weinig van nodig zou hebben om een hele waterput te vergiftigen. Conal zou het wel hebben geweten. Misschien kon ik er Emer naar vragen.

Toen draaide ik me om naar de put en begon te lachen. Ik was hierheen gekomen om water te halen waarmee ik mijn zuster kon vergiftigen, maar had vergif in de put gevonden in plaats van helder water. Ik kon haar geen beker vergiftigd water laten drinken, hoe goed mijn bedoelingen ook waren en ongeacht wat ze mij had aangedaan. Ik gooide het water dat ik had geput terug in de put en zette de beker op de rand. Toen dwong ik mezelf tot kalmte en zong Garahs bronzegen, onder het aanroepen van de Moeder als

Coventina. Hetzelfde had ik gedaan in Caer Lind, toen de waterputten daar vergiftigd waren; en ook had ik het gedaan op de heuvel Foreth. Uit de diepte van de put kwam dadelijk een gorgelend geluid. Ik kon voelen hoe de bezwering inwerkte op de wereld, het dodelijke gif verdreef en zorgde dat het opwellende water schoon was. Er zou vast en zeker een geneeshymne bestaan die gif op die manier uit mensen verdreef, als er een god bestond die evenveel van mensen hield als de Moeder van Vele Wateren van water houdt. Toen haalde ik de putemmer weer naar boven, rustig deze keer, me bewust van het heilige van water en alle andere dingen. Ik doopte de beker in de emmer, liet hem boven de emmer afdruipen en rook eraan. Het was goed, helder drinkwater. Ik dronk de beker leeg en vulde hem weer. Toen begon ik terug te lopen naar de hal.

Opnieuw bleef ik staan. Hoe kon ik dit water, heilig als het was, zoals alle water heilig is, gebruiken om mijn eigen zus te doden? Toch zou haar dood een weldaad zijn, voor iedereen. Ik zette nog een stap naar de deur. Ik hief de beker op naar de hemel. Ik zou ermee naar binnen gaan. Het zou de keus van de goden zijn als het gebeurde. Ook de dood kan heilig zijn.

Ik haastte me de hal door en de trap op, terug naar de grote kamer met de fraaie tapisserieën. Raul onderbrak zijn gebeden toen ik binnenkwam. 'Ik denk...' begon hij. Toen gaf Aurien een kik en draaide hij zich weer naar haar om. Ik had de indruk dat ze naar mij keek, met een blik vol haat.

'Excuus dat het zo lang heeft geduurd, maar de waterput was vergiftigd,' zei ik. Ik bleef naar Auriens gezicht kijken, maar kon geen verandering zien. Ik kon niet bepalen of ze ervan had geweten of niet.

'Waar heb je dit water dan vandaan?' vroeg Raul.

'Ik heb de bron ontgift,' zei ik. 'Met een bronzegen die ik al vaker met succes heb gebruikt. Dit drinkwater is zuiver. Ik heb er zelf van gedronken voordat ik ermee naar boven kwam. Er zou misschien schoon water in een kruik te vinden zijn geweest, maar ik kon die put niet zo achterlaten; wie van dat water dronk, zou ook vergiftigd zijn.'

Hij keek me aan, verbaasd, voordat hij licht het hoofd schudde en zijn hand uitstak naar de beker. Ik reikte hem die aan en hij zette de beker aan Auriens lippen. Ze deed ze een beetje open. Ze staarde me nog altijd aan en ik kon nog steeds niets opmaken uit de trek om haar mond. Toen Raul haar keel streelde, slikte ze. Ze bleef slikken.

'Die waterput moet door Marchel vergiftigd zijn,' zei Raul. 'Waarschijnlijk heeft Aurien wat van dat water gedronken zonder het te merken.'

Als dat zo was, waarom zijn we dan zo haastig naar deze kamer gekomen? dacht ik. Trouwens, de vloeistof in de kapot gevallen beker was wijn geweest, geen water.

Raul ging echter verder: 'Daar ben ik blij om. Als het zelfmoord was, had ze haar weg naar God nooit kunnen vinden. Nu heeft ze nog kans op vergiffenis.' Hij maakte het teken van de Blanke God en raakte haar voorhoofd en mond aan met zijn halssteen.

Ik zei niets; de beker was nu leeg. Raul zette hem neer. Heel even keek Aurien me aan alsof ze plotseling doodsangsten uitstond, en toen was ze niet meer onder ons. Haar hoofd viel achterover, haar hart klopte niet meer en haar ademhaling hield op. Ik had op het slagveld die dag wel twaalf mensen gedood, of misschien zelfs meer. In zekere zin had ik hen allemaal gedood door daartoe bevel te geven, en de meesten hadden hun dood minder verdiend dan Aurien. Nooit heb ik me schuldig gevoeld voor het feit dat ik haar heb geholpen de dood te vinden die ze wenste.

'Ah,' zei Raul. 'Ik had me al afgevraagd of dat zou gebeuren. Dat komt af en toe voor, zie je, met bilzekruid.' We keken elkaar een ogenblik aan. Toen begon Raul de gebeden voor de overledenen te bidden.

8

O, Heer, schenk deze mensen Uw eeuwiglevende Geest, opdat zij opnieuw worden geboren als erfgenamen van de eeuwige verlossing door de mensgeworden God; opdat zij Uw dienaren kunnen blijven, de vervulling van Uw beloften mogen smaken en met U mogen verwijlen in Uw eeuwige heerlijkheid, in alle eeuwen der eeuwen prijzend Uw heilige naam.
– Uit: *De dooprite van de Blanke God*, een vroege vertaling zoals deze in gebruik was in het klooster Thansethan

Toen we naar buiten kwamen, was de binnenhof vol wapendragers en stalknechten, die druk bezig waren hun paarden te drenken en te laten lopen. Toch waren dit alleen de twee penoenen die we hadden meegenomen; de andere penoenen waren afgedaald naar de rivier. Desondanks deed de binnenhof denken aan Caer Tanaga op marktdag. Gwien had Evenster een halve emmer water gegeven en leidde haar nu rond aan de teugel. Tot mijn opluchting zag ik dat hij kans had gezien haar op te laten houden met drinken. Te veel koud water kan voor een verhit paard de dood betekenen. Evenster was een welgemanierde merrie, maar de jongen was tenslotte pas dertien.

Ik hoorde Raul zijn theorie over de vergiftiging van de bron uitleggen aan Urdo. Toen de kleine Gwien hoorde dat zijn moeder dood was, liet hij zich huilend tegen Evensters voorbeen vallen. Ze brieste even van schrik en draaide haar hoofd om hem met haar neus een duwtje te geven, maar bleef geduldig staan. Galbian werd alleen stil. Hij was nog erg jong om het volle gewicht van Magor op zijn schouders te torsen. Urdo nam de beide jongens mee de hal in. Ik keek hem vragend aan om te zien of hij me nodig had, maar hij schudde zijn hoofd.

Toen de paarden eenmaal waren afgekoeld en gedrenkt, haalde ik beide alae binnen de muren. Ik waarschuwde Dalmer dat de andere putten ook vergiftigd konden zijn, zodat hij wegging om de situatie in ogenschouw te nemen. Zelf ging ik omzien naar de doden en gewonden. Eenmaal weer binnen, moest ik allerlei geschillen beslechten over de beschikbare plaatsen voor inkwartiering. Er was binnen de muren nauwelijks plaats voor alle wapendragers, en in geen geval was er in de stallen genoeg plaats voor alle paarden.

In de stallen praatte ik een paar minuten met Darien, terwijl hij bezig was zijn zomerpaard te verzorgen. Hij had het dier een heel toepasselijke naam gegeven: Gerst – een verwijzing naar de kleur van het rijpe koren die dicht bij de bleekgouden kleur van het paard kwam. Toen ik afscheid van hem nam en de stallen verliet, liep ik buiten meteen tegen een ruzie tussen Golidan en Rigol aan. Ze twistten over wie de meeste aanspraken mocht maken op de barakken. Golidan beende woest weg om tenten te gaan opzetten, en ik haalde net opgelucht adem toen Dalmer naar me toekwam, ook al met een woedende trek op zijn gezicht.

'Waar is Urdo?' vroeg hij zonder inleiding, zodra de beide decurio's zich hadden verwijderd. 'Ze hebben al het voer met opzet vernield. Vertrapt door paarden, op de mesthoop gegooid of zo vervuild dat het onbruikbaar is. Een deel van de wortelen is misschien te redden voor de paarden en ook een knolraap kan tegen een stootje, maar het zal tijd kosten om de boel te sorteren. En als er ook maar iets over is dat geschikt is om door mensen te worden gegeten, hebben ze het verdomd goed verborgen.'

'Niet waarschijnlijk, want ze hadden kunnen winnen,' zei ik, proberend het tot me door te laten dringen. 'Ik had aangenomen dat iemand de put op het laatste moment had vergiftigd, maar daar moest tijd voor nodig zijn geweest. Wat waren ze van plan, in naam der goden?'

'Geen idee. Ik betwijfel of er veel denkwerk aan te pas is gekomen. Maar de verspilling! Ik kon wel janken toen ik het zag. Als ik Marchel ooit te pakken krijg, zal haar doden te goed voor haar zijn. Eerst krijgsgevangenen afslachten, dan het land binnenvallen en ook nog eens goed voedsel vernielen!'

'Daarom zeiden ze dat ze niet genoeg hadden voor de Isarnaganen,' zei ik. Langzamerhand begon ik de gevolgen te overzien.

'En die zullen we ook het een en ander moeten sturen,' zei Dalmer. 'Celemon? Hé, Celemon!'

Celemon ap Gajus, die Erbins kwartiermeester was geweest, de laatste keer dat ik haar had gezien, was bezig met het afladen van voorraden van de pakpaarden. Ze zette een zware zak neer en kwam naar ons toe.

'Wat hebben we meegebracht dat we vierduizend Isarnaganen te eten kunnen geven, om te voorkomen dat ze de hele streek verwoesten?' vroeg Dalmer haar.

Schouderophalend zei Celemon: 'Pap?'

Dalmer maakte een dreigende beweging naar haar met het wastablet dat hij bij zich had. Ze ontweek de slag en deed alsof ze bang was, hoewel ze Dalmer met één hand had kunnen optillen als ze dat had gewild.

'Op een boerderij op ongeveer een mijl afstand hebben ze wat koeien,' zei ik. 'Als je hun een stuk of vijf, zes koeien geeft, zullen ze daar zo blij mee zijn dat het ze niets zal uitmaken dat het de halve nacht gaat duren voordat het vlees gaar is. Alleen is het minder voedzaam voor ze dan pap.'

'Blijkbaar heb je ervaring met Isarnaganen,' grijnsde Celemon. 'Ik ben alleen gewend om wapendragers en hun paarden te eten te geven. Ik doe tegenwoordig het werk van Glyn, sinds hij koning van Bregheda is.'

'Ik vrees dat Ap Erbin je zal missen,' zei ik. 'Een goeie kwartiermeester is moeilijk te vinden.'

Celemon haalde opnieuw haar schouders op. 'We hebben de mensen zo goed mogelijk opgeleid. Ik hoop later terug te kunnen naar Caer Segant; het bevalt mijn man daar uitstekend. Maar goed – kun je voor dit moment een verspieder missen die mij kan helpen die boerderij te vinden, zodat ik de Isarnaganen tevreden kan stellen?'

Ik beduidde de dichtstbijzijnde wapendrager een van onze verspieders naar me toe te sturen. 'Kun je voor ons ook een paar koeien meebrengen?' vroeg ik.

'Hoeveel koeien hebben ze daar?' vroeg Dalmer.

Nu haalde ik mijn schouders op. 'Ik heb ze niet geteld; ik had het te druk met de troepen. Het zijn er in elk geval meer dan zes. Mooie beesten, flink uit de kluiten gewassen.'

'Dat moet voor die boer zijn hele levensonderhoud zijn,' zei Dalmer. 'Hij zal er misschien een of twee willen afstaan, in ruil voor zilver, maar nooit de hele kudde. Het is afschuwelijk dat we dit moeten doen.'

'Waarom eigenlijk?' vroeg Celemon. 'We hebben toch de voorraden die we hebben meegebracht? Ik weet dat de oogsttijd nadert, maar er zou hier nog genoeg moeten zijn.'

'Marchel heeft al het voedsel verpest,' zei Dalmer. Zijn hele lichaam beefde van woede. 'We zullen waarschijnlijk ook de burgers van de stad te eten moeten geven.'

Ik wendde mijn blik af toen hij de vernielingen plastisch begon te beschrijven. Bij de poort zag ik Emer en Ap Ranien staan. Emer zag eruit alsof ze het volste recht had hier te zijn, maar Ap Ranien leek slecht op zijn gemak. Juist toen hij mij zag kijken, zei hij iets tegen Emer.

'Daar zijn de aanvoerders van de Isarnaganen,' zei ik, Dalmer in de rede vallend. 'Op grond van de voorwaarden voor het openen van de poort behoren ze niet binnen te komen. Zou je even mee willen komen om ze samen met mij te begroeten?'

'Ik moet met Urdo gaan praten, als dat mogelijk is,' zei Dalmer. 'Ga jij maar mee, Celemon, misschien kun je van hen aan de weet komen met hoeveel man ze hier zijn.'

Ik wandelde met Celemon naar de poort, waar ik iedereen aan elkaar voorstelde en iedereen diep en heel beleefd boog.

'We zijn bezig wat koeien te laten brengen voor jullie overwinningsfeest,' zei Celemon.

Emer en Ap Ranien wisselden een blik. 'Dat is misschien niet nodig,' zei Ap Ranien.

'We hadden begrepen dat jullie mensen de overwinning graag willen vieren...' begon ik. Ik had het echter verkeerd begrepen.

'Moeten we ook vannacht binnen de palissade blijven?' vroeg Emer.

'Ja,' zei ik. 'De burgers van de stad zijn bang van jullie troepen.'

'In dat geval zullen we smoorkuilen maken,' vervolgde Emer. 'We hebben het slagveld geruimd en er zijn heel wat dode paarden. Als jullie ze niet nodig hebben, hebben wij er voldoende aan om onze mensen te voeden.'

Mijn maag speelde meteen op en ik moest op mijn tong bijten om te voorkomen dat ik iets ondiplomatieks en beledigends zou zeggen. Ik had me de moeite kunnen besparen.

'Dat komt dicht bij kannibalisme!' flapte Celemon eruit. 'Onze strijdrossen zijn onze kameraden! We eren hen na hun dood en hun lichamen worden met respect behandeld!'

Op dat moment herinnerde ik mij Glyns nuchtere gezicht boven een put die ik lang geleden had gezuiverd met een bronzegen. 'Luister, Celemon,' zei ik. 'Denk eens terug aan Caer Lind. We zouden daar onze eigen paarden hebben opgegeten om niet te verhongeren – en die waren nog springlevend.' Mijn afschuw deed niet onder voor de hare, maar ik had tijd onder de Isarnaganen doorgebracht en hun barbarendom was niet meer zo gruwelijk voor me als vroeger. Ik had zelfs een Isarnagaan moeten berechten wegens diefstal van een paard, en zijn beweegredenen waren duidelijk hetzelfde als die van een dief die een koe stal.

'Trouwens, we hebben niet gezegd dat we jullie dode strijdmakkers wilden opeten – alleen de paarden van de vijand,' zei Ap Ranien haastig.

Ik opende mijn mond, nog op zoek naar een beleefde manier om te kennen te geven dat het opeten van gevallen vijanden nauwelijks verschil maakte. Celemons gezicht was tamelijk groen geworden en ze had steun gezocht tegen de stadsmuur.

Nog terwijl ik naar woorden zocht, hoorde ik Urdo's stem achter mij. 'Jullie mensen mogen zich te goed doen aan de Malmse paarden, ook al dienen jullie te weten dat dit bij velen in de alae dezelfde reactie zal oproepen als bij Ap Gajus hier.'

Met een ruk draaide ik me om. Ik had geen idee hoe lang hij er al had gestaan. Hij stapte naar voren en kwam naast me staan. Hij zag er moe uit en zijn stem klonk mat.

Glimlachend zei Emer: 'We zijn het gewend door anderen als barbaren te worden beschouwd.'

'Ik zou daar graag verandering in brengen,' zei Urdo. 'Jullie behoren nu ook tot mijn volk. Dit zou een goed moment zijn om veranderingen door te voeren. Vier vandaag feest op de manier die bij jullie gebruikelijk is. En overtuig je ervan dat er uitsluitend Malmse paarden worden gegeten. Dan zal ik jullie en jullie getrouwen morgen een paar van de Malmse paarden schenken die we hebben gevangen. Ik schat dat er voor alle getrouwen van het hof twee paarden beschikbaar zullen zijn. Dan kan het feest van deze avond als keerpunt dienen in de kijk van jullie volk op paarden als vee, in plaats van als kameraden.'

Emer fronste en haalde adem, maar ze zei niets.

'Wat gebeurt er met de rest van de oorlogsbuit?' vroeg Ap Ranien.

'Alles wat er aan of op de lichamen van gevallen vijanden wordt gevonden, is voor jullie,' antwoordde Urdo. 'Wij maken verschil tussen een leger dat vecht om te kunnen plunderen, en een leger dat strijdt voor vrede, en voor de eer en glorie van hun namen.' Hij laste een pauze in en keek van Emer naar Ap Ranien. 'De groene kool, wortelen en knolrapen in Dun Morr zijn binnenkort aan oogsten toe, net als hier. Jullie zullen mensen nodig hebben om de oogst binnen te halen. Hoeveel man kunnen jullie missen voor een langere veldtocht?'

'Ik zou er wel vijfhonderd kunnen verzamelen die liever vechten dan op het land werken,' zei Emer, zonder Ap Ranien zelfs maar aan te kijken. 'Je hebt gelijk dat de meesten straks thuis hard nodig zullen zijn.'

Ik keek naar de arme Ap Ranien, die op zijn lip stond te bijten. Hij haalde bijna onmerkbaar zijn schouders op toen hij me zag kijken. Ik had zo'n idee dat hij liever niet van Emers zijde wilde wijken. Voor een Isarnagaan was hij een evenwichtige man, maar ik zou niet graag in zijn zadel rijden: Lew had te veel behoefte aan advies, maar Emer was niet iemand die er aandachtig naar luisterde.

'Uitstekend,' zei Urdo. 'Sla jullie kamp vannacht binnen de palissade op en laat degenen die liever naar huis gaan zich bij jullie melden. Vijfhonderd anderen zullen morgenochtend opbreken om over de heirbaan naar Caer Gloran op te trekken.'

Terwijl ze glimlachend buigingen maakten en beleefdheden uitwisselden, voegde Urdo er – bijna als terloops – aan toe: 'Stuur een paar van de groepen die de paarden moeten verzamelen straks hierheen – we hebben nog wat dode paarden in de stallen en jullie kunnen die net zo goed ook nemen.'

Ze accepteerden dit zonder woorden, maar ik draaide me om naar Urdo, zichtbaar geschrokken. Hij negeerde mij echter en knikte Emer glimlachend toe.

Toen de Isarnaganen waren vertrokken, stuurde Urdo Celemon weg met de opdracht om verder te gaan met haar werk. 'O, mij best,' zei ze zwakjes toen ze wegliep. 'Denk even aan al het voedsel dat we op die manier zullen besparen. Niet alleen de voorraden die we voor de Isarnaganen hadden moeten gebruiken, maar ook de pap die de wapendragers niet zullen eten. Als ze dit eenmaal weten, krijgen ze geen hap meer door hun keel.'

'Hou dit nieuws zoveel mogelijk onder de roos,' waarschuwde Urdo.

Celemon rolde met haar ogen en maakte het handgebaar dat betekende dat ze zijn bevelen zou opvolgen.

'*Welke* dode paarden in de stallen?' vroeg ik zacht, zodra we alleen waren.

Urdo haalde zijn hand door zijn haar. 'Marchels wapendragers zijn allemaal vertrokken, dat staat vast. Ze heeft haar stalknechten echter hier gelaten en die hebben besloten zoveel mogelijk schade aan te richten. Zij waren degenen die de putten vergiftigd en het voedsel vernield hebben. En daarna zijn ze naar de nieuwe stallen achter de hal gegaan, waar ze Marchels reservepaarden begonnen af te maken.'

'Hoeveel?' vroeg ik, misselijk. Ik moest het weten, of ik het wilde of niet.

'Er zijn ongeveer vijftig dode paarden gevonden. Twee stallen vol. Ap Selevan heeft ze onderschept toen ze de derde stal binnen wilden gaan. Op dit moment hebben ze zich daarbinnen verschanst en eisen in leven te worden gelaten, anders slachten ze nog meer paarden af.'

Ik hijgde, want dit raakte me als even zoveel stompen in de maag. 'Hun *eigen* paarden?' vroeg ik.

'Inderdaad,' zei Urdo knarsetandend. 'Ap Selevan heeft me ingelicht. Ze weigeren zich over te geven zolang jij en ik er niet allebei bij zijn.'

'Ze hadden zich op elk moment kunnen overgeven,' zei ik. 'Zijn ze soms krankzinnig, dat ze dit allemaal doen – hun eigen paarden doden en ook nog kostbaar voedsel verpesten – terwijl ze weten dat ze zichzelf op die manier buiten de wet stellen?'

'Een paard is een wapen; en een paard in onze hand is een wapen tégen hen,' zei Urdo. 'Ik vraag me trouwens af of deze Malms wel enig benul hebben van hoe zich over te geven. Het zouden weleens godsdienstijveraars kunnen zijn, fanaten – vijanden van het ergste soort.'

'In de slag waren er maar heel weinig die zich hebben overgegeven,' zei ik. 'En Marchel is verbannen omdat ze die Isarnaganen bij Varae heeft afge...' Ik aarzelde en Urdo knikte grimmig. 'Toch geloof ik niet dat zoiets onder hun volk gebruikelijk is.'

'Thurrig is een man van eer,' beaamde Urdo.

'Larig was dat ook. Waar ik echter aan dacht, is wat Marcia Antonilla tweehonderd jaar geleden over ze heeft geschreven, toen ze voor het eerst probeerden de rivier de Vonar over te steken. Destijds wisten ze als volk nog wat eer was.'

'Goed om te weten,' zei Urdo nuchter. 'In elk geval verwachten ze ons nu, dus moesten we maar naar de stallen gaan. Heb je een vers paard bij de hand?'

Ik keek om me heen alsof ik verwachtte een vers paard naast me te zien staan. Op dat moment zag ik Urdo's stalknecht, Ap Caw, bij Donder en een van Urdo's zomerpaarden staan, allebei gezadeld en gereed voor vertrek. 'Niet dichterbij dan in de palissade,' zei ik.

'Neem Donder,' zei Urdo. 'Hij kent je nog wel.'

'Waarom heb je mij daar nodig?' vroeg ik, me te laat realiserend dat dit tamelijk vreemd was. 'Jij moet daar natuurlijk zijn, maar waarom ik?'

'Daar kan ik je allerlei redenen voor noemen. In het ergste geval zullen ze ons allebei bij een stormaanval willen doden. We hebben daar echter twee penoenen, dus dat zal ze niet lukken.' Hij wenkte Ap Caw, die de paarden naar ons toe bracht.

Ik was doodmoe. Al mijn botten deden zeer. Ik wenste dat ik met evenveel gemak een vers lichaam kon laten komen als een vers paard. Ik zwaaide me in het zadel op Donders rug en praatte geruststellend tegen hem – allerlei onzin die, als ik het later had moeten opschrijven, niet meer zou zijn dan een reeks klanken, alleen om hem te duidelijk te maken dat hij me al kende en dat hij mij, hoewel ik Urdo niet was, toch moest beschouwen als iemand met wie hij rekening had te houden.

Urdo grijnsde bij het horen van de stroom onzinnige klanken toen hij zijn zomerpaard besteeg. 'Dit is Oogst,' zei hij, haar snuit strelend.

'Heeft Dalmer nog met je gesproken?' zei ik, hoewel de naam me op onaangename wijze herinnerde aan de vernieling van de vooraden in Magor.

'Dat heeft hij,' zei Urdo met een grimmig gezicht terwijl we wegreden. 'Er is hier geen bruikbaar voedsel meer opgeslagen. Ik vermoed dat Marchel Magor voor ons een probleem wilde laten worden. Ik ben echter niet van plan ons hier langer te laten vasthouden dan nodig is. Maar we kunnen de stad ook niet onbewoond achterlaten; dan wordt ze meteen weer bezet. Ik heb nog overwogen hier Isarnaganen achter te laten, bij wijze van verdediging, maar ik vrees dat ze de omgeving zouden gaan terroriseren. We zullen dus op zijn minst één penoen moeten achterlaten; bij voorkeur een van de penoenen die hier gewoonlijk zijn gelegerd. Als Masarn Marchel niet te pakken krijgt, zullen we er zelfs twee moeten achterlaten. Wat heb je met de boeren uit de streek gedaan?'

Ik reed vlak naast hem, zodat we konden praten zonder dat anderen het hoorden. 'Naar Derwen gestuurd, daar zijn ze veilig. Ik kan ze terugsturen als je dat wilt.'

'We zullen hoe dan ook naar Derwen moeten,' zei Urdo. 'We kunnen van hieruit niet over de bergen naar Nant Gefalion, dus moeten we de landweg naar Derwen volgen. Bovendien moeten we aan verse voorraden zien te komen. Dat is de moeilijkheid met het verplaatsen van alae alsof het stukken op een raperbord zijn; je moet zorgen dat ze te eten hebben op de velden waar ze zich op dat moment bevinden. Ik zal Dalmer en Celemon zeggen dat ze naar een oplossing voor dit probleem moeten zoeken, maar het ís een probleem.'

'In Derwen hebben we wat voorraden, maar daar zul je met Nodol over moeten praten,' zei ik. 'Waarom moeten we naar Nant Gefalion? Komt Cinvar soms van die kant? Ik heb Hiveths penoen erheen gestuurd om de toegang te blokkeren. Het laatste nieuws dat ik daarvandaan kreeg, was dat er geen problemen waren. O, en hij heeft Marchels zoons uitgenodigd om zich bij ons aan te sluiten. Hij heeft hen naar Derwen gestuurd, waar ze veilig zijn.'

'Uitgenodigd?' vroeg Urdo fronsend. 'Je hebt niemand gegijzeld?'

'Nee. Duncan en mijn moeder wilden dat, maar ik stond erop dat het een uitnodiging moest zijn.'

'Goed,' zuchtte Urdo. 'Ik zal eens met hen praten als we in Derwen zijn; eens zien of ze er iets voor voelen toe te treden tot de alae. Ik zou dat al jaren geleden hebben gedaan, ware het niet dat ze mij nooit hebben laten weten dat ze hier terug waren. Ik vermoedde dat ze niet zo gesteld zouden zijn op aandacht van mij.' We reden stapvoets langs de huizen, op weg naar de stallen. 'In feite is Marchel niet het eigenlijke probleem. Arling evenmin, trouwens, ook al beschikt hij over mysterieuze oorlogsmachines uit Caer Custenn. In zekere zin is hij een zegen, aangezien er geen twijfel aan is dat hij bezig is aan een invasie van buitenaf.'

'Morthu,' knikte ik.

'Morthu zou wegens hoogverraad berecht kunnen worden, nu we over bewijs beschikken, in de vorm van Riggs brief aan jou. Ons eigenlijke probleem zijn de koningen – en dat weet je. We zullen deze rebellie zo snel mogelijk de kop in moeten drukken en ze duidelijk maken dat burgeroorlog uitlokken niet langer een acceptabele manier is om geschillen te beslechten. Volgens de laatste berichten die ik heb, heeft nog niemand van hen iets ergers gedaan dan zijn militie op de been brengen – en dat is geen misdrijf. Geen van hen, behalve Cinvar dan, die twee van Cadraiths mannen heeft gedood, die toevallig bij hem op bezoek waren. Bovendien heeft hij openlijk verklaard dat hij mijn oppergezag niet erkent. Ik heb Luth en Ap Erbin naar het noorden gestuurd om Alfwin in Tevin bij te staan tegen Arling, als hij landt. Verder heb ik Cadraith en Ap Meneth schriftelijk ontboden naar Tathal, waar ze zich bij ons kunnen aansluiten. Als we Cinvar snel kunnen verpletteren, zullen Flavien en Cinon misschien het dwaze van hun plannen inzien.'

'Wat doen we met Ayl?' vroeg ik.

'Ayl kan lering trekken uit hun voorbeelden,' zei Urdo grimmig.

'Denk je niet dat hij zich bij Arling zal willen aansluiten?'

'Het is niet onmogelijk. Er was echter bij mijn vertrek uit Caer Tanaga nog geen nieuws over een landing van Arling; en Marchel en Cinvar waren al een probleem. Volgens mij is dit de juiste volgorde om ze aan te pakken. Ik heb bovendien Ayl geschreven, misschien haalt dat iets uit. Ik heb een halve ala achtergelaten in Caer Tanaga en desondanks beschik ik hier over een complete ala – ik heb alle dichtbij wonende veteranen opgeroepen.' Hij grijnsde. 'Net als Masarn. Ze zijn gekomen; ik ben trots op hen. De meesten zijn nu hier; en ik heb Gormant het bevel over die drie penoenen gegeven – die hebben altijd samen gevochten.'

'Hoe staat het met Angas?' Ik had het bijna niet willen vragen.

Urdo zuchtte weer. Voor de deur van het eerste stallenblok stond een schildwacht; we beantwoordden in het voorbijgaan zijn signaal dat alles in orde was. 'Angas is een heel ander probleem. Ik zal zelf met hem moeten praten. Zoals je al zei in je brief, heeft Angas iemand nodig die de dingen voor hem op een rijtje kan zetten. Eerst moeten we Morthu berechten, dan zullen de problemen van Angas vanzelf overgaan, verwacht ik. Hoe het ook zij, Angas zit daarginds in Demedia; hij zal op zijn minst een halve maand nodig hebben om ergens te komen waar hij moeilijkheden kan maken. Bregheda binnenvallen ís weliswaar mogelijk, maar hij kent dat terrein goed genoeg om te weten hoe dom zoiets zou zijn. Het hele land bestaat uit niets dan bergen. Iedereen weet dat de Kraai in alle oorlogen tussen Borthas en Penda Mardol de enige winnaar is geweest; die bleef aan het zuiden knabbelen, in plaats van regelrecht de bergen in te trekken. En Bregheda vanuit het noorden binnenvallen zou nog stommer zijn.'

'Was er maar een manier om aan de weet te komen wat er daarginds allemaal gaande is,' verzuchtte ik. 'Ik maak me zorgen over Angas en Arling en wij kunnen er niets van aan de weet komen – het is te ver weg. En als Morthu kans heeft gezien in de roodmantels te infiltreren, kunnen we niet bepalen op welk nieuws we kunnen vertrouwen.'

'Elenn houdt voorlopig toezicht op de correspondentie,' zei Urdo. 'En ik heb Garah geschreven met het verzoek terug te komen naar Caer Tanaga om daar gedurende deze noodsituatie haar oude werk te doen. Zolang zij er zijn, zal er in Caer Tanaga niet gauw iets zoek raken of gekopieerd worden. Het heeft trouwens geen zin je er zorgen over te maken.'

'Je hebt nog steeds niet gezegd waarom we naar Nant Gefalion moeten, in plaats van over de heirbaan naar Caer Gloran,' hielp ik hem herinneren toen we handsignalen uitwisselden met de schildwacht voor de tweede staldeur.

'Ik stuur de Isarnaganen de heirbaan op. Zij kunnen die barricaderen, om zo te verhinderen dat er mensen in volle galop hierheen komen. We zullen echter door Nant Gefalion heen moeten om aan de voorraden in

Derwen te komen en de boeren terug te sturen, hierheen. Bovendien zullen we, als Cinvar niet via het zuiden binnenvalt, meer kans hebben om hem daar te verrassen.'

'Als we morgenochtend op weg gaan naar Derwen en daar de nacht doorbrengen, verlangen we niet te veel van de paarden. Vandaaruit is het een dag rijden naar Nant Gefalion, en daarna kunnen we de volgende middag bij Caer Gloran zijn,' zei ik.

Urdo knikte. 'Trouwens, ik wil ook je neven naar jouw moeder brengen. Galbian is nog te jong om hier zonder hulp te regeren; en je hebt gelijk, hij is verwend. Hij zal een paar jaar in de ala moeten doorbrengen om een kerel van hem te maken. Ik had gedacht dat we, als dit alles voorbij is, jouw oude leraar, Duncan, als regent konden aanstellen, zodat ik Galbian mee kan nemen naar Caer Tanaga om hem daar op te leiden. Wat vind je daarvan?'

'Duncan is dood,' zei ik. 'Tien dagen geleden, tijdens het eerste gevecht. Er moet echter iemand zijn die dat kan doen.'

'Laat me erover nadenken,' zei Urdo. Rustig toomde hij Oogst in, want we waren inmiddels bijna om de tweede stal heen gereden en konden voor de derde stal een drom wapendragers zien staan. Ik hield naast hem stil. 'Blijf je hier, of rijd je met mij mee naar Tathal in het noorden?'

'Ik ga in elk geval mee,' zei ik zonder aarzeling. 'Veniva kan de dagelijkse leiding in Derwen op zich nemen. De ala is gereed, trouwens. Bovendien heb ik de militie opgeroepen. Hoewel een deel ervan nodig zal zijn om de oogst binnen te halen, zouden wij de rest kunnen meenemen. Ze kennen onze signalen en kunnen ons helpen tegen Cinvar.'

'Weet je zeker dat ze geen risico vormen voor Derwen?' vroeg Urdo.

Een ogenblik dacht ik na over mijn militie – al die jonge, gretige boeren die direct op mijn verzoek waren gekomen om te vechten. Ze waren mijn mensen en ik was verantwoordelijk voor hen, net zoals ik dat was voor mijn wapendragers en het land zelf. Zij vertrouwden op mij, en wisten dat ik beslissingen kon nemen die voor sommigen onder hen onvermijdelijk de dood konden betekenen. 'Ja,' zei ik na een ogenblik. 'Als wij verliezen, is er geen schijn van kans dat we Derwen in ons eentje kunnen behouden, hoeveel gewapende mannen er ook zijn. Ik zou mijn mensen niet op het spel zetten terwille van roem en eer, en mezelf evenmin – niet nu ik verplichtingen heb tegenover het land.' Ik keek hem van opzij aan. Hij zat mij stil en geduldig op zijn zomerpaard aan te horen. Toen beet ik op mijn lip, wendde mijn blik af en staarde naar de twee penoenen die voor de derde stal samendromden, zonder ze echt te zien. 'Ik ben toegetreden tot de ala omdat ik wilde vechten, en jarenlang was dat voor mij het enige dat telde: de roem, de vaardigheden met wapens, de kameraadschap. Het grootste deel van de Grote Oorlog heb ik gevochten voor de vrede, omdat jij zei dat dat belangrijk was en omdat ik graag bereid was het denken aan jou over te laten. Uiteindelijk ben ik me echter gaan realiseren wat het was waarvoor we vochten. Toen wist ik wat vrede is, en wat wetten zijn: ze zijn belangrijker dan het individu, en voor iedereen beter. Na Foreth legde je ons uit dat onze eer zou worden afgemeten aan de mate waarin we de vrede zouden handhaven, ademtocht na ademtocht, al onze dagen. Als ik zo dom was de levens van mijn mensen te verspillen, zou dat afschuwelijk zijn, maar als ik te voorzichtig met ze omsprong en daardoor de vrede op het spel zette, zou dat nog veel en veel erger zijn. Nu we zover zijn gekomen, wil ik de eer van Foreth niet weggooien, evenmin als de toekomstige keuzen van iedereen in ons land.'

Toen ik weer naar Urdo keek, zag ik tot mijn verbazing tranen op zijn gezicht. Hij glimlachte me toe. 'In dat geval zullen we toch maar jouw militie meenemen,' zei hij. 'Zo, en nu zullen we die Malms eens gaan aanpakken.'

We reden verder. De staldeuren waren dicht, maar van buiten niet afgegrendeld. Ap Selevan meldde Urdo dat er onder het wachten niets was gebeurd. Ik begroette oude vrienden van mij in de penoenen van Ap Elwith en Selevan. Ik wisselde net een paar woorden met Ap Padarn toen er in de stallen geluiden klonken.

Iedereen draaide zich om naar de stallen en liet de lansen zakken toen de deuren openzwaaiden. Ik verwachtte een zelfmoorduitval en reed Donder iets naar voren, tussen Urdo en de staldeuren.

In plaats daarvan kwam er alleen een kleine vrouw naar buiten, met opgeheven hoofd. Haar lange haar was helemaal grijs, maar ik zou haar overal dadelijk hebben herkend. Veel wapendragers herkenden haar ook – zelfs degenen die niet een beetje voor haar terugdeinsden. Ik had geweten dat Amala met haar dochter Marchel naar Narlahena was gegaan, maar had nooit gedacht dat ze ook samen met haar terug zou komen naar Tir Tanagiri. Ze liep in stilte over het modderige erf naar voren en bleef vlak voor Urdo staan. Ze droeg een witte stola, verfraaid met borduursel in de kleuren blauw en goud, en niets aan haar deed vermoeden dat ze in de stallen paarden zou hebben gedood. Integendeel, ze leek zo fris alsof ze net uit de thermen kwam.

Een ogenblik stond ze in stilte naar ons op te kijken. Tegenover Amala had ik me altijd wat onbeholpen en lomp gevoeld. Nu was ik me er echter alleen maar van bewust hoe broos ze was, ook al droeg ik een in de strijd gehavend harnas en was zij elegant gekleed. Ze moest al tegen de zeventig zijn.

'Waarom ben je hier, vrouw van Thurrig?' vroeg Urdo, zonder een spoor van warmte in zijn stem.

'Ik ben niet uit Tir Tanagiri verbannen,' zei Amala, die haar woorden als vanouds afbeet.

'Zeker,' zei Urdo. 'Je bent uit eigen beweging vertrokken en het stond je steeds vrij om in vrede terug te keren en je weer bij de rest van je familie te voegen. Dat gold echter niet voor je dochter; en het stond jou evenmin vrij om tegen mij de wapens op te nemen.'

'De wapens opnemen?' zei Amala, die haar blote armen optilde, bijna alsof ze op het punt stond een eed af te leggen. Op deze manier maakte ze het overduidelijk dat ze ongewapend was.

'Zo is het genoeg,' zei Urdo nors. 'Marchel is ons land binnengevallen en jij bent met haar meegekomen. Jij en alle anderen die met je meegekomen zijn zullen terecht moeten staan wegens het vergiftigen van waterputten, het vermoorden van paarden en het moedwillig bederven van leeftocht. Op grond van de wet hebben jullie de dood verdiend en ik heb hier meer dan genoeg mankracht om jullie allemaal te overmeesteren. Wie of wat zou me dat kunnen beletten?'

'Ben je bereid in besloten kring met mij te spreken?' vroeg Amala, met een hoofdknik naar de wachtende penoenen.

'Ben je hier als heraut?' vroeg Urdo.

'Ik heb geen herautentak bij me, maar laten we maar zeggen dat ik als zodanig het woord voer, als het jou behaagt,' zei ze.

Nu was het de vraag waar we heen moesten. De nieuwe stallen stonden achter de hal, de enige plaats waar we haar een schijn van gastvrijheid konden bieden. Naar de palissade was het nog veel verder. Urdo loste het probleem op door af te stijgen. Hij gaf de teugels van Oogst aan Ulf, die het dichtst in de buurt stond, en liep voor Amala uit naar de plaats waar de gedenkstenen voor de dode hertogen van Magor lagen. Ik vertrouwde Donder toe aan Ap Padarn, en beval Ap Selevan de manschappen gereed te houden bij de staldeuren en de Malms onmiddellijk te doden als ze een poging mochten wagen om uit te breken. Toen haastte ik me achter het tweetal aan.

We namen plaats op de steen waarin de geboorte- en sterfdatums van hertog Galba en zijn gemalin waren uitgehouwen. De steen van Galba de Jongere lag ernaast, en opeens realiseerde ik me dat we binnenkort Auriens lijk zouden verbranden en haar naam naast de zijne in de steen zouden laten uithakken.

'Juist,' zei Urdo, toen we zaten. 'Vertel mij maar waarom ik die stal niet eenvoudigweg in brand zou steken om van het probleem af te zijn.'

'Zelfs als het je niet kon schelen dat Thurrig mijn dood zou wreken,' zei ze, 'zou je een oorlog met Narlahena riskeren?'

Urdo liet een geluid horen dat verwant was aan een lach. 'Het ziet ernaar uit dat ik al in oorlog met Narlahena ben, of ik het wil of niet. Met twee alae een land binnenvallen lijkt een beetje veel voor een verdwaalde visexpeditie.'

'Dan heb je dus nagedacht over de vloot die nodig was om al die mannen en paarden hierheen te brengen?' zei Amala.

Ik fronste mijn voorhoofd; ik had er zelf nog geen gedachte aan gewijd.

'Koning Gomoarion ondersteunt Marchels avontuur, ja, in de hoop op een gemakkelijke overwinning, rijke buit en een triomf voor de Blanke God,' vervolgde Amala. 'Bovendien betaalt hij haar op deze manier terug voor alle jaren dat ze zijn ruiterij heeft aangevoerd. Hij beschikt echter over nog meer alae en een sterke vloot. Degenen die mee zijn gegaan, deden dat allemaal als vrijwilliger, en hij heeft jou niet de oorlog verklaard.'

'Een subtiel onderscheid,' zei Urdo. 'En waarom zou dat iets veranderen aan mijn voornemen om jullie te behandelen zoals jullie verdienen?'

'Zijn eigen zoon bevindt zich onder de stalknechten en koks die zich in die stal daar hebben verschanst. Gomoarion wist niet dat hij meeging, en Marchel wist het evenmin. Hij is als verstekeling meegevaren, zo vervuld is hij van de wens om de Blanke God te zien triomferen in een ander land.' Amala raakte haar grijze haar aan, en plotseling zag ze er moe uit. 'Dat vergiftigen van bronnen en afslachten van paarden is gebeurd op instigatie van Gomarionsson. Zijn vader zal je een fors losgeld willen betalen voor zijn behouden terugkeer naar Narlahena, maar hij zou dit land volledig verwoesten als hem een haar werd gekrenkt.'

'Hij zou het kunnen proberen,' zei Urdo.

Een heel land verwoesten, zelfs met meerdere alae en een grote vloot, is verre van eenvoudig. Het zou hem moeilijk vallen dat te doen, al was het maar in de beperkte mate zoals wij destijds in Oriel hadden gedaan, aangezien hij niet over een nabije uitvalsbasis kon beschikken. Maar zelfs als hij alleen maar de schepen uit Narlahena zou beletten hierheen te komen om handel met ons te drijven, zou dat al kwalijk genoeg zijn. Als hij een serieuze invasie probeerde, zou dat ons duur te staan komen, ook al kon hij alleen winnen als hij hier over sterke bondgenoten beschikte. Toch leek die gedachte niet zo geruststellend als je zou verwachten.

'Wel, wat stel je dan voor, vrouw van Thurrig?' zei Urdo.

Amala glimlachte wrang. 'Voordat we de poorten openden, stelde ik voor ons toe te vertrouwen aan jouw eer, en daarmee gingen ze akkoord, hoewel sommigen onder ons er vurig naar verlangden hun leven te geven om de gunst van de Blanke God te kunnen winnen door heidenen te doden. Is Raul hier, Urdo? Het zou goed voor hen zijn met hem te praten. Ik wil je echter smeken ons een schip te geven, opdat we in vrede kunnen terugkeren naar Narlahena.'

Urdo fronste zijn wenkbrauwen. 'Onmogelijk,' zei hij. 'Maar als jullie je overgeven, ben ik bereid jullie leven te sparen en deze excessen door de vingers te zien, aannemende dat ze zijn voortgekomen uit een overmaat aan geloofsijver.'

Amala perste haar lippen opeen en ik vermoedde dat ze nooit echt had gehoopt een schip te krijgen. 'Als ik daarop in zou gaan, en als we er allemaal een eed op doen dat we niet tegen jou zullen vechten, zou je dan bereid zijn ons naar Thansethan te sturen?'

Urdo aarzelde. Het was te ver weg en de route liep door landstreken wier trouw twijfelachtig was; bovendien kon hij niet zeker zijn van de loyaliteit van het klooster. Maar wat kon hij anders doen als hij hen in verzekerde bewaring wilde houden? Ik kon niet aanbieden ze in Derwen onder te brengen; de ala zou onder geen voorwaarde paardenmoordenaars gedogen. Maar er zouden hier misschien mensen zijn die met hen sympathiseerden. Deze gedachtegang gaf me de oplossing in. 'We zouden hen naar Dun Morr kunnen sturen,' zei ik zacht tegen Urdo. 'Er zijn daar genoeg Isarnaganen die wel wat hulp op hun boerderij kunnen gebruiken; dan kunnen ze meteen mooi een oogje op hen houden. Ze zullen hen daar niet mishandelen en Lew zou met zo'n verantwoordelijkheid in zijn nopjes zijn. Daar komt bij dat er aan die kust nergens een geschikte landingsplaats is. Daarvoor moet je helemaal doorvaren naar Kaap Tapit. Het lijkt me onwaarschijnlijk dat de Narlahenanen daar een reddingsactie kunnen ondernemen.'

'Goed,' zei Urdo. 'Dat is geschikt voor het merendeel van hen hier, mits ze bereid zijn zich over te geven. Het zou trouwens ook een goeie oplossing zijn voor degenen die zich in het veld hebben overgegeven.' Hij wendde zich tot Amala. 'Mee eens?'

'Alleen voor degenen die zich in het veld hebben overgegeven, en voor de heffe des volks in de stallen, ja.' Ze aarzelde even. 'Sommigen onder hen zijn jong en dwaas genoeg om de martelaarskroon te begeren. Je zou van hen moeten verlangen dat ze hun wapens afstaan en vervolgens bij de Heilige Vader zweren dat ze niet zullen vechten. Zorg wel dat de priesters erbij zijn, broeder Cinwil en Raul. Ze zijn nog erg jong en misschien niet al te gehecht aan het leven.' Ze aarzelde opnieuw en staarde omlaag naar de grafsteen waarop ze zat. Toen keek ze weer op naar Urdo. Ze zag er oud en broos uit toen ze vroeg: 'Ik weet dat jij hen niet zal willen doden nadat je hun zoveel lankmoedigheid hebt betoond. Maar hoe staat het met mij en Gomarionsson?'

'Jou stuur ik naar Thurrig,' zei Urdo. 'Dit zijn echter onzekere tijden. Ik zal hem berichten dat jij veilig bent en dat je kleinzoons veilig en wel in Derwen zitten. Je kunt daar met hen wachten, als je dat verkiest, en anders kun je naar Caer Tanaga totdat ik je aan jouw man kan overleveren. Wat Gomarionsson betreft, ik neem aan dat het voor hem een belediging zou zijn van hem te verwachten dat hij voor Lew ap Ross gaat werken. Hoewel, als hij inderdaad zo is als jij hem hebt beschreven, zou dat een goeie les voor hem zijn. Ik zal zijn vader schrijven dat wij in Tir Tanagiri gewoon zijn koninklijke bezoeken op een andere manier aan te kondigen, maar dat zijn zoon veilig onder mijn hoede is. Gomarionsson zelf stuur ik naar Caer Tanaga, waar Elenn en Gormant hem bezig kunnen houden totdat we hebben vernomen wat de wensen van zijn vader zijn. Als zijn vader hem tenminste nog terug wil hebben, nu hij zich zo stom heeft gedragen.'

'Krijgen de Isarnaganen de losprijs, als die afkomt?' wilde ik weten.

'De helft,' zei Urdo. 'En we zullen een hoge prijs voor hem verlangen.'

'Waar is Thurrig?' vroeg Amala.

Urdo schoot in de lach. 'In Caer Thanbard, en anders achtervolgt hij piratenschepen – waar anders? Of had jij iets anders vernomen?'

Amala glimlachte met strakke mond. 'Ik accepteer je voorwaarden,' zei ze. 'Maar je zult me terug moeten laten gaan naar die afschuwelijke stal, om Gomarionsson duidelijk te maken dat dit voor hem het beste is.'

9

Hier werd lang geleden
het held're licht geboren
zoals iedere morgen
het licht geboren wordt;
Uw groots geschenk,
altoos hernieuwd, want
ieder ochtendgloren
brengt nieuwe dageraad.

Dit hier is de as en spil
der wereld, zoals ook
geldt voor iedere stap
op deze wentelwereld.

Nu ik hier roerloos sta
terwijl de wereld ronddraait
naar de rode ochtendstond,
weet ik dat ik bij de gratie
van Uw licht kan zien;
ik ken mezelf, omdat ik mij
in dit licht mag schouwen.

Heb dank diep uit mijn hart,
O Albian, Stralende Zon,
voor Uwe gave, die mij helpt
mij in Uw milde licht te zien.
– Hymne tot de dageraad

Amala verdween in de stal en kwam er na een poosje weer uit, gevolgd door een stel nors kijkende Malms. Ze zagen er allemaal erg jong uit. Later hoorde ik dat Amala twee van de anderen had moeten bevelen boven op Gomarionsson te gaan zitten voordat hij ermee instemde zich op de milde voorwaarden van Urdo over te geven. We stuurden hen onder escorte naar de Isarnaganen in de palissade, maar Celemon vond voor Amala en Gomarionsson nog een plaatsje in de hal.

Masarn arriveerde laat op de avond. Marchel leek in rook opgegaan te zijn. Het enige wat ze van haar hadden gezien, was een handvol kreupele paarden. Kennelijk kende zij een route die wij niet kenden, of een plek in de buurt waar ze zich verborgen konden houden. Ze had tenslotte twee jaar als prefect in Magor gediend, en zelfs nog langer in Caer Gloran. Ze had alle tijd gehad om het land door en door te leren kennen. Ik was genoodzaakt Masarn en zijn mensen terug te sturen naar de palissade om daar de nacht door te brengen. Er was echt geen ruimte meer voor nog eens vier penoenen binnen de muren van Magor – het zou al dringen zijn geworden om alleen ruimte te maken voor vier wapendragers. De beide alae van Marchel moesten hier op elkaars lip hebben gezeten. Ik kon Masarns optimistische hoop dat het land hen zou hebben verslonden niet delen. Masarn was zonder meer bereid het risico te nemen om de nacht buiten door te brengen, maar hij gruwde van de gedachte dat hij in de nabijheid van paardeneters zou moeten slapen. Het nieuws had zich al verspreid en hij had het gerucht al gehoord zodra hij binnen de stadspoort was. Ik suste hem met de belofte dat hij, als hij de Isarnaganen erop betrapte dat ze een strijdros ook maar een haar krenkten, toestemming had de schuldigen ter plekke te doden.

Ik sliep in mijn tent en werd pas laat wakker. Ik had alleen het ontbijt gemist. Urdo was nog bezig om de aangelegenheden van Magor te regelen en was nog lang niet klaar voor vertrek. In feite had ik zelfs het ontbijt niet helemaal gemist, want Talog had wat koude pap voor me bewaard. Toen ik naar de stallen liep om te zien hoe mijn paarden het maakten, vond ik daar Darien en Ap Caw.

Ap Caw leunde tegen de muur, naast Gersts box, kauwend op een strootje. Darien was druk bezig met een Narlahenaans paard met lange manen. Ze keken allebei op bij mijn binnenkomst. 'Mijn nieuwe rijpaard,' zei Darien. Ik liep ernaar toe om het dier nader te bekijken. Het was een grijze ruin, naar het gebit te oordelen een jaar of tien.

'Ik dacht dat Urdo ze aan de Isarnaganen wilde geven?' zei ik terwijl ik het paard begon aan te halen. Het was een goedgehumeurd dier dat me graag nader wilde leren kennen.

'De meeste,' zei Ap Caw, nadat hij het strootje uit had gespuwd. 'Zonde van al die goeie paarden als ze ze opeten, maar als Urdo die stem opzet valt er niet met hem te praten. Hij zweert dat ze gisteravond voor het laatst paardenvlees hebben gegeten, maar ik moet het nog zien. Ik was al voor dag en dauw op om de paarden voor hem te sorteren; ik heb de jongste eruit gepikt en me ervan overtuigd dat ze allemaal gezond en wel waren. Het enige wat die Isarnaganen van paarden weten is dat ze vier benen hebben. Twee paarden voor iedere getrouwe, vier voor hun leider en zes voor de koningin, en tot slot twaalf voor de koning. Ze zijn allemaal geschikt voor de fok. Het zijn voor het merendeel merries, maar er zitten ook een paar hengsten bij. Urdo zegt dat hij in Dun Morr een kudde wil vormen.'

'Ik weet zeker dat hij gelijk had toen hij zei dat ze geen paardenvlees meer zullen eten,' zei Darien. 'Ik hoop het in elk geval. Het zijn weliswaar geen strijdrossen, maar ze zijn buitengewoon snel en hebben uitstekend gevochten, meen ik.'

Ik keek hem aan en realiseerde me dat hij toch nog wat was gegroeid, want ik moest naar hem opkijken als ik met hem praatte. Hij was zeker vier vingerdikten groter dan ik en ook langer dan mijn broer Darien was geweest. Eerst had ik moeten wennen aan het feit dat hij een wapendrager was, en geen kind meer, oud genoeg om in de voorste rijen mee te vechten en andere mensen bevelen te geven; en nu moest ik ook nog wennen aan het feit dat hij groter was dan ik. We glimlachten naar elkaar, een tikje onwennig.

'Ze hebben zeker goed gevochten,' beaamde ik. Ik keek nog eens naar het grijze paard. 'De rest wordt verdeeld over de ala?'

'Beide alae,' zei Ap Caw. 'Ook jouw ala. Alle wapendragers beschikken nu over twee goede rijpaarden, zodat ze hun strijdrossen niet meer hoeven te berijden, tenzij we verwachten dat we onverwachts slag moeten leveren, als je begrijpt wat ik bedoel.'

Darien en ik moesten lachen. 'Ik begrijp het heel goed,' zei ik. 'Ik heb al aardig wat van zulke onverwachte veldslagen meegemaakt.'

'Ik heb je zien vechten,' zei Ap Caw hoofdschuddend. 'Jullie allebei, trouwens – met precies dezelfde trek op het gezicht. Jullie vechten alsof jullie bezig zijn aan een mooie droom en alsof al die gekliefde schedels en verbrijzelde botten alleen iemand anders kunnen overkomen. Ik heb echter zoveel gewonde paarden moeten verzorgen, dat ik zoiets zelf niet kan geloven.'

'Ik heb ook gewonde paarden verzorgd,' zei Darien met verdriet in zijn stem. 'Weet je nog hoe afschuwelijk het was toen Poolster een been had gebroken – en niet eens in een slag? Hij maakt het nu weer goed,' stelde hij me haastig gerust. 'Het gebeurde twee jaar geleden, tijdens de training. Hij stapte mis en kwam te vallen; het was mijn fout, niet de zijne, want ik had hem in verwarring gebracht. We hebben het been gespalkt en Ap Caw en ik zijn bij hem gaan zitten om geneeshymnen te zingen. Het was echter Ap Gavan die hem heeft gered: zij kende een hymne voor de Heilige Riganna, de Paardenmoeder, waardoor hij lang genoeg stil kon blijven staan om het been te laten genezen.'

Ik nam net een slok water uit mijn waterzak toen hij dit zei en verslikte me. Ze staarden allebei bezorgd naar me toen ik weer op adem was. De 'Heilige Riganna' nog wel. Ik zei er echter niets over. Als ik niet had gewild dat Darien in het geloof van de Blanke God werd opgevoed, had ik hem niet in Thansethan moeten achterlaten. En het was beter dat hij Garahs Paardenmoeder-hymnen leerde dan helemaal niet.

'Blij te horen dat hij beter is,' zei ik. 'Het gebeurt zelden dat een paard een gebroken been overleeft, omdat het meestal niet wil genezen. En trouwens, Ap Caw, je zult niemand vinden die in een slag minder voorzichtig is met zijn strijdros dan met zijn of haar eigen lichaam.'

'Best mogelijk,' zei Ap Caw sceptisch. 'Hoe het ook zij, de Narlahenanen zijn voor ons allemaal een zegen. Er waren ook aardig wat pakpaarden bij. Dat noem ik nog eens nuttig, zoals ik al tegen Celemon zei. Ze haalde alleen haar schouders op en zei dat ze dat morgen pas zouden zijn als er iets te vervoeren was.'

Darien wendde zich tot mij. 'Wanneer vertrekken we naar Derwen?'

'Zodra Urdo gereed is,' zei ik. 'In de loop van de ochtend, denk ik, want we moeten zorgen dat we er voor het donker zijn. Ik heb al laten weten dat we komen, zodat ze ons zullen verwachten.'

Beide groepen Isarnaganen braken eerder op dan wij. Emer vertrok als eerste aan het hoofd van haar vijfhonderd strijders naar het noorden, over de heirbaan. Zo te zien had het merendeel van de Isarnaganen die paarden hadden gekregen zich bij haar aangesloten. Daarna brak Ap Raniens groep op naar Derwen, en vandaar naar Dun Morr.

We lieten zelf twee penoenen achter – een in Aberhavren en een in Magor. Urdo stelde geen regent aan over het land; er was niemand die over voldoende gezag beschikte en bovendien betrouwbaar kon worden geacht. Het had trouwens niet uitgemaakt wie hij zou hebben benoemd: de koningen die ons haatten zouden ook dat hebben aangegrepen om hun bewering te staven dat hij bezig was zich al het land toe te eigenen. Daarom benoemde hij niemand, maar stelde Bradwen, decurio van de tweede penoen van Galba's ala, aan tot sleutelbewaarder van de sterkte Magor – ook al waren Magor en Derwen nooit echt een Vincaans fort of Vincaanse stad geweest. Beide waren in feite slechts de residentie van een heerschap en zijn of haar mensen, die er zelf een muur omheen hadden gebouwd. Hij benoemde Golidan tot bevelhebber van Magor. Ze zouden uitsluitend aan Urdo rapporteren, totdat Galbian oud genoeg was om zelf te regeren.

Bradwen kwam als eerste naar voren om de eed af te leggen. Ze knielde naast de jonge Galbian neer en zwoer namens hem sleutelbewaarder te zijn. Ze had een schram op haar wang, overgehouden aan de slag van gisteren. In combinatie met de frons op haar voorhoofd verleende die haar het uiterlijk van een vervaarlijke krijgsvrouw, in plaats van een beheerster. Ze was zich mij bij komen beklagen en had gezegd dat ze niet achtergelaten wilde worden om knolrapen te tellen, ook al was ze door Nodol grondig opgeleid in het kwartiermeesterschap. Ze wilde mee met de ala en haar penoen aanvoeren in de strijd. Golidan verzekerde haar dat ze om beurten zouden patrouilleren en zei erbij dat dit haar plicht was. Ik stond niet vlakbij toen ze de eed aflegden, want veel bewoners van Magor en de plaatselijke boeren die niet waren gevlucht, waren toegestroomd om de ceremonie bij te wonen. Ik kon haar gezicht echter duidelijk zien. Na haar legde Golidan de eed af, met een plechtig gezicht. Het speet me dat ik hen moest achterlaten; het waren twee bekwame decurio's met initiatief op wie ik kon bouwen. Ik wenste dat ik Cynrig Mooibaard had kunnen achterlaten, in plaats van Golidan. Bradwen zou zich er eerder mee hebben verzoend als ze daar iemand had met wie ze haar deken kon delen – en hij was even geschikt voor de post als Golidan. De bewoners van Magor zouden echter niet gelukkig zijn geweest met een Jarnsman als garnizoenscommandant en Cinon van Neve zou flauw zijn gevallen als hij ervan had gehoord.

Ze hadden zich met hun beide penoenen in vol ornaat opgesteld voor de poort en bleven daar totdat wij uit het zicht waren.

Het werd een vervelende terugrit. Ik had het gevoel dat ik de laatste tijd veel te vaak deze route in beide richtingen had moeten volgen. We verlieten Magor tegen het eind van de ochtend en arriveerden in Derwen toen de lange zomeravondschemering al bijna voorbij was.

De roodmantels hadden hun werk gedaan en de verspieders hadden het exacte tijdstip van onze aankomst gemeld. De eerste die we tegenkwamen toen we de poort door waren, was Emlin, met een wastablet en schrijfstift die boven de zak van zijn tuniek uitstaken. Nodol Zwijnsbaard stond naast hem en hield een lantaarn op.

'Jullie zien er opgewekt en georganiseerd uit!' riep ik omlaag. Emlin grijnsde. Ik kon de groeven in zijn gezicht echter door de grijns heen zien.

'De meeste paarden zullen buiten moeten blijven,' zei Nodol. 'Maar ik denk dat er binnen genoeg ruimte en voedsel zijn voor alle mensen die uit Magor zijn gekomen.'

'De paarden zullen veilig zijn,' voegde Emlin eraan toe. 'We hebben mijn hele penoen klaarstaan om een cordon om ze heen te vormen en bovendien heeft de hele militie buiten zijn tenten opgeslagen, bij wijze van buitenste verdedigingsring. Ik neem aan dat jullie er wel een paar hebben gezien op je weg hierheen.'

'Dat heb ik, en ook heb ik gezien dat Lew ap Ross bij hen is,' zei ik. We hadden halt gehouden om hem te begroeten en Urdo had hem de twaalf gevlekte grijze paarden geschonken, waarmee hij heel verguld was. 'Goed gedaan. Weten jullie al wat je met de beide alae gaan doen?'

'We weten in elk geval waar we ze vannacht kunnen laten,' zei Nodol.

'Zijn jullie ook klaar voor morgen?' vroeg ik.

'Zo klaar als je maar kunt zijn,' zei Nodol hoofdschuddend. 'Geen zorgen voor de dag van morgen. Nu is inkwartiering het belangrijkste.'

'Ja, en dat kun je wel aan ons overlaten,' zei Emlin. 'Welkom thuis, Sulien.'

Er ontstond kabaal toen de alae zich opdeelden in penoenen en Emlin elke penoen een onderdak toewees. Hun decurio's gingen mee.

Ik liet hen begaan en steeg af voor de ingang van de hal. Daar wachtte ik enkele ogenblikken op de komst van Urdo en Raul. Raul bleek broeder Cinwil bij zich te hebben. Urdo wenkte Darien, die met Auriens zonen naar ons toekwam, gevolgd door Amala en een jonge, nors kijkende Malm; ik vermoedde dadelijk dat hij Gomarionsson moest zijn.

Veniva stond ons buiten op te wachten, alleen op het bordes. Een paar leden van de huishouding stonden binnen toe te kijken. In de binnenhof wemelde het van luidruchtige wapendragers.

Ik liep als eerste naar voren en werd door haar omhelsd. 'Welkom thuis, vrouwe,' zei ze. Opeens herinnerde ik me de eerste keer dat ze die woorden tegen mij had uitgesproken, op de dag dat we met Moriens lichaam terug waren gekomen uit Thansethan. Urdo was erbij geweest, zoals hij er ook nu bij was. Ik voelde zijn ogen in mijn rug, wat me de kracht gaf om mijn verantwoordelijkheden te dragen.

Hierna omhelsde Veniva Galbian en Gwien, en zonder aarzelen omhelsde ze ook Darien, waarmee ze ook hem als familielid verwelkomde. Ze had dat bij elk van zijn bezoeken gedaan, maar nu zag ik zijn gezicht oplichten toen ze het deed. Nog steeds was hij er niet aan gewend ergens bij te horen.

Ik verwachtte dat ze een van de wachtende dienaren zou wenken om naar voren te komen met de welkomstbeker voor Urdo en de anderen. Even voelde ik me schuldig omdat ik haar bijzondere Vincaanse beker had gebroken, ook al had ik geen andere keus gehad. In plaats daarvan liep ze echter naar voren om Urdo te omhelzen, net zoals ze met ons had gedaan.

Als het werkelijk zo was geweest dat Darien zijn erkende zoon was, zou ze daar het volste recht toe hebben gehad. Nu echter kon ik wel door de grond zakken. Ik voelde mijn wangen heet worden. Urdo keek even verbaasd, maar beantwoordde toen haar omhelzing. Een dergelijke omhelzing zou onder vrienden die afscheid van elkaar namen niets bijzonders zijn geweest, maar als verwelkoming druiste het in tegen de etiquette. Ik vroeg me af wat ik moest zeggen of doen. Op dat moment kruiste mijn blik die van Darien, boven hun hoofden. Hij straalde, en ik begreep dat alles wat ik nu zou zeggen dat teniet zou doen. Ik glimlachte terug en deed niets. Urdo was trouwens in alle opzichten familie, afgezien van een bloedband.

Toen pas wenkte Veniva de dienaar met de welkomstbeker, die aan kwam hinken. Het was Seriol ap Owain, wiens linkervoet bij Foreth was verbrijzeld toen hij tussen twee paarden bekneld was geraakt. Ik had hem een plaats in het huishouden van mijn moeder bezorgd toen hij niet langer kon rijden als wapendrager. De beker die hij droeg had ik nooit eerder gezien. Hij was van zilver en had twee oren, net als de welkomstbeker van Elenn in Caer Tanaga. Er waren letters ingegraveerd die met goud waren ingelegd, maar ik was er niet dicht genoeg bij om ze te kunnen lezen. Ik kon niet bedenken hoe ze aan dat goud gekomen kon zijn. Ik keek haar vragend aan. Ze glimlachte alleen, en ik kon alleen maar vermoeden dat ze alle siersmeden in Derwen dag en nacht had laten werken om te zorgen dat deze beker klaar zou zijn bij mijn terugkeer. Veniva nam de beker van Seriol over en bood hem Amala en daarna Gomarionsson aan, en vervolgens Raul en broeder Cinwil. Ze aanvaardden allemaal de vrede van de hal. Toen Seriol ons voorging naar binnen, nam ik de welkomstbeker over van Veniva om hem te bekijken. Ik las *Maneo* en, aan de andere kant, in het Tanagaans, *Ik zal overblijven.* Ik bleef abrupt staan en keek naar mijn moeder. Ze droeg haar mooist geborduurde overgooier, maar de gouden haarkam zat niet in haar haar.

'Niemand veegt de vloer aan met het welkom van mijn huis,' zei ze zacht.

'Natuurlijk niet,' zei ik terwijl ik de bokaal in mijn handen omdraaide en de letters betastte. Hij was volmaakt. 'Maar nog wel in het Tanagaans – in uw opdracht?'

Ze glimlachte opnieuw. 'Dat is precies wat Glividen ook zei, toen ik hem verzocht er dat in te graveren.'

Ik knipperde met mijn ogen. Had ze Urdo's architect gevraagd deze beker te ontwerpen? Hij was niet eens hier geweest toen ik vertrok. 'Wat hebt u dan precies tegen hem gezegd?'

'Ik zei dat als ik dan toch de laatste der Vincanen was, mijn welkomstbokaal iets van het goud behoorde te hebben dat Gwiens voorouders hadden begraven; en dat onze wapenspreuk er óók in het Tanagaans op behoorde te staan.' Glimlachend nam ze me de bokaal uit handen zonder dat ik weerstand bood. 'Zo, laten we ons nu gaan bezighouden met onze gasten.'

Ik volgde haar zwijgend naar binnen.

Glividen zat in de hal. Hij stond op en kwam ons begroeten. Het bleek dat hij per schip uit Caer Thanbard was overgekomen. Het zou dwaas zijn geweest hem te vragen of hij berichten bij zich had waar Amala en Gomarionsson bij waren, ook al werden ze behandeld als geëerde gasten. Amala vroeg hem of hij Thurrig nog had gesproken en hoffelijk vertelde hij haar dat Thurrig zich in Caer Thanbard bevond en het uitstekend maakte, meer dan uitstekend zelfs voor iemand van zijn leeftijd. Hij was nog altijd fit genoeg om het bevel te voeren over de vloot, en mans genoeg om mee te vechten als de nood aan de man mocht komen. Eigenlijk had ik er nooit bij stilgestaan hoe oud Thurrig kon zijn. Hij was er altijd geweest, maar altijd ook ouder en wijzer, hoewel hij een oersterke krijgsman bleef. Ook hij moest tegen de zeventig lopen; hij was al meer dan veertig jaar admiraal.

Terwijl ik hierover peinsde, kwamen zijn kleinzoons naar voren. Amala omhelsde hen en troonde ze daarna mee naar mij om ze aan mij voor te stellen. Ik wenste dat ze hun namen had genoemd, in plaats van alleen te spreken over haar kleinzoons. Daardoor wist ik niet goed hoe ik hen moest aanspreken. De naam van hun vader kende ik niet. Als iemand me ooit had gezegd wat Ap Wyn de Smids eigennaam was, moest ik dat vergeten hebben. De laatste keer dat ik hen in Caer Gloran had gezien, waren ze nog klein geweest, maar nu waren het jonge kerels – ouder dan Darien. Ze hadden allebei de brede schouders en krachtige lichaamsbouw van hun vader, die achter hen stond en een buiging voor me maakte. Het gezicht van de oudste had veel weg van Thurrig of Larig, maar de jongste leek meer op Amala en haar dochter Marchel. De oudste had zijn vrouw bij zich. Ze was aantrekkelijk en leek tamelijk verlegen; ze bleef de arm van haar man omklemmen om steun bij hem te zoeken. Ze was een maand of zes, zeven zwanger. Ze leek duidelijk op haar hoede voor Amala. Ze bleven alle vier herhalen hoezeer ze mijn gastvrijheid waardeerden en hoe goed ik voor hen was. Ik verafschuwde de gedachte dat ik zelfs maar een moment had kunnen overwegen hen te gijzelen.

Op dat moment begon de muziek. Ik had trek en zou liever meteen aan tafel zijn gegaan. Ik danste met Urdo en vergat even hoe moe ik was. In het lamplicht waande ik me bijna in die goeie, ouwe tijd bij de ala in Caer Tanaga, waar we op winteravonden vaak hadden gedanst. Erna danste ik een heel snelle dans met Darien, met het gevolg dat ik buiten adem was toen de muziek ophield. Toen kwam Glividen naar mij toe. Hij troonde me mee, dichter naar de muzikanten, om ervoor te zorgen dat de muziek zijn woorden zou overstemmen. Hij deed zelfs geen poging om te dansen. Hij keek me strak aan alsof hij zich ervan wilde overtuigen dat ik aandachtig naar hem luisterde en zei toen zacht: 'Waarom heb je mij laten komen?'

Ik staarde hem aan, stomverbaasd. 'Ik heb je niet laten komen,' zei ik. 'Ik wilde je net vragen wat jou zo onverwacht hierheen heeft gevoerd.'

Aarzelend streelde hij zijn baard, kennelijk perplex. 'Eerst dacht ik dat je misschien dringend dat aquaduct nodig had. Toen je moeder mij over de invasie vertelde en zei dat ze geen idee had wat je van mij wilde, leek het mij het beste hier op je te wachten, voor het geval je een of ander militair toestel wilde laten ontwerpen. Ik ben hier ook gebleven omdat je, als je mij in Magor had gewild, je me dat wel had laten weten.'

'Ik heb helemaal niets gevraagd,' herhaalde ik. Achter zijn schouder liet Marchels oudste zoon zijn vrouw voorzichtig ronddraaien. 'Wie heeft jou gezegd dat ik je nodig had? Thurrig? Of Custennin misschien?'

'Nee.' Hij rimpelde zijn voorhoofd. 'Ik werkte aan het ontwerp van een nieuwe kade, in opdracht van Thurrig. Urdo weet er alles van. Het was echter niet Custennin, maar zijn zuster, Ap Cledwin, de vrouw van bisschop Dewin, die me liet komen en me zei dat jij me dringend nodig had.'

'Linwen van Munew? In naam der goden, waarom?' zei ik. Als het Dewin zelf was geweest, moest het beslist een complot van de Eilandkerk zijn. Maar Linwen? Ook dat kon erop wijzen, maar even gemakkelijk ook verwijzen naar Custennin en Munew.

'Toevallig was er net een schip binnengelopen dat op weg was hierheen,' zei Glividen hoofdschuddend. 'Het leek me heel geloofwaardig dat jij me nodig had. Ik begrijp niet hoe ze zoiets heeft kunnen beweren als het niet zo is.'

'Misschien omdat ze je weg wilde hebben uit Caer Thanbard,' zei ik. Het leek me de meest plausibele verklaring. Het was tenslotte overbekend dat Glividen Urdo onwankelbaar trouw was, hoewel hij weinig aandacht had voor wat er om hem heen gaande was, daar hij meestal in beslag werd genomen door zijn ideeën voor iets dat hij moest maken. 'Aan wiens kant zou ze staan? Had jij haar kort daarvoor nog gesproken? Of Custennin? Zouden ze misschien een opstand van plan zijn?'

Hij fronste opnieuw zijn wenkbrauwen en keek me ongelukkig aan. 'Ik heb geen moment aan zoiets gedacht. Het is echter niet onmogelijk. Ik heb deelgenomen aan een feestmaal toen ik er net was aangekomen, uiteraard. Ik logeerde echter bij Thurrig en heb hen niet vaak gezien.'

'Wat voor indruk maakte Thurrig op je?'

'Zoals hij altijd is, wat minder energiek dan toen hij jonger was, maar vol van mijn nieuwe kade en een idee dat hij had voor het veranderen van de kromming van de boeg van een schip. Niet dat het wat kon worden, uiteraard; het geval zou zinken. We hebben er een model van gemaakt.' Hij staarde langs me heen naar de muzikanten zonder hen te zien; ik vermoedde dat hij een schip voor zich zag. 'Sindsdien heb ik er me het hoofd over gebroken, tijdens de bootreis naar hier. Het zou misschien kunnen lukken als we de kiel wat dieper laten steken.' Met zijn handen gaf hij proporties aan.

'Ook dan zal hij zinken,' zei ik sceptisch, in weerwil van mezelf afgeleid door zijn enthousiasme.

'Nee, nee,' zei hij. 'Althans, ik denk het niet. Bij Quintilian is er sprake van een Tigriaans schip met grotere diepgang. De boeg zou dan op deze manier omhoog komen...'

'Ik moet dringend met Urdo over Munew gaan praten,' viel ik hem in de rede.

'Vraag hem wat ik voor hem kan doen,' zei Glividen. 'Hij weet dat ik bereid ben overal heen te gaan waar hij mij het beste kan gebruiken.'

Urdo zat in de vensterbank met Veniva en Amala te praten toen ik naar hen toekwam. 'Ah, Sulien, m'n beste,' zei Amala glimlachend. 'Je ziet er strijdvaardig uit, zoals altijd. Ik herinner me de keer dat we net kennis hadden gemaakt en ik je moest leren hoe je een stola drapeert.'

Veniva glimlachte dunnetjes. 'Dat verklaart de manier waarop Sulien haar stola pleegt te dragen,' zei ze. Haar Vincaans was altijd even perfect, maar op dit moment klonk het, in vergelijking met Amala's afgebeten accent, honingzoet. Zou ze het expres doen? 'En ja, strijdvaardig is het juiste woord; mijn dochter staat bekend als een van de drie geduchtste bereden wapendragers van heel Tir Tanagiri. Aan de andere kant heb ik ook wel over jouw dochter horen zeggen dat ze in het zadel geboren moet zijn.'

In gedachten kromp ik ineen, maar de twee oude vrouwen bleven naar elkaar glimlachen alsof ze niets dan vriendschappelijke gevoelens voor elkaar koesterden. Urdo staarde uitdrukkingsloos voor zich uit. Ik bezon me op eventuele manieren om hem apart te nemen zonder dat zij het zouden merken, maar liet dat idee meteen weer varen. 'Zullen we dansen?' vroeg ik.

Urdo trok zijn wenkbrauwen op, Veniva glimlachte en Amala perste haar lippen opeen. Ik voelde dat ik begon te blozen, maar Urdo nam bedaard mijn hand en we liepen de dansvloer op. Onder het dansen vertelde ik hem wat Glividen had gezegd. Urdo leek er niet verbaasd over.

'Het hoeft niet per se te betekenen dat Custennin op het punt staat in opstand te komen,' zei hij. 'Ik geloof niet dat het ook maar iets verandert. We hebben steeds geweten dat Custennin een zwakke stee is – dat is het enige waarvan je met hem altijd zeker kunt zijn. Ik denk niet dat hij zich moeilijkheden op de hals zal willen halen tenzij hij er zeker van is dat hij er garen bij zal spinnen. Dat geldt ook voor bisschop Dewin en een groot deel van de Eilandkerk. Als wij winnen, zullen ze zeggen dat ze altijd aan onze kant hebben gestaan. Verliezen we, nou, dan hebben ze altijd al tot de andere partij behoord. En wat Thurrig aangaat – wie zal het zeggen? Hij heeft zijn woord tot nu toe altijd gestand gedaan.'

'Ik mag Thurrig graag,' zei ik. 'Hij is altijd een goeie vriend geweest.'

'Marchel is zijn dochter,' zei hij, mijn handen nemend. 'Ik zou Thurrig graag schrijven, mits ik een betrouwbare koerier had. Het lijkt me trouwens verstandig als ik Amala morgen al naar Caer Tanaga laat escorteren. Als ik haar hier laat, zullen zij en je moeder elkaar nog aan flarden scheuren.'

Opnieuw kromp ik ineen. Ik liet zijn handen los en danste weg. 'Ik hoopte eigenlijk dat het allemaal niet zo erg was als het klonk.'

'Je hebt hun verrukkelijke gesprek gemist over hoe geweldig hun kleinzoons wel zijn,' zei Urdo terwijl hij zich naar me toeboog. Glimlachend vervolgde hij: 'Toch mag ik ze allebei wel. En jij hoeft je er niet voor te schamen. Mijn eigen moeder zou precies hetzelfde hebben gedaan als ze hier was.'

Het kostte me heel weinig moeite me Rowanna bij hen voor te stellen. Ik huiverde. 'Geef mij maar een schildenmuur van de Jarns met hun speren, in plaats van dit soort stekelige gesprekken.'

'Je bent toch niet nog steeds bang van je moeder, of wel?' vroeg hij.

Ik dacht er even over na. 'Bang is het woord niet. Maar ik weet dat ik dat soort geklets niet kan aanhoren zonder dwars door alle wolligheid heen te hakken en precies datgene te zeggen wat iedereen probeert te vermijden. Ik voel me prima in de alae en mijn moeder is me natuurlijk gewend, maar op het punt van diplomatie ben ik een ramp.'

'Geen ramp,' zei Urdo. 'Je hebt het als heerschap van Derwen de laatste vijf jaar uitstekend gedaan. En je hebt wonderen gewrocht met Lew ap Ross – veel beter dan ik had durven hopen. Hij is een koning van Isarnaganen en kijkt met trots naar jou op als zijn superieur.' Urdo liet me rondzwaaien en opeens dacht ik eraan terug hoe ik in deze hal eens met Conal had gedanst, die een buitengewoon slechte danspartner was geweest. Toen herinnerde ik me dat ik er nooit aan toe was gekomen Urdo in te lichten over hem en Emer, hoewel zij had gezegd dat Elenn op de hoogte was.

'Je bent op de hoogte van Emer en Conal?' vroeg ik zacht.

Urdo keek me treurig aan. 'Elenn heeft het me verteld, ja. Ze was razend omdat ze het een belediging vond jegens hun moeder. Nu Conal dood is, zal ze daar wel een punt achter zetten.'

'Je hebt er tegen Emer nooit iets over gezegd?'

'Ze leidt op dit moment voor mij een leger naar het noorden. Als haar echtgenoot het verkiest om iemand van zijn mensen naar haar bed te sturen en zij ermee instemt, is het – tenzij zij zich erover beklaagt – mijn zaak niet dat er een bloedvete gaande is tussen haar en die persoon, ongeacht wat mijn vrouw ervan mag zeggen.'

'Wie heeft jou verteld dat Lew het wist?'

De uitdrukking op Urdo's gezicht zou me aan het lachen hebben gemaakt, als het gepast was geweest om over zoiets te lachen. Hij zweeg een ogenblik. Achter mij hoorde ik hoe Glividen zijn stem verhief, boven de muziek uit: 'Nee. Ik ben speciaal naar Thansethan gegaan om het te lezen, maar daarna heb ik het veel te druk gehad met de verwarmingskanalen onder Caer Tanaga. Als je het mij vraagt, zeg ik dat hij de grondbeginselen niet heeft begrepen...' Even later hoorde ik Amala antwoorden: 'Je zou er zelf een boek over kunnen schrijven.'

Eindelijk zei Urdo zacht en effen: 'Denk je dat Lew het niet wist? In dat geval had ik met haar moeten praten. Aan de andere kant, zolang haar man er zich niet over beklaagt, kan ik haar niet kapittelen over haar privé-leven, vooral niet omdat ze er niet mee te koop loopt en geen schandalen verwekt. Het is trouwens voorbij; hij is dood.'

'Lew heeft zijn stoffelijk overschot terug laten brengen naar Atha en zijn vader, zodat zijn as in zijn vaderland kon worden bijgezet. Hij heeft me twee keer het leven gered toen Aurien me had vergiftigd.'

'Elenn haatte hem omdat hij haar moeder had gedood,' zei Urdo terwijl hij me afwezig weer liet rondzwaaien, net toen de dans eindigde. 'Wat ik van hem heb gezien, beviel me wel; en ik ben blij dat hij een heldhaftige dood is gestorven. Hij heeft zich bij dat duel in Thansethan uitstekend geweerd.'

'Ja, het is in elk geval nu voorbij,' zei ik terwijl we voor elkaar bogen.

'Ik denk dat het verstandig is Emer voorlopig weg te houden uit Caer Tanaga,' zei hij terwijl hij zich oprichtte.

'De stukken over een raperbord schuiven is een stuk gemakkelijker,' zei ik. 'Die maken nooit ruzie met andere stukken van dezelfde kleur.'

Urdo moest lachen.

Op dat moment kwam Seriol de keuken uit om te zeggen dat het avondmaal gereed was. De geuren die hij met zich meebracht, deden mijn knieën knikken. De arme Seriol zag er verhit en opgewonden uit, maar ik bedacht dat hij een prima huismeester zou zijn als hij eenmaal gewend was. Ik keek om me heen naar Darien, in de hoop dat hij me een arm zou geven om mij naar de familiealkoof te escorteren, zoals hij gewoonlijk deed als hij op bezoek was. Tot mijn verbazing zag ik dat hij Veniva vergezelde. Hij maakte een gebaar naar mij dat een raadsel voor me was. Toen kwam Urdo naar me toe en boog ik me enigszins naar hem toe, in de mening dat hij me iets persoonlijks wilde zeggen. Hij glimlachte echter alleen en gaf me een arm. Ik veronderstel dat ik dit had kunnen verwachten, na dat welkom. Ik begreep dat mijn moeder haar gasten iets duidelijk probeerde te maken. De merkwaardige status die ze me nu opdrong, was iets waarmee ik in theorie in een gesprek met Urdo had ingestemd, alleen om de mensen de indruk te geven dat Darien Urdo's zoon was. Tot nu toe was het nooit iets geweest waaraan ik aandacht moest schenken. Ik werd me bewust van Amala's starende blik en rechtte mijn rug. Ik kon me maar al te levendig voorstellen hoe woest Elenn zou zijn als ze dit hoorde. Ik wenste dat ik een ogenblik de tijd had gehad om me van mijn rijkleding te ontdoen. Meer nog wenste ik dat Veniva niet tot deze tactiek had besloten.

Seriol wees iedereen een plaats in de alkoven, met een minimum aan drukte. Op de een of andere manier kwamen wij met Glividen, de jongste zoon van Marchel, Gomarionsson en de rest van mijn familie in onze familiealkoof te zitten. Ik zag hoe Raul zich installeerde tussen Amala en broeder Cinwil. Toen werd het eten opgediend en had ik voor niets anders meer aandacht. We kregen ieder een geroosterde eend, gevuld met ui, wortels, pruimen en haver. Ik deed mijn best zo welgemanierd mogelijk te eten en de hand waarmee ik sneed schoon te houden. De eend smaakte even lekker als hij rook, en dat zegt genoeg.

Aanvankelijk werd er weinig gepraat. Marchels zoon en Glividen vertelden ons hoe ze met de militie de rivier op waren geweest om de eenden te vangen die we nu aten. Te oordelen naar de manier waarop hij het zei, moest Glividen hier al verscheidene dagen zijn. Ik bewonderde zijn vaardigheid met de netten, en we praatten wat over gunstige plekken voor de vogeljacht. Ze waren geen van allen in Tevin geweest. Ik vroeg me af of Arling daar al geland zou zijn en hoe Alfwin het zou doen als dat het geval was.

Urdo complimenteerde Veniva met de vulling van de eend, waarna ze een poosje praatten over het belang van zonlicht en hellende grond voor pruimenbomen. De kleine Gwien maakte wat opmerkingen over de boomgaarden in Magor. Galbian, die zijn eten nauwelijks aanroerde, staarde woedend naar hem.

Gwien had het grootste deel van zijn eend al verorberd. Hij keek om zich heen en probeerde kennelijk iets te bedenken dat hij kon zeggen. Ongelukkigerwijs richtte hij zijn aandacht op Gomarionsson, die tot dan toe had gezwegen. Hij had het borstvlees van zijn eend opgegeten, maar nauwelijks iets van de vulling. 'Hebben jullie ook pruimen, in Narlahena?' vroeg Gwien beleefd.

De Malmse prins keek geërgerd op. 'Natuurlijk hebben we die,' zei hij in afgebeten Vincaans. 'Gouden pruimen, blauwe pruimen, groene pruimen, abrikozen en damastpruimen – en verder druiven, sinaasappelen, limoenen, olijven en ander verrukkelijk fruit dat jullie hier niet kennen, zodat jullie van die walgelijke knollen moeten eten.' Hij prikte vol minachting in de vulling. 'De bomen hangen vol vruchten en op het land groeit goudgeel koren. Dat is het soort zegeningen dat de Blanke God over een land uitstort. Als jullie al dat zonlicht zagen, zouden de wolken van jullie zonden verwaaien en zou dit natte, ellendige land op slag veranderen in een bloeiende tuin vol wijnraken en olijven. Je hoeft Hem alleen maar toe te laten in je hart en je leven.'

Als hij het niet met zoveel ernst had uitgesproken, zou ik hebben moeten lachen. Hij was nog zo jong, hooguit een jaar of twee ouder dan Galbian. Het idee dat welke god dan ook zijn macht zou gebruiken voor een zo grote klimaatverandering, met inbegrip van alle verwoestingen die dat tengevolge zou hebben, was zo komisch dat ik het bijna uitproestte. De goden houden het evenwicht van de wereld in stand. En hoe weinig ik ook op had met de Blanke God, en hoe krankzinnig sommigen van zijn volgelingen ook waren, toch had ik nooit gehoord dat *Hij* volslagen krankzinnig was. Vlug stopte ik een hap in mijn mond en vermeed het iemand aan te kijken, wie dan ook.

'Hoe waren de oogsten de afgelopen tien jaar in Tir Isarnagiri?' vroeg Veniva, alsof ze beleefde belangstelling toonde voor een zaak van gering belang.

Ze keek Urdo aan, maar Glividen antwoordde. 'Uitstekend, vrouwe, maar ik kan helaas niet berichten over wonderbaarlijke vruchten zoals die rond de Middenzee groeien.'

Hij keek naar Gomarionsson, die een rukje met zijn hoofd gaf. 'Kom maar eens naar Narlahena, dan kunnen jullie zien hoe een koninkrijk kan groeien en bloeien in het licht van de Heer. We hebben hier een poging gedaan, en hoewel jullie ons met hulp van demonen hebben overwonnen, hebben wij God aan onze zijde en kunnen daarom nooit volledig worden overwonnen. We zullen het opnieuw proberen en alsnog dit land Zijn licht en eer brengen.'

Toen hij het woord 'demonen' uitsprak, had hij in een flits naar mij gekeken. Ik zuchtte.

'Wat je zegt, is op het randje van hoffelijkheid,' zei Urdo waarschuwend. 'Ik behandel je als een gast in plaats van als een krijgsgevangene, ter wille van je vader en omdat Amala het mij heeft verzocht, maar als je gedrag dat nodig maakt, zal ik niet aarzelen de eed van een krijgsgevangene van je te verlangen en je gevangen te zetten.'

Gomarionsson sloeg zijn ogen neer en keek weg.

Op dat moment deed Marchels zoon zijn mond open, waarmee hij ons allemaal verraste. We keken allemaal naar hem, maar hij richtte zich tot Gomarionsson. 'Ik ben in Narlahena geweest, zoals je heel goed weet. Het is waar dat er druiven groeien, maar voor het overige is het een afschuwelijk oord. Het is er veel te warm, en de Malms die daar wonen zijn opvliegend van aard, hebben weinig interesse om dingen te maken en zijn eerder geneigd ze te vernielen. Smeden worden daar niet in ere gehouden, evenmin als welke andere ambachtsman ook – alleen priesters en krijgslieden tellen mee. Ze zeggen dat iedereen zijn plaats heeft onder de Blanke God, dat wel, maar het liefst zouden ze iedereen vastmetselen op die plaats, als steenblokken in een toren, zodat ze geen andere keus hebben dan te blijven waar ze zijn. Ook worden er nog slaven gehouden en alle boeren zijn er bang voor hun heer. Ik heb dat zonlicht waarover je sprak gezien, en ik denk eerder dat Gods licht het milde licht is dat door de wolken van Tir Tanagiri schijnt, of het schijnsel in mijn vaders smidse, het rode smeedvuur, dat Hij mij heeft gegeven als werktuig om er ijzeren gereedschappen mee te smeden. Vanwege dat werk geniet ik hier respect en heb ik hier een goede plaats. En toen er moeilijkheden rezen, kwam vrouwe Sulien hier ons vragen hierheen te komen, waar we veilig zijn, hoewel mijn oom een verrader was en mijn eigen moeder gewapend de zee overstak. Zou zoiets ooit in Narlahena gebeuren? Of zouden ze mij daar hebben gebruikt als een pion in een burgeroorlog, of mij hebben geëxecuteerd vanwege de wandaden die mijn familieleden hebben gepleegd, zonder mijn medeweten? Want dat is het soort dingen die ik daar heb zien gebeuren.'

Hij staarde Gomarionsson aan totdat de prins zijn ogen neersloeg. 'Je hebt zeker gezien hoe mijn vader korte metten maakt met hen die de Blanke God verraden,' zei hij.

Marchels zoon schudde het hoofd. Hij leek zoveel op zijn moeder, dat ik nauwelijks kon geloven dat hij zulke verstandige dingen zei. 'Ik ben mijn leven lang opgevoed in het geloof van de Altijd Barmhartige Blanke God, en ik zing de hymnen der smeden namens Hem, hoewel mijn grootvader, Wyn, dat deed in naam van Govannen. Ik zou graag zien dat iedereén de Blanke God leert kennen en Zijn naam gaat loven, door Zijn genade te begrijpen, én het offer dat Hij voor ons bracht, opdat wij eeuwig zouden leven en Hem prijzen. Ik denk echter dat het met het zwaard brengen van genade, alsof je mensen iets kunt opdringen dat ze uit eigen vrije wil behoren te kiezen...' Hij aarzelde, keek om zich heen en zag dat we allemaal naar hem zaten te kijken. Hij slikte en vervolgde zachter: '... heel erg verkeerd is.'

'Goed gesproken,' zei Urdo. 'Ik heb altijd gezegd dat mensen iedere god mogen aanbidden die zij zelf verkiezen.'

'En dat mensen zelf mogen bepalen hoe zij willen leven, en niet de schuld mogen krijgen voor de fouten van anderen, of door hun geboorte gebonden mogen zijn,' zei Darien, die Urdo glimlachend aankeek.

Urdo glimlachte terug. Hij wendde zich tot Gomarionsson. 'We hebben hier wetten en gerechtigheid, en zoals je zelf kunt zien, hebben veel mensen in Tir Tanagiri de halssteen aangenomen.'

De zoon van Marchel, Darien, Galbian, de kleine Gwien en Glividen raakten vluchtig de plek aan waar hun halssteen hing. Gomarionsson zag hun gebaar. Hij fronste zijn voorhoofd en leek voor het eerst enigszins van zijn stuk gebracht. 'Ik dacht dat jullie allemaal Zijn genade hadden verworpen,' mompelde hij.

'Is dat wat mijn moeder je heeft wijsgemaakt?' vroeg Marchels zoon.

Gomarionsson liet plotseling het hoofd zakken, een merkwaardig gebaar. 'Ze zei tegen ons dat ze was verbannen omdat ze het Woord had willen verbreiden.'

'Ze is verbannen omdat zij weerloze krijgsgevangenen die zich al hadden overgegeven had afgeslacht,' zei ik vlug.

'Dat verhaal had ik ook gehoord,' zei Gomarionsson, naar de tafel starend. 'Er doen altijd wel verhalen de ronde over mensen die verbannen zijn. Ze zei ons dat er voor niemand die gevangen zou worden genomen genade zou zijn en dat we allemaal aan de demonen zouden worden geofferd. Ik begin nu in te zien dat het niet waar is.'

'Het was een onbeschaamde leugen,' zei ik nijdig. 'Niemand heeft zoiets ooit gedaan, behalve Marchel zelf.'

'Ik wilde zo graag het licht van de Blanke God verbreiden, net zoals de

Heilige Diego in Narlahena heeft gedaan, of zoals Chanerig Thurrigsson dat deed in Tir Isarnagiri,' hernam Gomarionsson. 'Mijn vader weet niet dat ik hier ben.'

'Marchel probeert dat licht op te dringen aan mensen die dat niet willen,' zei haar zoon, zich naar voren buigend. 'En dat is verkeerd, al kon ze het hele land tot aan onze knieën overdekken met zachte vruchten, zodat we scheppen nodig zouden hebben om het te oogsten.'

We schoten in de lach en zelfs Gomarionsson glimlachte een beetje.

'Dat geldt ook voor mijn moeder,' zei Galbian onverwachts.

'Ik begrijp niet waarom Aurien zoiets heeft kunnen willen,' zei Veniva. Maar ze is dood en kan hier niet zelf op antwoorden. Ben je van plan haar voorbeeld te volgen, Galbian?'

'Nee,' zei Galbian. 'Ik pleeg geen verraad aan de Grote Koning, en dat weet hij.' Hij keek naar Urdo, en vandaar weer naar Veniva. 'Ik heb de halssteen aangenomen, maar dat is iets voor mijzelf alleen. Ik zal niemand ertoe dwingen als ik hertog ben, hoewel ik, als het mij mogelijk is Magor tot God te brengen, dat niet zal laten.' Opnieuw keek hij Urdo aan, nu een tikje uitdagend.

'Zoals Custennin dat al in Munew heeft gedaan,' knikte Urdo. 'En zoals Guthrum en Ninian deden in Cennet, en zoals Cinvar deed in Tathal. Ik heb daar geen bezwaar tegen gemaakt. Zoiets gaat alleen jou en je volk aan, en je land. Als deze oorlog voorbij is, zul je eerst twee jaar in de ala mogen dienen, bij mij in Caer Tanaga. Daarna ben je oud en ervaren genoeg om zelf hertog van Magor te zijn, ofschoon je ook dan nog erg jong bent voor een dergelijke taak. Maar als jij tegen die tijd met het land spreekt en het land geen bezwaar heeft, zal ik je niets in de weg leggen als je het volk van Magor tot de Blanke God wilt bekeren.'

'Broeder Cinwil zegt dat het land daartoe bereid is,' zei Galbian.

'Dat is iets dat alleen *jij* kunt bepalen – en geen enkele priester, of wie dan ook,' zei Urdo streng. 'Dat maakt deel uit van wat het betekent een heerser te zijn. Jouw grootvader was zich daarvan bewust. Sinds zijn dood, nu zeven jaar geleden, wacht Magor geduldig totdat jij oud genoeg zult zijn om voor het land te kunnen spreken. Dat is een grote verantwoordelijkheid, die je al heel vroeg toevalt.'

Galbian haalde adem, blies de lucht uit zijn longen, rechtte zijn rug en keek Urdo in de ogen. 'Ik zal het u laten weten of het land ertoe bereid is,' zei hij.

Veniva glimlachte.

'Het land en het volk zullen tot de Heer komen als de tijd daarvoor rijp is,' zei Darien vol vertrouwen. Gomarionsson keek nieuwsgierig naar zijn gezicht. Marchels zoon, Galbian en kleine Gwien knikten allemaal instemmend.

Ik keek naar Veniva en wist plotseling hoe zij zich moest voelen als ze zichzelf 'de laatste der Vincanen' noemde. Ik had Urdo tegen Raul horen zeggen dat dit ooit zou gebeuren en had het niet willen geloven, maar hier aan tafel zag ik al deze jongeren – mijn zoon en mijn neven en de zoon van Marchel – die zich van de oude goden hadden afgewend. Wat kon ik doen? Ik kon niet het zwaard opnemen ter verdediging van de goden; dat zou even verkeerd zijn geweest als de handelwijze van Marchel. Er was niemand die rondwandelde om iedereen te vertellen hoe geweldig de goden waren en hoe ze jouw ziel konden redden; de goden waren er eenvoudigweg, als een deel van de wereld zoals zij was. Maar misschien hadden sommigen daar niet genoeg aan. Ik ben bang dat ik een geluidje heb gemaakt, want opeens zag ik Urdo en alle anderen naar mij kijken. Ik was half opgestaan, maar nu liet ik me hoofdschuddend weer zakken.

'Misschien zal het licht van de Blanke God hier inderdaad gaan schijnen,' zei Gomarionsson. 'Misschien was mijn moeder te overijld.'

'Het verheugt me dat je je daarvan bewust bent,' zei Urdo. Zijn stem klonk volkomen oprecht.

'Wilt u zelf de halssteen niet aannemen?' vroeg Gomarionsson. Hij keek naar mij en Veniva. 'Kunt u niet begrijpen dat de Blanke God uit vrije wil geboren is als een mens en net als wij is gestorven, en dat wij door Zijn offer allemaal eeuwig mogen leven en Hem prijzen? Wilt u niet ook tot het licht komen?'

'Het lijkt me geen goed idee om zo te leven, eeuwig of niet,' zei ik. Daarmee plaatste ik mezelf onmiddellijk weer in de categorie 'demonen' in de ogen van Gomarionsson. Vol minachting tastte hij naar zijn halssteen.

Urdo slaakte een zucht. Veniva stond op, zo recht als een zwaardblad, ondanks haar ouderdom en magere lichaam. Ze hief haar armen op en begon te zingen – tamelijk luid. De mensen in de nabije alkoven staakten hun gesprekken. Ze zong een hymne die ik al honderden keren had gehoord, de *Hymne tot de dageraad*, waarin de Stralende Zon dank wordt gezegd voor zijn licht en de zelfkennis die iedere nieuwe dag kan brengen. Het was vreemd om deze hymne 's avonds te horen, binnenshuis. Veniva's stem was nooit luid geweest, maar er klonk niettemin kracht in door. Ik merkte opeens dat ik eveneens was gaan staan, naast haar, met Urdo aan mijn andere zij en Darien naast haar aan haar linkerzijde. Toen zag ik Govien opstaan, aan de andere kant van de alkoof, en nog wat anderen; en toen ze ongeveer een derde van de hymne had gezongen, stonden we allemaal. Toen boog ze voor Gomarionsson, ging weer zitten en zei: 'Er is meer dan één licht.'

Gomarionsson zat erbij, met open mond – volstrekt belachelijk. Als ik nu terugdenk aan alle moeite die we ons voor hem hebben getroost, springen de tranen me in de ogen. Hij is zijn leven lang een onbetekenende figuur gebleven en werd twintig jaar later tijdens een banket vermoord door zijn zwager, die nog steeds koning van Narlahena is.

'Het kan ook allemaal deel uitmaken van de Blanke God, heus,' zei Darien terwijl hij ging zitten. Veniva schudde het hoofd – en ik begreep toen niet wat hij bedoelde.

10

'Pak je proviand in, kijk op de kaart en zorg ervoor dat je weet waarom je gaat voordat je aan een reis begint.'
– Tanagaans spreekwoord

Zelfs orakels weten niet wat er elders gaande is, alleen wat mensen in andere werelden is overkomen. Ik heb er Ap Fial naar gevraagd, later, toen het woordje 'als' me steeds opnieuw in het hoofd drong, als een krankzinnige specht die tegen een ijzeren staaf zit te pikken. Hij zei me dat niemand het verleden kan veranderen; en dat er maar één manier is om de toekomst te veranderen, namelijk door het heden te veranderen, dag na dag. Daarna werd hij milder, dronk een beker bosbessenwijn met mij en toonde zich wat menselijker. Hij legde me uit dat hem was geleerd op zijn hoede te zijn voor de gedachte dat hij de toekomst kende, omdat de vele toekomsten die orakelpriesters kunnen zien in feite andere werelden zijn, die min of meer overeenkomen met onze wereld en er via de grote gebeurtenissen mee verbonden zijn, maar niet via minder belangrijke gebeurtenissen en zelfs niet via de betekenis van die grote gebeurtenissen. Hij zei erbij dat het heel moeilijk is te bepalen welke gebeurtenissen precies van betekenis zijn.

Toen hij goed dronken was, zei hij dat sommige orakelpriesters verbaasd zijn als de dingen anders lopen dan ze hadden gedacht, terwijl andere orakelpriesters zich verbazen als hun verwachtingen uitkomen. Ik denk dat de Vincanen gelijk hadden door hen in de ban te doen. Ik begrijp trouwens niet hoe ze het zelf kunnen verdragen, zelfs na een opleiding van twintig jaar. Hij onthulde me toen iets wat ik lang geleden van de heks Morwen had gehoord, namelijk dat ik niet in een van die toekomsten voorkwam, niet in een van die andere werelden die hij kon zien, omdat er maar één is zoals ik. Soms stelt die gedachte me gerust. Het zou te pijnlijk voor me zijn te bedenken dat er ergens andere werelden zijn waar ik alles goed zou hebben gedaan.

De volgende ochtend braken we op en reden de hele dag door de heuvels zonder dat er iets gebeurde. De weg ging niet overal omhoog, ook al had Masarn dat beweerd, maar wel was iedere volgende heuvelrug hoger dan de vorige, en naarmate de dag verstreek zagen we meer bomen en minder boerderijen. Toch was er meer grond in cultuur gebracht dan het geval was geweest toen ik net heerschap van Derwen was geworden. Op de akkers groeide koren, maar naarmate we hoger kwamen zagen we meer weilanden, bezaaid met schapen. Sommige boeren wuifden naar ons en hun kinderen kwamen naar de landweg rennen om ons voorbij te zien trekken. Sommigen juichten me toe en scandeerden mijn naam. Ik wuifde altijd terug. Toen we een bepaalde groep kinderen waren gepasseerd en naar de schapen keken, ver buiten het zicht van de boerderijen, zag ik Urdo opeens glimlachen.

'Ik vraag me af wat ze tegen hun ouders zullen zeggen als ze thuiskomen,' zei hij. 'Mama, ik heb vanmorgen twee alae met felgekleurde vaandels gezien die over de landweg voorbij trokken.'

'En dan zal hun moeder op hen mopperen omdat ze dingen uit hun duim zuigen,' zei ik.

'Misschien zullen ze, als ze oud en grijs zijn, zeggen dat zij zich de keer kunnen herinneren dat ze als kind de Grote Koning Urdo de heuvel op hebben zien rijden, met prefect Sulien aan zijn zijde, onder een wolkenloze hemel in het licht van de stralende zon. En hun kleinkinderen zullen hen uitlachen,' zei Masarn. Inderdaad scheen de zon die dag, bij wijze van uitzondering, hoewel er boven de westelijke horizon wat wolkjes te zien waren.

'Hun kleinkinderen zullen er niet om lachen,' zei Darien. Hij was een toonbeeld van ernst; niemand kan zo ernstig zijn als een jongen van zijn leeftijd. Wij anderen glimlachten alleen en reden verder.

We reden niet snel, om de paarden te sparen. Eindelijk, in de avondschemering, naderden we Nant Gefalion. De zon was toen allang achter de heuvels verdwenen die we de hele dag hadden beklommen, maar achter ons in Derwen zou hij nog half boven zee hangen. Het hart van de zomer was voor mij ongemerkt nader geslopen; al over twee dagen zou het Midzomerdag zijn.

In Nant Gefalion was het stil. Hiveth had de zaak hier goed in de hand. Er was niemand uit Caer Gloran over de landweg voorbijgekomen en ook was er niemand uit de richting van Derwen gepasseerd, behalve mijn verspieders en ordonnansen. In de smidsen werd minder kabaal gemaakt, maar de smeden die ik sprak maakten zich niet ongerust. Ze waren blij dat er een penoen was die hen zou beschermen voor het geval er moeilijkheden zouden komen. 'Wij danken u dat u aan ons hebt gedacht,' zei een oude man, die namens hen allemaal het woord voerde en op de manier van de Jarns voor ons boog. Hij was de timmerman die vanuit Caer Segant naar hier was verhuisd, wist ik. Ze wilden graag dat ik Hiveth en de penoen bij hen zou achterlaten. Het was moeilijk om hun uit te leggen dat wij hen beter konden verdedigen als mijn ala compleet was, ook al bevond deze zich ergens anders. Iedereen ziet liever een penoen voor zich dan te weten dat er 'ergens' een is.

De volgende ochtend braken we weer op; we trokken in noordoostelijke richting naar Caer Gloran. Vrijwel meteen staken we de grens met Tathal over. Ik wist exact waar de grens liep, al was deze niet gemarkeerd. Urdo hield ook nu een rustig tempo aan, hoewel we inmiddels over het hoogste punt heen waren en nu konden afdalen. In de loop van de middag hadden we de heirbaan bereikt. Telkens als ik deze lichte verhoging in het terrein bereikte, herinnerde ik me de eerste keer dat ik deze route had gevolgd en de schermutseling tussen Marchels ruiters en de plunderaars uit Jarnholme had gezien en me op Appel in het strijdgewoel had gestort. Ondanks alle verspiedersrapporten verwachtte ik min of meer Cinvars militie hier aan te treffen, klaar om de strijd met ons aan te binden, maar ik werd teleurgesteld. De heirbaan lag er in beide richtingen verlaten bij en tussen ons en de rivier had zich geen leger geposteerd.

Urdo en ik overlegden een poosje met elkaar, terwijl we de alae een korte pauze gunden. De paarden werden gedrenkt en de manschappen konden zich vertreden om de stijfheid te overwinnen die na een hele dag rijden zelfs bij de fitste ruiter optreedt. 'Laten we hier onze tenten opslaan en nog meer verspieders in beide richtingen uitzenden,' stelde ik voor. 'Ik hoop nog steeds dat Emer ons laat op de avond zal hebben bereikt, als ze via de heirbaan goed zijn opgeschoten. Ze hebben een geringere afstand af te leggen dan wij.'

'Ik denk niet dat ze dichtbij zijn,' zei Urdo fronsend. 'Ik wil weten wat Cinvar uitspookt.'

'Zou het mogelijk zijn dat hij thuis rustig zit af te wachten totdat wij iets doen dat op agressie lijkt?' zei ik.

'Ik ben bang dat het moment waarop hij op die manier succes zou kunnen boeken al ver achter ons ligt,' zei Urdo. 'Hoe het ook zij, hij heeft die twee mannen van Cadraith ap Mardol vermoord. Het is dan ook ons volste recht om hierheen te komen om een onderzoek naar zijn gedrag in te stellen.'

'Wat gaan we met hem doen?' vroeg ik. Inmiddels waren de koks van de penoenen bezig met het uitdelen van koude gerstebroden die ze die ochtend voor ons vertrek hadden gebakken. Talog kwam ons er ieder een brengen en hongerig beet ik in de mijne.

Urdo slaakte een zucht en draaide wat met het brood in zijn handen. 'Raul en ik hebben het er tot in het oneindige over gehad. Als Cinvar openlijk rebelleert, valt dat niet te ontkennen. Wat ik ook doe, het is uiterst moeilijk voor mij een handelwijze te bedenken die niet de indruk wekt dat ik me als een tiran gedraag, zoals mijn vijanden beweren. Ik zal hetzelfde doen als in Magor, als dat mogelijk is. Als hij werkelijk de wapens tegen ons opneemt, zal Cinvar moeten worden geëxecuteerd. Maar zijn zoon Pedrog, wie niets te verwijten valt en die ver weg is, als wapendrager in Ap Erbins ala, kan hem opvolgen.'

'Dus wat hij nu nog kan doen maakt geen enkel verschil?' vroeg ik met volle mond.

'Als hij naar ons toekomt en om gratie vraagt, zonder dat er ook maar even wordt gevochten, zou dat alle verschil maken, maar op de een of andere manier betwijfel ik dat dát zal gebeuren. Nee, we zullen hem moeten aanpakken.' Eindelijk nam Urdo een hap van zijn gerstebrood en begon peinzend te kauwen.

'Het zal moeilijk worden om zonder meer naar de muren van Caer Gloran te rijden en toegang te eisen,' zei ik terwijl ik de kaart nam. 'Als zij de poort gesloten houden, kunnen we ons nergens op terugtrekken. In dat geval kunnen zij 's nachts een uitval doen om ons aan te vallen als iedereen afgestegen is.'

'We beschikken over twee alae, en de ijzeren onderdelen van de paar oorlogsmachines die we hebben kunnen desnoods worden geassembleerd. Nee, we kunnen naar behoren ons kamp inrichten en om beurten slapen. Trouwens, hij kan best in Talgarth zitten.'

'Ben je daar al eens geweest?' vroeg ik.

Urdo schudde het hoofd. 'Uthbad is altijd naar Caer Gloran gekomen als hij me wilde spreken en ik in Tathal was, net als Cinvar. Caer Gloran is strikt genomen een van mijn sterkten en niet een van de koning van Tathal. Alleen heb ik hier sinds de afkondiging van de vrede en de ontbinding van Marchels ala geen troepen meer gehad.'

'Ik ben zelf maar één keer in Talgarth geweest,' zei ik, terugdenkend aan de winterse reis vanuit Caer Avroc, met Galba en twee penoenen. Ik wees de plaats aan op de kaart, ten noordwesten van Caer Gloran. 'Je kunt het geen echt fort noemen, ook al is er in gedichten vaak sprake van het "fort van Tathal". Het is in feite niet meer dan een uit aarden wallen bestaande versterking op een heuveltop. Uthbads vader heeft zich daar teruggetrokken toen de legioenen wegtrokken, volgens mijn moeder. Ik ben bang dat het een onneembare versterking is, maar aan de andere kant kun je Talgarth gemakkelijk links laten liggen. Als hij er inderdaad is, kunnen we het met een gerust hart aan de Isarnaganen overlaten hem te belegeren en het land kaal te vreten, terwijl wij doorgaan naar Tevin om daar orde op zaken te stellen.'

Urdo keek even naar het oosten, alsof hij het verre Tevin kon zien, en slaakte een zucht. Toen zag hij iets dat dichterbij was. 'Er komt een verspieder terug,' zei hij.

Het was Pierian die naar ons toekwam, duidelijk ingenomen met zichzelf. 'Tot drie mijl naar het zuidoosten is er geen enkele beweging waar te nemen,' meldde ze. Haar paard zag er uitgeput uit; ze moest in volle galop terug zijn gereden. 'Ik heb echter een boerin getroffen die wel met me wilde praten. Volgens haar was Cinvar gisterochtend in alle vroegte weggetrokken over de heirbaan; en hij had haar zoon meegenomen.' Ze haalde diep adem en vervolgde: 'Dat wil zeggen, hij is met zijn hele leger én zijn militie, waartoe ook haar zoon behoorde, onderweg. De boerin vertelde dat haar zoon had gezegd dat ze zouden optrekken tegen Caer Tanaga. Haar zoon had niet verwacht dat ze zo spoedig zouden opbreken; er was de vorige avond een boodschap gekomen waarin stond dat hij bij het krieken van de dag klaar moest staan voor vertrek.'

'Denk je dat het mogelijk is dat dit een valstrik is en dat die boerin loog?' vroeg Urdo.

'Ik heb niet de indruk,' antwoordde Pierian. Ze nam een slok water en bond de hals van de waterzak weer stevig dicht. 'Ze zat erover in dat haar zoon maar één buis bij zich had en vreesde dat de oorlogen opnieuw waren begonnen. Toch was ze niet echt bang van mij, want toen ik zei dat ik van de Grote Koning kwam, loofde ze de Blanke God en zei dat u de vrede zou herstellen. Ze leek me niet slim genoeg om ook dat te verzinnen.'

'Goed gedaan,' zei ik. 'Zorg dat je een gerstebrood krijgt, neem een vers paard en wrijf dit arme dier goed droog. Laat hem niet te snel te veel drinken.'

Glimlachend liep ze weg om de instructies uit te voeren.

'Wie zou hij in Caer Gloran hebben achtergelaten als hij werkelijk vertrokken is?' vroeg ik.

'Ik zou het niet weten,' zei Urdo. 'Alleen, waaróm zou hij gaan? Nog wel naar Caer Tanaga? En nog wel eergisteren, op de dag dat wij de strijd met Marchel aanbonden, of nee, een dag later? Hij kan dat nieuws onmogelijk al zo vroeg hebben gehoord; ze beschikte immers niet over koeriers die ze naar hem toe kon sturen.'

'Da's waar,' beaamde ik. 'En er is slechts een halve ala in Caer Tanaga, zei je?'

'Gormant is heel goed in staat de stad te verdedigen tegen alle infanterie die Cinvar in het veld kan brengen. En trouwens, als hij gisterochtend te voet is vertrokken, kunnen we hem ruimschoots voordat hij de stad bereikt inhalen.'

'Stel dat Flavien en de anderen erheen gaan om zich bij hem aan te sluiten?' vroeg ik.

'Dan wordt het een stuk moeilijker, maar niet onmogelijk,' zei Urdo.

'Wat doen we nu?' zei ik, uitkijkend over de alae, die bijna klaar waren met het drenken van de paarden. 'Onze tenten opslaan of teruggaan?'

'Naar Caer Gloran,' zei Urdo resoluut. 'Ik moet weten wat er in Tathal gaande is. We kunnen Cinvar desnoods vannacht nog inhalen. Het is van hier naar Caer Tanaga vier dagen rijden, in een rustig tempo dat de paarden ontziet, maar voor hem is het een voetmars van zeven dagen. Eerst gaan we naar Caer Gloran om informatie in te winnen; morgenochtend kunnen we dan Cinvar volgen.'

Nog voor we Caer Gloran bereikten, kwamen verspieders ons melden dat zij contact hadden gehad met verkenners van Cadraith ap Mardols ala, die vanuit het noorden over de heirbaan naderde. De drie alae ontmoetten elkaar buiten de stad, juist toen de zon achter ons in een baaierd van rode en gouden tinten achter ons onderging. Cadraith had ons geen nieuws te melden dat wij hem niet al hadden gezonden. Hij had niets van Ap Meneth gezien en geen problemen gehad, afgezien van de beide mannen die door Cinvar waren vermoord. Het was goed hem na al die tijd terug te zien.

De hoge, donkere stadsmuren doemden voor ons op toen we de weg naar de poort begonnen te volgen.Zodra de wachters op de stadsmuren ons zagen komen, begonnen ze trompetsignalen te geven. We maakten buiten het bereik van hun wapens halt – tenzij ze over oorlogsmachines beschikten – en stuurden een afvaardiging met herautentakken naar voren: Raul, geëscorteerd door een halve penoen. Ze reden zelfverzekerd naar de gesloten stadspoort. Ze waren goed bewapend, maar werden niet met pijlen of speren bestookt. Bij hun nadering zwaaide de stadspoort open.

Raul reed voorop, klaar om zijn herautentaak te vervullen. Hij wendde zich tot Urdo, wachtend op instructies. Terwijl hij aarzelde, posteerde een oude vrouw zich midden in de geopende poort, volop beschenen door het licht van de toortsen aan weerszijden van de poort. Zelfs op die afstand herkende ik haar direct. Ze was Idrien ap Galba, de echtgenote van de oude Uthbad en de moeder van Cinvar. Ik had haar sinds Moriens crematie niet meer gezien. Ze zag er moe uit en leek te zijn gekrompen. Ze leunde op een stok, maar droeg geen zichtbare wapens. Maar ze had ook geen welkomstbokaal in haar handen. Ze stond alleen in de poort en wachtte af.

Urdo beduidde Raul verder te gaan. Hij reed door, de herautentak in zijn handen. Idrien zei iets tegen hem, met gedempte stem, en ik zag zijn schouders verstijven. Toen sprak ze nogmaals; misschien had hij haar verzocht het te herhalen. Hij zei nog iets tegen haar, maar ze haalde vermoeid haar schouders op terwijl ze hem antwoord gaf. Raul reed terug naar ons. Toen hij dicht genoeg bij ons was, zag ik de diepe rimpel in zijn voorhoofd.

'Idrien ap Galba, koningin-moeder van Tathal, laat ons weten dat Caer Gloran een open stad is en dat we er mogen rusten, maar dat we de stad niet mogen gebruiken voor militaire doeleinden.'

'Wat?' zei Urdo. Niet eerder had ik hem zo verbaasd gezien. Ik merkte dat mijn wenkbrauwen eveneens omhoog gingen en dat die van Cadraith al de rand van zijn helm hadden bereikt.

'Ze herinnert ons eraan dat Elhanen de Grote altijd de neutraliteit van open steden heeft gerespecteerd,' zei Raul volmaakt kalm.

'Is dat het laatste precedent dat ze zich kan heugen?' vroeg ik lachend. 'Ik geloof niet dat er ooit een open stad in Tir Tanagiri is geweest; en het moet wel een heel oud gebruik zijn als Elhanen, die zevenhonderd jaar geleden in Narlahena leefde, het zou hebben gerespecteerd.'

'Ik geloof dat het tegenwoordig zelfs niet in Lossia gebruikelijk is,' zei Urdo. 'Maar we leven niet in de papieren wereld van Fedra's proza. Ik begrijp niet wat Idrien bezielt. Ik zal zelf eens met haar gaan praten.'

'Ik heb haar al gezegd dat dit niet de tijden van Fedra of Elhanen zijn, toen een stad nog kon verklaren geen deel te hebben aan een oorlog,' zei Raul. 'Idrien antwoordde dat het niet uitmaakte in wat voor tijden we leven – het uitroepen van Caer Gloran tot een open stad was de enige uitweg die ze had kunnen bedenken om haar geloften niet te verbreken. Haar zoon had haar namelijk laten beloven dat ze Caer Gloran niet als militaire sterkte zou laten capituleren. Ze heeft echter niet de wens zich tegen ons te gaan verdedigen, noch beschikt ze over de troepen die ervoor nodig zijn.'

Ik keek naar Urdo, die voor deze ene keer niets wist te zeggen. Als Idrien eropuit was geweest ons in volslagen verwarring te brengen, had ze niets beters kunnen bedenken.

'We zouden het kunnen doen, maar het zou een merkwaardig precedent scheppen,' merkte Cadraith op.

'In beide richtingen,' beaamde Raul, wiens stem me vreemd in de oren klonk, alsof hij me herinnerde aan veldslagen die duizend jaar geleden waren verloren of gewonnen. 'Toen Petra in opstand kwam nadat de stad zich had uitgeroepen tot een open stad, werd iedereen binnen de muren gedood of weggevoerd in slavernij, maar toen de Sateanen de neutraliteit van een open stad schonden, deden de priesters een beroep op de goden om hen te verdoemen, waarna ze geen enkele overwinning meer boekten. Fedra noemde Larissa een "hoer onder de steden" omdat die stad zich steevast uitriep tot een open stad, steeds als de krijgskansen keerden en de oorlog aan de stad voorbij trok.'

Die opmerking – of iets anders – was voor Urdo aanleiding om een van zijn ogenblikkelijke beslissingen te nemen. 'Ga naar haar terug, Raul, en zeg haar dat open steden geen deel uitmaken van de wetten van Tir Tanagiri en dat ook nooit hebben gedaan. Vraag haar of haar zoon tegen ons in opstand is gekomen. Als ze dat beaamt, vraag haar dan of zij en de stad achter hem staan. Als zij dat niet doet, en de stad evenmin, zeg je haar dat we alleen voor de nacht de stad in zullen komen en morgenochtend weer zullen vertrekken. We zullen alleen voorraden meenemen, maar ik zal geen garnizoen in mijn eigen stad legeren en geen onheil aanrichten.'

'Wat is het verschil tussen dit en wat zij verlangt?' vroeg ik.

Raul en Urdo keken me allebei aan, duidelijk geïrriteerd. 'Het verschil is dat we op die manier geen precedent scheppen,' legde Urdo uit.

'En als zij erkent dat ze in opstand zijn gekomen,' voegde Raul eraan toe, 'zijn wij niet verplicht hen als neutrale partij te behandelen. Wij zullen haar een verklaring van trouw laten afleggen, als ze het tegendeel beweert; en als ze zo'n verklaring aflegt, heeft ze de beloften aan haar zoon niet gebroken.'

'Ik begrijp het,' zei ik, mak als een lammetje. Urdo moest lachen. 'Tenzij het een valstrik is,' voegde ik eraan toe. 'Misschien hopen ze ons in slaap te sussen om ons vervolgens af te slachten. We weten tenslotte niet zeker dat Cinvar niet in de stad is. Ik zie massa's mensen op de muren. En in een stad kan een ala niet gemakkelijk manoeuvreren. Ik herinner me als de dag van gisteren de nachtmerrie die ik heb doorgemaakt in Caer Lind, toen we daar binnen de muren moesten vechten.'

'Er waren op de akkers weinig boeren te bekennen,' vulde Cadraith aan. 'Best mogelijk dat ze zich binnen schuilhouden en voor ons in hinderlaag liggen.'

'In dat geval sturen we eerst drie penoenen naar binnen om alles grondig te doorzoeken,' zei Urdo. 'De penoen van Elthith – en van jullie alae ieder één penoen.'

'De penoen van Cynrig,' stemde ik in, waarna Cadraith een van zijn penoenen noemde en deze het sein gaf naar voren te komen. Ik beval de drie penoenen zich gereed te maken, terwijl Raul terugreed naar de poort om weer met Idrien te praten.

'Het zou haar weinig hebben geholpen de stad tegenover een Jarnse koning tot open stad te verklaren,' zei Urdo terwijl we naar het tweetal keken dat in het schijnsel van de toortsen stond te praten. Het was nu vrijwel donker.

'Ze zouden haar een kopje kleiner hebben gemaakt,' zei Cadraith. 'Ik ben er trouwens niet zeker van of het haar tegenover sommigen van onze prefecten niet ook zo zou zijn vergaan. Maar ze riskeerde het evengoed.'

'Dat is deels waarom ik haar zover tegemoetkom,' zei Urdo, die strak naar Raul en Idrien bleef kijken. 'Ook al geloof ik dat ze, als ze had geweten dat ik hier was, ervan uit zou zijn gegaan dat ik haar persoonlijk geen haar zou krenken. Ze is per slot van rekening een van de krijgsvrouwen van mijn vader geweest.'

'Niemand vertelt mij ooit wat,' zei ik. 'Ik zou evenmin geneigd zijn haar te deren; ze is altijd aardig voor me geweest en ze is zelfs in zekere zin een verwante van mij. Ik was bevriend met Enid, haar dochter.'

'Enid was een uitzonderlijk dappere armiger en loyaler dan wie ook,' zei Urdo. 'Ze heeft me eens het leven gered. Als ze niet bij Caer Lind was gesneuveld, zouden veel dingen anders zijn gelopen. Vermoedelijk zou zij in staat zijn geweest haar broer in het gareel te houden.'

'Bran ap Penda ook,' zei ik. 'Hij zou een prima koning zijn geweest als hij volwassen was geworden.'

'Ah?' Urdo's stem klonk geïnteresseerd. 'Ik heb hem nooit gekend, maar hij was lid van jouw penoen, is het niet?'

'Ja. Hij was een van de eersten die bij Caer Lind sneuvelden, bij die hinderlaag aan de bosrand.'

'Als hij nog had geleefd, zouden ze geen voorwendsel hebben gehad om je ingrijpen in Bregheda te veroordelen,' zei Cadraith spijtig.

Raul boog zich naar Idrien en ze omhelsden elkaar.

'Ah, mooi, een warm bad en warm eten, vanavond,' zei Masarn vrolijk. Hij stond achter ons. We draaiden ons naar hem om. 'Ik kom melden dat de drie penoenen gereedstaan als dat nodig is,' zei hij. 'En tot mijn vreugde zie ik dat we naar binnen kunnen.'

We wachtten in de killer wordende avondlucht terwijl de drie penoenen controleerden of het veilig was in de stad.

'Veilig en vrijwel verlaten,' rapporteerde Cynrig. 'Het lijkt wel alsof er bijna niemand meer is.'

'Griezelig,' zei Elwith. 'Ik ben vaker in Caer Gloran geweest en het was er altijd heel bedrijvig, maar nu niet. Het doet me denken aan een stad die door de bevolking verlaten is omdat er een koorts is uitgebroken.'

We reden de stad in en installeerden onszelf en onze paarden in de stoffige stallen en barakken die alleen door roodmantels waren gebruikt sinds Marchels ala was ontbonden. Cinvar moest de paarden die hij zelf gebruikte ergens anders hebben gestald. Er was bijna genoeg ruimte, zelfs met drie alae. De koks begonnen het avondeten voor de wapendragers klaar te maken, maar voordat ik me bij mijn penoen kon voegen, kwam er een boodschapper van Idrien die Urdo, Cadraith, Raul en mij uitnodigde om het avondmaal met haar te delen. De boodschapper, een kind van een jaar of zes, zeven, wachtte op mijn antwoord.

'We kunnen een dergelijke uitnodiging onmogelijk afslaan,' zei Raul.

Het werd een van de meest onbehaaglijke maaltijden van mijn leven. Het eten kon er maar net mee door; het bestond uit met kruiden geroosterde lamsbout – die niet gaar was – en warm brood. De bediening was erbarmelijk en het tafelgesprek verliep ontstellend stroef. Ik had veel liever samen met mijn ala gegeten, zoals ik meestal deed, en ongetwijfeld dacht Urdo er net zo over. In alle andere opzichten was het echter een formele maaltijd. Idrien had een priester bij zich wiens naam ik niet kon verstaan, en andere gasten waren er niet.

'Ik had gehoopt het genoegen te hebben uw dochter Kerys terug te zien,' zei ik, toen de eerste pijnlijke beleefdheden achter de rug waren en we al waren begonnen te eten. Ik wist niets te bedenken dat neutraler zou zijn. Ik had in alle redelijkheid Kerys mijn 'zus' kunnen noemen; ze was tenslotte lang genoeg met mijn jongste broer Morien getrouwd geweest, maar ik wilde niet de indruk wekken dat ik eropuit was een familierelatie te accentueren waarvan Idrien misschien niets meer wilde weten.

'Ze is in Talgarth,' zei Idrien. 'Samen met het grootste deel van de inwoners van Caer Gloran; jullie hebben ongetwijfeld al gemerkt dat het stil is in de stad. Cinvar heeft haar tot sleutelbewaarder van dat fort aangesteld en zij denkt dat het goed te verdedigen is, voor het geval jullie van plan mochten zijn het te verwoesten.'

Op slag werd er veel duidelijk. Ik kromp ineen. Zou hij zijn moeder hierheen hebben gestuurd zonder troepen om een onverdedigbare stad te verdedigen terwijl hij zijn zus had ondergebracht in een welhaast onneembare sterkte?

'En Cinvar?' vroeg Urdo.

Idrien keek hem scherp aan. 'Cinvar?'

Urdo spreidde zijn handen. 'Uw zoon is een opstand begonnen; uzelf bent loyaal. Dat is voor iedereen een moeilijke situatie. Ik moet echter aan de weet komen wat de opstandelingen van plan zijn, om daar een stokje voor te steken.'

Idriens mond veranderde in een streep. 'Dat is de reden waarom ik om neutraliteit heb verzocht,' zei ze terwijl ze haar priester aankeek. Die knikte meelevend, maar zei geen woord. 'Je verlangt toch niet in ernst van mij dat ik mijn zoon verraad?'

'Ik vraag u om uw dochter en uw kleinkinderen te redden,' zei Urdo met nadruk terwijl hij zich naar haar toe boog. 'U bent oud genoeg om zich de burgeroorlogen te herinneren. U weet dat ik Cinvar heb gewaarschuwd om niet in opstand te komen, maar hij weigerde te luisteren. Als er ooit nog vrede komt, zal dat niet een gevolg zijn van een overwinning van uw zoon. Bij een dergelijke triomf verliest iedereen.'

Er ontstond een langdurige, drukkende stilte. Ik haalde adem om iets te zeggen, maar Urdo legde, zonder zijn blik af te wenden van Idrien, een hand op de mijne om me het zwijgen op te leggen. Na lange tijd deed Idrien haar mond open. 'Ik veronderstel dat het geen enkel verschil maakt wat ik je vertel, Urdo, wat er ook moge gebeuren. Het is waar. Cinvar heeft, tegen mijn uitdrukkelijke adviezen in, alle voetvolk dat hij op de been kon brengen opgeroepen om op te trekken tegen Caer Tanaga.'

We wisten dit uiteraard al, maar het was een nuttige bevestiging. 'En wie zijn z'n bondgenoten?'

'Cinon van Nene, Flavien van Tinala, Gwyn van Angas en ongetwijfeld Arling Gunnarsson van Jarnholme,' antwoordde ze bedaard. 'Sommige andere koningen aarzelen nog of ze zich bij hem zullen aansluiten. Cinvar is naar Caer Tanaga gegaan omdat hij had gehoord dat Arling al was geland en ze gezamenlijk de stad willen aanvallen.'

'Geland? Waar dan?' flapte ik eruit.

Idrien keek me aan alsof ze vergeten was dat er behalve Urdo nog anderen in de kamer waren. Hij had dat soort effect op mensen. 'Waar?' prevelde ze alsof het om een onbelangrijk detail ging. 'O, ergens in het zuiden; ik weet niet meer precies waar. Othona, misschien?'

Othona lag aan de kust van Aylsfa. Vandaaruit was het nauwelijks een halve dag zeilen, de Tamer op, naar Caer Tanaga, als de wind meewerkte. Ik herinnerde me dat Ayl me dit had verteld. We waren er allemaal zo zeker van geweest dat Arling eerst Tevin zou aanvallen.

'Ik stuur vanavond nog boodschappers en we vertrekken zodra het licht wordt,' zei Urdo, met een buiginkje naar Idrien.

'Veel voorraden om mee te geven heb ik niet, zoals ik je secretaris al heb verteld,' zei ze met een gebaar naar Raul.

'We wachten niet op voorraden,' zei Urdo. Hij draaide zich om en keek mij aan, terwijl hij het handgebaar maakte dat betekende dat ik de nodige maatregelen moest nemen. Uiteraard kon hij niet van tafel zonder Idrien te beledigen, maar dat gold niet voor mij.

Ik stond op en boog voor Idrien. 'U wilt mij excuseren?' zei ik, mijn hand tegen mijn maag drukkend alsof ik me niet goed voelde. Ze boog terug en glimlachte. Ze wist donders goed wat ik ging doen, nu ik de tafel verliet terwijl ik mijn maaltijd nog maar half had verorberd.

'Hoeveel man heeft Cinvar op de been gebracht?' hoorde ik Urdo vragen toen ik de kamer verliet. Zodra ik buiten was zette ik het op een lopen alsof ik zo de verloren minuten goed kon maken. Masarn zag me en kwam me achterna. Hij verzamelde zijn boodschappers – geen roodmantels, maar betrouwbare verspieders uit onze alae. Ik schreef in allerijl boodschappen: aan Ap Erbin, Luth, Alfwin in Tevin, en Ap Meneth die zich, zo vermoedde ik, ergens tussen Caer Rangor en hier moest bevinden. In die brieven drong ik erop aan dat ze allemaal met de grootst mogelijke spoed naar Caer Tanaga moesten komen. Zodra de ordonnansen waren vertrokken, gaf ik bevel dat iedereen bij het ochtendgloren gereed moest staan voor vertrek.

Tegen de tijd dat ik er klaar mee was, schatte ik dat Urdo intussen wel zou zijn uitgetafeld, zodat ik naar zijn kamer ging. Hij was er, samen met Raul en Cadraith. Ik zei wat ik had gedaan, waarna Raul wegliep om nog meer brieven te schrijven – naar Thansethan, Custennin en Rowanna. Cadraith vertrok eveneens; hij wilde zich ervan overtuigen dat zijn ala de marsbevelen goed had begrepen, zodat iedereen gepakt en gezakt klaar zou staan voor vertrek. Urdo en ik zaten een poosje de kaart te bestuderen. De kist waarin hij zijn kaarten altijd meenam als hij onderweg was stond open en een deel van de inhoud – kaarten en allerlei paperassen – lag al verspreid op tafel.

'Ze kan onmogelijk Arling en al dat voetvolk op afstand houden,' zei

Urdo. Gormant was garnizoenscommandant in Caer Tanaga; ik wist dat hij Elenn bedoelde.

'Ze kan de citadel behouden zolang ze daar nog voorraden hebben, tenzij er van binnenuit verraad wordt gepleegd,' zei ik met zoveel vertrouwen als ik op kon brengen.

'Ze zullen het moeilijk krijgen als de vijand werkelijk vastberaden aanvalt,' zei Urdo. 'Cinvar beschikt misschien niet over de middelen voor zo'n aanval, maar Arling heeft oorlogsmaterieel.'

Net toen we begonnen te bespreken hoe wij Caer Tanaga zouden willen innemen als we Arling waren, met of zonder oorlogsmachines, werd er zacht aan de deur gekrabd en glipte er een jong meisje naar binnen. Ze was een jaar of zeventien en droeg alleen een dun linnen hemd. 'Neem me niet kwalijk, heer, vrouwe Idrien heeft me gestuurd om te vragen...' begon ze, maar toen ze mij ontwaarde zweeg ze abrupt.

'Ja?' zei Urdo vriendelijk. Ze maakte echter een wilde beweging met haar hoofd en rende de kamer uit.

'Idrien heeft haar gestuurd om wát te vragen?' zei ik terwijl ik naar de deur liep en haar weg zag rennen door de gang. 'Wat kwam ze doen?'

'Vragen of ik het misschien koud had in bed, ongetwijfeld,' zei Urdo lachend. 'Nou, het laatste restje van onze goeie reputatie dat je moeder heeft overgelaten, zijn we nu voorgoed kwijt. Elenn zal me vermoorden.' Toen hield hij op met lachen en keek weer naar de kaart, terwijl hij zei: 'Als ze in veiligheid is, zal ik alle beledigingen en scheldwoorden die ze me naar het hoofd slingert graag voor lief nemen.'

Hierna bleef ik niet lang meer op zijn kamer, maar zocht mijn bed op en sliep totdat het weer tijd was om op weg te gaan.

11

'Mijn vaardigheden met de wapens zijn enorm toegenomen; ik bind de strijd aan met hele legerscharen, en zelfs voortreffelijke legers deinzen voor mij terug. Een voor een verpletter ik de helden totdat ik het vechten moe ben. Maar met één stok maak je geen vuur! Stuur mij een strijdmakker als een schild in de slag, een vriend die mijn rug dekt, en een gemalin die mij zonen baart.'

– *Klaagzang van Zwarte Darag*

We reden in zuidelijke richting terug naar Caer Tanaga zo snel de paarden ons konden dragen, maar soms nog sneller. Dariens nieuwe paard uit Narlahena zakte ineen en ik liet een uitgeputte merrie, een rijpaard, achter bij een boerderij. Ze overleefde het dankzij de zegen van de Paardenmoeder en zal veulens werpen voor de kinderen van de boer die haar verpleegden totdat ze weer gezond en sterk was. Ze zou echter nooit meer lucht genoeg hebben om mijn gewicht te dragen, als ik het hart had gehad om haar hun weer af te nemen. Ik verfoei de herinnering aan het aantal paarden dat onze drie alae hebben moeten achterlaten, dood of halfdood in een langgerekt spoor op de heirbaan vanuit Caer Gloran. Niemand bereed zijn of haar strijdros; die werden zo weinig mogelijk belast. Ze moesten fit zijn als er strijd moest worden geleverd, dus waren we voorzichtig met ze. Onderweg over de heirbaan gebeurde het vaak dat een van de hengsten het hoofd omhoog gooide en luid en uitdagend brieste. We waren op weg naar oorlog en deden het zo snel als wie ook had gekund.

Emer en haar troepen passeerden we al op de eerste dag. We hadden haar bericht gestuurd, zodat ze wist wat er gaande was. Ze had haar Isarnaganen rechtsomkeert laten maken, zodat ook zij nu op de terugweg waren naar Caer Tanaga. Ze gingen aan de kant van de weg lopen en juichten ons toe toen we hen inhaalden. Het stak me een hart onder de riem om hen terug te zien, na het kille welkom in Caer Gloran.

'Die barbaren van jullie mag ik wel,' zei Cadraith tegen mij toen we voor het middaguur halt hielden om de paarden rust te gunnen en wat te eten.

'Ik had nooit kunnen raden dat hun aanvoerder de zuster van onze koningin is. Ze zag er zo grimmig en gehavend uit, als een echte veteraan.'

'Dat litteken heeft ze al sinds ik haar ken,' antwoordde ik. 'Volgens mij heeft ze het in de oorlog tussen Oriel en Connat opgelopen.'

'In alle verhalen over die oorlog draait het om Atha en Zwarte Darag, maar ik veronderstel dat er toch ook nog wat door anderen is gevochten,' zei Cadraith onduidelijk, vanwege het stuk kaas waarop hij kauwde. 'Ze leken me trouwens wel klaar voor de strijd – om niet te zeggen enthousiast. Zoiets zie ik graag bij bondgenoten.'

'O, die Isarnaganen zijn altijd tot vechten bereid,' beaamde ik.

Op dat moment kwam het sein om weer op te stijgen. We reden verder. De heirbaan strekte zich slingerend voor ons uit. Het is onmogelijk om uur na uur en dag na dag in smorende hitte te rijden. Toch deden we dat, voor zover dat mogelijk was. Caer Tanaga had voor ieder van ons betekenis. Zelfs Masarn liet de grappen achterwege die hij anders altijd maakte. Hij was een van de velen onder ons die familie in de stad hadden wonen.

Op de tweede dag vonden we het lijk van een roodmantel, opgehangen aan een boom naast de weg. We hadden Tathal al achter ons gelaten en bevonden ons in het oostelijke deel van Magor, bijna in Segantia.

'Iemand in Caer Tanaga wilde ons kennelijk iets melden waarvan Cinvar niet wilde dat we het wisten,' zei Urdo grimmig, opkijkend naar het zacht zwaaiende lichaam, toen ik naast hem halt hield.

Toen ze de strop hadden doorgesneden en hij op de grond lag, zag ik dat het Senach Roodoog was, die lang geleden in mijn penoen had gediend. Zijn haar was nu roestkleurig en zijn baard had de kleur van blank ijzer. Zijn hele gezicht was paars en bloeddoorlopen – niet alleen zijn gewonde oog. De berichten die hij ons had moeten brengen waren hem afgenomen.

'Het is Senach,' zei ik. 'Ik weet nog hoe hij Galba's crematierite verstoorde met het nieuws dat de Isarnaganen waren binnengevallen.'

'Mij heeft hij het nieuws gebracht dat Elenns moeder was gestorven,' herinnerde Urdo zich. 'Hij heeft ons uitstekend gediend, als wapendrager én als roodmantel. We kunnen niet wachten tot zonsondergang om hem te begraven, en dat zou hij ook niet hebben gewild. Roodmantels kennen als geen ander de betekenis van de term "dringend".'

'Hij aanbad de Blanke God,' zei ik. 'Hij zal het niet erg vinden als hij niet daar ligt waar hij is gevallen. Staat er langs deze heirbaan niet ergens een heiligdom waar we hem vanavond zouden kunnen begaven?'

We legden zijn lichaam over een pakpaard en lieten het enkele mijlen verder achter bij een klein kerkje van de Blanke God dat daar was gebouwd bij een groepje boerderijen. Raul praatte met de priester, die hem beloofde alles te doen wat noodzakelijk was. Degenen onder ons die bevriend met Senach waren geweest, stonden wat haarlokken van zichzelf af voor zijn begrafenis. Dat was ook de plaats waar ik mijn arme uitgeputte merrie achterliet. Volgens het laatste nieuws dat ik daarvandaan kreeg, vereren ze er Senach nu als een heilige. Hij zou ongetwijfeld stomverbaasd zijn geweest dat te horen. Die bewuste dag hadden we daar echter nog geen vermoeden van. We reden verder en zwoeren dat we ons op Cinvar zouden wreken voor Senachs wrede dood, als we hem eenmaal te pakken hadden.

Op de ochtend van de derde dag gaven we de paarden haver, samen met het gedroogde fruit dat Celemon ons was komen brengen uit een bergplaats in de buurt van de plaats waar we ons kamp hadden gemaakt.

'Ik begin me zorgen te maken over het feit dat we nog steeds niets van Ap Meneth hebben gehoord,' zei Urdo, toen we de rapporten van onze verspieders hadden ontvangen. 'Van degenen die we hebben uitgezonden om hem te zoeken, is nog niemand teruggekomen. Ik weet dat Morthu mijn koeriers al een tijd onderschept. Nu vraag ik me af hoe lang Cinvar al de gewoonte heeft om hen op te knopen.'

'Ja, en wie zal hij nog meer hebben opgehangen?' gromde Cadraith in zijn baard, net luid genoeg om het ons te laten horen.

'Ap Meneth heeft een hele ala,' wierp ik tegen. 'Senach was maar in zijn eentje. Als er een slag heeft plaatsgevonden, zouden we daar de sporen van hebben gevonden.'

'Alleen als hij hier is geweest,' kaatste Cadraith terug. 'Ap Meneth was helemaal in Caer Rangor.'

Plotseling herinnerde ik mijn angsten over Emlin en de ala in Magor, toen ik de afschuwelijke gedachte had gekregen dat Aurien misschien de stallen in brand zou steken. Een ala is te velde een voortreffelijk wapen, maar als Ap Meneth en zijn mannen niet te paard zaten en door niemand waren gewaarschuwd, waren ze even kwetsbaar als wie ook. Iets van mijn vrees moet op mijn gezicht te lezen hebben gestaan, want Urdo klopte mij op de schouder met de woorden: 'Op dit moment kunnen we er niets aan doen.'

Tegen het eind van de derde ochtend achterhaalden we Cinvar, diep in Segantia. We waren de bocht in de heirbaan die in zuidwestelijke richting naar Caer Thanbard leidde al voorbij, in een landstreek met zacht glooiende, met mals gras begroeide heuvels. Onze verspieders waarschuwden ons ruimschoots van te voren, zodat we er niet door werden verrast. Hij had vijfduizend man onder de wapenen, althans, zo had Idrien tegen Urdo gezegd. De meesten waren echter gewone boeren die in zijn militie dienden, geen echte krijgslieden. Wij konden er drie goed getrainde alae tegenover stellen.

Hij wist al dat we er waren. De verspieders hadden gezegd dat hij zijn strijdkrachten op een helling opzij van de weg had geposteerd, zodat ze de weg beheersten en voor ons een bedreiging vormden. Ik praatte met mijn stalknecht over de strijdrossen. Helderoog leek gebrand op de strijd, zodat ik besloot hem te berijden en Evenster geharnast en gezadeld in reserve te houden, voor het geval er een tweede stormaanval nodig zou zijn. Ik trok mijn polsriemen strak aan en ging naar Urdo om te horen wat zijn aanvalsplan was.

De alae stonden al geformeerd; ze hadden in het zadel gegeten, in de gebruikelijke nummervolgorde. Urdo stond naast Donder, de beide standaarden aan weerskanten van hem. Hij glimlachte toen ik me naast hem uit het zadel liet glijden. Darien was er ook, met zijn zomerpaard; met een frons keek hij naar een braam in de snijrand van zijn zwaard. Cadraith en Masarn bereikten ons net toen ik was afgestegen.

'Je hebt Raul naar voren gestuurd, neem ik aan?' zei Masarn, om zich heen kijkend.

'Dat is vrijwel zinloos,' zei Urdo. 'Het is al ruim voorbij het middaguur. Cinvar heeft zijn militie samengetrokken op de top van een heuvel recht voor ons. Vandaar kan hij de weg bestrijken. Hij rebelleert nu openlijk. Er valt dus niet meer met hem te praten. We moeten hem doden, en snel ook, als we vandaag nog in Caer Tanaga willen aankomen.'

'Ja, en het is niet verstandig zijn mensen in de pan te hakken,' zei ik. 'Hij heeft zo ongeveer alle gezonde kerels van Tathal bij zich. Het zijn boeren, geen krijgslieden. Als zij dood zijn, is er niemand om de oogst binnen te halen.'

'Ik weet het,' zei Urdo. 'Alleen houden zij de enige hoge grond bezet en weten wij niet met zekerheid met hoevelen zij zijn. Het land zegt me dat het zucht onder een groot gewicht aan vreemdelingen, maar het kan hun aantal niet tellen. Bovendien weten we niet waar Cinon en Flavien uithangen. Best mogelijk dat ze even snel hierheen zijn gekomen als wij, als ze zich bij Cinvar willen aansluiten.'

'Als ze ook maar een greintje verstand hebben, zullen ze over de heirbaan komen die van Caer Avroc naar Caer Tanaga loopt,' zei Cadraith.

'Als ze ook maar een greintje verstand hadden, zouden ze thuis zijn gebleven,' zei Masarn, rollend met zijn ogen. 'Als je erop kon rekenen dat mensen zich door hun verstand lieten leiden, zou de wereld een stuk gemakkelijker te begrijpen zijn.'

Urdo lachte. 'Zeg dat wel. Ik denk dat we hooguit kunnen zeggen dat we niet weten waar wie ook zich bevindt, buiten de drie alae die we zelf kunnen zien. We zouden meer verspieders kunnen uitzenden en op hun terugkeer wachten, maar er is hier weinig dat hun dekking kan bieden totdat ze om Cinvars troepen heen zijn. En de ligging van het land bemoeilijkt het zicht – de ene heuvel volgt op de andere. We zouden daarmee gemakkelijk uren kunnen verliezen, en dit is geen aangename plek voor een oponthoud.'

'Onze drie alae zijn gereed,' zei Masarn.

'Goed. Hoe zullen we aanvallen? Als we die heuvel frontaal bestormen, zullen we heel wat van Cinvars mannen uitschakelen, maar we lopen het risico dat we midden tussen de troepen klem komen te zitten,' zei ik.

Urdo glimlachte. 'Cinvar heeft toch al geen hoge dunk van onze eer, dus hoeven wij die eer ook niet hoog te houden. Mijn ala zal zich terugtrekken, alsof we te laf zijn om de strijd met hem aan te gaan.'

Masarn zei fronsend: 'Boeren of niet, het zijn er heel wat.'

'Dat is waar,' zei Urdo, nog steeds glimlachend. 'Daarom zal ik me met mijn ala terugtrekken over de heirbaan, pakweg een halve mijl, totdat ik genoeg afstand heb om rechtsomkeert te maken en de ala in aanvalsformatie op te stellen.'

'Tegenover een grote, verwarde massa boeren die hun linies hebben verlaten en de heuvel zijn afgedaald om achter jullie aan te gaan.' Ik zei het zacht, want ik dacht dat zelfs Cinvar misschien niet zo dwaas zou handelen.

Urdo zei schouderophalend: 'Als dat niet gebeurt, trekken we ons allemaal terug, keren op de helling ruim ten noorden van Cinvar, en stormen op hem af. Zodra ik me terugtrek met mijn ala, rijdt Cadraiths ala achter mij aan. Met een beetje geluk zal Cinvar er zo van overtuigd raken dat ik een lafbek ben en probeer aan hem te ontkomen, dat hij niet al te lang en te diep zal nadenken over wat hij het beste kan doen.'

'We verlaten dus de heirbaan en wel zover dat we de helling mee hebben in plaats van tegen?' vroeg Cadraith.

'Precies,' beaamde Urdo. 'Als Cinvars militie de achtervolging inzet, bestormt Galba's ala via de heirbaan hun flank en achterhoede. Als we er geen bres in kunnen slaan, trekken we ons terug. Loop niet het risico dat je in hun midden vast kom te zitten, Sulien. Cadraith, als ze de helling afstormen, wacht dan niet op ons, maar bestorm de top en val Cinvar van achteren aan. Zeg je mensen dat ze hem mogen doden, als ze er kans toe zien; iedereen die nooit het brood met hem heeft gebroken kan dat met ere doen. En wat zijn mensen betreft: geef jullie wapendragers opdracht elk lid van Cinvars militie dat de wapens wegsmijt en ervandoor gaat te laten lopen. Iedereen die zich gewapenderhand verzet, wordt gedood.'

We knikten allemaal instemmend. Urdo wendde zich tot Darien. 'Jij neemt de grote standaard,' zei hij. 'We willen op de eerste plaats snelheid; en wat er verder gebeurt is grotendeels afhankelijk van de vraag of Cinvar stom genoeg is om ons te achtervolgen.'

Darien rolde de grote purperen standaard uit. 'Ik heb hem gedragen bij Foreth,' zei ik, met een hoofdknik naar de standaard. Het leek heel lang geleden en in een andere wereld, maar toch ook alsof het pas een paar uur geleden was.

'Ik weet het,' zei Darien met een lachje. 'Dat weet trouwens iedereen! Ik wou dat ik erbij was geweest.'

Cadraith keek van Darien naar Urdo, en van hem naar mij, en glimlachte. Ik lachte met Darien mee, omhelsde hem en Urdo, en ging terug naar mijn eigen ala om Urdo's bevelen door te geven aan mijn decurio's.

We leidden de paarden aan de teugel naar de top van de dichtstbijzijnde, met gras begroeide helling. We zagen Cinvars troepen samengetrokken op de heuvel. De militie van Tathal maakte dreigende gebaren met hun wapens en jouwden ons uit. Ze vormden een haag van wapens die duidelijk afstak tegen de hemel. Ik zag zwaarden, speren en bijlen, maar ook sikkels en knuppels. Cinvar had zich in het midden geposteerd, geflankeerd door zijn getrouwen. Zijn grote vaandel toonde de Bruine Hond van Tathal op een geel fond.

In een storm van trompet- en handsignalen stormde Urdo's ala in volle galop over de heirbaan weg in de richting waaruit we gekomen waren. Cinvars troepen trapten erin en stormden de helling af. Cadraiths ala reed al naar het noorden. Ik gaf Galba's ala het signaal mij te volgen en ondernam een stormaanval over de heirbaan om Cinvars troepen in de rug aan te vallen.

Het liep allemaal volgens plan, totdat ik ontdekte dat Cinvar niet alleen was. Urdo's ala was al een flink eind gevorderd over de weg toen ik Flaviens vaandel voor hen zag opdoemen, en daarna dat van Cinon. Ze hadden zich samengetrokken achter de heuvel, uit het zicht. Zij stonden pal en blokkeerden de weg voor Urdo's ala, die zich nu tussen hen en de grote massa van Cinvars militie bevond – de troep waar ik met mijn ala doorheen had willen breken, om ze daarna uiteen te jagen. Ik gaf Cadraith het signaal voor 'recht vooruit', voor het geval hij het niet had opgemerkt, waarna ik Galba's ala om mij heen verzamelde en we tegen de schouder van de heuvel op stormden, recht op Cinvars troepen af.

In een slag heb je geen tijd om je af te vragen of de jongeman die je aan je lans hebt geregen misschien de zoon van die boerin was die met maar één buis de oorlog in was gegaan. Ook is er geen tijd om je vijanden te tellen, zolang ze nog op je toestormen. Het waren er heel veel en ze hielden zich beter dan ik had gedacht. We moesten ons een weg erdoorheen hakken om Urdo te bereiken; we hadden geen andere keus. Het was mogelijk dat ze zijn ala onder de voet zouden lopen met hun numerieke overmacht. Ik zag hoe Ap Selevan door drie Tathalianen van zijn paard werd getrokken. Ik drong verder op en beduidde mijn penoen dicht in mijn buurt te blijven, terwijl ik de rest van de ala het signaal gaf om de formatie te handhaven. We hadden discipline en bleven bij elkaar, maar onze tegenstanders waren dergelijke gewoonten vreemd. We bleven opdringen en ze konden ons geen moment ophouden. Uiteindelijk waren we erdoorheen.

Ze bleven proberen het ons lastig te maken, maar zodra we ons bij Urdo's ala hadden aangesloten en wat manoeuvreerruimte hadden, reden we in galop naar het noorden om ons bij Cadraith aan te sluiten. Dalmer en Celemon kwamen meteen naar ons toe met reservepaarden en voorraden. Binnen de kortste keren herstelden we de formatie en waren de drie alae weer samen, met de bevoorradingscolonne in ons midden. We verwisselden van paard. Eenmaal veilig op Evensters brede rug herademde ik en keek achterom teneinde onze positie in ogenschouw te nemen.

Zoals altijd had de strijd langer geduurd dan ik had gedacht. De zon was al aan zijn dalende boog naar het westen begonnen, achter ons. We stonden ruim ten noorden van de heirbaan. In het oosten, een eindje verder langs de heirbaan, stonden Cinon en Flavien nog steeds opgesteld, zodat ze ons de weg naar Caer Tanaga massaal versperden. Achter ons probeerden Cinvar en zijn troepen zich te hergroeperen en ons in te sluiten. We hadden ze achter ons gelaten, maar hadden er maar weinig tijd mee gewonnen. Cinvar bleef verwoede pogingen doen zijn mannen terug te roepen. Als hij een behoorlijk seinsysteem had gehad, zoals het onze, had hij ons wellicht al kunnen insluiten.

Een van de kwartiermeesters deelde waar nodig nieuwe speren uit. Ik hoorde ze achter me tegen elkaar aan klikken, telkens als de bundel van man tot man werd doorgegeven.

Na een sein van Urdo formeerden de drie alae zich afzonderlijk, klaar om in beweging te komen zodra we onze bevelen hadden. Ik reed samen met Masarn naar Urdo om te horen wat ons te doen viel en zag Cadraith hetzelfde doen. De arme man was gewond geraakt aan zijn been en zag er bleek uit. Omdat hij naar het zuidoosten staarde, keek ik om, om te zien wat zijn aandacht zo vasthield. Toen kneep ik kort mijn ogen dicht, alsof dat zou helpen.

Boven op de top van de zuidelijke helling, scherp afstekend tegen de hemel en zo te zien uitgerust en keurig in formatie, stond Angas' ala opgesteld. Hij zou ons echter niet kunnen bereiken tenzij Cinon en Flavien ruim baan voor hem maakten, maar hij wás er. Zelfs op deze afstand kon ik de Doorn van Demedia duidelijk op zijn vaandels onderscheiden.

Cadraith draaide zich naar mij om en zei somber: 'Angas is gekomen.'

Ik knikte. 'Kunnen we niet een nieuwe stormaanval op Cinvars' troepen uitvoeren?' opperde ik. 'Die hebben al flink klop gehad; een nieuwe aanval kan ze uiteenjagen.'

'Maar welke kant moeten we op?' vroeg Masarn.

Ik besefte plotseling dat we probeerden een uitweg te vinden uit deze hinderlaag en dat we geen sterkte in de buurt hadden waarin we ons konden terugtrekken. De drie koningen hadden hier evenveel voetvolk samengetrokken als bij Foreth, of misschien zelfs nog meer – en nu hadden we Angas' ala ook nog tegenover ons. We liepen gevaar allemaal te sterven, dacht ik – en daarmee was het ook gedaan met Urdo's vrede. Ik had altijd beseft dat ik in de strijd kon sterven. Ik had kameraden zien vallen en had vaak genoeg gezien dat iemand slechts op het nippertje ontkwam aan de dood om me van mijn sterfelijkheid bewust te zijn. Ik had echter ook altijd het idee gehad dat als ik stierf, dat zou gebeuren in triomf – het soort overwinning waarvan Urdo had gesproken ter ere van de gevallenen bij Foreth.

Urdo stond op het punt iets te zeggen, toen ons een enorme kakofonie van geluiden tegemoet kwam. Het was zo luid en afgrijselijk schril dat onze paarden ervan steigerden, maar we keken allemaal die kant uit. Ik zag een vrouw in een boot stroomopwaarts naderen over de kleine rivier die zich door het dal beneden ons slingerde – en ze werd gevolgd door een heel leger in boten. Ze had in beide handen een speer en haar lange haar was met lijm ingesmeerd, zodat het in pieken ter lengte van een arm in alle richtingen uitstak van haar hoofd. Ze was spiernaakt en volledig beschilderd met blauwe verf, met zwart-witte spiralen op haar bovenlichaam. Op haar maagstreek was een rode mond geschilderd en haar borsten waren zo beschilderd dat de tepels ogen leken, aangezet met wit en zwart. Het geluid dat ze maakte klonk als het gehuil van de geesten van duizenden genegeerde voorouders die waren opgestaan om wraak te nemen. Haar volgelingen, die zeer talrijk waren, en uitstekend bewapend, bliezen op oorlogstrompetten die een angstwekkend gehuil produceerden. De meesten van hen waren eveneens naakt en blauw beschilderd; een enkeling droeg een degelijk harnas. Ze droegen allemaal een zwaard, een speer en een rond schild, waarop ze bij hun nadering luid bonkten.

'De Isarnaganen komen ons te hulp! Terug naar jullie alae – en meteen Cinvar aanvallen!' riep Urdo dringend.

Ik reed in volle galop terug en gaf de nodige signalen. Er ontstond enige aarzeling, maar toen zag ik dat Darien zich aan het hoofd van Urdo's ala op de Tathalianen stortte. Wij kwamen erachteraan om de mokerslag extra gewicht te geven. Het waren per slot van rekening maar halfgetrainde boeren. We botsten met geweld op hen, en vlak daarna verliet het leger van blauw beschilderde Isarnaganen hun boten en mengden zich in de strijd, waarop de Tathalianen hun linies verbraken en op de vlucht sloegen. Zelfs Cinvar zelf rende weg, mét al zijn getrouwen – ongeacht wat ze er later zelf over beweerden.

Wij hielden ons aan onze instructies en lieten hen lopen, nadat ze hun wapens hadden laten vallen. Het voetvolk van Isarnaganen achtervolgde hen, totdat ze door een luid en vals trompetgeschal bevel kregen terug te keren. Op de terugweg begonnen ze de lijken van gevallen vijanden te plunderen.

We verzamelden en hergroepeerden ons. Opnieuw reed ik naar Urdo. De meeste infanteristen bevonden zich verspreid over het slagveld, maar een stuk of vijftig Isarnaganen dromden samen in het soort gewoel dat hun idee van orde voorstelde. Uit hun midden liep de woest beschilderde vrouw naar voren die ik in de eerste boot had zien staan. Ze had nu een rode mantel omgeslagen. Inmiddels had ik geraden wie zij was, hoewel ik me niet kon voorstellen hoe ze hier was beland, of waarom.

'Uitstekend gedaan, koning Urdo!' riep ze luid en opgewekt in het Tanagaans, met een accent dat aan dat van Conal deed denken. 'Ik ben Atha van Oriel.' Haar stem klonk ijzig kalm voor een vrouw die nog maar enkele minuten geleden had gevochten als een duivelin. Niettemin klonk er iets in door dat duidelijk maakte dat zij ze geestelijk niet allemaal op een rijtje had.

'Een aangename kennismaking op het slagveld, Atha van Oriel,' antwoordde Urdo neutraal. 'Wat brengt u naar mijn land, gewapend en wel?'

Het was moeilijk te bepalen vanwege de oorlogsbeschildering, maar ik meende te zien dat Atha door die woorden werd verrast. 'Ik ben hier om de dood van mijn heraut, Conal de Overwinnaar, te wreken,' zei ze, alsof dat volkomen vanzelfsprekend was. 'Sulien ap Gwien en Conals clangenoot Lew ap Ross zijn zo vriendelijk geweest mij zijn stoffelijk overschot terug te sturen, mét alle bijzonderheden over het jegens hem gepleegde verraad en zijn grootse heldendood.'

Emer was er tot in alle bijzonderheden van op de hoogte, bedacht ik. Kennelijk had ze Lew ertoe gebracht er meer over te zeggen dan ik in mijn zorgvuldig geformuleerde brief had gedaan. Ik kon me Conals gezicht voorstellen als hij hiervan getuige zou zijn geweest. Ik vroeg me af of zijn vader meegekomen zou zijn.

'Ik heb mijn strijdkrachten onmiddellijk te wapen geroepen,' vervolgde Atha. Ze gebaarde met haar beide speren, die nu onder het bloed zaten. Degenen van haar manschappen die dicht genoeg bij ons waren, juichten luid. 'Ik hou me aan mijn eed om Demedia niet opnieuw binnen te vallen, maar zeilde – hoewel dat land tegen u in opstand was gekomen – naar Magor, waar ik van Golidan ap Dorath vernam dat u de verraadster Aurien ap Gwien had gedood. We zeilden door naar Caer Tanaga om u te raadplegen. Toen we die stad drie dagen geleden bereikten, ontdekten we dat ze was ingenomen door Arling Gunnarsson en de verrader Ayl Drumwinsson. We konden daar niets tegen doen, maar wel hebben we hun verraderlijke bondgenoten belet zich vanuit het noorden bij hen te voegen. Vandaag kregen we per schip versterking van uw trouwe bondgenoot Ohtar Bearsson en zijn mannen. Toen onze verspieders de legers zagen die zich over de heirbaan naar het zuiden haastten, zijn we ze in het geheim gevolgd en konden u daardoor te hulp komen.'

'Ik dank u uit de grond van mijn hart, vrouwe Atha,' zei Urdo, die zo goed als hij kon in het zadel een buiging maakte.

Ze lachte. Op de een of andere manier deed haar lach me denken aan een gerucht dat ik had gehoord: dat ze haar grote hal zou hebben versierd met de afgehakte hoofden van haar vijanden. 'Als ik had geweten dat u in zo grote benardheid verkeerde, zou ik meer strijdkrachten hebben meegenomen dan alleen dit handvol krijgslieden. Gelukkig hadden sommigen van de opstandelingen eerder tegen ons gevochten, zodat ze zich het gehuil van onze oorlogstrompetten en de beet van onze zwaarden herinnerden.'

'Ik zal een heraut afvaardigen om een wapenstilstand tot morgen overeen te komen,' zei Urdo. 'Ik verheug me op de komst van Ohtar, en er zijn meer strijdkrachten van ons in aantocht.'

'We zullen ze het land uit jagen om de dood van Conal en al onze gevallen kameraden te wreken!' verklaarde Atha luidkeels. Al haar strijders bliezen op hun trompet of bonkten op hun schild en onze eigen wapendragers hieven een oorverdovend gejuich aan.

Urdo ontbood Raul, die even later met een herautentak naar de vijand reed. We stegen af en maakten een provisorisch kampement op de helling van de heuvel en in het kleine dal. We verzorgden onze gewonden en verzamelden onze doden. Intussen zat Urdo zacht met Atha te overleggen. Ik hoopte dat hij aan de weet zou komen met hoeveel strijders ze hierheen was gekomen, en met hoeveel boten. Zoals altijd verbaasde ik me erover hoe snel mensen zich over water konden verplaatsen. Ze moest kort na ons vertrek daar Magor hebben aangedaan en had er ongetwijfeld nog dagen moeten blijven, strijdend tegen Urdo's opstandige vazallen.

Zodra ik Raul terug zag komen, ging ik naar Urdo. Ik was doodop van de strijd en de vele geneeshymnen die ik had gezongen; dat laatste was me moeilijker gevallen dan anders en de uitwerking leek ook minder goed, alsof een deel ervan niet tot de oren van de luisterende goden door was gedrongen. Niet dat de goden niet hadden geluisterd: tenslotte had ik Ap Padarns voet, die slechts door het mes dat dwars door zijn rijlaars stak verbonden was gebleven met zijn been, weer aan het been kunnen hechten – iets wat nooit zonder de hulp van de Grote Geneesheer mogelijk zou zijn geweest. Er waren gelukkig veel minder doden en gewonden gevallen dan in de slag tegen Marchel, maar dat nam niet weg dat ik doodop was. Ik wreef hard over mijn voorhoofd, op de plaats waar ik hevige hoofdpijn begon te krijgen. Mijn enige verwonding was een schram op mijn arm, toegebracht door de punt van een speer. De schram jeukte. Ik dronk wat water uit mijn waterzak en nam mijn plaats in naast Urdo.

Raul keek heel ernstig. Hij boog eerst voor Urdo, en daarna voor ons allemaal. Vervolgens wendde hij zich weer tot Urdo. 'We hebben tot morgenochtend wapenstilstand; daarna komen we weer bijeen om te zien of de wapenstilstand langer kan duren of er weer zal worden gevochten,' zei hij. 'Cinon is gebrand op strijd, maar Flavien wil liever onderhandelen. Cinvar lijkt tamelijk van zijn stuk gebracht, als een man die nu weet wat het is om zich tegen onze ruiterij te weer te moeten stellen. Angas ziet eruit alsof hij ziek is; het lijkt wel alsof hij sinds zijn bezoek aan Caer Tanaga, nu twee jaar geleden, twintig jaar ouder is geworden. Hij zei helemaal niets, maar staarde alleen naar mij en keek geen moment naar zijn bondgenoten. Om de andere zin noemde Cinon jou "de tiran Urdo".'

'Hij heeft me nooit vergeven dat ik hem over de dood van zijn vader de waarheid heb gezegd,' zei Urdo. 'En wat Angas betreft, wel, dat is slecht nieuws, maar ik had al zoiets verwacht. Hebben ze het nog over de stad gehad?'

'Die hebben ze niet kunnen bereiken,' zei Atha.

'Dat betekent dat we, als we willen onderhandelen, ook een heraut naar Arling moeten sturen, met een vrijgeleide om hierheen te komen om deel te nemen aan de onderhandelingen, en weer terug te gaan,' zei Urdo.

Raul maakte een notitie met zijn groen-bruine schrijfstift, vervaardigd van het schild van een of ander beest uit Lossia.

'Wat valt er te onderhandelen?' zei Atha terwijl ze met beide handen haar piekhaar betastte. 'Waarom wachten we niet eenvoudigweg op uw versterkingen, zodat we ze kunnen verpletteren?'

'Ze gijzelen mijn vrouw in de stad,' legde Urdo uit. 'En hoewel het nodig is tegen de opstandelingen te strijden, zal ik me tot het uiterste inspannen om de vrede te handhaven en de wet te respecteren. We zullen eerst met ze praten. Ik koester de hoop dat op zijn minst Angas zich er rekenschap van gaat geven waarmee hij bezig is. Hij heeft vandaag echter niet aan de strijd deelgenomen. Was Morthu erbij?'

'Ik heb hem niet kunnen ontdekken,' zei Raul. 'Wel zag ik alle vier de koningen, en die hadden hun priesters, bevelhebbers en raadslieden om zich heen, maar van Morthu ap Talorgen geen spoor.'

'Juist,' zei Urdo met een frons. 'Ik zou zelf ook dolgraag hebben geweten waar Morthu uithangt. Hij is tenslotte Angas' broer.'

'De onderhandelingen zullen zonder hem gemakkelijker verlopen,' zei Raul.

'Laten we hopen dat ze hun lesje hebben geleerd en bereid zijn om vergiffenis te smeken en vrede aan te bieden,' zei Cadraith.

'Ik betwijfel of ze er iets van hebben geleerd,' zei ik. 'We hebben ze klop gegeven, maar in feite heeft niemand gewonnen. En wat dat vergiffenis vragen betreft: voor Cinvar is dat hoe dan ook te laat. Zij hebben zelf tegen Urdo gestreden, zodat er geen enkel excuus voor ze is.'

Atha knikte nadrukkelijk. 'Wraak, dat is wat we willen,' zei ze.

'Aurien is dood,' zei Urdo gedecideerd. 'Zij is de enige die u rechtstreeks onrecht heeft gedaan. Wij waarderen uw hulp hogelijk – en als de vrede is hersteld, kunnen u en uw strijdmacht op geschenken rekenen – dat is iets waarover we kunnen praten op het moment dat het u schikt. Ik ben echter niet van plan mijn koninkrijk te veranderen in een troosteloze woestenij, alleen om uw held te wreken.'

'Zoals u wilt,' zei Atha met een nijdige hoofdbeweging. De pieken van haar met lijm ingesmeerde haar bewogen niet eens. Ik begon me af te vragen of ze soms stijf genoeg waren om iemand te verwonden.

'Ik ga morgenochtend weer naar hen toe,' zei Raul. 'En ik zal hen daarbij voorstellen een koerier naar Caer Tanaga te sturen, met een vrijgeleide.'

'Vannacht dubbele wachtposten in twee wijde ringen,' beval Urdo. 'Water hebben we genoeg, dankzij dat riviertje. Laten we allemaal zo goed mogelijk uitrusten. Waarschijnlijk zullen we morgen weer een drukke dag hebben.'

12

'Wij houden vast aan de oude zeden en tradities van onze voorouders en jij kunt ons niet dwingen dat te veranderen. Zo is de wet op dit eiland, oude man!' sprak Sulien Glynsdottar terwijl ze haar bokaal neerzette en woedend om zich heen keek.
– Uit: *Het leven van St. Cinwil*

We richtten een provisorisch kampement in op de helling, maar zo dat het riviertje binnen onze binnenste periferie van schildwachten viel. Bovendien posteerden we extra schildwachten in een nog wijder cordon eromheen. Govien slaagde erin onze wapendragers zonder veel omslag slaapplaatsen te wijzen. Niettemin rolde hij met zijn ogen toen ik een bezoekje bracht aan zijn tent.

'Was Emlin maar hier,' verzuchtte hij. 'Die zou alle antwoorden op Dalmers vragen hebben gekend zonder eerst bij Nodol te moeten informeren.'

'Welnee,' zei ik zo geruststellend mogelijk. Ik miste Emlins opgewekte bekwaamheid ook. 'Je doet het uitstekend, Govien; we waren eerder op orde dan Cadraiths ala.' Ik begon met mijn armen te zwaaien om de moeheid van de strijd uit mijn schouders te verdrijven.

'Maar niet eerder dan Urdo's ala,' merkte hij terecht op. 'Ik geloof niet dat ik geschikt ben voor de post van tribuun,' zei hij terwijl hij een wastablet nam. 'Het is erg moeilijk voor me om alles in het oog te houden.'

'Dat is het voor iedereen,' zei ik.

'Je speelt toch niet met de gedachte Ap Gwien in de steek te laten, wel?' vroeg Masarn, die ons van achteren was genaderd en voorzichtig mijn maaiende armen ontweek. 'Dat zal namelijk niet gaan, zie je. Dit is wat je noemt een *noodsituatie*.'

Ik moest lachen, voordat ik me bukte om mijn tenen aan te raken.

'Weglopen? Geen sprake van,' zei Govien haastig. 'Ik ben er alleen niet zo goed in om Emlins werk te doen. Hij is een echte tribuun. Ik zou veel liever voor mijn eigen penoen zorgen.'

'Tja, ik ben ook eigenlijk geen echte prefect,' zei Masarn terwijl hij zijn witte mantel verschikte. 'Helaas doe ik alleen het werk van een tribuun, aangezien Urdo zijn eigen prefect is. Het maakt niet uit hoe Gormant erover denkt, maar dat is hij al sinds jij ons moest verlaten, Sulien.'

'Dat zou ik veel liever niet hebben gedaan,' zei ik terwijl ik me weer oprichtte en met mijn schouders begon te draaien. Ik voelde hoe de spieren tot in mijn onderrug losser werden. 'Ik kan echter niet zeggen dat ik werkelijk een koning ben.'

'Maak 'm een beetje,' zei Masarn. 'Als jij alleen maar prefect was, zoals ik, zou je onder dat avondmaal met Atha uit kunnen komen door te zeggen dat je uitgeput was van de strijd, of omdat je ala je nodig had, zoals ik en...'

'Masarn, als ík met haar moet eten, geldt dat ook voor jou!' zei ik.

'Ik zou het voor niets ter wereld willen missen,' verzekerde hij me.

Ik staarde hem argwanend aan.

'Daar gaat het beste eten heen,' zei hij. 'En als we over de volgende slag gaan praten, hoef ik geen strategieën te bedenken. Dat kan ik gerust aan jou overlaten. Ik hoef alleen maar in te stemmen met alles wat jij zegt.'

Lachend zei ik: 'Als ik je op zoiets betrap, pak ik je je eten af.'

Masarn trok het gezicht dat hij ook altijd trok als hij zijn kinderen om iets berispte – het gezicht dat maakte dat ze zich stil hielden en tegelijkertijd lachten.

'Ik red me hier wel,' zei Govien. Hij zag zelfs kans naar Masarn te glimlachen, maar hij zag er moe of zelfs afgemat uit. Wat hij nodig had – of wat de hele ala hard nodig had – was een behoorlijke nachtrust.

'We zijn van geen van allen de jongsten meer,' merkte Masarn op toen we samen door het kampement wandelden.

'Dat geldt voor iedereen die in de Grote Oorlog heeft meegevochten,' zei ik. 'Maar er zijn nog meer dan genoeg jonge wapendragers.'

Alsof ze mijn gelijk wilde onderstrepen, rende een jonge stalknecht lachend langs ons heen, een deken over de schouder. Ze werd achterna gezeten door een lid van Hiveths penoen.

'Het is gemakkelijker als je nog zo jong bent,' zei Masarn, terwijl we het stel zagen stoeien en lachen.

'Maar je mist het niet?' vroeg ik.

'Wat moet ik missen?' Hij keek me aan. 'Ik ben toch hier?' Na een korte aarzeling liet hij erop volgen: 'Ooit een veteraan meegemaakt die uit de ala was gestapt en zich in de buurt ervan had gevestigd, en die zich niet af en toe liet zien om deel te nemen aan de wapenexercities? Daar heb ik het aan te danken dat ik nog mee kan vechten, zoals geldt voor alle veteranen in de gelederen. Het punt is dat je je, als je op een regenachtige dag in alle vroegte verzamelen hoort blazen voor exercitie, nog eens op je gemak kunt omdraaien in bed en de genadige God kan danken dat je niet daarbuiten hoeft te zijn, in de regen. Totdat er een zonnige dag komt en je de trompet hoort schallen. Dan denk je: ach, waarom ook niet; je bent er even uit en ziet je vrienden nog eens terug. En daarna ga je weer terug naar huis, en misschien mis je het dan wel een beetje, en misschien ook niet. Maar als je de trompet het alarmsignaal hoort blazen, weet je onmiddellijk waar je thuishoort. Ik had thuis kunnen blijven. Ik had altijd al thuis kunnen blijven. Niemand heeft me er ooit toe gedwongen dienst te nemen in de alae; dat was mijn eigen keuze. Maar als de trompet alarm blaast – nou ja, wat moet je dan? Wie zou er op zo'n moment thuis kunnen blijven, als hij de rijkunst meester is en wapens kan hanteren?'

'Waarom ben je eigenlijk ooit bij de ala gegaan?' vroeg ik nieuwsgierig. Het was een vraag die we elkaar nooit stelden. Als je eenmaal de eed van trouw als wapendrager had afgelegd, was dat voldoende.

'Waarom, denk je?'

'Nou ja, ik heb altijd gedacht dat ieder van ons dienst heeft genomen vanwege het avontuur, of om roem en eer voor zichzelf te verwerven.'

Masarn zei lachend: 'En hoe oud was jij toen je opeens wist dat iedereen net zo was als jij?'

Daar had ik niet zo gauw een weerwoord op. 'Dus jij hebt vanaf het eerste begin voor de vrede gevochten?'

'Nee.' Masarn keek me een ogenblik ernstig aan. 'Nu wel, natuurlijk, maar niet toen ik dienst nam; ik had er even weinig benul van wat vrede eigenlijk was als wie ook. Ik prees mezelf gelukkig dat ik een vrouw had die een ambacht uitoefende, en verder stond ik er niet bij stil. Ik keek niet verder dan mijn neus lang was. Ik diende in de stadswacht van Caer Tanaga voordat Urdo zichzelf tot koning kroonde. Hij vroeg ons of er mensen bij waren die graag ruiter wilden worden. Garwen dacht dat ik gek was, maar ik heb me opgegeven. Ze bleef zeggen dat vechten geen handwerk was voor een man die zo gesteld is op zijn eten zoals ik, en ze had gelijk. Het was echter de enige kans die ik vermoedelijk ooit zou krijgen om in de buurt van paarden te komen.' Zijn trekken ontspanden zich nu hij eraan terugdacht. 'Marchel was degene die ons allemaal, alle rekruten, heeft leren rijden. En toen Urdo mij Witvoet schonk, was het alsof de hele wereld harmonie had gevonden en de Blanke God mij mijn ware plekje had gewezen.'

'Ik heb ook altijd van paarden gehouden,' zei ik.

'Je kunt er gemakkelijker van gaan houden dan van mensen,' zei Masarn.

Nog voor ik kon bedenken wat ik erop zou antwoorden, hadden we Urdo's grote tent bereikt.

Al onze vaandels wapperden en het was een indrukwekkende aanblik. Deze grote tent was vervaardigd van het fijnste zwarte leer uit Isarnagan. In plaats van te zijn opgezet met hout dat in de buurt te vinden was, was deze tent voorzien van speciale tentstokken. Het leer was met grote zorg aaneen genaaid en nagenoeg waterdicht. De tent was zelfs uitgerust met een leren gordijn, zodat er twee vertrekken van konden worden gemaakt. Met wat inschikkelijkheid bood hij plaats aan twaalf mensen. Glividen had de tent tijdens de Grote Oorlog ontworpen. Er was een eigen pakpaard voor nodig om hem te vervoeren, maar het was de moeite meer dan waard. De meeste tenten boden nauwelijks genoeg plaats aan twee mensen om erin te zitten praten, maar dankzij Urdo's grote tent hadden we een geschikte ruimte om er krijgsraad in te houden en alle kaarten uit te spreiden, zelfs als het goot.

Ik volgde Masarn naar binnen. Urdo zat naast Cadraith en tegenover hen zat een oude man met loshangend haar en de lange, brede sjaal van een orakelpriester, naast een vrouw van middelbare leeftijd die volgens de zeden en gebruiken in Demedia een hoofddoek om had. Darien stond wijn in te schenken. Iedereen stond bij onze binnenkomst op en boog.

'Sulien, je kent Atha ap Gren al,' zei Urdo, met een gebaar naar de vrouw. Ik knipperde met mijn ogen. Ik zou haar niet hebben herkend. Ze had haar gezicht gewassen en zich aangekleed, en met die hoofddoek om zag ze er tamelijk alledaags uit.

'Het is me een eer u te leren kennen,' zei ik met een buiging. Darien reikte me een beker wijn aan, die ik glimlachend in ontvangst nam.

'En dit is Inis ap Fathag,' hernam Urdo, mij voorstellend aan de oude man.

Ik boog, maar de oude man schudde het hoofd. 'Ik zal niet meer door het leven gaan onder de naam van mijn geëerde vader, hoewel ik dat mijn hele leven heb gedaan. Voortaan zal ik gekend zijn als Inis, Grootvader van Helden.' Hij wendde zich tot Atha. 'Hoor je dat, meisje? Laat de waardeloze dichter die met mijn dochter is getrouwd dat opnemen in het loflied dat hij nog deze herfst zal moeten maken voor mijn crematie.'

Atha lachte, maar het klonk niet geamuseerd. 'Blijf je me ook vanuit het graf onmogelijke dingen opdragen, grootvader?'

'Aha, je beschouwt jezelf dus als een heldin?' vroeg hij.

Atha staarde hem woedend aan, en terecht. Ze mocht evenveel aanspraak maken op die eretitel als wie ook die ik ooit had ontmoet.

'Amagien zal het maar al te graag doen,' vervolgde de oude man. 'Hij trekt rouw aan zoals iemand anders een mantel. Niets wat de arme Conal voor hem heeft gedaan toen hij nog leefde was hem goed genoeg, maar hij zal diens dood gebruiken om alsnog de zoon te creëren waarvan hij zichzelf wijsmaakt dat hij die hij graag had willen hebben.' Inis wendde zich weer tot mij en maakte een formele buiging. 'Ik sta diep bij u in het krijt, Sulien ap Gwien.'

Hij was krom van ouderdom, maar ik kon zien dat hij groot was geweest. Als ik Lew zag, had ik vaak gedacht dat Conal zijn knappe uiterlijk aan zijn familie van moederskant te danken moest hebben. Inis was weliswaar heel oud, maar hij was nog steeds knap, zelfs met zijn ongekamde haar, dat hij aan de voorkant had weggeschoren, zoals orakelpriesters plegen te doen. Ik meende niet alleen te zien hoe Conal aan zijn knappe gezicht was gekomen, maar ook van wie hij zijn manier van praten had geleerd.

Ik boog terug. 'Als Conal de Overwinnaar een van uw heldhaftige kleinkinderen was, ben ik degene die bij u in het krijt staat, want Conal heeft me het leven gered.'

'U hebt hem behoed voor tal van andere, dwazere wijzen van sterven,' zei Inis. 'En bovendien hebt u de herinnering aan zijn eervolle dood naar zijn vaderland gezonden, waarvoor ik u hogelijk eer, net zoals Conals vader Amagien, de stakker, die mij heeft verzocht u namens hem eer te betuigen. Hij is in Oriel gebleven, werkend aan het gedicht dat de herinnering aan zijn zoon onsterfelijk moet maken.'

'Is hij zo'n slecht dichter?' vroeg ik.

Cadraith keek ontsteld, maar Inis begon te lachen. 'Ik zou bijna wensen dat hij dat was, want in dat geval zou ik hem gemakkelijk kunnen afdoen als iemand met wie geen rekening hoeft te worden gehouden. De eerlijkheid gebiedt echter te zeggen dat hij een goed dichter is, als hij zich tenminste aan de waarheid houdt, hoewel dat zelden voorkomt. Hij is een waardeloze vader voor Conal geweest, want de arme Conal is opgegroeid met de gedachte dat hij nooit goed genoeg zou zijn. Hij was echter een voortreffelijk krijgsman; alleen had hij de pech dat zijn neef Darag hem op dat punt overtroefde.'

Uiteraard begreep ik hieruit dat de oude man ook de grootvader van wijlen Zwarte Darag moest zijn. Dat was de reden waarom Atha, Darags gemalin, hem grootvader noemde. Ik keek naar Atha en zag haar fronsen. 'Ik heb Darag nooit ontmoet, maar hij moet heel luisterrijk zijn geweest als zijn ster die van Conal overstraalde,' zei ik.

'Klopt,' zei Atha nuchter.

'Ja, en hij is net zo dood als Conal is,' kwam Inis tussenbeide. 'Dood – en we zijn hier om hem te wreken, hoewel ik betwijfel of daaruit enig goeds kan voorkomen, zoals sommigen schijnen te denken.'

'Als je zo doorgaat, zal ik je naar Thansethan moeten terugsturen,' zei Atha knarsetandend.

Urdo sloot zijn ogen even. 'U bent in Thansethan geweest?' vroeg hij beleefd.

'Ik ben net terug van een bezoek aan de gastvrije monniken,' zei Inis.

Darien zette de kruik wijn neer. Je moest hem kennen om te kunnen zien dat hij dat extra voorzichtig deed.

Inis wierp hem een sluwe blik toe. 'Wees maar niet bang, jonge havik, ze zullen niets voor of tegen wie dan ook ondernemen voordat alles is beslist.

Dat wil zeggen, de koningin zullen ze opnemen, als ze Thansethan kan bereiken, maar dat is geen handelwijze waarover wij ons druk hoeven te maken. Ik heb met hen over de goden van Tir Isarnagiri gesproken, en over de weg die de werelden zullen volgen. Vader Gerthmol was doodsbang.' Inis giechelde schril, bijna als een vrouw. 'Ik heb ze uitgelegd aan wat voor dunne draad we allemaal hangen. Ik heb zo'n idee dat ze nu allemaal hopen en bidden dat ik krankzinnig ben.'

'Dat bén je ook, uiteraard,' zei Atha alsof het algemeen bekend was. Ze moesten allebei lachen. Wij anderen hoorden en zagen het aan, verlegen met de situatie. Masarn wreef over zijn slapen, alsof hij zware hoofdpijn had. 'Maar wees voorzichtig, grootvader, want je nadert het punt waarop je zelf de draad kwijtraakt van wat je zegt.'

'Ik heb negenentachtig zomers gezien, waarvan tweeënveertig in alle mogelijke werelden. Ik zal sterven voor het Midwinter is,' zei Inis. 'Natuurlijk ben ik gek.'

'Zei u dat de koningin naar Thansethan wil ontsnappen?' vroeg Urdo, zich naar voren buigend.

'Het grootste deel van de tijd,' zei Inis. 'Na uw dood, uiteraard. Daar wil ze graag zijn, uiteindelijk. Ze zouden stom zijn haar niet op te nemen.' Hij schudde het hoofd een beetje, alsof hij helderder wilde denken. 'Helaas is iedere wereld anders,' zei hij, een beetje wippend op zijn hielen. 'U hebt hier zoveel veranderd dat alleen de grote patronen en gebeurtenissen zeker zijn. Het is mogelijk dat ze in plaats daarvan er de voorkeur aan zal geven te sterven.'

'Maakt ze het op dit moment goed?' vroeg Urdo.

Atha stak afwerend een hand op. 'Hoe meer hij onder druk wordt gezet, des te onnauwkeuriger wordt hij,' waarschuwde ze. 'Hij is werkelijk gek, ziet u; en hoe meer hij over dit soort vragen nadenkt, des te moeilijker het voor hem wordt verstandige dingen te zeggen.'

Inis kraaide weer. 'Ze heeft gelijk, hi, hi, hi, ze heeft helemaal gelijk. 'Wat ik zie is niet wat is of zal zijn. U hebt Mardols dochter vaak genoeg gehuwd, en dan was ze niet zo trots. Ze baarde u twee zonen, maar de monniken hebben haar desondanks uiteindelijk toch opgenomen.'

Cadraith hapte naar adem. Urdo was meer van zijn stuk dan ik hem ooit had gezien.

'Genoeg nu, grootvader,' zei Atha. 'Het wordt steeds warriger.'

Hij keek haar aan. 'Jij sterft altijd oud,' zei hij.

Atha keek alsof hij haar een klap in het gezicht had gegeven.

Masarn schraapte zijn keel. 'Ik geloof dat het eten wordt gebracht,' zei hij. En inderdaad – Talog stond weifelend in de tentopening, met een grote, dampende schaal in zijn handen. Het was pap, uiteraard. We gingen zitten om te eten. Inis was stil, de goden zij dank, en schommelde alleen wat met zijn bovenlichaam. Wij anderen praatten wat over het weer en over het kampement. Na de pap kwam Talog twee boven het vuur gegrilde en in stukken gedeelde kippen brengen. Ik vroeg me af waar ze vandaan kwamen en hoopte dat ze van een boer waren gekocht, in plaats van gestolen. Ik zag dat er niet genoeg was voor iedereen, maar dat verhinderde me niet van mijn portie te genieten. Nadat we hadden gegeten en onze handen hadden afgeveegd, nam Urdo een kaart van het zuidoostelijke deel van Tir Tanagiri uit zijn kaartenkist.

'Waar bevindt Ohtar zich precies?' vroeg hij Atha.

Ze keek aandachtig naar de kaart. 'Deze blauwe lijn is zeker de rivier?'

'Ja. De blauwe lijn is de rivier, deze zwarte lijn is de oude heirbaan die we volgen en deze cirkel hier is Caer Tanaga, waar de andere heirbanen samenkomen.'

'Dan zit hij' – haar vinger beschreef een cirkel en priemde naar de kaart – 'hier. Tussen de weg en de rivier. Een deel van zijn mensen zit in schepen op de rivier – deels onze schepen en deels de zijne.'

'Ik vraag me af wat onze vijanden uitspoken,' zei Cadraith. Toen keek hij geschrokken op naar Inis, alsof hij vreesde dat hij er een gruwelijk antwoord op zou krijgen, vol twijfelachtige details. Maar Inis negeerde hem; in feite negeerde hij ons allemaal, genoeglijk knagend aan een kippenpoot waaraan geen draadje vlees meer te bekennen was.

'Hetzelfde als wij, veronderstel ik,' zei Urdo terwijl hij zijn kom neerzette. 'Hun kampement inrichten en eten. *Ik* vraag me af wat ze willen.'

'Ze willen geen belastingen afdragen,' zei Cadraith. 'En ook willen ze de alae niet meer onderhouden, nu de Jarns niet meer zo'n bedreiging zijn. En als het hen zo uitkomt, willen ze zich ook niet aan de wet houden. Ze willen regeren op de barbaarse manier van hun vaders, en die van hun voorouders, van vóór de komst van de Vincanen.' Hij keek naar Atha, die alleen maar glimlachte.

'Daar hadden ze geen oorlog voor hoeven te beginnen,' zei ik. 'Zeker, ze willen dat allemaal, maar ze hebben zelf gezien dat de vrede voor iedereen profijtelijk is. Ze weten maar al te goed hoe het voor de vrede was.'

'Is dat zo?' zei Darien. 'Ik voor mij weet het niet. En Cinon is maar zeven jaar ouder dan ik. Flavien is de jongste zoon van zijn vader Borthas, en hij was ook nog jong toen de Slag bij Foreth plaatsvond. Hoe oud Cinvar is, weet ik niet...'

'Een jaar of twee jonger dan ik,' zei ik.

'Dan is hij evenmin oud genoeg om zich de oorlogen na de dood van mijn vader te kunnen herinneren,' zei Urdo. 'Darien heeft gelijk. Van die generatie is bijna niemand meer over. Van alle koningen die toen tegen elkaar hebben gestreden, zijn alleen Guthrum en mijn moeder over. Maar Flavien en Cinvar moeten zich wel de Grote Oorlog herinneren.'

'Het enige wat ze zich daarvan herinneren, is dat wij die wonnen,' zei Masarn.

'Zo is het,' beaamde Cadraith. 'Zij zien de vrede niet als iets dat iedere dag opnieuw moet worden bevochten, zoals jij dat in je toespraak bij Foreth hebt gezegd, Urdo. Het leeft niet voor hen, ook al heb je het in je wetboek opgenomen. Mijn vader zou er verrukt van zijn geweest; hij geloofde erin, net als de oude hertog Galba. Het was de Vincaanse manier, al is jouw vrede een nieuwe vrede. Maar wat heeft dat Cinvar nog te zeggen, behalve dat je een invasie vanuit Jarnholme hebt gepareerd?'

'Dit idee is onbekend in Tir Isarnagiri,' zei Atha. 'Iedere koning vestigt de vrede; en die vrede en zijn wet sterven mét hem. Het is uitzonderlijk dat ik Darags vrede en wetten na zijn dood heb gehandhaafd, hoewel hij mijn echtgenoot was. Het zou uiterst verbazingwekkend zijn als onze zoon over een jaar, als hij de kroon ontvangt, daarmee doorgaat.'

Urdo zuchtte. 'Toch geloof ik niet dat ik te veel van de koningen heb verlangd. Ik betwijfel of ze uit wrok in opstand zouden zijn gekomen, laat staan een bondgenootschap met Arling hebben gesloten, als Morthu er niet was geweest.'

'Zwarthart, giftige tong,' zei Inis zonder op te kijken, alsof hij Urdo bijviel.

'Wat wil deze Morthu?' vroeg Atha.

'Macht en invloed,' zei ik. 'Hij is eropuit zelf Grote Koning te worden. Hij noemt zichzelf Avrens kleinzoon, intrigeert erop los en sluit allianties met iedereen van wie hij vermoedt dat die hem kan helpen.'

'Als het hem alleen daarom ging en bereid was er zoveel moeite voor te doen, denk ik dat hij een goede kans had gemaakt om Urdo's erfgenaam te worden,' zei Cadraith. 'Op die manier zou hij een eendrachtig, in plaats van een verdeeld rijk hebben geërfd.'

'Volgens mij is hij er juist op uit het te verdelen,' zei Darien zacht. We keken allemaal naar hem. 'Ik ken hem; ik ben deels met hem opgegroeid, in Thansethan. Hij haat ons allemaal. Hij denkt dat wij zijn moeder hebben vermoord en haar nagedachtenis hebben vergiftigd. Hij wíl het koninkrijk helemaal niet overnemen, ook al zal hij dat Arling en diens bondgenoten wel hebben wijsgemaakt. Het enige wat hij wil, is dood en verderf zaaien totdat alles in puin ligt.' Darien wachtte even, voordat hij Urdo aankeek. 'Ik heb u jaren geleden beloofd dat ik u eerst toestemming zou vragen voordat ik tegen hem ten strijde trok. Nu vraag ik u om die toestemming. Ik ben een volwassen man en een grondig getraind wapendrager.'

'Je bent ook degene die we onder geen beding mogen verliezen,' zei Urdo, een vreemde trek op zijn gezicht.

'Daarmee legt u mij een heel zware last op.'

'Ik weet het,' knikte Urdo met een flauwe glimlach. 'Het is een last die ik al vele jaren heb gedragen zonder me te realiseren hoe zwaar hij was – en nu pas weet ik het, nu ik hem afleg.'

Inis lachte en keek kort van de een naar de ander. 'Beter dan een ouwe kom,' zei hij.

'Het lijkt me niet dat deze hele oorlog met een duel tussen kampioenen kan worden beslecht,' zei Atha, die taxerend naar Darien keek en Inis totaal negeerde. 'Als iemand er echter mee zou instemmen het hele gewicht van de oorlog tot inzet daarvan te maken, zou het het overwegen waard zijn dat risico te nemen, mits we over een groot kampioen beschikken. Darag heeft eens op die manier een oorlog gewonnen.'

'En heeft zichzelf er de rest van zijn leven – de rest van al zijn levens – om gehaat,' mompelde Inis met schommelend bovenlichaam, de ogen gesloten.

Ik vroeg me af of hij nu in andere werelden blikte, op zoek naar de ene wereld waarin zijn kleinkinderen gelukkig en nog in leven zouden zijn. Met een onbehaaglijk gevoel keek ik van hem weg. Darien en Urdo keken elkaar nog steeds aan. Uit hun gezichten viel niets op te maken. 'Kan ik het tegen hem opnemen, als het zover komt?' vroeg ik.

Urdo keek naar mij, en van mij naar Darien. 'Geen van jullie tweeën mag hem uitdagen. Hij is niet zo stom om in één duel alles op het spel te zetten. Wat er te velde gebeurt is een ander hoofdstuk. Het lijdt overigens geen twijfel dat deze oorlog heel anders zou verlopen als hij dood was.'

'Het is aan mij hem te doden,' zei Darien, op de toon van iemand die weet dat zijn argumenten vergeefs zullen blijken te zijn.

'Hij is een prater, geen vermaard strijder, volgens alles wat ik ooit van hem heb gezien,' zei Masarn. 'Ik heb hem in mijn penoen gehad en hij leerde net zo vlug als de meesten, maar in geen geval beter. Ik ben ervan overtuigd dat Sulien én Darien hem de baas zijn, en anders ik wel, wat dat aangaat.'

'Ze zeggen dat hij een magiër is,' zei Cadraith.

'Wie zegt dat?' vroeg Urdo.

'Hij zegt het zelf,' zei Atha, waarmee ze mij verraste. 'In zijn brieven zegt hij dat hij dezelfde vermogens bezit als zijn moeder. Blijkbaar probeert hij zijn aspirant-bondgenoten daarmee ontzag in te boezemen en hen te manipuleren.'

'Heeft iemand hem ooit iets magisch zien doen?' vroeg Urdo.

Darien bewoog zich, maar bleef zwijgen.

'Hij heeft de dromen van Ulf Gunnarsson gelezen,' zei ik. 'Je wilde toen geen vijand in hem zien. Misschien beweert hij alleen een magiër te zijn, om de indruk te wekken dat hij machtig is. Ik wil hem geen reputatie toedichten die hij niet verdient, maar het is beter er rekening mee te houden dan dat we ons er onverwacht door laten overvallen en dan opgaan in vlammen.

Zoals de arme Geiran is overkomen in Caer Lind, toen zij zijn moeder, de heks-koningin Morwen, aanraakte.'

'Juist,' zei Urdo. 'We gaan ervan uit dat hij inderdaad een magiër is. Dat is een extra goede reden om in je eentje geen duel met hem aan te gaan, zelfs al zou hij daarmee instemmen.'

Cadraith zat onrustig te schuifelen. 'We weten niet zeker dat Darien het bij het juiste eind heeft,' zei hij. 'Morthu is natuurlijk gevaarlijker als hij eropuit is alles te verwoesten, maar ik heb niets gezien dat daarop wijst; ik weet alleen dat hij zelf Grote Koning wil worden. We moeten gewoon over de beste tactiek blijven praten, alsof we er zeker van zijn dat dát de waarheid is.'

'Ik wéét dat hij het is,' zei Darien.

'Als hij werkelijk een magiër is, maakt dat het alleen maar waarschijnlijker dat hij alles wil verwoesten,' zei Masarn. 'Om zoiets te doen moet je wel ontzaglijk veel haat in je donder hebben.'

'Het is verschrikkelijk om zoiets te willen,' zei Urdo. 'Zelfs zijn moeder wilde op haar manier alleen maar veilig zijn; alleen daarom heeft ze de weg bewandeld die ze in haar waan voor zich zag. Ik vrees echter niettemin dat Darien gelijk heeft.'

'Het maakt geen verschil,' zei Atha, met een blik op Inis, die naar de handen in zijn schoot staarde en ons weer negeerde. 'Soms is het nuttig te weten wat je vijanden willen, al komt het zelden voor dat je in staat bent het hun te geven – en wij zouden hem dit in elk geval willen beletten. Als blijkt dat Suliensson gelijk heeft, kunnen we er misschien tijdens de onderhandelingen op aansturen Morthu van zijn bondgenoten te vervreemden. Door dat te proberen verliezen we niets.'

'Hij kan ongelooflijk overtuigend praten,' zei Masarn. 'Dat kon hij altijd al.'

Urdo zei geeuwend: 'Morgen ontmoeten we hun leiders. In het ergste geval winnen we er voldoende tijd mee voor Ap Meneth, Luth en Ap Erbin om zich bij ons te voegen – en misschien zelfs Alfwin, als hij het redt. En in het gunstigste geval komen we tot een vergelijk. Raul praat op dit moment met hun priesters, om te zien of zij een bijdrage kunnen leveren – de meeste priesters van de Blanke God onderhandelen liever, om levens te sparen.'

'Eerst maar eens aanhoren wat ze precies willen,' zei Cadraith. 'Ze zullen misschien niet zo stom zijn nu te willen vechten, nu ze ons aan het werk hebben gezien.'

'Cinvar is dat leger kwijt,' beaamde Masarn. 'Misschien zal hij zelfs weg willen sluipen naar huis.'

'We zullen hoe dan ook tegen Arling moeten strijden,' knikte ik. 'We zullen hem de stad uit moeten lokken om hem aan te kunnen pakken.'

'Het lijkt me niet erg waarschijnlijk dat hij zonder slag of stoot zal willen wegtrekken,' zei Urdo.

'En slechts zes overleefden heelhuids de slag die bij de rivier de Agned was gestreden, en de bebloede hand van de krijg bracht de dood naar beide eilanden,' zong Inis met leedvermaak in zijn stem. Toen begon hij te huilen als een kind. Atha verontschuldigde zich voor hem en troonde hem mee naar zijn tent.

13

Vrouwe van Wijsheid,
leidt Gij mijn denken,
helpt Gij mijn strategie!
Laat de woorden helder
van mijn lippen stromen,
recht in ontvankelijke harten.
Verhelder mijn geest en
geef dat ik worde gehoord!
– Uit: *Bezwering om retoriek*

De arts van de ala, Ap Darel, kwam mij wekken. Voor mijn tent maakte hij ruzie met Govien over de vraag of het wel of niet te vroeg was om mij te wakker te maken.

‘Het is geen noodtoestand, maar ik heb nooit eerder zoiets gezien en ik wil graag dat Sulien met me meekomt om ernaar te kijken,’ zei Ap Darel resoluut.

Ik geeuwde, rekt me uit, ging overeind zitten en stak mijn hoofd naar buiten. Het was me duidelijk dat ik deze morgen niet veel slaap meer zou krijgen.

‘Ah, Sulien!’ zei Govien duidelijk opgelucht. Ik had langer dan anders geslapen. De zon was al geruime tijd op en volledig zichtbaar aan de blauwe hemel.

‘Iets dringends?’ vroeg ik. Beide mannen schudden nee. ‘Is er dan een kansje op warm water?’ vroeg ik.

Govien fronste bezorgd zijn voorhoofd. ‘Ik denk het wel, als je het echt nodig hebt – de koks hebben hun vuren aangestoken.’

‘Ik was me wel in de rivier,’ zei ik, mezelf overeind werkend. ‘Tot zo, Ap Darel. Als het niet dringend is, kan ik net zo goed met je praten nadat ik me heb opgefrist.’

Ik liep omlaag naar het riviertje. De hulpkoks hadden stroomopwaarts een markering gezet voor mensen die hun waterzak wilden vullen met drinkwater. Er waren zoveel manschappen omlaag gekomen om te baden, dat het leek alsof de hele ala in het water lag. Zelfs Cynrig had zijn preutsheid voor een keer afgeschud en plensde water over zich heen, net als de anderen. Ik sprong erin. Het was een warme ochtend, maar het water was zo ijzig koud dat het leek alsof het rechtstreeks afkomstig was van de Tweelingpiek van Vuur en IJs op het eiland dat zich op de top van de wereld bevindt. Rigg was daar geweest, bedacht ik, net als Emrys. Op dat moment wist ik opeens dat ik nooit het eiland waarop ik was geboren zou verlaten, hoe groot de rest van de wereld ook mocht zijn. Toen plensde Masarn water over me heen, zodat ik me met een ruk omdraaide en hem van repliek diende. Ik had overal kippenvel toen ik de helling weer opliep en ik moest mezelf duchtig droogwrijven, maar mijn hoofd was een stuk helderder.

Ap Darel zat voor mijn tent te wachten. 'Ik kan het je hier wel laten zien,' zei hij. Hij pakte mijn arm en keek fronsend naar de schram die ik de vorige dag in de strijd had opgelopen. 'Als ik het niet dacht. Kijk eens naar je arm.'

Ik keek. De schram was in feite een lichtelijk gezwollen snee, met rode randen. Ik keek hem aan, plotseling geschrokken. 'Gif?' vroeg ik. 'Zijn er meer die dit hebben?'

'Het is geen gif dat ik herken,' zei hij. 'En het is kennelijk niet direct dodelijk. Het moet echter iets giftigs zijn. Het ziet ernaar uit dat iedereen die gisteren gewond is geraakt een wond heeft die er zo gemeen uitziet en die trager geneest dan zou moeten.'

Nu ik er mijn aandacht op richtte, voelde ik dat de wond me pijn deed. Ik keek omlaag naar mijn arm. Normaal zou ik hebben verwacht dat er zich over zoiets als dit al een korstje zou hebben gevormd. Mijn armen zaten onder de witte littekens van tientallen soortgelijke wonden die ik in de loop der jaren had opgelopen, en er waren er op zijn minst evenveel geweest die waren genezen zonder een spoor achter te laten. Opeens herinnerde ik me hoe uitgeput ik was geweest na de geneeshymnen van de vorige dag.

'Ik ga nu eerst iets eten,' zei ik, 'en dan kom ik een paar van je andere gevallen bekijken. Ik heb evenmin ooit zoiets gezien. Misschien hebben ze hun wapens vergiftigd. Alleen vraag ik me af hoe Cinvar zijn volk daar ooit toe heeft weten over te halen. Of zouden ze ze hebben vervloekt? Nu ik erover nadenk, herinner ik me ooit weleens over een vloek te hebben gelezen die "wapenrot" wordt genoemd. Dat woord komt ook voor in de geneeshymne die ik gebruik voor het helen van bloedende snijwonden.'

'Ja, het komt ook in mijn bezweringen voor. En ik heb er bij Talarnos over gelezen,' antwoordde Ap Darel ontsteld. 'Hij schrijft dat de Malms er lang geleden mee te maken hebben gehad. Hun wonden verkleurden groen en begonnen te etteren; en daarna raakte hun bloed vergiftigd, werden de wonden zwart en stierf de patiënt. De patiënt stierf *altijd.* Hij behandelde ze met spindraad en zout water, en schrijft dat het niet onder beschaafde volken voorkwam, maar alleen onder de barbaren aan de overzijde van de Vonar. Hij noemde het een aandoening; geen vloek.'

'Hoe zou het een aandoening kunnen zijn? Ziekten verspreiden zich toch onder mensen? Ze infecteren geen wonden.'

Ap Darel schudde het hoofd. 'Talarnos leefde tweehonderd jaar geleden en was een militair arts die vaak aan het front werkte. De nuttige helft van zijn boek bevat bezweringen voor als je niet over het wapen dat je had verwond kon beschikken. Misschien wist hij niet zoveel van ziekten af.'

'Wel,' zei ik, zo doortastend als ik kon. 'Of het nu gaat om een vloek, een gif of een ziekte, het lijkt niet op wat Talarnos beschrijft. Om te beginnen is het een rode zwelling; geen groene.' De gedachte aan een groene wond was te gruwelijk om bij stil te staan.

Ap Darel keek me onderzoekend aan. 'Zou je kunnen nagaan of we er iets tegen kunnen doen?' vroeg hij aarzelend.

'We zijn niet in Derwen,' zei ik. 'En zelf denk ik niet dat het een ziekte is. Ik zal echter zien wat ik doen kan.'

Ik sloot mijn ogen en tastte mentaal naar de snee in mijn arm. Toen stak ik mijn mentale voelhorens uit naar de Grote Geneesheer. Hij was er, als een bestanddeel van de wereldstructuur. Geconcentreerd reciteerde ik in stilte de geneeshymne ter voorkoming van wapenrot. In feite was het dezelfde bezwering die ik ruim twintig jaar eerder had gebruikt toen ik de God van Genezing en de Schenker van Vruchten vergeefs had aangeroepen om het kind in mijn schoot terug te zenden. Mijn wil vond geen aansluiting bij de kracht van de god. Ik probeerde te ontdekken wat het verhinderde, maar was er niet toe in staat. Ik wist dat ik de goden nooit zonder reden mocht aanroepen, maar ik voelde hoe hun tegenwoordigheid doordrong tot in alle plaatsen waar zij nodig waren. Een onzichtbare barrière verhinderde echter dat deze hymne de Grote Geneesheer breikte. Een andere god? Nee, op de een of andere manier voelde het anders. Of een mens? Ik probeerde het obstakel weg te duwen, maar het ontglipte me.

Na een poosje deed ik mijn ogen open en zag Ap Darel nieuwsgierig naar me kijken.

'De geneeshymne werkt niet,' zei ik kort en bondig. 'Het is geen ziekte, wat het ook moge zijn. Ik ga nu eerst naar de gewonden kijken – en daarna zal ik er met de Grote Koning over spreken.'

Ik kleedde me aan, at wat pap en ging de gewonden langs. Ik kwam niets aan de weet dat Ap Darel me nog niet had verteld. Toen ik naar Urdo ging, zat hij in zijn tent, met de zijkant open. Nu ik hem daar zo concreet in het zonlicht zag zitten, wist ik weer dat alles in de wereld was zoals het moest zijn. Dat stelde me gerust.

Hij wist al van het probleem. 'Ik wist het voordat ik wakker werd,' zei hij. 'Ik droomde van wapenrot. Vermoedelijk is het een vloek of iets dergelijks. Dit is gedaan door middel van zwarte magie en niet door de macht van een god. Het ergste is dat het heel Segantia insluit.'

'Heel Segantia?' herhaalde ik, opeens misselijk. 'Wat kunnen we ertegen ondernemen? Hoe kan iemand zoiets doen?'

'Wie is koning van Segantia?' vroeg Urdo.

Ik knipperde met mijn ogen. 'Jij.' Ik aarzelde. 'Of regeert je moeder hier?'

'Precies.' Urdo streek vermoeid zijn haar naar achteren. 'Het is nooit een probleem geweest. Ik ben Grote Koning; Rowanna heeft Segantia al heel lang geregeerd. Ik heb nooit het land in bezit genomen of haar afgezet. Er is een leemte die we hier hebben opengelaten. Dat gebeurde in goedheid, maar het is aangewend voor het kwade. Dit is de opening waar deze vloek doorheen kon glippen. Ik kan niets doen om deze vloek op te heffen, maar Rowanna kan dat wel. Het is geen kwestie die het hele land aangaat, want dan zou ik de vloek kunnen verbreken; het betreft alleen Segantia. Ik heb een koerier naar Caer Segant gestuurd, om haar te vragen hierheen te komen.'

Ik herinnerde me hoe Rowanna placht te vasten voor de Blanke God. 'Weet ze hoe het moet?'

'Geen idee,' zei Urdo. 'Haar vader was een koning en zij heeft Segantia heel lang uitstekend geregeerd. Dit is echter geen ziekte. Ze heeft dikwijls steun gezocht bij Moeder Teilo, die naast haar stond in alles wat heilig is.'

'Zal Moeder Teilo willen komen?'

'Moeder Teilo loopt al tegen de negentig,' zei Urdo. 'Bovendien weet ik niet of ze momenteel bij mijn moeder is, of in Aylsfa bij Penarwen, of zelfs in haar eigen klooster in Demedia. Volgens de laatste berichten was ze echter in Caer Segant, dus wellicht zal ze met Rowanna meekomen. Maar zelfs als ze hierheen komt, geloof ik niet dat zij hier iets aan kan veranderen. Ik vraag me trouwens af wie dat wel kan. Misschien kan het land er alleen van worden bevrijd door de zwarte magiër te doden, als de vloek bezegeld is met bloed.'

'Morthu,' zei ik zacht en vol afkeer.

'Dat mogen we niet zomaar aannemen.'

Ik staarde hem aan, vol ongeloof. 'Waarom probeer je altijd het beste van hem te denken? Van welke twijfel zou je hem nu nog het voordeel willen gunnen? Hij is een magiër en haat ons.'

Urdo drukte zijn handen tegen elkaar en keek ernaar terwijl hij zijn lange vingers gelijk probeerde te leggen. 'We weten niet of Arling uit Jarnholme magiërs heeft meegebracht,' zei hij na een ogenblik. 'Ik kan niet zien *wie* deze vloek heeft uitgesproken, wat ik ook probeer. Of hoe het, gelet op de enorme kracht die daarvoor nodig zou zijn, mogelijk is te voorkomen dat een dergelijke vloek tot de goden doordringt. Dat zou meer kracht kosten dan die van één menselijke ziel.'

'Morwen gebruikte er de zielenkracht van anderen voor; ze doodde hen, alleen voor dat doel,' zei ik met gedempte stem, hoewel er niemand dicht genoeg in onze buurt was om het te kunnen horen. 'Best mogelijk dat hij hetzelfde doet.'

'Ik kan me niet voorstellen hoeveel zielen daarvoor nodig zouden zijn,' zei Urdo. 'In geen geval een of twee. En het moeten allemaal mensen van ons zijn. Misschien zit er toch een groep magiërs uit Jarnholme achter.'

'De meesten kennen nauwelijks genoeg bezweringen om vuur te maken,' zei ik sceptisch. 'Ik geef toe dat het een of meer magiërs van de vijand kunnen zijn.' Ik was er nog steeds van overtuigd dat het Morthu was.

'Als het inderdaad Morthu is, zou dat verklaren waarom Raul hem gisteravond en ook vanmorgen niet heeft gezien,' zei Urdo. 'Als hij iets als dit heeft gedaan, moet hij de uitputting nabij zijn, zelfs al roofde hij er de zielenkracht van anderen voor.'

'Dit is het gemeenste dat iemand ooit heeft gedaan, voor zover ik weet,' zei ik, terugdenkend aan de opluchting die bezit van me had genomen toen Ulf me na Caer Lind had verteld dat hij Osvran, nadat deze door Morwen was gemarteld, uit genade had gedood. Daarmee had hij zijn ziel gered. 'Hoe is het mogelijk dat Flavien met hem samenzweert, hoewel Morthu's moeder de zielenkracht van zijn vader Borthas voor haar zwarte magie had gebruikt!'

'Nieuwe tijden smeden nieuwe bondgenootschappen,' citeerde Urdo Dalitius. 'Ze zijn geen van allen vermaard om hun vermogen tot logisch denken. Cinon beschuldigt mij ervan de Jarns te bevoordelen en niet alleen gemene zaak te maken met Ayl. Bovendien zou ík Arling Gunnarsson met zijn leger hebben verzocht hierheen te komen.'

'Da's waar ook! We hebben Ayl niet gezien,' zei ik. 'Ik geloof niet dat hij iets met hen te maken wil hebben. Als Arling hier is geland, zal hij wellicht geschrokken zijn van het feit dat hij aan de verkeerde kant stond.'

'Een familiekwestie,' zei Urdo. 'Hij is getrouwd met Penarwen, dus staat hij naast Angas – en die staat daar waar Morthu hem heen heeft gedreven.'

'Familie,' zei ik langzaam. 'Precies zoals het altijd in Tir Tanagiri is geweest – familiebanden en andere connecties. Nu maken de Jarns ook al deel uit van dat weefsel.'

Urdo schudde het hoofd. 'Dat weefsel is er nu eenmaal; het is niet iets dat te veranderen valt. Daarom heb ik geprobeerd om er een andere soort structuur tegenover te stellen, in de vorm van de alae en de eden die een afspiegeling zijn van een weefsel dat de wet schraagt. Het begint bij de boeren en eindigt via de koningen bij mij. Als het voldoende tijd is vergund, zal het standhouden, denk ik.'

We hadden hierover uitvoerig gecorrespondeerd en ik wist dat het heel belangrijk voor hem was. Ik wilde iets zeggen over andere vormen van loyaliteit, maar was nog bezig de woorden in gedachten te sorteren toen

Raul naar ons toe kwam. Hij had donkere wallen om zijn ogen en zijn wangen waren ingevallen. Ik vroeg me af of hij een oog dicht had gedaan, deze nacht.

'Ze stemmen ermee in om tegen het middaguur in het dal ten oosten van hier bijeen te komen,' zei hij zonder ons te begroeten, op een hoofdknikje na.

'Wat is daar mis mee?' vroeg Urdo.

'Broeder Cinwil is een van de priesters die namens hen optreden als herauten,' zei Raul terwijl hij op het gras ging zitten, even buiten de tent.

'Ik dacht dat die in Derwen zat?' vroeg ik verrast.

'Bij jouw moeder?' vroeg Raul met opgetrokken wenkbrauwen.

'Hij zou Amala en Gomarionsson naar Caer Tanaga escorteren, samen met een handvol van mijn gewonden,' zei Urdo.

Ik beet op mijn lip. 'Heb je bij Cinwil naar hen geïnformeerd?'

'Hij heeft me verzekerd dat ze allemaal veilig zijn,' zei Raul, opkijkend naar mij. 'Hij zei er niet bij wáár. Amala en Gomarionsson zijn kostbare onderpanden om te verliezen.'

'Ik vraag me af waar Thurrig is,' zei Urdo. Hij staarde in de richting van Caer Thanbard, ver in het westen.

'En Custennin,' zei Raul. 'En Guthrum, uiteraard.'

'Guthrum zal niets ondernemen, zoals altijd,' zei Urdo. 'Hij heeft aan weerszijden familiebanden en is niet zo oud geworden als hij is door risico's te nemen. En laat me dit zeggen voordat jij het zegt: hij houdt zijn zoons stevig onder de duim, zodat onmogelijk valt te voorspellen wat er na zijn dood zal gebeuren.'

Raul glimlachte. 'Laten we dan maar alles wat we niet in de hand hebben vergeten, om ons te concentreren op de situatie hier.'

'Geloof jij dat het mogelijk zal zijn een wig in hun gelederen te drijven?' vroeg Urdo.

Raul schudde het hoofd. 'Niet erg waarschijnlijk; en zeker niet vandaag – tenzij je op de een of andere manier weet door te dringen tot Angas. Arling en Ayl zullen morgen hier aankomen, schat ik. Ohtar trouwens ook, als alles meezit. Misschien zullen Cinon en Flavien zich dan wat minder behaaglijk gaan voelen als ze naast vreemde belagers van overzee zitten, en bovendien naast Ayl. Vermoedelijk zullen ze zich vandaag echter groot houden, denk ik.'

'Ik betwijfel of Angas naar me zal willen luisteren,' zei Urdo.

'Die brief van hem was tamelijk warrig,' zei ik.

Urdo knikte. 'Hij heeft zijn vaandel gehesen, maar nog niet tegen ons gevochten,' zei hij. 'Dat zal moeilijk voor hem zijn, geloof ik. Maar ik zal met hem praten, als dat even mogelijk is.'

'Wie gaat er met je mee, vandaag?' vroeg Raul.

'Jij, uiteraard,' zei Urdo. 'Bovendien neem ik Darien mee, zodat ze hem kunnen zien. Atha neem ik niet mee, opdat ze kunnen zien dat ze vandaag alleen met Tanaganen te maken hebben. Cadraith en Sulien moeten er ook bij zijn, om Flavien en Cinon duidelijk te maken dat ze niet namens alle koningen van het eiland spreken.'

Raul keek me aan. 'Ben je bereid op je tong te bijten voordat je iets zegt?' zei hij.

Ik begon te lachen, ik kon er niets aan doen. 'Het spijt me. Ik weet dat ik een van de minst tactvolle mensen in heel Tir Tanagiri ben, maar ja, ik zal mijn best doen te zwijgen totdat Urdo me vraagt om iets te zeggen.'

'Dat is niet nodig,' zei Urdo met een gekweld gezicht. 'Sulien is geen zeventien meer; ze weet dat ze niet alles wat in haar opkomt kan zeggen zonder erover na te denken. Ze heeft Derwen al vijf jaar lang uitstekend geregeerd.'

'Neem me niet kwalijk,' zei Raul.

Ik keek hem aan. 'Heb je al gegeten?'

'Gegeten?' zei hij, alsof het een raar Jarns woord was dat hij zich niet helemaal kon herinneren. 'Nee, vandaag nog niet.'

'Dan zal ik wat pap voor je halen,' zei ik. Ik stond op en ging naar de koks, het aan hen overlatend om de details te bespreken van wie wel en wie niet Urdo moest vergezellen naar de besprekingen van die middag. Nadat ik Raul zijn ontbijt had gebracht, ging ik me bezighouden met alle problemen die Govien voor me had bewaard. Daarna deed ik opnieuw de ronde langs de gewonden, hoewel ik niets voor hen kon doen.

De onderhandelingen van die middag waren even zinloos als Raul had voorspeld.

Iemand had een schitterend zonnescherm laten spannen in het kleine dal, ter bescherming tegen het felle licht. Het zeildoek was blauw, neutraler kon het niet, gelet op de omstandigheden. De standaarden van alle koningen die gisteren hadden deelgenomen aan de strijd wapperden aan de rechterzijde van het scherm: de Bruine Hond van Tathal, de Slang van Tinala, de Maansikkel van Nene en de Doorn van Demedia. In mijn ogen leek het alsof Angas' Doorn wat terzijde van de rest was geposteerd. Aan de andere kant had Urdo er de voorkeur aan gegeven alleen de groen-rode vlag van het Groot Koninkrijk Tir Tanagiri neer te zetten. Het was een opmerkelijk contrast. Urdo, Darien, Cadraith en ik wandelden achter Raul aan en namen voor de vlag plaats. We waren er als eersten, zodat we de anderen konden zien aankomen.

Broeder Cinwil voerde hen aan. Hij droeg een bruine pij, gelijk aan die van Raul. Flavien liep als eerste achter hem, in een donkerrode mantel die bijeen werd gehouden door een met juwelen bezette gordel; hij zag er onbewogen uit. Na hem kwam Cinvar, gehuld in een luisterrijk harnas; zijn gezicht stond uitdagend. Cinon was dikker geworden sinds ik hem voor het laatst had gezien, maar zijn gezicht leek sprekend op dat van zijn vader, wijlen Cinon van Nene, die was omgekomen door de woede van het legendarische everzwijn Turth, een van de krachten van het land. Hij droeg kostbare kleding en de maansikkel was in zilverdraad boven zijn hart geborduurd. Na hem kwam Cinvar ap Uthbad. Cinvar en Cinon droegen hun halssteen opzichtig buiten hun kleren. Angas kwam als laatste en droeg zijn prefectenmantel over zijn gewone kleren. Hij maakte een afstandelijke, gereserveerde indruk. Hij keek me even aan, maakte een buiging voor me en keek meteen weg, alsof hij de aanblik van mijn gezicht niet kon verdragen. Urdo durfde hij al helemaal niet aan te kijken.

Ze gingen allemaal zitten, tegenover ons, en begonnen aan onderhandelingen waarin ze met zoveel mogelijk woorden zo weinig mogelijk probeerden te zeggen, terwijl de zon langzaam achter ons afdaalde naar de horizon en de schaduwen lengden. Cinvar sprak als eerste. Hij noemde Urdo een tiran en usurpator die zonder de steun van land en volk zou regeren. Bovendien maakte hij hem uit voor een ketter, wat me heel vreemd voorkwam. Urdo reageerde door te zeggen dat noch het land noch de goden ongelukkig met hem waren en dat er slechts een handvol lieden was dat zich beklaagde, maar hij zei ook dat hij bereid was hun grieven aan te horen. Hij voegde eraan toe dat zij tegen hem, hun rechtmatige koning, in opstand waren gekomen, en dat nog wel in alliantie met een buitenlander. Hij verklaarde dat ze zich moesten toevertrouwen aan zijn genade door hun eed van trouw te hernieuwen. Ook zei hij dat als zij dit deden, hij hun grieven wilde vernemen voor de Raad der Koningen. Hierop stelde Darien – zo vanzelfsprekend dat ik nauwelijks had kunnen raden dat het gerepeteerd was als ik het niet had geweten – voor om de Raad der Koningen voortaan twee keer per jaar op vaste datums bijeen te roepen, teneinde te beraadslagen over grieven en bestuursaangelegenheden die het hele land betroffen. Angas sloot zich bij dit voorstel aan, maar eiste dat de kwestie-Bregheda onmiddellijk zou worden geregeld. Hij verklaarde dat Urdo zijn tirannieke praktijken moest staken en weer gematigd en eervol moest gaan regeren. Ik herinner me van de rest van die middag niets dat van enig belang was, hoewel er massa's woorden werden gesproken.

Toen we tegen zonsondergang opstonden, na overeen te zijn gekomen de onderhandelingen de volgende dag voort te zetten, probeerden Urdo en ik met Angas te praten. Hij keek dwars door me heen, wendde zich af en liep Flavien achterna, met opgeheven hoofd. Er blonken tranen in zijn ogen; ik had ze duidelijk gezien.

'Ik denk dat we wat vooruitgang hebben geboekt,' zei Raul.

'Hebben jullie gezien hoe Cinon ineenkromp, steeds als Arling ter sprake kwam?' vroeg Darien.

Ik staarde Angas na. Pas toen Urdo een hand op mijn schouder legde om mij tegen te houden, merkte ik dat ik aan de snee in mijn arm krabde. 'Hij denkt dat zijn vertrouwen is geschonden,' zei hij.

'Ik heb de enige boodschapper die hij kon vertrouwen en naar mij toe had gestuurd, laten executeren,' zei ik. 'Ik kan het hem niet kwalijk nemen. Het is echter hard als vriendschap omslaat in haat. Van hem vind ik het veel erger dan van Flavien – die heb ik nooit gemogen.'

'Hij droeg zijn prefectenmantel,' zei Cadraith, over zijn eigen mantel strijkend. 'Hij weet dus nog wat dat betekent.'

'Misschien vallen hem de schellen alsnog van de ogen,' zei Urdo. 'Arme Angas. Ik vind het nu niet rechtvaardig van mij dat ik zijn broer Morthu naar hem toe heb gestuurd.'

'Ik wou maar dat hij zei wat hij op zijn hart heeft,' zei ik.

Raul en Darien overlegden nog met elkaar hoe ze een wig in de rijen der koningen konden drijven toen we terugwandelden naar ons kampement. De anderen waren stil. Toen Atha en Masarn tijdens het avondeten vroegen hoe het was gegaan, kon ik niet eens de woorden vinden om het hun uit te leggen.

14

Wees betrouwbaar, dan zul je vertrouwd worden; ga om met betrouwbare mensen en je wordt niet verraden.
– Gajus Dalitius in: *De betrekkingen van heersers*

De volgende dag was Morthu er wel bij; en toen pas besefte ik hoe wonderlijk voorspoedig de onderhandelingen zonder hem waren verlopen. Steeds als hij zijn mond opendeed, kwamen er insinuaties uit. Hij veranderde vaak de betekenis van wat er eerder was gezegd, verdraaide woorden en stookte ruzie. Het ergste van alles was dat zo weinig mensen het opmerkten. De woorden van de oude Inis – 'Zwarthart, giftige tong' – bleven bij me opkomen als ik hoorde dat hij het woord nam en de discussie liet ontsporen. Hij scheen samen met Arling van Caer Tanaga te zijn gekomen. Hij had zich tussen Angas en Arling geposteerd, kostbaar gekleed. Zijn haren en zijn baard glansden zijdezacht. En glimlachen deed hij, almaar glimlachen.

Arling leek op zijn oom Sweyn, behalve dan dat ik Sweyn voor het laatst had gezien toen Galba's lans hem doorboord en aan de grond genageld had. We hadden nog niet lang gepraat voordat ik tot de conclusie kwam dat die behandeling ook uitstekend paste bij Arling. Hij droeg een opzichtige halssteen op de borst, en Cinon keek er zo vaak naar dat ik me afvroeg of dat soms deel uitmaakte van hun bondgenootschap.

Urdo bracht de kwestie-Caer Tanaga ter sprake, en de vrijlating van zijn koningin. Arling vermeed het iets over de stad te zeggen en zei alleen dat de koningin veilig was, maar dat hij eerst de gegijzelden wilde zien die Urdo door zijn alae liet bewaken. Op de lijst met namen prijkten die van Ulf Gunnarsson, Cynrig Athelbertsson en Pedrog ap Cinvar.

'Deze mannen zijn geen gijzelaars, maar mijn getrouwen. Ik peins er niet over hen uit te leveren,' zei Urdo streng.

'In dat geval houd ik uw koningen vast bij wijze van onderpand om me te verzekeren van uw goede gedrag jegens hen,' zei Arling. Morthu grijnsde licht en ik voelde mezelf huiveren toen ik het zag. 'Als erfgenaam van Sweyn Rognvalsson ben ik koning van Jarnholme en alle Jarns op dit eiland en maak ik aanspraak op de heerschappij over hen.'

Ohtar, die de vorige avond was gearriveerd en nu naast me zat, gromde diep in zijn keel. 'Bereïch wijst jouw aanspraken af,' zei hij.

'De mannen die u noemt, zijn verspreid over mijn alae, maar morgen zal ik degenen die hier zijn meenemen naar deze bespreking, zodat ze voor zichzelf kunnen spreken,' zei Urdo.

Hierna stak Angas, aangespoord door Morthu, een lang verhaal af over Urdo's vermeende hooghartigheid in de omgang met de koningen.

Die tweede dag bereikten we nog minder dan de dag ervoor. Ook nu was geen van de anderen bereid persoonlijk met ons te praten toen de onderhandelingen voor die dag werden geschorst. We haalden onze wapens op van waar we ze die ochtend hadden achtergelaten. De schildwacht was duidelijk opgelucht toen hij ervan werd verlost. Het was een uitzonderlijk warme en vermoeiende dag geweest en ik verheugde me bij voorbaat op een bad in het riviertje.

'Je zult je haat meester moeten worden,' zei Raul tegen Darien. Hij had het grootste deel van de dag weinig gezegd en strak voor zich uit gekeken, bijna zonder uitdrukking op zijn gezicht.

'Dat bén ik al,' zei Darien knarsetandend.

Urdo moest lachen. 'Ik heb zo'n idee dat we vandaag allemáál Morthu verschillende keren naar de strot hebben willen vliegen, iets waarvan we alleen werden weerhouden door de herautenvrede.'

'Zeg dat wel,' verzuchtte ik, denkend aan hoe bevredigend het zou zijn om zijn keel tussen mijn handen te hebben.

'Precies,' zei Cadraith. 'Ik heb er een gloeiende hekel aan om langs een omweg te worden afgeschilderd als iemand die alleen loyaal is omdat hij niet in staat is voor zichzelf te denken. En wat Arlings aanspraken over de Jarnse koningen hier betreft: waar hang Ayl uit?' We passeerden de schildwachten in onze buitenste periferie en maakten de afgesproken handgebaren.

'Ayl komt zo traag als hij kan zonder de indruk te wekken dat hij de boel traineert,' zei Ohtar. Ook hij had de hele dag weinig gezegd, afgezien van die ene opmerking en dat afkeurende gegrom. 'Ik heb met hem gepraat. Hij wilde graag nadenken over Aylsfa en zijn oogst. Van Arling wil hij niets liever dan dat hij in rook opgaat, zodat hij nooit meer last van hem kan krijgen.'

'Waarom is hij dan niet loyaal gebleven?' vroeg Urdo.

'Sinds Foreth zijn we twaalf jaar verder,' zei Ohtar terwijl hij van opzij naar Urdo keek, vanonder gefronste wenkbrauwen.

'Wel?' vroeg Urdo.

'Enig idee hoeveel mannen Ayl bij Foreth heeft verloren?' vroeg Ohtar. 'Het merendeel van die gevallenen bestond uit mannen waarop hij bouwen kon; ze behoorden stuk voor stuk tot zijn getrouwen. Hij verloor er ook een broer en een neef. Degenen die het overleefden, met inbegrip van Sidrok, zijn broer, behoorden tot zijn minder trouwe of minder bekwame mannen. Inmiddels zijn de zoons van die gevallenen oud genoeg om zelf te kunnen vechten, en ze zijn uit op wraak. Ayl heeft zijn best gedaan om rekruten aan te trekken uit Jarnholme families waarvan hij op aan kan. Zonder hen zou hij er nu ellendig voorstaan. Ook heeft hij veel gehad aan zijn huwelijksalliantie. Die trekt hem nu echter de verkeerde kant uit. Het is voor Ayl niet gemakkelijk. Als Arling in Tevin was geland, zou hij hen in toom hebben kunnen houden, maar nu Arling op zijn lip zit, kostbare geschenken uitdeelt en roem en eer belooft? Ayl zou door zijn eigen mensen aan flarden zijn gescheurd als hij van hen loyaliteit aan hém verlangde.'

'Aylsfa was gedurende de vrede heel welvarend!' zei Raul nors.

'Dat is waar en Ayl is zich ervan bewust,' zei Ohtar. 'Zijn boeren weten het ook. Maar zijn getrouwen? Ze zouden het niet eens zien als het ze onder de neus werd gewreven, vooral degenen die ten tijde van Foreth een jaar of dertien waren en inmiddels krijgslieden van vijfentwintig zijn, mannen die nog nooit op leven en dood in een slag hebben gevochten.' Hij schudde het hoofd bij die gedachte. Zijn haar en baard, die grijs waren geweest toen ik hem voor het laatst had gezien, waren nu zilverkleurig.

Darien knikte. 'Ze gedragen zich net als de koningen. Ze zouden normaal gesproken niet in opstand zijn gekomen, maar nu iemand ze een excuus heeft aangepraat, hebben ze dat toch gedaan.'

'Wat Arling in het bijzijn van zijn Tanagaanse bondgenoten wijselijk niet heeft verteld, is dat hij iedere Jarnse koning die zich bij hem wil aansluiten veel goud en rijke buit heeft beloofd,' merkte Ohtar op.

'Kwam je er niet door in verleiding?' vroeg Urdo, even kalm alsof hij aan tafel vroeg hem de kruik water even door te geven.

'Ik ben te oud om zo stom te zijn,' zei Ohtar met een onverwachte grijns. 'Ik heb Bereïch stevig in de hand, heb de voordelen van vrede leren kennen en denk niet dat hij kan winnen. En trouwens, ik pleeg mijn eden gestand te doen.'

'Dat laatste heb ik nooit betwijfeld,' zei Urdo. Hij en Ohtar lachten elkaar toe. 'Het was goed dat jij er vandaag bij kon zijn, als een lichtend voorbeeld van alle Jarns die onder onze vrede leven. Het zal ons ook geen kwaad doen als Ulf en Cynrig er morgen bij zijn en datzelfde doen.'

'Alles wat Arling daarover heeft gezegd, is grote onzin,' zei Darien. 'Als Sweyn erfgenamen heeft, zouden dat zijn zoon en dochter moeten zijn, die springlevend zijn en in Caer Lind wonen.'

'In Jarnholme erven ook neven,' zei ik. 'Ik weet dat het idioot klinkt, maar zij zeggen: "Beter een volwassen neef dan een halfvolwassen zoon."'

'Ja, en geen enkele koning daar zou ooit op zijn zeventigste in zijn bed sterven als hij een zoon heeft die tegen de veertig loopt en zelf al vader is,' zei Cadraith, wiens eigen vader dat nu juist wél had gedaan.

Ohtar zei lachend: 'Dat is voor de koningen van Jarnholme niet bepaald gebruikelijk, nee, hoewel sommigen van ons de hoop koesteren dat we op dit eiland andere, betere tradities kunnen vestigen. Ikzelf ben vierenzestig en mijn kleinzoon en erfgenaam is tweeëntwintig.'

'Hoe oud was Alfwins vader, Cella?' vroeg Cadraith. 'Zijn zoon heeft hem opgevolgd.'

'Zijn jongste zoon, wat dat aangaat,' zei ik. 'Cella werd echter vermoord, net als zijn erfgenaam. Dat kun je niet meetellen.'

Toen we het kamp in liepen, kwam Atha vrijwel meteen naar ons toe. 'Het is een vreemde ervaring haar als bondgenoot te hebben,' zei Ohtar met een gebaartje naar haar. 'Ik zou hebben gedacht dat de koning van Angas des te feller gebeten op je zou zijn nu hij Atha ap Gren hier in jouw kamp ziet. We hebben het destijds in Demedia tien jaar lang heel moeilijk met haar gehad.'

'Ik heb erover nagedacht,' knikte Urdo. 'Ze kwam ons echter net op tijd te hulp. Ik weet dat jullie destijds tegen haar hebben gestreden, maar ben je nu bereid met haar te eten?'

'Zeker,' zei Ohtar. 'Ik heb nu zij aan zij met haar gestreden en was blij dat ze er was.' Ik vroeg me af wat die twee tegen elkaar hadden gezegd bij Caer Tanaga. Het waren twee onwaarschijnlijke bondgenoten die samen voor Urdo's vrede vochten, hoewel ze er vroeger onafhankelijk van elkaar tégen hadden gestreden.

Ik ging een bad nemen en deed daarna de ronde langs de gewonden, die waren overvallen door vreemde koortsen. Hun wonden waren gezwollen. Sommigen onder hen hadden het heel moeilijk. Mijn snee begon echter te genezen; hij jeukte afschuwelijk, maar het genezingssproces vorderde goed. Dat leek niet het geval te zijn met hun ernstiger verwondingen. Ap Darel probeerde opgewekt te doen in het bijzijn van zijn patiënten, maar hij maakte zich duidelijk grote zorgen.

'Ik vrees dat we degene die er het ergst aan toe zijn weg moeten brengen uit Segantia,' zei hij toen we alleen waren. 'Als de vloek alleen in dit land werkt, mogen we verwachten dat ze genezen zodra ze hier weg zijn.'

'*Als* we hen ergens heen konden brengen,' zei ik. 'We zijn aan alle kanten omringd door vijanden. Als we probeerden de gewonden weg te sturen zouden ze binnen de kortste keren worden onderschept.'

'Dan zou het hele leger Segantia moeten verlaten,' zei Ap Darel hoopvol. 'We kunnen in één dag terug zijn in Tathal, of in Magor, of zelfs in Munew.'

'Ik zal die suggestie overbrengen aan de Grote Koning,' zei ik. 'Hoop er echter niet te veel op. Ik denk dat we hier zullen moeten blijven zolang de onderhandelingen over een wapenstilstand zich voortslepen.'

'Zal er iets worden bereikt, denk je?' vroeg Ap Darel.

'We willen op zijn minst tijd winnen totdat Ap Erbin, Luth en Ap Meneth zich bij ons voegen,' zei ik.

'Meer troepen zullen ons weinig helpen, als de manschappen die we hebben sterven aan epidemieën die we alleen uit geschiedenisboeken kennen,' zei Ap Darel, en liep weg.

Zoals ik had verwacht zei Urdo dat we niet konden opbreken voor de onderhandelingen waren afgerond.

De volgende dag vergezelden Ulf en Cynrig ons naar de vergaderplaats. Cynrig had me gevraagd wat hij moest aantrekken, waarop ik had geopperd dat zijn decurio-harnas misschien het beste zou zijn. Ook Ulf droeg zijn gebruikelijke harnas, maar zonder de handschoenen. Hierdoor was duidelijk te zien dat hij de enorme gouden, kunstig bewerkte armband droeg die hij ook bij Foreth had gedragen, maar waarmee ik hem sindsdien nooit meer had gezien. Ohtar droeg twee keer zoveel goud plus zijn mantel van berenvacht, maar op de een of andere manier zag hij er niet uit als een barbaar.

Ook de tegenpartij telde twee mensen meer dan de vorige dag. Een van hen was Ayl; ik herkende hem al aan zijn manier van lopen voor hij dicht genoeg bij me was om zijn gezicht te onderscheiden. De andere man had een rode mantel om. Toen hij dichterbij kwam, zag ik aan zijn bleke huid en donkere haar dat hij half Jarnsman was. Op zijn mantel was een witte walrus geborduurd, en daardoor kon ik raden wie hij moest zijn. Ik keek naar Ohtar, wiens embleem dit was, en zag dat zijn anders zo bleke gezicht paars aanliep. Ohtars zoon Aldred was gehuwd met Rheneth ap Borthas, een tante van Flavien. Na de geboorte van een zoon was Aldred door gif om het leven gebracht. Deze man, die was opgegroeid in Tinala, moest Ohtars kleinzoon zijn.

Urdo legde zijn hand op Ohtars arm, en we wachtten totdat de anderen waren gaan zitten. De man in de rode mantel werd door Flavien voorgesteld als 'Walbern ap Aldred', en die naamsvorm leek Ohtar nog veel kwader te maken. Door al mijn aandacht voor Walbern was me ontgaan hoe Arling op Ulfs verschijning reageerde; als hij erdoor werd verrast, was hij dat snel te boven. De blik die hij Atha gunde was honend, maar hij keek nauwelijks op toen ik Ulf en Cynrig voorstelde, hoewel Morthu sluw lispelde hoe vreemd het toch was om een Jarnsman te ontmoeten die liever 'Mooibaard' werd genoemd dan de naam van zijn vader te dragen.

Het grootste deel van de ochtend werd verspild aan Cinvars vermeende grieven, met inbegrip van de beschuldiging dat wij zijn moeder in Caer Gloran zouden hebben mishandeld. Pas laat in de middag kwam Arling met zijn eisen op de proppen.

'En wat Caer Tanaga betreft – die stad eis ik op, op grond van het recht van de veroveraar,' zei Arling. 'Ik ben Sweyns erfgenaam en daarom Grote Koning van de oostelijke Jarnse landen van Tir Tanagiri. Ik zal over de Jarnse koningen regeren en hen onder jouw wet in het gareel houden.'

Cinon, Flavien en zelfs Cinvar zelf – de idioten – knikten allemaal nadrukkelijk, alsof dit was wat zij wilden. Dit moest de rechtvaardiging voor hun bondgenootschap zijn, uiteraard. Ik kon het nauwelijks geloven en voelde woede in mijn binnenste opwellen, bijna zo hevig dat ik erin dreigde te stikken.

'Alle Jarns zullen door hun eigen koning in hun eigen land worden geregeerd,' zei Cinon. 'En we zullen hen alleen hoeven spreken als er zich grensgeschillen voordoen.'

Arling grijnsde als een wolf en ik kon me exact voorstellen op wat voor gesprekken en grensgeschillen hij doelde. Ik kon nauwelijks geloven dat iemand zo stom kon zijn. Zij dachten dat Arling de Jarns uit hun landen weg zou houden, en de wetten in andere landen interesseerden hen niets. Ik probeerde langzaam tot tien te tellen, achterwaarts en in het Jarns. Ik legde mijn handen in mijn schoot en klemde mijn tong stevig tussen mijn tanden, om te voorkomen dat ik mijn zelfbeheersing zou verliezen en eruit zou flappen wat ik dacht.

'Bereïch wijst jouw opperheerschappij af,' zei Ohtar vlug en met nadruk, juist toen Arling adem haalde om nog meer te zeggen. 'Bereïch erkent Urdo ap Avren als Grote Koning van Tir Tanagiri en verklaart dat wij allemaal onder de vrede en wet van de koning leven – zowel alle Tanaganen als alle Jarns.'

'Als jij Arling als je opperheer erkent en jouw kleinzoon hier als jouw erfgenaam, zal het Bereïch niet moeilijk worden gemaakt,' zei Flavien gladjes, met een gebaar naar Walbern, die met gekruiste armen voor zijn borst zat en glimlachend knikte.

Ohtar tilde zijn hoofd op, en de berenvacht die hij altijd droeg, volgde de bewegingen van zijn schouders bijna alsof hij een echte beer was. 'Dertig jaar lang,' zei hij mild, 'heb jij me verhinderd ook maar een glimp van mijn kleinzoon te zien. Nu kom je hier aanzetten met een vreemdeling uit Tinala die zich hult in de schaduw van mijn standaard en van mij verwacht dat ik mijn trouw aan mijn land en mijn Grote Koning opgeef?' Hij haalde diep adem en verhief zijn stem enigszins. 'De bergen van Bereïch mogen zich tegen mij keren als ik ooit zo stom zou zijn. Als jullie mijn koninkrijk zo graag willen, zul je er tegen mij om moeten strijden, precies zoals altijd al het geval is geweest – en zoals het ook het geval was voor je vader, vóór jou. De zoon van mijn dochter staat klaar om het na mij te verdedigen.' Zijn blik verplaatste zich naar Walbern, die in verwarring leek te zijn gebracht. 'En wat jou betreft, Walbern Aldredsson, voor jou is het al te laat om nog mijn erfgenaam te kunnen zijn. Als je echter mocht besluiten om zonder de legers van jouw oom naar Dun Paldir te komen, zal het niet te laat voor je zijn om welkom te worden geheten.'

Walbern staarde met open mond naar Ohtar en daarna naar Flavien; hij scheen te aarzelen. Voor hij iets kon zeggen, greep Morthu in.

'Zou dat een passend Jarns welkom zijn, met het zwaard, of een onvervalst Tanagaans welkom, met de gifbeker?' zei hij lachend. Cinon en Cinvar lachten mee, en de rest van hen volgde een voor een, totdat iedereen aan die kant van de tafel zat te lachen, met uitzondering van Ayl en Angas. Mijn handen trilden van onderdrukte woede. Aurien was de enige die ooit had geprobeerd iemand te vergiftigen en ze had bovendien, Tanagaanse of geen Tanagaanse, met hén samengezworen. Met voeten getreden gastvrijheid was iets waarover niemand zich vrolijk hoorde te maken. Het was een schok voor mij om te zien hoe Cinvar, die in de hal van mijn moeder had gegeten, erom lachte.

'We hadden het zo-even over dat verschil in wetten,' begon Arling, nog met de lach op zijn gezicht. 'Mijn oom Sweyn...'

'Sweyn heeft nooit aanspraken gemaakt op datgene waarvan jij beweert het te hebben geërfd,' viel Ulf hem fel in de rede. 'Sweyn was op grond van zijn geboorte en de instemming van de vergadering van krijgslieden koning van Jarnholme. Hij is officieel gekroond. Hij verliet Jarnholme en kwam hierheen voor een poging dit land met geweld van wapenen én een bloedoffer te veroveren, maar hij werd vernietigend verslagen. Sweyn ligt mét zijn gevallen getrouwen begraven op het veld van Foreth, dat jij ontvluchtte. Hij heeft dus zelf geen duimbreedte van het grondgebied van Tir Tanagiri op eigen kracht gewonnen. Hij is echter met ere gestorven, zoals het een telg van het Huis Gewis betaamt indien hij zijn koninkrijk wenst uit te breiden. Hij heeft nooit de titel of opperheerschappij opgeëist die jij nu meent te kunnen verlangen, op grond van je vermeende erfgenaamschap. Je hebt zijn reputatie beklad door zoiets te zeggen.'

'Ik zou zijn naam hebben beklad, broer?' zei Arling achteroverleunend. 'Waarom zou ik zoiets aanhoren uit de mond van een verrader?'

'Man, ga toch terug naar Jarnholme en wees tevreden met wat je hebt,' zei Ulf. 'Tante Hulda zal vroeg of laat overlijden en dan mag je zelf regeren; dan hoef je niet met list en bedrog te proberen je van andermans koninkrijk meester te maken. Wat geeft jou het recht mij een verrader te noemen? Het is geen verraad als je in een slag tot de verliezende partij behoort. Sweyn was dood, zodat alle eden die ik hem had gezworen waren vervallen. Ik heb vrede gesloten met de Grote Koning en gezworen hem te dienen – en dat woord doe ik gestand.'

Cynrig knikte instemmend. 'Net als ik. En het is mij goed gegaan in Urdo's dienst. Komende Midwinter zal ik een Tanagaans meisje van aanzienlijke geboorte huwen.' Ik bleef recht voor me uitkijken; ik was al op de hoogte gebracht van zijn aanstaande huwelijk. Ik veronderstel dat een decurio mag zeggen dat hij aanzien geniet, en de bruid was sleutelbewaarder, maar dat was niet wat er gewoonlijk werd bedoeld met 'aanzienlijke geboorte'. Bradwens ouders waren boeren in Derwen. Arling bleef Ulf indringend aanstaren en negeerde Cynrig.

'Jij wilt,' zei Urdo, opeens minder beleefd, 'nog steeds aanspraak maken op de opperheerschappij over alle Jarns?' Ik ving toevallig Ayls blik op en zag hoe ongemakkelijk hij zich voelde.

'Inderdaad,' zei Arling. 'Zelfs over deze verraders.' Het klonk alsof hij het meende.

'Nu je hebt gezien dat zij geen gijzelaars zijn, kunnen we het hebben over een losprijs voor de koningin,' zei Darien. Het was voor het eerst in uren dat hij zijn mond opendeed en iedereen keek naar hem. Zijn wangen werden rood, maar hij wendde zijn blik niet af en bleef Arling aankijken.

'Welke losprijs zouden jullie voor haar over hebben?' vroeg Arling.

'Ja, hoeveel zijn jullie bereid te betalen om haar terug te krijgen?' praatte Morthu hem na.

Het was een netelige kwestie. Arling had met de verovering van Caer Tanaga ook meteen het grootste deel van de schat van het koninkrijk in handen. 'Een vrijgeleide voor jou en je leger terug naar Jarnholme, met medeneming van het geld dat je aan deze expeditie hebt overgehouden. En vrede tussen ons daarna,' zei Darien.

Arling lachte smalend. 'Dat zou ik ook zo al kunnen doen, beste jongen, als ik dat wilde,' zei hij. Mijn handen trilden van verlangen naar mijn zwaard dat ik buiten de grenzen van de herautenvrede had moeten achterlaten. Hij wendde zich tot Urdo. 'Erken mij als koning van de oostelijke Jarnse landen, dan krijg je je koningin én je stad terug.'

Het werd zo stil dat ik merkte dat Ohtar zijn adem inhield.

'Je stelt die ene vrouw kennelijk op hoge waarde, als jij denkt dat je op die manier iets kunt krijgen waarvoor je anders oorlog zult moeten voeren,' zei Urdo.

Ohtar ademde hoorbaar uit.

'Eén vrouw?' zei Morthu, die me brutaal aanstaarde.

'Inderdaad. We hebben gehoord dat je er nog een hebt, maar de koningin is mooier,' grijnsde Arling. Ik knarsetandde. Darien omklemde de tafelrand zo hard dat zijn knokkels spierwit werden.

Tot mijn verbazing lachte Urdo alleen maar. 'Praat liever over zaken waar je verstand van hebt,' zei hij. 'Arling Gunnarsson, ik ben bereid je goud te betalen in ruil voor vrijlating van mijn koningin. Hoeveel had je gedacht? Volgens de oude wetten van Jarnholme is de prijs gelijk aan de halve losprijs voor een koning en evenveel als voor een gezworene. Neem je genoegen met een losprijs ter waarde van vier manden goud?'

'Ik wil het in overweging nemen,' zei Arling.

'Het is tijd,' kondigde broeder Cinwil aan. We stonden allemaal op en bogen.

'Nog even, broer,' zei Ulf in het Jarns, toen we uit de schaduw van het zonnescherm traden. 'Ik wil even met je praten, buiten deze plek van herautenvrede.' Arling aarzelde, maar draaide zich toch om en liep naar Ulf. We wachten allemaal, in twee onbehaaglijk bewegende rijen.

'Ja?' zei Arling. Nu ze stonden, kon iedereen zien dat Ulf een handbreedte groter was dan zijn broer.

'Zou je niet liever teruggaan naar Jarnholme?'

'Nee. Zou jij niet liever deze vreemde koning opgeven om mij te komen dienen?'

'Nooit, zolang jij er nog bent, idioot,' zei Ulf, en de minachting in zijn stem was onmiskenbaar. 'Blijf je volharden in het schenden van de vrede, door je te laten leiden door een zwarte magiër?'

Arling gluurde naar Morthu. 'Hij is geen magiër, maar een heilig man,' zei hij terwijl zijn hand naar zijn halssteen tastte. 'Waarom zou ik me druk maken over die vrede van jullie?'

'Als koning zou je dat moeten doen,' zei Ulf terwijl hij de gouden armband die hij droeg tussen zijn vingers ronddraaide. 'Dit is de armband van onze grootvader. Ik ben nog altijd je broer, je oudere broer, en ik mag dan misschien geen koning zijn, maar ben nog steeds hoofd van de familie.'

'Voor zover dat van waarde is, voor een kinderloze manke kerel,' beaamde Arling behoedzaam.

'Voor het bloed dat we delen,' zei Ulf, nu recht tegenover Arling. Hij hief zijn handen op, de palmen naar de hemel gericht, de armen gespreid. Ohtar, achter mij, slaakte een kreet toen het late licht van de zon op de gouden armband van het koningshuis van de Jarns viel en deze zo hevig liet blinken dat mijn ogen ervan traanden.

Ulfs stem klonk krachtig en helder. 'Bij mijn dood vervloek ik je; bij de schimmen der gevallenen vervloek ik je; de kille handen zullen je krachtig omklemmen. Nooit zul je een leger naar de overwinning leiden; nooit zul jij met ere rusten; nooit zal jouw bloedlijn voortleven. Moge Thurr je verpletteren; moge Frith je laten verdorren; moge Fritha je versmaden; moge Uller op je jagen; moge Freca je met blindheid slaan; moge Noth je verdrinken; moge Tew je doorklieven; moge de hel jou laten rotten; mogen de Furiën je verscheuren; moge alle onheilen jou treffen.'

Langzaam draaide Ulf zijn handpalmen om. Terwijl hij sprak, was de kleur steeds meer weggetrokken uit Arlings gezicht, totdat de lichte halssteen die hij droeg donkerder was dan hijzelf.

Ulf liet zijn armen langs zijn lichaam zakken en spuwde verachtelijk naar de voeten van zijn broer. Arling klapte dubbel als een man die hard in de maagstreek is gestompt, hoewel het speeksel hem niet raakte en alleen in zijn schaduw belandde. Zijn bleke ogen spuwden vuur. 'Jij hebt geen macht; jij hebt de macht niet om mij te vervloeken,' zei hij, maar zijn stem sloeg over.

'Ach, zo'n vloekje kan geen kwaad; het zijn maar woorden,' zei Morthu, eveneens in het Jarns. Alles wat Emer me over vervloekingen had verteld kwam bij me boven, en ik wist dat hij loog. 'Niemand zal er last van hebben behalve hijzelf. Kom, laten we er niet meer aan denken en teruggaan naar Caer Tanaga, dan zullen we eens zien of de koningin zich nog wil aansluiten bij dit stelletje verraders, tirannen en hoereerders.'

De woede in mijn binnenste was al de hele middag heviger geworden, zodat ik inderdaad razend was. Toch was dat niet de reden dat ik de sprong maakte. Ik had best nog wel een zinloze belediging langs me heen kunnen laten gaan en ik wist nauwelijks met zekerheid wat de Jarnse woorden betekenden. Ik was echter dichterbij dan Darien en vanuit mijn ooghoek zag ik hoe hij zich voorbereidde om in beweging te komen. Voordat hij iets kon doen dat de wapenstilstand onherstelbaar zou verbreken, sprong ik op Morthu af. Ik raakte hem niet aan. Ik zag, naast die triomfantelijke blik, wel degelijk angst in zijn ogen. Ik zag dat hij had gehoopt mij – of wie ook van ons – te provoceren. Ik zag dat zowel Arling als Ayl aanstalten maakten om hem te hulp te komen. Ik zou hem echter niet de nek breken, hoe graag ik het ook wilde. Ik bewoog mijn hand heel langzaam en legde hem op zijn arm, net onder de mouw van zijn mantel, waar de arm bloot was. Hij en ik moeten er hebben uitgezien als twee mensen die op het punt stonden samen aan tafel te gaan. Hij bleef doodstil staan, hoewel het heimelijke lachje in zijn ogen nu verdwenen was.

'Jij zegt dat een vloekje geen kwaad kan?' zei ik, zo luid mogelijk. Ik zag Arling verstarren, voordat hij een stap achteruit deed. 'Wel, in dat geval zal ik, Sulien ap Gwien, jou vervloeken bij de goden van mijn volk, dan zullen we zien wat daarvan terechtkomt. Ik zal je zo vervloeken, Morthu ap Talorgen, dat je, als je je ooit in Caer Tanaga waagt, daar zult sterven.'

Terwijl ik mij mentaal uitstrekte naar de Heer van het Licht, de Moeder en de Schilddrager, weefde ik hun namen met die van mij en Morthu in de vervloeking. Toen voelde ik hoe de schering en inslag van de wereld veranderden, zodat wat ik gezegd had waar werd en dat Morthu, als hij zich in Caer Tanaga mocht wagen, zou komen te sterven. Ik wist dit even helder als ik wist dat een steen die ik losliet naar de grond zou vallen. Ik hoefde hem niet te laten vallen, maar als ik het deed, zou dat gebeuren. Ik weet zelf niet waarom ik nu juist Caer Tanaga koos, behalve dan dat hij zo-even had gezegd dat hij daarheen wilde, toen hij ons en de koningin beledigde. Terwijl ik de laatste lettergreep uitsprak, zag ik een felle lichtflits. Ik liet mijn hand zakken en knipperde met mijn ogen.

Morthu lag op het gras. Hij moest plotseling zijn gevallen, toen iedereen de ogen sloot. 'Ik ben getroffen!' jammerde hij. 'De demon Ap Gwien heeft mij aangevallen!'

'Een demon!' bulderde Cinon. 'Een demon – ik heb altijd al gezegd dat ze dat was.'

Ik keek om mij heen. Morthu lag op de grond. Ieder ander voor mij deinsde terug. 'Ik heb hem niet aangeraakt,' zei ik.

'Is dit geen schending van de wapenstilstandsvrede?' Broeder Cinwil?' vroeg Morthu met een zwak, maar duidelijk verstaanbaar stemmetje. Ik had hem met één trap de strot kunnen verbrijzelen, op dat moment. En ik zou het alsnog doen als Cinwil inderdaad beweerde dat de wapenstilstand door mij geschonden was.

'Ik moet eerst ruggenspraak houden,' zei broeder Cinwil gewichtig. Hij boog zich over Morthu heen en controleerde hem op verwondingen. Hij vond natuurlijk niets.

'Ik heb hem niet eens aangeraakt,' fluisterde ik Raul toe toen hij langs me heen liep en naast de andere priester neerhurkte. Hij keek naar me alsof ik een giftige pad was die iemand in zijn bed had gelegd.

'Morthu ap Talorgen is ongedeerd,' zei Urdo luid, met de klank in zijn stem die duidelijk maakte dat hij geen tegenspraak duldde. 'Ap Gwien van Derwen mag hem misschien wat overijld hebben vervloekt, maar hij heeft zelf verklaard dat vervloekingen geen kracht hebben. Sulien ap Gwien is de kampioene van de koningin en het werd haar – zoals geldt voor ons allemaal – te veel toen ze hoorde hoe Ap Talorgen haar zo door het slijk haalde.'

'Maar die lichtflits!' zei Angas op beschuldigende toon. 'Wat je zegt klinkt begrijpelijk genoeg, misschien; ik heb zelf ook niet zo'n hoge dunk van de manier waarop Gunnarsson en Morthu over de koningin spraken. Iedereen verliest zijn geduld weleens. Maar dat licht!'

'Dat kwam niet van mij,' zei ik. Ayl maakte met zijn vuist het teken van de Dondergod en deed nog een stap achteruit.

'Ik wil met deze demon nooit meer aan tafel zitten,' zei Cinon, die zijn halssteen omklemde.

'Ap Talorgen is ongedeerd,' verklaarde broeder Cinwil eindelijk terwijl hij Morthu overeind hielp. 'We zullen beraadslagen en jullie ons besluit laten weten.'

We begonnen de helling te beklimmen, zonder Raul. 'Het spijt me,' zei ik tegen Urdo toen we onze wapens terugnamen.

'Laat maar,' zei hij. 'Als je hem had gedood, hadden we meteen strijd moeten leveren – en waarschijnlijk op ongunstig terrein.'

'Ik verontschuldig me niet omdat ik hem niet heb gedood.'

Urdo zei grijnzend: 'Ik denk niet dat ze tot de conclusie zullen komen dat de wapenstilstand is geschonden. En als jij een demon was, zou je niet in deze hitte onder dat scherm hoeven te zitten om al dat gebazel aan te horen.'

'Kan ik ook een demon zijn?' vroeg Ohtar met zijn zware stem. 'Ik snap niet wat ze ermee denken te winnen. Denk jij dat Arling goud zal willen aannemen voor je koningin?'

'Niet onmogelijk,' zei Urdo, zonder iemand van ons aan te zien.

'Hebben we wel zoveel goud?' vroeg Cadraith. 'In Caer Asgor heb ik wel wat, maar niet hier.'

'Caer Segant is dichterbij en daar ontbreekt het niet aan goud,' zei Urdo.

We liepen verder, de heuvel op. Ik prutste aan de gesp van mijn zwaardgordel.

'Dat was een echte vervloeking,' zei Darien, die op me wachtte.

'Ja,' zei ik.

'En die van Gunnarsson was ook echt,' vervolgde hij.

Ulf was ons slechts een paar stappen voor. Hij had zijn strijdbijl in zijn hand. Hij bleef staan en keek op, voor het eerst sinds hij zijn broer Arling had vervloekt. 'Dat is zo,' zei hij. Hij keek Darien aan, en daarna mij. 'Ik ben woedend op Arling dat hij zo stom heeft kunnen zijn om alles wat we hier hebben opgebouwd te bederven. En het spijt me ontzettend dat ik je broer heb gedood, prefect. Als ik dat niet had gedaan, zou niets van dit alles ooit zijn gebeurd.'

Daar had hij gelijk in, uiteraard. Als mijn broer Darien nog had geleefd, zou alles anders zijn gelopen.

'Je deed het niet moedwillig,' zei ik onbeholpen.

'Ik heb je broeder Galba eveneens gedood,' zei hij. 'Ik weet niet of je dat ooit hebt geweten. Bij Foreth.'

Daar wist ik niets van. Dat was echter in een slag gebeurd, waarin hij en ik als vijanden tegenover elkaar hadden gestaan. Het was maar goed dat niemand dit ooit aan Aurien had verteld. 'Waarom vertel je me dit nu?'

'Hij wil graag dat jij het instrument van het onheil zult zijn dat zijn broer Arling zal doden,' zei Darien, alsof het even concreet was als de muur van een stadspoort.

Ik keek naar Ulf, die nerveus met zijn bijl zwaaide.

'Aha,' zei ik. 'Ik begrijp het. Goed, als ik ook maar even de kans krijg, zal ik daar niet het minste bezwaar tegen hebben.'

15

Verrukkelijk is de boom vol loof,
een wonder zijn des zomers rozen;
als een mooie vrouw voorbij gaat,
is er altijd een die haar ziet gaan.

Hoe kan ik slapen als jouw adem
de lucht in heel deez' hal verzoet?
Eenzaam in de duisternis verlang ik
naar jou en al wat mij aan jou herinnert.

Verrukkelijk zijn de gouden blad'ren,
een wonder ook de bessen van de herfst;
als een mooie vrouw haar stem laat horen,
is er altijd een die geboeid zal luisteren.

Hoe kan ik zien, als jij mijn einder bent
en jouw lieflijke schaduw zich neervlijt
tussen mij en heel de wijde wereld?
Al wat ik zie weerspiegelt jou.

Verrukkelijk zijn de kale takken,
een wonder ook des winters witte sneeuw;
als een mooie vrouw verdriet heeft,
is er altijd een die met haar weent.

Hoe kan jouw man aan jou voorbijzien?
Hoe kan hij jouw eer met voeten treden,
waar ik alleen verlang te geven,
al wat jouw milde hart begeert?

Verrukkelijk zijn der bomen botten,
een wonder de belofte van de zon;
als een mooie vrouw omhoog kijkt,
is er altijd een die haar verwacht.
– Cian ap Gwinth Gwait: *Lente*

Emer en haar troepen waren in ons kampement gearriveerd terwijl wij aan de onderhandelingen deelnamen. Zij en Atha staarden elkaar woedend aan over Masarns hoofd toen wij Urdo's tent naderden. Emer drukte haar hand tegen haar gezicht, altijd een teken dat ze zich ongelukkig voelde.

'Barmhartige God, hebben die twee ooit aan dezelfde kant gestaan?' zei Darien zacht tegen mij.

'Heel kort, toen ze na Foreth een inval bij ons deden,' antwoordde ik. Darien rolde met zijn ogen en we liepen met Urdo, Cadraith en Ohtar naar voren om hen te begroeten. Ulf en Cynrig gingen terug naar hun vrienden. Ik benijdde hen.

'Ik heb de troepen van Dun Morr een plaats gewezen naast jouw ala, bij het riviertje,' zei Masarn tegen mij toen iedereen elkaar had begroet.

'Goed idee,' zei ik. Mijn ala was in elk geval meer aan ze gewend. Die regeling hield hen bovendien weg van de troepen van Atha, en dat was alleen maar goed nieuws. Het merendeel van Atha's legermacht bevond zich nog in de omgeving van Caer Tanaga, maar ze had genoeg manschappen meegenomen naar hier om ons in pijnlijke verlegenheid te kunnen brengen als tussen de rivaliserende partijen uit Isarnagan de vlam in de pan sloeg.

Nadat ik me een tijdje had ingespannen om zo beleefd mogelijk te zijn, excuseerde ik me; ik ging een bad nemen en wilde de gewonden bezoeken. Cadraith vertrok naar zijn eigen ala. Emer kwam met mij mee, om naar haar troepen om te zien, zei ze. Het viel me op dat ze nog enigszins mank liep vanwege de verwonding die ze in de strijd tussen de bomen had opgelopen. 'Wat doet dat mens hier?' vroeg ze, zodra we buiten gehoorsafstand waren.

'Ze is hierheen gekomen om Conal te wreken,' zei ik.

Emer begon te lachen en gooide haar lange haar opzij, op een manier die me deed vermoeden dat ze moeite had haar tranen te bedwingen. 'Conal wreken...' zei ze. 'Atha de Feeks, die Conal komt wreken?'

'Hij was haar heraut,' zei ik sussend. Ik bleef staan en ze deed hetzelfde. 'Emer, ik weet dat jij zelf Conal wilt wreken. Ik waardeer het enorm dat jouw troepen hier zijn. De hulp die jij en Lew mij in deze roerige tijden hebben gegeven, is onbetaalbaar. Ik begrijp dat jij uit Connat komt en dat Connat al heel lang overhoop ligt met Oriel.' Ik zei er niet bij dat ze dit – en nog veel belangrijker redenen voor een verschil van mening – ter wille van Conal terzijde had geschoven, hoewel hij uit Oriel kwam. 'Ik wil je echter vragen nu geen twist te zoeken met Atha. Urdo heeft haar nodig.'

'Ik zal geen ruzie met haar maken, zolang zij geen ruzie zoekt met mij,' zei ze. 'Verlang echter niet van mij dat ik met haar aan tafel eet. En als we de slag in moeten, posteer me dan niet naast haar.'

'Ik voer het opperbevel niet, maar ik zal Urdo zeggen wat je vraagt,' zei ik. 'En wat dat tafelen betreft, dat lijkt me gemakkelijk genoeg als er een bloedvete tussen jullie bestaat.'

Emer legde haar hand op het litteken op haar gezicht. 'Telt dit?' vroeg ze.

Dat deed het natuurlijk niet, aangezien ze het in de strijd had opgelopen. Ze wist dat echter evengoed als ik. 'Emer...' begon ik aarzelend.

'Conal zou nooit hebben gewild dat hij door Atha werd gewroken,' zei ze.

'Conal zou ook nooit hebben gewild dat jij jezelf in levensgevaar brengt,' zei ik bot. 'Dat heeft hij me gezegd toen hij stierf.'

'Dat is zijn keuze niet,' zei ze, voor zich uit starend. 'Je begrijpt het niet. Als je zoveel van iemand houdt en hij op deze manier sterft...' Ze haalde haar schouders op.

'Dat neemt niet weg dat jij je verantwoordelijkheden hebt.Dun Morr... je dochter... Lew...'

Ze keek me aan alsof ik haar erop had gewezen dat de vloer moest worden geveegd en dat de eieren moesten worden geraapt. 'Ooit iemand gekend bij wie je, als je met hem samen was, het gevoel had alsof de zon was opgekomen?' vroeg ze. 'En bij wie je, als hij er niet is, het gevoel hebt alsof je in de schaduw staat? Zodat een kamer waarin hij niet aanwezig is, net zo goed een lege kamer kan zijn, al is hij vol mensen? En dat je, als je hem ziet, weet dat het weefsel van de wereld weer in orde is, omdat je bij hem bent? Mijn leven lang heb ik...'

Ik had een moeilijke dag achter de rug. Ik bedwong de neiging haar te zeggen dat ze praatte als een verwend kind, in plaats van als een volwassene en een koningin, die zich bewust behoorde te zijn van haar plichten. Het was een grote opluchting voor me toen ze midden in een zin ophield met praten. Ik draaide me om, om te zien waardoor ze zo was afgeleid.

Teilo en Inis liepen op ons toe, hevig in gesprek. Inis maakte brede gebaren om zijn woorden te benadrukken. Voor het overige zag het kamp eruit zoals het er altijd uitzag. Iemand, niet ver weg, was bezig een lam te roosteren, en de geur maakte me hongerig.

'Inis ap Fathag!' zei Emer. Het was nauwelijks meer dan fluisteren.

'Tegenwoordig noemt hij zich Inis, Grootvader van Helden. Hij is met Atha meegekomen.'

Emer moest lachen. 'Echt wat voor hem. Hij is volslagen gek. Dat is hij al jaren, hoewel hij, zolang je hem niets vraagt, verstandige dingen kan zeggen. Ik heb hem leren kennen toen ik als jong pleegkind in Oriel woonde, voor de Grote Oorlog. Ik sta er echter versteld van hem hier te zien. Ik had gedacht dat hij zijn bomen nooit meer zou verlaten. Conal had me verteld dat hij sinds de dood van Zwarte Darag zijn bos niet meer uit is geweest.'

Ze waren nu bijna dicht genoeg bij ons om hen te kunnen aanspreken. Ik hoorde Teilo met stemverheffing zeggen: 'Ik denk niet dat God zich tegen de Grote Koning heeft gekeerd, maar hoe zou ik het de mensen kwalijk kunnen nemen als ze zich zoiets afvragen?'

Ze bleven staan toen ze vlak bij ons waren. 'Gegroet, moeder Teilo, grootvader Inis,' zei ik met een buiging.

'Wees gegroet met de genade van de Barmhartige God, Ap Gwien, Ap Allel,' antwoordde Teilo terwijl ze onze buiging beantwoordde. Ze zag er goed uit. Haar gezicht was al oud en gegroefd geweest sinds ik haar voor het eerst had gezien, en de afgelopen vijf jaren hadden geen verschil gemaakt. Ze deed me denken aan een hazelaar, oud en knoestig, maar nog altijd bestand tegen de gure winterwind. Haar bruine habijt versterkte die indruk nog.

'Gegroet, moeder Teilo,' zei Emer. 'En een goede dag en welkom op het eiland Tir Tanagiri, Grootvader van Helden.'

'Gegroet, kleindochter,' antwoordde Inis glimlachend.

'Wat? Ga je nu het grootvaderschap opeisen van iedere held of heldin die je ontmoet?' zei Teilo glimlachend. 'Hoe zit het met Ap Gwien, hier?'

Tot mijn verbazing boog Inis diep voor mij. 'Ik groet je, heldin,' zei hij. Ik voelde mijn wangen heet worden. 'Waar het de kleine Emer betreft,' zei hij, zich weer tot Teilo wendend, 'meen ik recht van spreken te hebben. Er zijn meer werelden waarin zij met een van mijn kleinzonen huwt dan werelden waarin zij dat niet doet. Zelfs in deze wereld...'

Emer hijgde van schrik, en ik sloot mijn ogen, in de verwachting dat hij onbekommerd Emers geheimen aan Teilo zou onthullen.

'Ze was tenslotte verloofd met Darag voordat hij zo overijld met Atha trouwde,' vervolgde hij, met een schelms lachje naar Emer.

'Is vrouwe Rowanna met u meegekomen?' vroeg ik Teilo, om mijn verlegenheid te camoufleren.

'Ze is hier in het kampement,' knikte Teilo. 'We zijn enkele uren geleden overgekomen uit Caer Segant. Ze rust uit van de rit en wil haar zoon later begroeten. Ik heb een deel van de gewonden bezocht.' Ze schudde treurig het hoofd. 'Inis en ik hebben het over die gruwelijke vloek gehad.'

'Urdo heeft me verteld dat de vloek over heel Segantia ligt,' zei ik.

'Over wat voor vloek hebben we het?' vroeg Emer.

'Wapenrot,' zei Teilo. 'Degenen die in de strijd gewond zijn geraakt, genezen niet zoals het hoort, omdat de kracht die tegen wapenrot werkt de goden niet bereikt.'

'Alle goden?' vroeg Emer, duidelijk ontsteld.

'Ah, je legt precies de vinger op de juiste plaats,' zei Teilo goedkeurend. 'Zelfs de Eeuwig Barmhartige Blanke God niet.'

'Evenmin als de Grote Geneesheer,' zei ik.

'Nee?' Teilo keek mij scherp aan. 'En onder welke naam roepen jullie hem aan?'

'Graun,' zei ik, verbaasd dat ze een zo persoonlijke vraag stelde.

'Graun,' echode Inis.

'En hebben jullie alleen de geneeshymne gezongen of ook geprobeerd je naar hem uit te strekken?' vroeg ze.

'Allebei, ja. Het voelde aan alsof ik werd geblokkeerd. Het was heel vreemd.' Ik wilde haar niet vertellen over mijn poging om Darien terug te sturen, of de keer dat Morwen had geprobeerd mij te doden, maar dat waren de enige andere keren dat ik op een hindernis tussen mij en de goden was gestuit.

'Ik ben op zoek geweest naar een heidense Jarnsman in dit kamp die genoeg van genezende krachten weet om meer te kunnen doen dan alleen uit het hoofd de geneeshymne te zingen en mij de naam te zeggen van de god die zij aanroepen, maar tot nu toe heb ik er niet een kunnen ontdekken. Ze grijpen óf alleen naar hun halssteen en omklemmen die terwijl ze mij vragen voor hen te bidden, óf ze weigeren iets tegen mij te zeggen.'

'Ohtar zal weten wie u moet hebben,' zei ik. 'Laat me u naar hem toe brengen, dan zal ik hem vragen met u te praten.'

'De geneeshymne werkt evenmin voor de heidense gewonden,' wierp Teilo tegen. 'Welke naam ze ook gebruiken, de god in kwestie luistert niet naar hun gebeden.'

'Deze blokkade is veel te wijd verbreid om een vloek te kunnen zijn,' zei Emer. Over Emers schouder zag ik een paar leden van Cadraiths ala bezig met het exerceren van hun paarden. Ze lachten en maakten grappen met elkaar alsof de wereld alleen bestond uit zonnige zomeravonden op grazige hellingen.

'Het is een vorm van magie, dat is duidelijk genoeg,' zei Teilo.

'Geen enkele vloek vermag alle goden de ogen te sluiten,' zei Inis.

'Dat ben ik met je eens, maar hoe komt het dan dat de wonden van de mensen voor onze ogen rotten?' vroeg Teilo. 'Dezelfde bezwering zal iedere godheid bereiken, mits je zijn of haar naam erin weeft. Het komt echter zelden voor dat iemand zoiets doet. Wat heeft het voor zin Graun om hulp te vragen bij het vissen, als het Nodens is die weet hoe hij jouw netten kan vullen? Er zijn echter hymnen tot Breda die ik als kind heb geleerd; en toen ik die voor de Blanke God zong, kreeg ik ook antwoord.'

'Er zijn massa's mensen in Tir Isarnagiri die daar alles van weten, want jij hebt de Heilige Chanerig naar ons toe gezonden,' zei Inis.

'Een heilige nog wel. Ik heb hem niet gestuurd, en dat weet je heel goed,' zei Teilo onverstoorbaar. 'De Heer heeft me geen woord gezegd over dat eiland van jullie. Mijn zorgen hadden altijd alleen betrekking op mijn eigen volk.'

'Probeert u te zeggen dat het geen verschil maakt welke god iemand vereert?' vroeg Emer.

Teilo en Inis wendden zich zo fel tegen haar dat ze van schrik een stap naar achteren deed. 'Het maakt alle verschil van de wereld!' zei Teilo. 'Toen ik begon te beseffen dat er een God was die groter is dan alle andere, een God die we allemaal konden aanbidden en wiens genade en vergiffenis alle dingen goed maakt, is alles voor mij veranderd.'

'Het zijn de mensen die hetzelfde blijven,' zei Inis.

'De bezwering blijft dezelfde?' vroeg Emer schuchter, bijna alsof het geen vraag was.

'Ja. De bezwering blijft dezelfde, afgezien van de naam, hoewel het antwoord van de god misschien iets anders zal uitpakken. Hoe zou een geneeshymne kunnen worden geblokkeerd?'

'Het is dus de vloek die de geneeshymne blokkeert?' vroeg ik. 'Als ik me uitstrek naar de goden, verhindert de vloek dat ik tot de goden doordring?'

'Als jij tot Graun hebt gebeden, ikzelf tot de Barmhartige God en Inis tot Miach, en als desondanks niet een van onze hymnen wordt gehoord – ja, dan zou ik zeggen dat de vloek verhindert dat de hymne werkt,' zei Teilo. Ze hanteerde de godennamen wel heel vrij. De goden mogen dan geen mensen zijn die genoodzaakt zijn hun eigennaam voor zich te houden, maar het stemde me niettemin onbehaaglijk. Het leek me onbeleefd.

'De hymne of mentale vorm die je in je geest creëert,' zei Inis, die haar scherp in de ogen keek, sterker gefocust in het hier en nu dan ik ooit van hem had meegemaakt, 'is het voertuig dat je geest gebruikt om zich uit te strekken naar de goden. Als er iets is dat mensen belet die mentale vorm te creëren, kan dat alleen een vorm van geestvertroebeling zijn.'

'Maar als die vertroebeling van de geest over heel Segantia is gelegd, hoe komt het dan dat Cinvars gewonden er geen hinder van ondervinden?' vroeg Emer.

Daar had ik nog niet bij stilgestaan. 'Misschien heeft Morthu hun een andere geneeshymne geleerd,' zei ik. 'Arling zei dat hij een "heilig man" was; hij moet dus iets hebben gedaan waarmee hij die reputatie verwierf. Als de vorm van de gebruikelijke geneeshymne wordt geblokkeerd, zou een andere geneeshymne wél effect kunnen hebben.'

'Kan Rowanna een andere geneeshymne vinden?' vroeg Emer.

'Rowanna?' Teilo fronste haar voorhoofd. 'Dat zal haar heel zwaar vallen, maar ik zal haar er zo nodig bij helpen. Ik hoopte eigenlijk iemand te vinden die een andere geneeshymne kent. Ken jij misschien een andere hymne, Ap Gwien? Of zou Ohtar er een kennen? Of jij, Ap Allel?'

'Ik heb me nooit zo bezig gehouden met genezen,' zei Emer.

Ik pijnigde mijn hersens, maar iedere hymne die ik kende leek zo specifiek en zo nutteloos voor iets anders.

'De *Hymne der ouderen* voor een goede gezondheid?' opperde Inis. Zijn stem klonk ver weg.

Ik keek hem aan en zei voorzichtig: 'De hymne die begint met "De oudere boom groeit aan de waterkant".' Ik deed mijn best het niet te laten klinken als een vraag. Het was een bezwering die Garah mij had geleerd – geen hymne van mijn moeder. 'Maar dat is geen bezwering tegen wapenrot; het is alleen een bede om weerstand tegen ziekte. Ik zing deze hymne voor mensen die ziek zijn, om hen te helpen beter te worden.'

'Die hymne voorkomt besmetting als iemand zwak is,' knikte Inis.

'Ik dacht dat jullie zeiden dat dit geen ziekte is?' vroeg Emer.

'Het is geen ziekte,' zei Teilo. 'Er is geen enkele ziekte die maakt dat iemand in de strijd gewond raakt. Laten we die hymne eens proberen, om te zien of de gewonden er iets aan hebben.'

We begonnen de helling af te dalen, naar de tenten die Ap Darel voor de gewonden uit mijn ala had opgezet. Zodra we er aankwamen, zag ik dat de toestand nog erger was geworden dan ze die ochtend was geweest. Het gekreun en de roep om hulp van de gewonden kwamen ons al tegemoet, en de lucht was bedompt vanwege de stank van ziekte.

Mijn trompetter, Berth, was toevallig de eerste gewonde die we bereikten. Hij lag op een bed van varens, in een lichte, onrustige slaap. De diepe wond in zijn been was verbonden, maar het been zag er gezwollen en kwaadaardig rood uit, zelfs buiten de zwachtels. 'Er moet een immense kracht aan het werk zijn geweest om een vloek te creëren die iedereen zo zwaar treft,' zei Emer terwijl ze het been bekeek.

'Hij heeft nooit enige aarzeling gekend om te moorden voor macht,' zei Inis raadselachtig.

'Wie?' vroeg ik, vergetend dat ik hem geen rechtstreekse vragen moest stellen.

'De zwarthartige, giftongige zoon van de heks-koningin die etter het hof maakt om zoiets als dit te doen,' antwoordde Inis terwijl hij de zwachtels loswikkelde, zodat we de etterende, stinkende wond in Berths been konden zien. Berth bewoog zich en mompelde iets in zijn slaap, maar hij werd niet wakker. Ik wou maar dat Inis bereid was Urdo te zeggen dat Morthu dit had gedaan.

Ik zette alles van mij af, behalve de noodzaak van genezing. Ik legde mijn hand op Berths schouder en zong de *Hymne der ouderen*, waarmee ik mijn geest uitstrekte naar de Grote Geneesheer als Rhis, Planter der Ouderenboom, de heilzaamste van alle bomen voor het maken van artsenijen. Ik smeekte hem om kracht en bescherming tegen besmettingen en om de terugkeer van rust en gezondheid. Ik voelde me moe, na afloop, maar ik had het gevoel dat er antwoord op mijn bede zou komen.

Berth deed zijn ogen open en keek naar mij. 'Vrouwe Sulien,' zei hij. Hij geeuwde. 'Ik heb ontzettende dorst.'

Vlug kwam Emer hem water brengen, en terwijl hij dronk keek ik naar zijn been. De wond leek veel op de schram op mijn arm, een ondiepe snede die langzaam bezig was te genezen. De huid was nu roze en wat glanzend, maar de zwelling en het etteren waren verdwenen.

'Ik zal Pierian zeggen dat je je beter voelt,' zei ik, toen we van Berth naar de volgende in de tent liepen.

'Ze komt straks bij me kijken; ze is een schat,' zei hij. 'Ik zal haar zeggen dat u mij hebt genezen. Dank u, prefect.'

Ik ging door met het zingen van de *Hymne der ouderen* voor de gewonden. Na een poosje merkte ik dat Inis zelf ook was begonnen de hymne te zingen, voor de gewonden die dat het dringendst nodig hadden. Teilo luisterde nog wat langer, totdat ze me de hymne vaak genoeg had horen zingen om het zelf ook te kunnen doen. Emer bleef bij mij, maar ik zag ook haar lippen bewegen. Toen ik het bed verliet van een vrouw die stervende leek, hield ze me tegen.

'Dit is de moeilijkste hymne die ik ooit heb gehoord,' zei ze. 'Meestal heb ik er weinig moeite mee zulke dingen te leren, maar de woorden en de wijs van deze hymne lijken me het ene oor in en het andere oor uit te gaan. Hier heeft niemand iets aan mij; het lijkt me beter dat ik naar mijn troepen ga.'

Met Ap Darel was het net zo gesteld, merkte ik, toen hij naar me toe kwam. Hij deed zijn best de hymne te leren, maar het lukte hem niet. Ik heb die avond en nacht voor zoveel mogelijk gewonden gezongen, zodat ik heel laat en absoluut uitgeput mijn tent binnenrolde. Pas toen ik in alle rust op mijn bed lag, merkte ik dat ik totaal vergeten was te eten.

De volgende dag was mijn aanwezigheid bij de onderhandelingen niet gewenst. Urdo en Darien kwamen naar mijn tent om met mij te ontbijten. Urdo vroeg me die avond bij hem te komen eten, dan zou ik te horen krijgen hoe de onderhandelingen waren gevorderd. Kort daarna kwam Teilo me weghalen om te helpen bij het genezen van Cadraiths gewonden. Het scheen dat sommigen onder hen hadden geweigerd haar in hun buurt te laten, en de rest wilde niets van mij weten. De theologische twistgesprekken in de tent waren even veelvuldig als de vliegen. Ik probeerde ze te negeren en mij op de hymne te concentreren, maar Teilo liet zich telkens afleiden door met gewonden te gaan argumenteren. Het helpen genezen van de gewonden vermoeide me meer dan anders. Het was bijna avond toen ik mijn eigen gewonden kon bezoeken. Ik zag dat Berths wond weer rood begon te worden, zodat al het werk over moest worden gedaan. Ik kon wel huilen. Niemand was er even slecht aan toe als de vorige dag, maar alle wonden leken tot op zekere hoogte weer te zijn verergerd. Ik stuurde Ap Darel naar Urdo om mij te excuseren en bleef de hymne zingen totdat mijn stem het begaf.

Ik lag vast te slapen toen Urdo mij die nacht wakker kwam maken. Ik schrok wakker, uitgeput na een droom over een zware dag oefenen van lang geleden. Een ogenblik dacht ik zelfs dat hij Osvran was, die me uit mijn bed kwam sleuren voor een nachtelijke exercitie. Ik knipperde met mijn ogen toen hij me uitlegde dat Raul ziek was. 'Ik weet dat je moe bent, maar het schijnt dat Teilo, Inis en jij de enigen zijn die deze hymne kunnen zingen. Teilo is negentig jaar oud en Inis is...'

'Een onvoorspelbare schelm en ligt te slapen te midden van Atha's Isarnaganen,' zei ik terwijl ik overeind ging zitten en mijn handen door mijn haar haalde. 'Ik kom eraan; excuses zijn niet nodig. Ik wist alleen niet dat Raul gewond was.'

'Dat is hij ook niet,' zei Urdo. 'En dat is waar ik me zorgen over maak. Hij heeft koorts.'

'Koorts?' zei ik, nog traag van begrip door de slaap.

'Ik kan hem niet genezen,' zei Urdo eenvoudig.

Ik trok een hemd over mijn hoofd en stond op terwijl ik mijn armen in de mouwen stak. 'Waar is hij?' vroeg ik.

'In mijn tent,' zei Urdo. We wandelden door het slapende kampement, af en toe reagerend op een gedempte aanroep van een schildwacht. Ik was blij dat ze zo waakzaam waren. Het was bijna halve maan en aan de stand ervan kon ik zien dat het al geruime tijd na middernacht moest zijn. Het was een kille nacht, ook al was het hartje zomer. Ik had mijn mantel aan moeten trekken. Ik onderdrukte een geeuw.

In Urdo's tent brandde een lantaarn. Darien zat met gekruiste benen in de lichtcirkel, bezig met het deppen van Rauls gezicht met koud water. Raul zag er schrikbarend slecht uit. Zijn huid was bijna grauw en zag er strakgespannen uit. Ik legde mijn hand op zijn voorhoofd, maar trok hem haastig terug, bijna alsof ik me aan hem had gebrand.

'Wanneer is dit begonnen?' vroeg ik. 'Gisteren mankeerde hij niets.'

'Hij viel na het eten in slaap,' zei Urdo. 'Ik dacht dat hij uitgeput was van de onderhandelingen en liet hem liggen waar hij lag.' Hij wees naar de overvolle kist met paperassen waaraan ze hadden zitten werken. 'Opeens werd hij wakker en riep om mij, midden in de nacht; en toen ik naar hem toeging, zag hij er al zo uit als jij hem nu ziet.'

'Hij voelde zich al dagen niet lekker,' zei Darien zacht. 'Hij heeft niet gegeten of geslapen en eiste veel te veel van zichzelf. Deze koorts is nieuw, maar hij voelde zich niet goed. Ik zag hem de hele dag zijn hoofd masseren, alsof hij verging van de pijn.'

'Ik weet niet of de *Hymne der ouderen* hem iets zal helpen,' waarschuwde ik. 'En zelfs als het wel helpt, schijnt dat slechts tijdelijk te zijn, zoals ik je vandaag al via Ap Darel heb laten weten.'

Ik stak mijn hand weer uit naar Rauls voorhoofd en begon de hymne te zingen. Zodra ik dat deed, opende hij zijn ogen en probeerde zwakjes mijn hand weg te duwen. 'Nee,' prevelde hij. 'Nee. Niet haar. Nooit. Waarschuw vader Gerthmol.' Ik struikelde over de woorden en aarzelde toen hij zich tegen mijn aanraking verzette.

'Vader Gerthmol zit in Thansethan,' zei Darien kalm terwijl hij zijn hand op Rauls schouder legde. 'En hij is veel te oud om nog zo ver te rijden. Mijn moeder kent een hymne die u zal genezen.'

'Nee,' zei Raul, zich nu verzettend tegen Dariens hand. 'Niet haar. Geen heidense bezweringen. De demon, de eenogige demon!'

'Moeder Teilo zegt dat de hymnen gelijk zijn,' zei ik, maar hij scheen mij niet te horen.

'Nee,' fluisterde hij terwijl hij zacht kreunend terugdeinsde.

Ik keek Urdo aan, die een vermoeide zucht slaakte. 'Ik wou dat je niet zo stom deed, Raul,' zei hij. 'Je weet heel goed dat Sulien geen demon is.'

Raul prevelde iets met veel 'nee' en 'niet haar' erin, totdat hij eindigde met: '... altijd geprobeerd tussen ons te komen.'

'Leer mij die hymne,' zei Urdo.

Ik zong de hymne voor, met het gevoel dat het een uitermate broos wapen was tegen de hevige koorts die Raul teisterde. Vreemd genoeg leek hij onder mijn zang toch rustiger te worden, hoewel ik hem niet eens aanraakte. Hij hield op met zijn onrustige bewegingen en lag nu stil.

Daarna legde Urdo zijn hand op Rauls hoofd en zong de hymne voor hem. Hij weefde er de namen van de Blanke God en de Grote Geneesheer doorheen. Het werd onmiddellijk duidelijk dat het hielp; Rauls ademhaling werd rustiger en zijn kleur was al bijna weer normaal. Hij leek nu rustig te slapen.

'Heb je het gehoord?' vroeg Urdo aan Darien.

'Ik geloof van wel,' antwoordde Darien terwijl hij over Rauls voorhoofd streek en een deken over hem heen legde. 'Waarom is het zo moeilijk deze hymne te onthouden? Ik heb hem nu twee keer in zijn geheel gehoord en toch lijkt het alsof de woorden me willen ontglippen.'

'Ik vermoed dat de vloek die over Segantia ligt dat zo moeilijk maakt,' zei ik. 'Ik kan deze hymne weliswaar zingen, maar het put me ontzettend uit. Emer en Ap Darel en alle anderen die het hebben geprobeerd, konden hem evenmin onthouden.'

'Dan ben ik blij dat ik hem heb onthouden,' zei Urdo. 'Dan kan ik je, als ik niet bij de onderhandeling ben, helpen de gewonden te genezen.'

'Toch zal ik het proberen,' zei Darien. 'Wilt u dat ik hier blijf om te helpen met Raul?'

'Die blijft wel slapen, denk ik,' zei Urdo, kijkend naar zijn oude vriend. 'Ik denk dat we er verstandig aan doen ook te gaan slapen.'

'Dan ga ik maar terug naar mijn tent,' zei Darien. 'Als u me weer nodig hebt, roept u me maar.'

'Mij heb je evenmin nodig,' zei ik. Ik was opgestaan. 'Hoe zijn de onderhandelingen verlopen?'

Urdo schudde het hoofd. 'Het enige positieve eraan is dat ze per se al hun grieven naar voren willen brengen en daarmee winnen wij tijd. Jij kunt hier nuttiger zijn. Arling zag er vandaag uit als een gebroken man. We hebben voornamelijk de grieven van Cinvar aangehoord – en die waren geen van alle de adem waard die eraan werd verspild.'

We wensten elkaar welterusten en ik liep door het slapende kampement terug naar mijn tent. Het gras was bedauwd en doorweekte mijn voeten. Hoewel ik nog altijd moe was, duurde het lang voordat ik weer warm genoeg was om te kunnen slapen.

16

'Waar zijn mijn wapenen? Waar zijn mijn krijgslieden? Waar zijn mijn zware stenen muren, versterkt met ijzer?'
– Uit: *Koningin Alinn*

De volgende twee dagen deed ik niets anders dan de *Hymne der ouderen* zingen, terwijl anderen redetwistten over religieuze kwesties. Ze praatten over hoe de geneeshymne wel of niet werkte; over het verschil tussen bezweringen, hymnen en lofliederen; en over wie ons kon hebben vervloekt en of we het wel of niet verdienden. Al die onderwerpen waren plotseling voor iedereen zo belangrijk dat er druk over werd gedebatteerd. Mensen die zelden een gedachte aan bezweringen wijdden, behalve als ze zich in de vinger hadden gesneden, hun deken kwijt waren of vuur wilden maken, hadden plotseling een uitgesproken mening over hun werking. De theorie dat de Blanke God zich van Urdo zou hebben afgewend, won aan populariteit nu Raul ziek was. In de onderhandelingen nam Teilo zijn plaats in. Dat was gunstig, verzekerde Darien mij, omdat ze broeder Cinwil op zijn nummer wist te zetten en er kleine vorderingen werden gemaakt door over kleine punten overeenstemming te bereiken. Dat was echter voor mij geen compensatie voor haar vermogen tot het zingen van de geneeshymne en haar theölogische gezag in de hospitaaltenten. Iedere dag kwamen zij, Urdo en Darien na afloop van de onderhandelingen naar mij toe en zongen we de geneeshymne totdat we allemaal te moe waren om nog verder te kunnen.

Er werden nog meer mensen getroffen door de ziekte die Raul had overvallen. De *Hymne der ouderen* leek te helpen, maar ze bleven zwak en koortsig, en ze konden hun voedsel nauwelijks verteren. Het voeden van de gehandicapten werd bemoeilijkt door gebrek aan eten. Niet dat we direct gevaar liepen de hongerdood te sterven, maar we moesten het stellen met gezouten vis en eikelmeelkoeken, die zelfs in het gunstigste geval moeilijk te verteren waren. De tweede dag nadat Raul ziek was geworden arriveerden er bevoorradingswagens uit Caer Segant, zodat we hun dunne pap konden geven. Die avond bereikten ook Luth en Ap Erbin ons met hun alae. Ap Erbin leek meer te gruwen van de gedachte dat we met Atha geallieerd waren dan van de wapenrot en de vele zieken. Nadat hij onder het avondeten uitvoerig met Urdo had gepraat, kwamen hij en Alswith naar mijn tent om zich erover te beklagen, net toen ik naar bed wilde.

'Ik kan het niet geloven!' zei hij. In zijn huwelijk – of eenvoudigweg het verstrijken der jaren – was Ap Erbin behoorlijk zwaarder geworden. Hij zag eruit alsof er een enorme stoot nodig zou zijn om hem uit zijn evenwicht te brengen. In combinatie met zijn ontbrekende oor gaf het hem het uiterlijk van een formidabele krijgsman. 'Jij hebt niet in Demedia gevochten, dus kun je het niet begrijpen, maar hoe heeft Urdo het over zijn hart kunnen verkrijgen zoiets te doen?'

Mijn haar was losgeraakt en hing verward voor mijn gezicht. Voorzichtig streek ik het naar achteren. 'Ik ben bang dat je het wanhopige van de situatie hier niet helemaal begrijpt.'

'Toch wel,' zei hij. 'Ik weet niet waarom we onderhandelen in plaats van te vechten nu de vrede geschonden is, maar ik begrijp best hoe kwalijk de toestand is. Maar toch: Atha ap Gren! De soldaten die ooit de Blanke God hebben gestenigd, zouden als bondgenoten bij mijn ala meer welkom zijn geweest dan zij!'

'Wij hebben Atha niet uitgenodigd, zoals Urdo je al heeft uitgelegd,' zei ik. 'Ze kwam. En we waren dolblij dat ze aan onze kant kwam vechten. En wat die onderhandelingen betreft: wij moesten tijd zien te winnen totdat jij en Luth hier waren.' Ik deed mijn best een geeuw te onderdrukken.

'Ja?' zei Alswith. Anders dan Ap Erbin leek ze nauwelijks veranderd sinds ik haar voor het laatst had gezien. Ze had het vlammende haar waaraan ze haar bijnaam Vuurhaar dankte strak bijeen gebonden, omdat ze onder het rijden een helm had gedragen. Ze rimpelde haar voorhoofd. 'Waarom word er nu nog gepraat? Op wie wordt er gewacht?'

'Het antwoord op die vraag bezorgt me koude rillingen,' zei ik.

'Waar is mijn oom?' vroeg Ap Erbin, die de implicatie dadelijk begreep.

'Custennin van Munew is thuis gebleven in Caer Thanbard, voor zover iemand dat kan weten, en Thurrig is bij hem,' antwoordde ik.

'Ik veronderstel dat ze op Marchel wachten,' zei Alswith.

'Ik heb geen idee waar ze uithangt, maar ik geloof niet dat ze genoeg strijdkrachten kan inbrengen om nog enig verschil te maken – tenzij ze vanuit Narlahena verse troepen heeft laten komen,' zei ik. 'We hebben haar alae tamelijk grondig uiteengeslagen en ze heeft nu weinig meer dan een paar penoenen wapendragers.'

'Verse troepen uit Narlahena kunnen in Caer Thanbard aan land gaan,' zei Ap Erbin. 'Misschien zou ik Urdo moeten vragen of hij wil dat ik erheen ga om mijn oom wat verstand in te pompen.'

'Alsof hij zoveel risico zou willen nemen,' zei Alswith. Ze beet op haar lip.

Ap Erbin legde zijn arm om haar heen. 'Urdo kent mijn trouw,' zei hij.

'Hij zal ook hebben gedacht dat hij Angas goed kende,' zei Alswith. 'Ik zie dat je afgemat bent, Sulien, maar geloof jij dat we morgen tot de aanval overgaan?'

'Dat zul je Urdo moeten vragen. Ik ben hier de hele dag op de been geweest,' zei ik. 'Maar Alfwin zal over een dag of drie, vier ook hier zijn. Bovendien is de militie van Derwen onderweg naar hier; die zullen ook niet meer lang op zich laten wachten. Urdo zei dat hij eventueel bereid was om in te stemmen met strijd, als we geen vrede overeen kunnen komen.'

'Als ik nu naar Caer Thanbard vertrek, ben ik over vier dagen terug,' zei Ap Erbin.

'Ook dat zul je met Urdo moeten bespreken,' zei ik geeuwend.

'Denkt hij werkelijk dat ze met teruggave van de koningin akkoord zullen gaan?' vroeg Alswith sceptisch.

'Ik denk dat Urdo nog steeds de hoop koestert een wig in hun alliantie te drijven, als ze eenmaal verstandig worden,' zei ik. 'Wij van onze kant zullen alles moeten vermijden dat in onze gelederen een wig zou kunnen drijven.'

'O, geen zorg, ik ga Atha echt niet in haar gezicht beledigen,' zei Ap Erbin, die meteen had begrepen waarop ik doelde. 'Als Urdo zegt dat we haar nodig hebben, is dat zo. Dat neemt niet weg dat het een kwalijke zaak is als we met oude vijanden aan onze kant tegen oude vrienden moeten vechten.'

'Ik vraag me af of Angas er ook zo over denkt,' zei ik, hoewel ik er vrijwel zeker van was. Ik wenste nog steeds dat ik onder vier ogen met Angas kon praten.

Urdo moet Ap Erbin hebben gezegd dat hij hem nodig had bij de onderhandelingen, want daar brachten die twee de komende paar dagen door. Het werk met de gewonden werd wat minder inspannend, want de toestand van sommigen begon nu echt te verbeteren. Zolang er iemand was die dagelijks de *Hymne der ouderen* voor hen zong genazen zij – langzaam en op natuurlijke manier. Nog steeds besteedde ik al mijn tijd eraan, maar het voelde minder inspannend aan, minder als een poging een rivier in te dammen met een paar stijgbeugels. Op de tweede dag na Ap Erbins komst voelde Raul zich goed genoeg om zijn tent uit te komen. Op de derde dag kwam Alfwin aan, bijna tegelijk met de militie van Derwen. Wat was ik blij hen te zien! Nu we over zoveel voetvolk beschikten, waren we even sterk als de tegenpartij. Zo dacht Urdo er ook over. Hij besteedde de volgende dag aan het verdedigen van het plan tot een strijd op leven en dood tussen twee vertegenwoordigers van de beide partijen. Ze ruzieden over de locatie. Raul kwam het me vertellen toen hij korte tijd terugkwam naar boven om wat landkaarten te halen.

Rowanna daalde af naar de hospitaaltent om eraan te herinneren dat ik me 's avonds gereed moest maken voor haar feest. In de alae was het de gewoonte om pas na de slag te feesten, in plaats van ervoor, maar ze had ons uitgelegd dat de militie van Segantia rekende op een feest vooraf. Urdo had ermee ingestemd, op voorwaarde dat zij alles zelf regelde en voor eten en drinken zou zorgen. Ze had het er daarna ontzaglijk druk mee gehad. Ik keek omlaag naar mijn kleren, onder de bloedvlekken en ergere dingen na de vele tijd die ik in de hospitaaltenten had doorgebracht. Ik beloofde haar te zullen komen, aangezien dat voor iemand in mijn positie min of meer een plicht was.

Die middag, Urdo was nog aan het onderhandelen, arriveerde Garah.

Masarn kwam naar de hospitaaltent om mij te halen. Hij wachtte totdat ik de hymne uitgezongen had voordat hij zijn hand op mijn schouder legde. 'Sulien, kun je meekomen? Het is eén noodgeval.'

Ik wist onmiddellijk dat er iets mis moest zijn, want hij had die woorden uitgesproken zonder een zweem van ironie. Ik waste mijn handen de kom die Ap Darel me kwam brengen, ondanks mijn protesten. Het maakte natuurlijk geen verschil, omdat de ziekte geen epidemie was, maar kwaad kon het niet. Ap Darel zei dat het de patiënten bemoedigde omdat alles wat ik deed voor hen belangrijk was. Ik volgde Masarn de tent uit, met achterlating van een luid geroezemoes van gissingen. 'Waar gaat het om?' vroeg ik.

'Ap Erbins verspieders dachten dat ze een spion hadden betrapt die stiekem het kamp in probeerde te glippen, maar ze stond erop persoonlijk met hem te praten voordat ze iets los wilde laten. Omdat ze niet gewapend was, hebben ze haar verzoek ingewilligd. Het bleek Garah te zijn, en ze wil geen woord zeggen voordat jij er bent. Hij heeft haar meegenomen naar Urdo's tent, want ze eiste ook Urdo te spreken. Ik zal naar beneden gaan om te zien of hij komen kan; het leek me belangrijk, te oordelen naar de manier waarop Ap Erbin keek.'

'Garah?' Ik kneep even mijn ogen dicht. 'Waar is ze vandaan gekomen? En waarom is ze alleen?'

'Dat weet ik evenmin als jij, maar ik ben ervan overtuigd dat ze niet hier zou zijn als het niet van groot belang was,' zei Masarn. 'Ga jij vast naar Urdo's tent; dan ga ik naar beneden om te proberen Rauls aandacht te trekken. Ik kan ze niet zomaar gaan storen, maar misschien lukt het op die manier.'

Ik liep door de normale bedrijvigheid van het kampement. Rowanna en Atha zaten bij Rowanna's tent. Onder het voorbijlopen boog ik voor hen. Zodra ik Urdo's tent had bereikt, krabde ik aan de tentflap, trok hem opzij en stapte naar binnen.

Garah en Ap Erbin zaten in de tent. Ik herkende haar ogenblikkelijk, ook al was ze gekleed als de geringste dienares. Ze was totaal vervuild. Onder de smerige vegen op haar gezicht zag ik blauwe plekken. Haar ogen waren roodomrand alsof ze had gehuild. Ze keek op toen ze me zag, maar kon er nauwelijks een glimlach uitpersen. 'Ik heb geprobeerd haar mee te krijgen, maar ze weigerde botweg,' zei ze.

'Wat?' Ik knipperde met mijn ogen. 'Wie? Ben je helemaal alleen uit Bregheda hierheen gekomen?'

Nu was het haar beurt om mij aan te gapen. 'Bregheda? Daar ben ik al een maand geleden vertrokken, zodra Urdo mij had ontboden – en ik kwam precies op tijd in Caer Tanaga om gevangen te worden genomen. Ik ben pas gisteravond uit de stad ontsnapt.'

'Uit de stad?' vroeg ik stomverbaasd. 'Is alles goed met je? En is dit je vermomming?' Ik ging zitten en liet de tentflap vallen, zodat er in de tent door de kier nog slechts een streep zonlicht op de vloer was te zien.

'Vermomming?' Ze keek omlaag naar zichzelf. 'O, nee, dit is de manier waarop Morthu meent mensen te moeten behandelen naar wat ze volgens hem verdienen. Hij heeft me vloeren laten schrobben, omdat ik zo brutaal was geweest me "uit te geven voor de koningin van Bregheda" zoals hij het noemde. Ik moet je bekennen dat ik heel wat tijd heb besteed aan denken over alles wat Glyn hem zou aandoen om hem dit betaald te zetten, en hoe hij Bregheda – voor zover dat mogelijk is – zou oproepen om die belediging te wreken, en hoe jij dat zou doen, Sulien. Hij heeft echter gelijk als hij zegt dat mijn ouders maar boeren zijn en dat ik maar een stalknecht was. Maar ach, ik heb vroeger genoeg vloeren geschrobd en weet dat het lang niet zo erg is als Morthu schijnt te denken. Je schiet er niets mee op om over dat soort dingen kwaad te blijven. Bovendien gaf het me de kans om me vrij te bewegen, in plaats van opgesloten te zitten in een kamer, net als de anderen. Elenn heeft geprobeerd het hem te beletten, maar zodra ik had bedacht dat het gunstiger voor ons was, heb ik haar dat duidelijk gemaakt. Dit is trouwens nog het minste wat hij allemaal heeft uitgehaald. Maar het doet er niet toe.'

'Het doet er wél toe,' zei ik, vlammend van woede. Ik wenste eens te meer dat ik Morthu had gedood toen ik daartoe in de gelegenheid was.

'Ongetwijfeld heeft Alswith wel wat kleren die ze je kan lenen,' zei Ap Erbin tamelijk voorzichtig.

'Wat kunnen mij kleren schelen!' zei Garah, zo luid dat we er allemaal van schrokken. Ze had het hem bijna toegeschreeuwd. 'Hoe lang duurt het voordat Urdo hier is?'

'Het hangt ervan af of hij de onderhandelingen nu in de steek kan laten,' zei ik. 'Als dat niet zo is, zal hij zeker nog een uur op zich laten wachten. Dus vertel me alsjeblieft wat er allemaal is gebeurd. *Wie* wilde niet met je meekomen?'

'Elenn. Ze weigerde mee te gaan. Morthu en Amala hebben haar leugens opgedist en ze gelooft die twee. Daarom wilde ze niet mee.'

'Amala?' vroeg ik verbaasd.

'Ze is een tijdje geleden in Caer Tanaga aangekomen, geëscorteerd door de een of andere idiote prins uit Narlahena. Ze is uitstekend behandeld en Elenn heeft hen gastvrij onthaald. Je weet hoe ze is – altijd elegant en altijd even plichtsgetrouw. En zo blijft ze doen, ook al is de stad ingenomen. Zij en Amala deden heel neerbuigend tegenover elkaar. Amala zei – toen ik het kon horen – tegen haar dat Urdo jou zou behandelen als zijn echtgenote. Hij had zich door jouw moeder als een familielid laten omhelzen en ook had hij jou naar tafel geëscorteerd, volgens haar.'

Het hart zonk me in de schoenen en ik probeerde iets te zeggen, maar mijn stem weigerde dienst, zodat Garah verder praatte. 'Ik heb Elenn later verzekerd dat het een onzinnige leugen was, alsof jij ooit zoiets zou doen. Ik heb haar verteld wat ik van jou weet, hoeveel eergevoel je hebt, en dat jij haar nooit pijn zou willen doen. Ze bleef Amala echter geloven, omdat het klopte met wat Morthu tegen haar had gezegd – en je weet zelf hoe Morthu mensen weet te overtuigen. Elenn zei dat ze Amala nog nooit op een leugen had betrapt. Ik weet niet waarom ze dit deed. Ik weet dat ze de moeder van Marchel is, maar ik zou nooit hebben gedacht dat ze Morthu's kant zou kiezen.'

'Niets voor haar,' zei Ap Erbin.

Ik haalde diep adem en liet mijn stem zo neutraal mogelijk klinken. 'De kwestie is dat die dingen inderdaad zo gegaan zijn, maar zonder ook maar de geringste bijbedoeling. Kun jij je voorstellen hoe iemand mijn moeder zou kunnen beletten Urdo te omhelzen?' Het bloed steeg me naar de wangen bij de herinnering.

'Ach Sulien, wat kun je soms stom zijn,' zei Garah. 'Je weet zelf hoe trots Elenn is. Zelfs jij moet hebben ingezien hoe dom zoiets was. En wat Urdo betreft – ik kan me niet voorstellen wat hij erbij moet hebben gedacht.'

'Ik denk dat mijn moeder hem duidelijk probeerde te maken dat ze in hem Dariens vader ziet,' zei ik zwakjes.

'Alsof dat nog duidelijk moest worden gemaakt,' zei Ap Erbin afkeurend. 'Dachten jullie dan helemaal niet aan de koningin?'

'Ik begreep meteen dat Elenn daar niet blij mee zou zijn,' zei ik. Garah snoof luid. 'Ik dacht echter dat we het haar wel zouden kunnen uitleggen. Dat ze het zo zwaar zou opnemen, had ik niet verwacht.'

'Wie wel?' knikte Garah. 'Laten we eerlijk zijn, als Urdo het haar naar behoren had uitgelegd, zou ze het vermoedelijk wel hebben geaccepteerd. Per slot van rekening mag ze Darien graag, en dat gaat volgens mij verder dan alleen maar dat ze in hem Urdo's zoon erkent, veronderstel ik. Het kwam door de manier waarop Amala het voorstelde en door wat Morthu had gezegd over Urdo, die haar volgens hem aan de kant wilde zetten. Ik wist dat jij iets dergelijks nooit zou doen, maar heb geen moment aan je moeder gedacht. Die wilde natuurlijk erkenning.'

'Ja,' zei ik, en voelde me ongelukkig. 'Het was eenvoudigweg onmogelijk haar tegen te houden. Je weet best hoe Veniva kan zijn.'

'Het kwam vooral doordat Morthu het haar zo zwart mogelijk heeft afgeschilderd en haar zover kreeg het te geloven,' verzuchtte Garah. 'Hoe het ook zij, ik zei dat ze, zelfs als het vijftig keer waar was, beter af zou zijn buiten Caer Tanaga. Ik zei zelfs dat ze eventueel terug kon gaan naar het huis van haar vader, als ze dat wilde.'

'Wat? Neemt ze het dan zó zwaar op?' vroeg ik ontsteld.

'Erger nog,' zei Garah. 'Ze haat Morthu, dat weet je zelf, maar toch wil ze niet vertrekken, ook niet toen de kans zich voordeed, omdat haar trots het haar niet toestaat. Ze zou het als een krenking ervaren. Ze zei ook iets over een ruzie met haar zus. Ze zei dat Emer en Atha gemene zaak met jou maakten en dat jullie haar persoonlijke vijanden waren. Ze beweerde dat ze jullie geen van drieën kon vertrouwen. Over Emer zei ze de afschuwelijkste dingen.'

'Zoals?' vroeg Ap Erbin geïnteresseerd.

'Is dit voor ons van belang?' vroeg ik.

'Niet echt,' zei Garah. 'Het voornaamste is dat Elenn zich nog steeds in Caer Tanaga bevindt en dat ze weigerde met mij te ontsnappen.'

'Hoe ben je de stad uitgekomen?' vroeg Ap Erbin.

'Door de verwarmingstunnels onder de citadel,' zei Garah. 'Glyn heeft jaren geleden in de voorraadkamers een toegang tot het stelsel gevonden. En die ligt vlak bij de kamer waarin ze alle gevangenen opgesloten houden die geen blauw bloed hebben maar toch worden gegijzeld. Ik zou al dagen geleden weg zijn gegaan, maar ik heb eerst geprobeerd Elenn te overtuigen. Maar gisteren, of nee, een dag eerder, voordat Morthu kwam en...'

'Morthu was eergisteren dus in Caer Tanaga?' onderbrak ik haar.

'Ja. Hoe dat zo?' vroeg Garah in het schemerduister. Er klonk verbazing in haar stem. 'Dacht jij dat hij hier was?'

'Kortom, vervloekingen zijn waardeloos,' zei ik teleurgesteld.

'O, wat vervloekingen betreft, die zijn veel erger dan jij denkt,' zei Garah terwijl ze zich vooroverboog naar de streep licht, zodat ik haar gekneusde gezicht duidelijk kon zien. 'Morthu vermoordt mensen; hij offert hen voor zijn zwarte magie om ons allemaal te vervloeken. Burgers van Caer Tanaga. In de nacht van nieuwemaan heeft hij honderd mensen tegelijk verbrand.'

De nacht van nieuwemaan? Ik telde terug. Dat moest gebeurd zijn op de dag dat wij Caer Gloran verlieten.

'Hij nam alle wapendragers die niet bij de verdediging waren gesneuveld en vulde het aantal aan met gewonden, stadswachten en gewone burgers.

Hij liet hen op de binnenhof aan palen vastbinden en verbrandde hen levend. Hij dwong ons toe te kijken. Elenn stond er stokstijf bij, met haar hand op de kop van haar oude hond – eerder als een standbeeld dan als een vrouw van vlees en bloed. Ik probeerde nog te protesteren toen ik zag wat hij van plan was. Hij liet de arme Edlim aan zijn voeten naar buiten slepen, zodat zijn hoofd over de keien bonkte, en toen werd het mij te machtig. Maar hij tuigde me af en zei dat als ik nog één woord zei, ik mét hen zou worden verbrand.' Ze huiverde zichtbaar.

'Wat deed hij precies met hen?' vroeg ik.

'Ik zou het niet weten. Hij zong in vreemde tongen en het was zwarte magie, dat was duidelijk. Alles werd toen pikdonker, zelfs de vuren, hoewel ze nog steeds brandden, en de mensen aan de palen ook. Toen zagen we een vreemd licht, zodat het leek alsof er uit al die lichamen iemand kwam en alsof Morthu ze allemaal in zich verzamelde.' Ze dempte haar stem. 'Ik denk dat hij zich meester maakte van hun zielen. Ik heb tot de Moeder gebeden om hen bij te staan, haar aanroepend met zoveel namen als ik kon bedenken, maar ik durfde het niet hardop te doen en geloof niet dat het heeft geholpen. Ik was erna straalmisselijk, maar ik kon me niet verroeren, zelfs niet om te kokhalzen; ik kon alleen maar toekijken.' Haar stem beefde. 'Later was iedereen veel te bang om erover te durven praten, maar Garwen zei dat ze helemaal niets had gezien, behalve al die brandende mensen. Sindsdien heeft hij vrijwel iedere avond dat hij er was een of twee mensen vermoord. Hij dwong ons niet meer om toe te kijken, maar we wisten wat er gaande was. Toen, eergisteravond, kwam hij naar onze kamer, en ik dacht toen dat hij me zou gaan vermoorden, zodat ik doodsbang was. Hij keek naar me alsof hij ervan genoot dat ik bang was en grijnsde toen, op die afschuwelijke manier van hem. Hij nam echter niet mij, maar Garwen en haar jongste dochter.'

'Garwen?' vroeg ik dom. Even zei de naam me niets.

Juist op dat moment trok Masarn de flap opzij en stapte Urdo naar binnen, gevolgd door Masarn. Garah barstte in tranen uit.

'Garwen?' vroeg Masarn terwijl hij in de tent om zich heen keek. Op dat moment herinnerde ik me zijn stille, kleine echtgenote die in Caer Tanaga had gewoond en daar kaarsen had gemaakt en kinderen gebaard, Garwen, die vaak naar mij had gekeken alsof ze een exotisch dier voor zich had.

'O Masarn, ik vind het zo erg,' snikte Garah door haar tranen heen. 'Ze is door Morthu vermoord, en de kleine Sulien ook. Ik heb de *Hymne van de terugkeer* voor hen gezongen. Je andere drie kinderen zijn echter veilig. Ik heb ze zelf buiten de stad gebracht. Ze houden zich verborgen op een boerderij.'

Masarn stond doodstil en ik zag alle uitdrukking uit zijn gezicht wegtrekken. Ik stond op en sloeg mijn armen om hem heen, en hij draaide zich om en klampte zich aan mij vast terwijl hij huilde, alsof hij een kind was en ik zijn moeder. Ook Urdo omhelsde hem. Ap Erbin stond op en drukte Masarn zijn kruik met mede in de hand. Masarn keek ernaar alsof hij niet begreep wat het was, totdat hij een luide, snikkende kreet slaakte en ervan dronk.

'Masarn?' zei ik zacht. Uit niets bleek dat hij het had gehoord. Het was een zware klap voor hem en ik wist niet wat ik kon zeggen. Ik kon moeilijk datgene zeggen wat we in de alae altijd zeiden: dat ze moedig was geweest en heldhaftig was gestorven voor een goede zaak, dat ze veel had geleerd en spoedig zou worden herboren. Niets ervan was waar en de onuitgesproken woorden lagen als as op mijn tong.

Urdo stapte naar Garah, die de tranen van haar gezicht veegde. Hij hurkte naast haar neer. 'Ben je gewond?' vroeg hij. 'Hoe ben je ontkomen? En waar is Elenn?'

'Ze wilde niet meekomen,' snikte Garah. Ze deed haar relaas opnieuw, deze keer zonder het ongeloof over mijn domheid.

'Morthu moet haar geest hebben vertroebeld. Maar dan nog, hoe komt ze erbij te denken dat ze daar veilig is, terwijl Morthu onschuldige mensen afslacht om macht te verwerven?' zei Urdo kwaad.

'Morthu en Arling hebben haar hun bescherming aangeboden, voor als ze vrij was,' zei Garah. 'Arling heeft al een vrouw, uiteraard, maar soms hebben Jarns meer dan één vrouw. En ze haat Morthu nog steeds, dat heeft ze me verzekerd. Ik ben echter bang dat Morthu haar ervan heeft weten te overtuigen dat wij zullen gaan verliezen. Ze namen haar mee om de oorlogsmachines te bekijken en toen ze terugkwam was ze helemaal van streek. Ik weet niet alles wat ze tegen haar hebben gezegd, want meestal was ik niet in de buurt. Ik weet alleen wat ik hen heb horen zeggen en wat zij me heeft verteld. Ik heb mijn uiterste best gedaan haar over te halen om zich niet als een idioot te gedragen en met mij mee te gaan.' Ze keek opzij naar Masarn, die nog altijd in mijn armen stond te huilen. 'Ik heb het te lang geprobeerd, Urdo. Daardoor zijn Garwen en de kleine Sulien nu dood, en daarom ben ik nu gekomen, voordat hij de andere gijzelaars kon nemen.'

'Je hebt goed gehandeld,' zei Urdo. Zijn stem klonk heel streng. Soms zijn er geen keuzes die niemand schaden.

17

[...] Ze waren vroeg op de been en zagen de Tigraanse legers uitgespreid op de vlakte voor hen. Er waren geen versterkingen meer gekomen die hen konden helpen de pas te verdedigen. Ze wisten onmiddellijk dat zij de zon wel zagen rijzen, maar dat zij de zonsondergang niet meer zouden beleven. Het was inmiddels iedereen duidelijk dat ze op zijn hoogst wat meer tijd voor Satea en de andere steden van Lossia konden winnen, opdat die zich konden voorbereiden op de aanval. Dus namen zij zonder discussies of klachten zoete olie, kamden elkaars haar en bonden het op, zoals in die dagen de gewoonte was, opdat hun lichamen na de slag betamelijk zouden arriveren in de Zalen des Doods. [...]

– Fedra in *De Lossiaanse Oorlogen, boek V*

Garah en ik daalden af naar het riviertje. Ap Erbin nam Masarn met zich mee. Uiteraard was er geen mogelijkheid om ergens te baden waar je niet in het volle zicht was van eenieder die voorbijkwam. Het nieuws over Garahs toestand ging als een lopend vuurtje door het kampement. Toen ze schoon was, waren de kneuzingen en blauwe plekken des te duidelijker zichtbaar. We gingen terug naar mijn tent, waar ik haar haar wat fatsoeneerde.

'Nou ja, deze keer gebruik je tenminste een mes, in plaats van een zwaard, zoals die keer in Caer Lind,' zei ze, glimlachend bij de herinnering.

'En ik mopper ook niet op je om wat je hebt gedaan,' zei ik terwijl ik een stap naar achteren deed om het resultaat te bekijken. Ik had haar nooit eerder met zulk kort haar gezien. Haar hele hoofd zag er anders uit. Haar haar zag er heel leuk uit, nu het niet meer alle richtingen op piekte.

'Ik wist niet of Garwen dit had gewild,' zei ze. 'Ze was een Tanagaanse en was werkelijk gesteld op de Blanke God.' Garah haalde diep adem en slikte om haar tranen te bedwingen. 'Het leek me toch dat ik het moest doen.'

Ik omhelsde haar. 'O Garah, ik ben zo blij dat je kon vluchten!'

'Ik ook,' zei ze. 'Ik wou alleen dat ik niet naar dit feest hoefde. Ik wil alleen nog maar gaan zitten en slapen, nu ik schoon ben en jou en Urdo alles heb verteld wat er gaande is.'

'Je moet eruitzien als de koningin van Bregheda,' zei ik. 'Het is van belang.'

'Wat kan ik aantrekken? Ik heb van Alswith niets willen lenen, maar van jouw kleren past niets me.'

'Een stola past iedereen,' zei ik, me herinnerend dat Amala dat destijds in Caer Gloran tegen *mij* had gezegd.

'Wat moet jij dan dragen, als ik jouw stola draag?' vroeg Garah sceptisch. 'Of heb je er meer dan een?'

Ik had er vier, in Derwen, maar ik had er maar een bij me. 'Ik draag mijn harnas,' zei ik. 'Ik heb Rowanna gezegd dat ik iets zou aantrekken dat passend is voor mijn positie, en wat is passender dan dát?'

'Is hij schoon?' vroeg Garah toen ik de stof uitvouwde. Het was groene stof, niet het lichte groen van berkenbladeren dat Elenn vaak droeg, maar de tint donkergroen van naaldbomen. Linnen verven met donkere kleuren was de nieuwste obsessie van mijn moeder. De stof moest echter op een speciale manier worden geprepareerd voordat ze in de verf kon worden gedompeld. Ze had dit ontdekt toen ze probeerde de lichtrode kleur van Ayls standaard na te maken. De afgelopen winter hadden we maandenlang geregeld wevers en ververs te eten gehad en het had geleken alsof ze over niets anders meer kon praten.

'Natuurlijk,' zei ik. 'Ik heb hem maar één keer gedragen sinds ik van huis ben gegaan, tijdens die afschuwelijke maaltijd bij Idrien in Caer Gloran.'

'Ik had het over je harnas, maar ik ben blij met de stola. Wat was er zo afschuwelijk bij Idrien?'

Ik vertelde haar van Idrien en Cinvar, terwijl ik de stola op de juiste manier om haar heen drapeerde en hem voor haar vastspeldde.

Ze gruwde van ik vertelde. 'Wil je zeggen dat hij iedereen die vechten kon naar Kerys in het fort had gestuurd en Idrien daar in haar eentje had achtergelaten?'

'Ik denk dat hij hoopte dat wij haar zouden doden, zodat hij een excuus zou hebben om tegen ons te strijden,' zei ik. 'Tijdens de onderhandelingen heeft hij iets gezegd dat me daarover aan het denken heeft gezet.'

'Ik had nooit kunnen raden dat hij zó slecht was. Ik heb toch al niet zo'n hoge dunk van de menselijke natuur en dacht dat niets me nog kon schokken nadat ik al het nieuws uit alle delen van het eiland al die jaren voor Urdo had geordend.'

Ik trok mijn harnas aan. Het was schoon en zelfs gepolijst, klaar voor de strijd. Hoewel het een warme avond was, hing ik zelfs mijn witte prefectenmantel om. 'Klaar?' vroeg ik, de mantel zo schikkend dat de gouden eikenbladeren recht op mijn schouders rustten.

Garah bekeek zichzelf kritisch. 'Je hebt zeker niets waarmee ik mijn hoofd zou kunnen bedekken, zoals ze in het noorden doen?' vroeg ze. 'Ik ben niet lang genoeg om er in zo'n stola zo Vincaans-elegant uit te zien als jij.'

:Lachend zei ik: 'Ik vind het prettig dat ik mijn benen in zo'n stola zo gemakkelijk kan bewegen; daarom draag ik zo'n ding graag. En ja, ik heb hier iets voor je. Hou je stil, dan maak ik hem even vast voor je.'

Ik legde de stof om haar hoofd en maakte ze vast met mijn met amber ingelegde fibula. Ze zag er schitterend uit, met een waardige uitstraling die ik nooit had geambieerd.

'Ik weet dat het weinig zin heeft het je te vragen, maar ik wou dat ik wat poeder had om die blauwe plekken in mijn gezicht te camoufleren,' zei ze.

'Je ziet er alleen maar uit als iemand die net van het slagveld komt,' troostte ik. 'Waarom zou je je zo druk maken over hoe je er vandaag uitziet?'

'Zelfs als ik op mijn best ben, ben ik als de dood voor Rowanna,' bekende ze. 'En ik heb Morthu dagenlang horen zeggen hoe waardeloos ik ben. Nu voel ik me een bedriegster. Ik ben per slot van rekening maar een boerendochter.'

'Je bent een boerendochter, ja. En je ouders maakten het goed toen ik uit Derwen vertrok. Jij bent de koningin van Bregheda en zo zie je er ook uit,' verzekerde ik haar. 'Ik denk dat Elidir wel wat poeder voor je zal hebben. Zij gebruikt dat soort dingen altijd.' Een paar armigers in Galba's ala deden dat ook, maar ik bedacht dat Garah zich meer op haar gemak zou voelen als ze iets leende van iemand die ze kende.

We liepen het kampement door om Elidir op te zoeken. Voordat we haar tent bereikten, kwamen we Darien tegen. Hij droeg een donkerblauwe toga en stond met Ulf te praten. Toen we hen naderden, drukte Ulf Darien iets in de hand en haastte zich weg. Ik versnelde mijn pas. Darien staarde Ulf wezenloos na. Mijn eerste gedachte was dat Ulf had laten doorschemeren dat hij zijn vader was. Dat vermoeden werd versterkt toen ik zag wat Darien in zijn hand had – Ulfs gouden armband.

'Ah, goeienavond,' zei hij toen hij ons opmerkte.

'Alles goed?' vroeg ik.

'O, zeker,' zei hij. Toen schudde hij zijn hoofd en keek me aan alsof hij me voor het eerst zag. 'Ik heb zojuist wat verrassingen moeten verwerken. Ulf gaf me dit.' Hij hield de armband omhoog, zodat ik hem kon zien. Daarna deed hij hem om, zodanig dat het goud net zichtbaar was onder de plooi van zijn toga. Het was exact zoals Ulf hem had gedragen tijdens de onderhandelingen. 'Ik weet uiteraard waarom, maar het verraste me toch.'

'Waarom dan?' vroeg Garah. Zelf had ik grote moeite mijn verbazing en woede te bedwingen. Darien behoorde het niet te weten. Voor zover ik wist, dacht hij dat Urdo zijn vader was.

'Hij zegt dat hij er zeker van is dat hij morgen zal sterven. En omdat dit de armband is van zijn familie, heeft hij, door me deze armband te geven, zijn aanspraken op het koningschap over de Jarns tegenover Urdo aan mij overgedragen.' Hij aarzelde even en draaide het sieraad met zijn vingers om en om. 'Ik denk dat hij mij de armband gaf omdat hij vond dat hij het er wat al te dik op zou leggen als hij hem rechtstreeks aan Urdo gaf. Ik had dit echter geen moment verwacht.' Hij knipperde verbaasd met zijn ogen. 'Wanneer ben jij hier aangekomen, Ap Gavan?'

'Vanmiddag,' zei Garah.

'Mag ik die armband even bekijken?' vroeg ik. Darien stak zijn arm uit en ik bekeek het bewerkte goud. Als Ulf dit zo had gedaan dat Darien niets vermoedde, was er niets op tegen. Gelet op Ulfs eigen aanspraken op het koningschap leek het me zelfs logisch. 'Is hij zwaar?' vroeg ik.

'Niet zwaarder dan dit,' zei hij, verlegen zijn keel aanrakend. Hij droeg een zware gouden halsband, getordeerd in de oude stijl van vóór de komst van de Vincanen. 'Het schijnt dat deze dag is voorbestemd om mij familieschatten te schenken. Vrouwe Rowanna heeft deze ooit in Caer Segant gevonden. Ze zei dat hij van Avren was geweest en dat Urdo hem moest hebben. Urdo vond dat ik hem moest krijgen. Hij stónd erop. En daar begrijp ik niets van. Hij leek anders dan anders.'

'Heeft hij je verteld van de koningin?' vroeg Garah.

'Nee. Wat is er met haar?'

'Ze heeft geweigerd met Garah mee te vluchten, weg uit Caer Tanaga,' zei ik. 'Urdo is er ondersteboven van.'

'Hoezo "geweigerd"?' wilde Darien weten.

'Ze gelooft alles wat Morthu haar influistert,' zei Garah. 'Hij heeft haar gezegd dat Urdo Sulien als zijn echtgenote behandelde, en zij gelooft het.'

'Die vervloekte Morthu en zijn giftige tong!' snauwde Darien, onmiddellijk woedend. 'Ik moet hier met Urdo over praten.'

'Niet nu,' zei ik. Er was alweer bedrijvigheid in het kampement. 'Na het feest.'

'Goed. Kom jij mee?' vroeg hij.

'Natuurlijk. Maar over vreemde familieschatten gesproken, wil je er ook een van mij aannemen?' Ik had zelf niet beseft dat ik dit ging zeggen voordat de woorden me over de lippen kwamen. Het leek me echter het juiste moment. Ik had hem zo weinig gegeven, al die jaren. 'Als jij een van die fibulae in je toga kunt missen om te voorkomen dat Garahs haar losraakt, krijg je van mij deze fibula met amber. Die maakte deel uit van onze familieschat. Ik heb hem van mijn vader gekregen.'

Garahs handen gingen meteen omhoog naar de fibula, maar Darien verroerde zich niet. 'Dank je,' zei hij. 'Ik heb je hem vaak zien dragen. Als je het niet erg vindt, neem ik hem nu liever niet aan. Ik heb een raar gevoel, alsof al dit goud een loden last voor me kan worden en ik me tot niemand meer zal kunnen wenden om goede raad. Je mag hem mij een andere keer geven, goed?'

Met die woorden wandelde hij weg.

Garah huiverde een beetje. 'Hij is volwassen geworden.'

We vervolgden onze weg door het kampement. Tegen de tijd dat we Elidir hadden gevonden, had Garah nog net de tijd om wat poeder op haar gezicht te doen voordat we de helling op moesten, op weg naar Rowanna's feest.

De zon was bezig af te dalen naar de donkere wolken die zich in het westen samentrokken, en de verschillende kampen waren vol vrolijke mensen. We waren met veel te veel om allemaal tegelijk te kunnen eten. De vijf alae, de beide Isarnagaanse legers, de milities van Derwen en Segantia en Alfwins leger – allemaal aten ze in hun eigen kamp. Het eten was gelijk aan dat van alledag, aangevuld met wat fruit en bier uit Caer Segant. Het maakte niet uit, iedereen scheen aangestoken te zijn door de feestelijke stemming. Zelfs sommige zieken en gewonden waren uit de hospitaaltenten gekomen om mee te feesten. Misschien kwam het door de bij elkaar staande vaandels, vlaggen en standaarden op de heuveltop, een aanblik die iedereen nieuwe moed gaf. Of misschien kwam het door de muziek, want overal waar ik kwam, struikelde ik bijna over een muzikant uit Segantia. Het kon ook de opluchting zijn, veroorzaakt door de gedachte dat we eindelijk de strijd zouden aangaan en dit kamp konden verlaten. Hoe het ook zij, Garah en ik werden luid toegejuicht toen we de helling op liepen en ze scandeerden onze namen.

Onverwacht bleef Garah staan. 'Ze hebben zelfs de vlag van Bregheda,' stamelde ze, met tranen in de ogen.

Het was waar, er wapperde een Bregheda-vlag. Het was er maar een, maar hij was duidelijk zichtbaar te midden van alle andere kleuren. 'Niet huilen, anders spoel je nog alle poeder eraf,' zei ik.

Ze lachte gesmoord. 'Je hebt gelijk, maar een vlag van Bregheda! Wacht maar totdat ik dit Glyn vertel!'

Toen we naderbij kwamen, zagen we dat het een goudkleurig vaandel was dat inderhaast was vastgespeld aan een rode mantel. Ik weet niet hoe Rowanna er zo snel kans toe had gezien, maar het effect op afstand had niet overtuigender kunnen zijn.

We gingen in een kring zitten om te eten, ieder op de plaats die Rowanna ons wees. Een van haar dienaressen vulde onze bekers met Narlahenaanse wijn. De meesten dronken uit een leren of houten beker, maar voor Urdo had Rowanna een gouden beker en een gouden bord meegebracht. Ik had nog nooit zoiets gezien; ik had er alleen over gehoord in oude legenden. Ik vroeg me af wat ze allemaal nog meer verborgen hield in haar kisten in Caer

Segant. Iedereen was op zijn fraaist gekleed. Masarn zat tussen Ap Erbin en Alswith en hij was duidelijk dronken, maar niet op een liederlijke manier. Een zilveren haarnetje hield Alswiths vuurrode haar boven op haar hoofd bijeen en het zag er spectaculair uit. Alfwin zat aan Alswiths andere zijde en hij droeg nog meer goud dan Darien. Naast hem zat Atha; ze had een sjaal met een bont kleurenpatroon om. Een van haar aanvoerders zat naast haar, een rustige, verstandige man die Leary ap Ringabur heette. Naast hém zat Raul, die zijn bruine pij droeg, zoals altijd. Hij had Ohtar naast zich, in vol barbaars ornaat. Garah zat naast hem. Dan kwam Darien, in de kleuren goud en blauw, tussen Garah en mij in. Urdo zat aan mijn andere zijde. Ik vroeg me af hoe Elenn dit zou opnemen als ze het te horen kreeg. Hij droeg wit linnen, en een purperkleurige zijden mantel. Rechts van hem zat Rowanna, gesluierd en stijfjes, met naast zich een geharnaste kapitein. Naast hem zat Cadraith, gehuld in een toga van rood fluweel die met gouden Vincaanse fibulae bijeen werd gehouden. Dan kwam Teilo in haar bruine habijt. Aan haar andere kant zat Inis, met zijn krankzinnige bonte sjaal om. Naast hem, kaarsrecht aan zijn rechterhand, zat Emer, die zich blijkbaar toch had laten overtuigen dat ze best met Atha kon eten, al zag ik dat ze geen hap door haar keel kreeg. Ze droeg een rood gewaad dat wat te groot voor haar was, en ik vermoedde dat ze het van Alswith had moeten lenen. Haar beide armbanden moesten echter van haarzelf zijn; ik had ze haar vaker zien dragen. Tussen haar en Ap Erbin zat Luth, met zijn beroemde blauwe borstschild en zijn witte prefectenmantel.

Het werd een merkwaardige maaltijd – deels een tactische bespreking van de komende strijd en deels een oefening in diplomatie. Met geen enkel woord of gebaar verried Urdo dat hij er met zijn hart niet helemaal bij was, bijna alsof zijn ontsteltenis van die middag er nooit was geweest. Zelf had ik een vreemd gevoel van dissociatie, alsof ik alles alleen maar gadesloeg in plaats van eraan deel te nemen. Het scheen dat we ons strijdend een weg moesten banen naar een zijtak van de rivier die de Agned werd genoemd. Daartoe moesten we eerst een eindje over de heirbaan rijden, tot waar de weg via een brug de rivier kruiste. Urdo legde het allemaal glashelder uit. Hij zorgde dat iedereen precies wist hoe het aanstaande slagveld eruitzag en wat zijn of haar aandeel in de strijd diende te zijn. Ons succes was voor een groot deel afhankelijk van de manier waarop de vijand zich opstelde. Ik was me er steeds van bewust dat ik al heel lang niets had gezegd en eigenlijk mijn mond zou moeten opendoen, maar ik had niets te zeggen. Ook Inis sprak heel weinig, en dan alleen maar met Emer. Toen we opstonden om weg te gaan, kwam hij naar me toe en legde zijn hand op mijn arm. 'Kop op, heldin,' zei hij. Ik staarde hem na terwijl hij en Atha de helling afdaalden. Ze werden zelfs toegejuicht door de wapendragers die waren blijven wachten om ons omlaag te zien komen.

Garah ging weg om te slapen, en Darien en ik gingen met Urdo zijn tent in.

'Ik ben blij dat we dat achter de rug hebben,' zei Urdo terwijl hij zich geeuwend uitrekte. 'Het was belangrijk voor mijn moeder en ik heb het voor haar gedaan, maar ik had liever een tactische bespreking gehouden, zoals altijd.'

'Dat geldt voor mij ook,' zei ik en ging zitten. 'Denk je dat de Isarnaganen hebben begrepen welke manoeuvres je van hen verwacht?'

'Atha in elk geval, dacht ik. Het is echter moeilijk zoveel van tevoren te bedisselen. Er hangt ontzettend veel af van de manier waarop ze Angas' ala gaan gebruiken,' zei Urdo terwijl hij een kleine lamp aanstak en ons nog wat wijn inschonk. 'En ook of we er al in het begin in slagen verschil te maken.'

'Ik wou maar dat ik met Angas had kunnen praten,' zei ik, terugdenkend aan de blik waarmee hij mij tijdens de onderhandelingen had aangekeken. 'Ik ben er zeker van dat hij daar niet helemaal van harte is.'

'Morthu heeft hem met zijn stem behekst,' zei Darien.

'Niemand kan iemand overhalen om iets tegen zijn wil te doen,' zei Urdo met verdriet in zijn stem.

'Behalve met magie,' vond Darien. 'Ik word bijna kwaad als ik eraan denk waarom u liever iets anders wilt geloven dan dat onder ogen te zien, maar ik weet dat u door tovenarij wordt verblind. Sta er even bij stil. Ik wilde met u praten over de koningin, omdat ze door hem behekst is, en zo is het ook met Angas. Het is niet alleen maar dat Morthu mensen weet te overtuigen. Dat doet hij, maar er komt magie aan te pas. Hij weeft met woorden een ban. Hij neemt andere mensen zoals ze zijn, onderkent hun zwakheden en schept er macht uit voor zichzelf. En als ze geen zwakheden hebben, keert hij hun sterke eigenschappen tegen henzelf, zoals je iemands dolk kunt omdraaien zodat de punt naar hemzelf wijst. Hij doet het met woorden, geholpen door een zekere kracht in zijn stem, maar het ís magie, ik ben er zeker van. Ik heb het hem vaak genoeg horen doen toen ik in Thansethan opgroeide. Het werkte bij iedereen om mij heen en niemand wilde het zien. Hij besmet mensen met wanhoop en verdraait hun hart. Hij heeft u niet overgehaald zich bij hem aan te sluiten, maar u hebt een hogere dunk van hem dan hij verdient of zijn doen en laten rechtvaardigen. U weet dat hij ertoe in staat is, maar denkt er niet helder genoeg over na.'

'Hij keert de sterke eigenschappen van mensen tegen zichzelf?' vroeg Urdo. 'Hoe dan?'

'Neem uw barmhartigheid en verlangen om billijk te zijn, waardoor u iedereen het voordeel van de twijfel gunt en u zich aan de wet kunt houden,' zei Darien. Het lamplicht liet zijn gouden armband blinken toen hij zich wat vooroverboog.

'Ik heb zulke dingen bij een koning nooit als gebreken gezien,' zei Urdo met vreemd klinkende stem.

'Dat zijn het ook niet. Dat maakt Morthu nu juist zo afschuwelijk,' zei Darien. Hij sprong op en liep heen en weer door de tent, alsof hij niet meer stil kon zitten. 'Het zijn juist sterke eigenschappen, zoals ik al zei. Sta er nu eens bij stil hoe u Marchel na dat bloedbad bij Varae in ballingschap hebt gestuurd en hoe vaak u Morthu hebt gespaard.'

'Tegen hem was er nooit enig wettelijk bewijs, zoals dat er wel was tegen Marchel,' zei ik, om Urdo die woorden te besparen. Er stonden tranen in zijn ogen, en hoewel ik wist dat het vergeefs was, probeerde ik toch zijn verdriet wat te verlichten.

'Hij wist het en heeft het uitgebuit,' vervolgde Darien. 'Hij maakte dat u met hem te doen had en dacht dat hij wel zou veranderen. Hij veranderde de vriendelijkheid van vader Gerthmol in een zwakheid, en diens liefde voor orde en discipline in starheid. In het begin begreep ik het niet, maar ik heb er genoeg voorbeelden van gezien. Het ergste is nog dat de mensen het niet kunnen zien. Ze geloven eerder dat de koningin een halvegare en een verraadster is, dan dat hij magie gebruikt. Elenn had ons nóóit kunnen verraden, het zit gewoon niet in haar. Ze is alles wat een grote koningin moet zijn: mooi, intelligent, diplomatiek en bekwaam in logistieke zaken. Denk maar eens aan hoe eerlijk ze mij altijd heeft behandeld. Morthu heeft echter ingespeeld op de trots en kracht van de koningin en haar knagende twijfel over de vraag of ze uw liefde wel waard is, of waardig genoeg om uw koningin te kunnen zijn als ze u geen kinderen kan schenken.' Darien zag er zo kwaad uit dat het me niet zou hebben verbaasd als zijn ogen vuur hadden gespuwd, zoals dat in oude verhalen gebeurt.

'Ze weet dat dat geen verschil maakt en dat dat niet het belangrijkste is,' zei Urdo.

'U kunt haar dat vaak genoeg hebben gezegd, maar toch heeft zij het gevoel dat ze in dat opzicht tegenover u te kort schiet,' zei Darien. 'Voor Morthu is dat een zwakte, die hij kon gebruiken om tot haar door te dringen. Hij is er ontzettend goed in de barsten in de muur te ontdekken die we om ons heen optrekken. En hij wrikt ze open met zijn mes, beetje bij beetje, totdat er uiteindelijk een heel leger doorheen kan.'

'Dat zal hem niet lukken,' zei Urdo. 'Als er iets is dat ik van deze oorlog heb geleerd, en van deze onderhandelingen, is het hoe goed we allemaal hebben geleerd wat vrede is en hoe diep het verlangen ernaar in ons wortelt. Wij zullen deze strijd aangaan, deze oorlog, en we zullen hem uiteindelijk winnen, omdat Morthu maar een eenling is die alleen voor zichzelf strijdt. Hij mag dan zijn mes in onze barstjes hebben gewrikt, maar overtuigen kan hij alleen dankzij zijn eigen magie. De goden staan aan onze kant.' Hij keek naar mij en grijnsde, hoewel zijn gezicht nog nat was van tranen. 'Herinner je je de vooravond van Foreth? Als ik kom te sterven, zul je haar mijn zwaard terug moeten brengen.'

'Dat jij morgen zult sneuvelen, is niet waarschijnlijker dan in iedere andere slag,' zei ik bot.

'Maar ook niet minder,' beaamde hij. 'Dat risico is er altijd. En ik heb het altijd genomen, zelfs toen Mardol en de anderen beweerden dat het stom van mij was dat ik zelf voorop ging in de strijd. Het is noodzakelijk, hield ik hen voor. Het leven is het moment dat je het leeft; je leeft van het ene moment naar het andere. Als ik wilde dat de vrede iets voorstelde, mocht zij nooit afhankelijk zijn van één man. Ik heb echter altijd geweten dat als ik kwam te sneuvelen, mijn vrede met mij zou sterven. Vóór Foreth wist ik dat we zouden winnen, alleen wist ik niet wat voor overwinning jullie zonder mij zouden behalen als ik kwam te vallen. Desondanks ben ik vooropgegaan in de strijd. Maar deze keer is het anders. Er zijn nu genoeg mensen zoals jullie die mij het vertrouwen geven dat mijn vrede ook zonder mij zal blijven bestaan en dat het niet uitmaakt of ik er wel of niet bij ben. Zo moet het zijn. Ik heb nooit geprobeerd het met het lot op een akkoordje te gooien, maar ik heb altijd geweten dat de godin van het lot niet gekant is tegen vrede. Ik heb gezien hoe de vrede zich heeft verbreid en weet dat mijn werk is gedaan, als het zo mocht lopen.'

'Het zal beter zijn als jij er bent,' perste ik eruit.

'En ik blijf liever leven om er getuige van te zijn,' knikte hij bedaard.

'Ik wou maar dat u mij toestemming gaf om tegen Morthu te strijden,' zei Darien. 'Of hij nu een eenling is of niet, hij is en blijft een magiër – en hij is machtig en meedogenloos.'

'We zullen moeten afwachten hoe de strijd morgen verloopt,' zei Urdo. 'We houden een volledige tactische bespreking in de vroege ochtenduren, voordat we ons in slagorde formeren.'

Toen ik opstond om weg te gaan, had ik de indruk dat iets in de tent anders was dan anders. Ik keek om me heen en zag de kist staan die Urdo altijd gebruikte voor het bewaren van zijn kaarten en paperassen. Hij was dicht en het deksel was leeg.

18

Voor Gorai
In verzet tegen tirannie,
zag ik strijdrossen,
overdekt met bloed.
Na het oorlogsgedruis
tiert het groene gras weer welig.

Voor Gorai
In verzet tegen het heidendom,
zag ik een machtige schildmuur
en blinkende stalen zwaarden.
Na het oorlogsgedruis
genoeg tijd voor bezinning.

Voor Gorai
In verzet tegen onenigheid,
zag ik in het strijdgewoel
veel doders en gedoden.
Na het oorlogsgedruis
tijd om rustig te slapen.
– Aneirin ap Erbin in
'Gorai ap Custennin'

Na afloop van een discussie, schermutseling of exercitie had Osvran het altijd afgerond met de woorden: 'Juist. En dezelfde fouten zullen we nooit meer maken, ja?' En dan riepen we altijd in koor: 'Nee, prefect!' Ik zie ons nog voor me, de bedachtzame Galba, de slanke Ap Erbin (met allebei zijn oren nog) en een grinnikende Enid omdat er altijd wel iets was waaraan zij geen weerstand kon bieden. Er is zoveel van die opleiding dat ik nooit heb beschreven, zoveel fijne ogenblikken. Helaas, nu moet ik over de Slag bij de Agned schrijven. Over Agned, ja, en over de blunders die niet begaan hadden mogen worden en toch plaatsvonden, zonder de hoop dat we het de volgende keer beter konden doen, omdat je daar niet altijd de kans voor krijgt. Agned – geen gelukkige tijd! Agned – of het me nu gemakkelijk valt of niet. Ik kan nog zoveel excuses bedenken om eindeloos mijn veder aan te snijden, in de inkt te roeren of uit het raam te staren, me afvragend wanneer het vlas gerijpt zal zijn, maar ik kom er niet onderuit. De Slag bij de Agned ligt inmiddels vijfenvijftig jaar achter mij, en al die tijd is het onmogelijk geweest er iets aan te veranderen. Je zou zo denken dat ik er inmiddels wel aan gewend zou zijn geraakt.

De rivier de Agned ontspringt in de heuvels van Segantia en stroomt dan omlaag om zich te verenigen met de Tamer, de rivier die langs Caer Tanaga naar zee stroomt. Deze rivier is bevaarbaar. Er waren zo nu en dan invallen van Jarns geweest die de rivier opvoeren, toen ze zich nog onkwetsbaar waanden. Ik veronderstel dat de rivier wel doorwaadbaar zou zijn gebleken als je bereid was je wat moeite te geven. Dat was echter niet nodig. Er ligt in de heirbaan vanuit het westen een soliede stenen brug over de rivier die de Agnedbrug wordt genoemd. Er staat daar een boerderij die in de oorlogen was verwoest, maar later op onbeholpen manier werd hersteld. Ik had er altijd halt gehouden om de paarden te drenken als ik vanuit Derwen op weg was naar Caer Tanaga. Soms had ik een paar woorden gewisseld met de boeren, en als ze hadden gebakken, kocht ik graag broden van ze. Als ik dat nooit had gedaan, zou ik waarschijnlijk nooit de naam van de rivier hebben geweten. Nu is het een naam die ik nooit zal vergeten, en die allereerst verwijst naar die grote slag, en pas in tweede instantie naar de rivier.

Het valt niet mee je een slag in de juiste volgorde te herinneren. Het begon tijdens de dageraad met een tactische bespreking in Urdo's tent. Het motregende. Terwijl wij met elkaar praatten, werd het kamp onder leiding van de tribunen en decurio's opgebroken. Nagenoeg iedereen – behalve de zieken en gewonden – zou met ons oprukken, zelfs de artsen. Gewonden die konden lopen, moesten voor hun medegewonden zorgen. Moeder Teilo was de enige van de achterblijvers die de *Hymne der ouderen* kon zingen.

De vorige dag waren Cadraith, Raul en broeder Cinwil naar het slagveld geweest om de terreingesteldheid te bekijken. Hij vertelde ons erover: de heirbaan, de rivier, de zacht glooiende hellingen met beboste toppen. Hij maakte er een gedetailleerde plattegrond van en we kwamen overeen waar we onze troepen zouden opstellen.

'Na onze eerste stormaanval zal er hier aan het eind van onze linie een leemte ontstaan, aan de overzijde van de weg,' zei Ap Erbin terwijl hij met zijn vinger de plek aanwees. 'Als daar een ala opduikt, zou die de hele linie dwingen om te keren.'

'Misschien kunnen we daar de wagens neerzetten,' opperde Ohtar. 'De wagens die ons vanuit Caer Segant hebben bevoorraad. Daar zouden we een versterkt punt kunnen creëren, als we daar ook wat troepen posteren.'

'Een geschikt punt voor een deel van de militie,' zei Cadraith.

'Je zei dat de rest van de Tanagaanse infanterie met ons meegaat, in ons midden?' vroeg Ohtar, die zijn vinger over de plattegrond liet glijden. 'Ben je er zeker van dat ze allemaal begrijpen hoe Jarns plegen te vechten? Zullen ze bij ons blijven en onze bevelen opvolgen?'

'Ik heb gisteravond mijn troepen toegesproken,' zei Rowanna's militiekapitein. 'Ze bestaan voor de helft uit Jarns en ik heb me ervan overtuigd dat de rest het heeft begrepen.'

'In dat geval posteren we de militie van Derwen achter de wagens,' zei Urdo. Raul maakte een aantekening.

'Ze kennen de ala-signalen,' zei ik. Ook dat noteerde Raul.

'Ik heb vaker met Tanagaanse milities gevochten,' zei Alfwin. 'Ze schrikken nogal gauw, maar er is weinig kans dat ze de linie verbreken en ervandoor gaan als wij in hun midden zijn.'

'Ik ben blij dat jij er bent. Ik wou alleen dat Guthrum ook was gekomen,' mopperde Ohtar met een glimlach naar de kapitein van Rowanna, die wat bleekjes teruglachte. Hij was een Tanagaan, geen Jarn. 'Arling is hier op volle sterkte en inmiddels zal Ayl zijn troepen ook wel ter plaatse hebben.'

'Konden we Ayl maar tot bezinning brengen,' verzuchtte Darien triest. Toen schudde hij het hoofd. 'Neem me niet kwalijk. Waar waren we? Wie zijn er nog meer in het midden?'

'Mijn mensen,' zei Emer. 'Zij aan zij met Alfwins troepen.'

'Het lijkt me dat de bereden krijgslieden uit Dun Morr de verdediging van de heirbaan en de wagens op zich kunnen nemen, samen met de militie van Derwen,' zei Urdo. Emer keek op, alsof ze op het punt stond bezwaar te maken. 'Het is van vitaal belang daar een sterke verdediging te hebben en jullie zijn gewend aan elkaar,' vervolgde hij. Ze legde zich erbij neer. 'En op die manier hebben we alleen voetvolk in het midden.'

'Wij Isarnaganen staan dus op de linkervleugel, met de dalende helling naar de drassige grond onder ons,' zei Atha. Ze zag er bijna uit om bang van te worden, weliswaar gewoon gekleed, maar met haar lange haar ingesmeerd met witte lijm. Ook haar gezicht en armen waren al beschilderd. Ze had haar kapitein niet meegenomen.

'Ik ben ervan overtuigd dat jullie daar stand kunnen houden,' zei Urdo met een bemoedigend lachje. 'De alae beginnen op de rechtervleugel, snel en beweeglijk, en altijd klaar om daarheen te gaan waar ze nodig zijn. Zorg alleen dat ze de ruimte krijgen die ze nodig hebben. Als ze de vijand niet met de eerste stormloop terugdringen, verzamelen we ons en vallen opnieuw aan; ik zal proberen de tweede ala achter te houden totdat er zich een gunstig ogenblik voordoet om die naar de andere vleugel van het front te verplaatsen.'

Ik staarde naar de tekening. Ik had slecht geslapen. Ik had pas laat geleerd hoe je een ala kunt hanteren als één enkel wapen, hoewel iedere ala gezamenlijk exerceert, dezelfde wapens gebruikt en alle handsignalen en commando's op haar duimpje kent. Deze troepen spraken niet eens allemaal dezelfde taal, maar Urdo zag ze allemaal samen als één wapen waarmee hij de klappen uit kon delen die hij wilde uitdelen.

'Hoe staat het met de boerderij?' vroeg ik.

'De boeren zijn geëvacueerd,' antwoordde Raul.

Ik had geweten dat dit onvermijdelijk was en kon het me maar al te goed voorstellen – een heel gezin op de vlucht, met de kinderen en hun levende have. 'Dat bedoelde ik niet,' zei ik terwijl ik de gedachte aan het schenden van Urdo's vrede zo ver mogelijk van me af zette. 'Ik wilde alleen zeggen dat die boerderij er is, onder aan de helling waar we onze wagens bovenaan wilden zetten. Zal de boerderij niet in de weg staan als we aanvallen?'

'Alleen als we recht naar beneden gaan,' zei Urdo. 'Als we over het middendeel van de helling omlaag stormen, kunnen we eromheen.'

'En vanaf waar wilde je de strijd leiden?' vroeg Atha.

'We zullen hier een commandopost inrichten,' zei Urdo, wijzend naar een plaats op de helling boven de hoofdverdedigingslinie van de Jarns. 'Ik zal hier zijn, met genoeg verspieders en trompetters bij me. Ik zou veel liever mobiel zijn, bij mijn ala, maar in een slag als deze zal ik alles moeten kunnen zien.'

'Lijkt me verstandig,' knikte Darien.

'Neem een paar sterke verdedigers mee, voor het geval ze erdoorheen weten te breken,' zei Alfwin zeer gedecideerd.

'Uiteraard zal ik wat lijfwachten meenemen,' zei Urdo. 'Maar deze plek daarboven ligt op niemands weg.'

'Ik zal je nog wat meer lijfwachten sturen,' gromde Ohtar, en ik zag de overige infanteriecommandanten instemmend knikken.

Het leek alsof we een hele dag nodig hadden om iedereen naar voren te schuiven, naar de Agned, en alle troepen in stelling te brengen. Het regende nu harder, en het gras was nat en glibberig. De tegenpartij deed hetzelfde; we zagen hun troepenverplaatsingen en ze deden hun best om tegen het middaguur gereed te zijn. Ook zij formeerden zich op driekwart hoogte van de helling, recht tegenover ons. Ik vroeg me af waarom er altijd heuvel óp moest worden aangevallen. Van Angas geen spoor. De troepen die ik duidelijk kon zien, leken allemaal te behoren tot de milities van Cinon en Flavien. Er wapperden maar weinig vaandels aan de overkant, een uitgesproken contrast met alle andere keren dat ik ze had gezien. Vaag vroeg ik me af waarom. Ik zag Ayls lichtrode wimpelstandaard ver weg aan de overkant, op de brug, maar dat was het enige duidelijke insigne, hoewel er op verscheidene plaatsen natuurlijk Jarnse troepen achter de militie moesten zijn opgesteld. Recht voor ons uit zag ik wat paarden uit Narlahena en ook wat oorlogsmachines. Ik tuurde ernaar door de regen. Een van die dingen leek veel op de beschrijving die Antonilla van een spieswerper had gegeven. De andere toestellen waren gewoon kogelslingeraars. Ze zagen eruit alsof ze op een stadsmuur thuishoorden, niet op een slagveld.

'We zullen die dingen moeten aanvallen?' vroeg Govien, die mij zag kijken.

'Als we aanvallen, verplaatsen we ons veel te snel om door die dingen te worden geraakt voordat we bij ze zijn,' zei ik zo geruststellend mogelijk.

Raul reed in de regen naar beneden om met broeder Cinwil te overleggen en kwam terug. Het viel me op dat Cinwil een van de oudere strijdrossen bereed die wij in Magor aanhielden om rekruten te leren rijden; een zwarte merrie met witte vlekken die we onheus betitelden als Oudmantel omdat ze niemand goed paste. Ik vroeg me af wie hem toestemming had gegeven haar te berijden. Ik was bijna naar Nodol gereden om hem ernaar te vragen, voordat ik besefte hoe bespottelijk het was om me daarover druk te maken.

Ik overtuigde me ervan dat mijn wapendragers het eten opaten dat ze mee hadden genomen en handelde de stortvloed van laatste probleempjes af. Ik zong de *Hymne der ouderen* voor drie wapendragers die dachten dat ze bezig waren de koorts te krijgen. Toen, eindelijk, kregen we het sein om op te stijgen en ons in formatie op te stellen, voor de rij wagens.

Kort voor het middaguur reden Raul en broeder Cinwil naar beneden, wisselden enkele woorden en reden weer omhoog, ieder terug naar zijn eigen partij. Zodra Raul ons had bereikt, keerde hij zijn ros naar de vijand en wachtte totdat broeder Cinwil aan zijn kant hetzelfde had gedaan. Oudmantel nam er rustig de tijd voor, zoals altijd. Pas toen ze recht tegenover elkaar stonden, smeten ze ieder hun herautentak op de grond – het sein dat de wapenstilstand voorbij was en de strijd was begonnen.

Vrijwel onmiddellijk kwam voor ons het trompetsignaal om aan te vallen. Op dat ene moment leek er vrijheid te zijn, en de kans om echt verschil te maken. Ik kon bijna vergeten dat ik de hele ala moest dirigeren en haar als een verlengstuk van mijn speer moest zien. Ze wachtten ons op, klaar voor de strijd en uitdagend, en wij stormden tegen de helling op, dwars tegen een hagel van speren en stenen in. Desondanks deelden we een flinke dreun uit. Hoe goed infanteristen ook zijn, ze kunnen onmogelijk een stormaanval van een ala weerstaan zonder er zwaar onder te lijden. De voorste linie bezweek onder het geweld, maar de mannen daarachter beschikten over lansen en weken niet. Zodra de aanval tot staan was gekomen, beduidde ik dat de verzamelwimpel moest worden gestoken en hoorde ik aan de trompetters dat de andere alae hetzelfde deden. Kort daarna stonden we alweer op onze uitvalspositie op de helling. Tot mijn eigen verbazing zag ik dat ik gelijk had gekregen: de meesten onder ons waren veel te snel geweest voor de oorlogsmachines. We hadden slechts twee ruiters van Galba's ala verloren, en er waren er zes gewond geraakt.

Intussen hadden Ohtar, Alfwin en de rest van het infanterieblok in het midden zich naar voren verplaatst, onder dekking van onze aanval, en nu vielen zij de linkervleugel en het midden van de vijand aan. Aanvankelijk leken ze goede vorderingen te maken, maar toen zag ik tot mijn afschuw uitbarstingen van vuur te midden van hun gelederen. Er moesten daar beneden nog meer oorlogsmachines staan. Iedere krijgsman die door dat afschuwelijke, klevende vuur werd geraakt, brandde als een fakkel, precies zoals Geiran en Morwen in Caer Lind waren verbrand. Bovendien verbrandden ze alles wat ze aanraakten. Ik had nooit geweten dat machines magie konden bedrijven. Ik moest mijn blik afwenden. Ik nam een slok uit mijn waterzak en zag Ap Madog naar me kijken.

'Is er een woord voor iets dat verschrikkelijker is dan verschrikkelijk?' vroeg hij.

Ik schudde het hoofd, misselijk van de aanblik. Ik keek omhoog naar de commandopost, in de hoop bevel te krijgen om aan te vallen, hoewel het krijgsgewoel beneden ons nog steeds afschuwelijk was. Het was ontzaglijk moeilijk om op het juiste moment te wachten. Toen ik weer naar beneden keek, zag ik dat sommige Segantianen de gelederen hadden verbroken en de helling op vluchtten. Ayls troepen op de brug hadden hen onverwachts in de flank aangevallen en dat was ze te machtig geworden. Alfwins mannen vochten gelijkmatig en stug door, maar ze moesten zich duidelijk terugtrekken, zoals ook gold voor de mannen van Ohtar. Een deel van Flaviens troepen – althans, ik nam aan dat het troepen van Flavien waren omdat ze zijn vaandel met de slang meevoerden – achtervolgden de zich verspreidende Segantianen. Toen, eindelijk, ontwaarde ik Angas, die zijn ala door de massa voetvolk leidde. Zijn wapendragers vorderden echter maar langzaam; ze hadden geen schijn van kans om voldoende vaart op te bouwen voor een stormaanval. Ze verplaatsten zich door Jarns voetvolk, dat bestond uit mannen van Ayl of Arling, maar pas toen ze hun vaandel staken, zag ik de zilveren zwaan van Cennet. Guthrum was dus gekomen, maar niet naar onze kant. Na bijna veertig jaar neutraal te zijn gebleven, tenzij hij werd aangevallen, was Guthrum eindelijk een agressor geworden. Blijkbaar hadden zijn familiebanden met Angas het gewonnen van die met Urdo. Misschien waren zijn getrouwen, net als die van Ayl, zo gebrand geweest op strijd dat hij hen niet thuis had kunnen houden. Ik vroeg me knarsetandend af wat Rowanna bij hun volgende ontmoeting tegen haar zuster zou zeggen.

Onze troepen waren nog bezig zich terug te trekken, met verschillende snelheden. De Bereïchers waren nauwelijks teruggeweken, maar de Segantianen en de Isarnaganen van Dun Morr hadden al veel terrein verloren. Ze werden woest achtervolgd door Flaviens militietroepen, maar de Jarnse infanterie was nog altijd slaags met de troepen van Ohtar en Alfwin, of maakten langzaam maar gestaag vorderingen. Exact in het midden was een groep Jarns precies tussen de zich terugtrekkende, gedesorganiseerde militie beland. Wanhopig keek ik naar boven, naar Urdo's commandopost. Het kon onmogelijk nog lang duren voordat Angas er doorheen was, ondanks alle troepen die hem de weg versperden. En als zij eenmaal een ala naar voren hadden gebracht, zou de toestand voor ons wanhopig worden. Als het aan mij had gelegen, was ik allang in de tegenaanval gegaan. De alae stonden klaar om bij het geringste teken een nieuwe stormaanval te ondernemen.

Na wat een eeuwigheid leek, kwam het bevel af. De trompetters bliezen de vijf tonen van 'We komen je halen' en we stortten ons midden in het strijdgewoel. De impact ervan was onvoorstelbaar, ook al blies de wind ons de regen recht in het gezicht. We raakten hen met de juiste snelheid en verbraken hun gelederen. Deze keer hadden we exact het juiste moment gekozen. Zelfs Angas' ala moest zich voor ons terugtrekken. Ik leidde mijn ala regelrecht naar de zijne en zij verscholen zich achter hun infanterie.

Hoevelen van hen we bij die stormaanval hebben gedood, weet ik niet. Het leek bijna op een tweede Foreth. Een ogenblik dacht ik zelfs dat we ze meteen zouden terugslaan. We drongen ze terug naar de bodem van het dal. Toen kwamen Atha en haar Isarnaganen de helling afstormen om ons te helpen. Zij waren beter uitgerust voor de strijd op de oneffen grond dan wij. Masarn en Cadraith bleven beneden om hen te ondersteunen, terwijl Luth, Ap Erbin en ik onze alae verzamelden en ons voorbereidden om terug te gaan, om ervoor te zorgen dat de Jarns die we eerder hadden gezien niet verder onze helling waren opgekomen.

Op dat moment schalden er machtige bazuinen, afkomstig van enkele schepen die ongemerkt de rivier op waren gevaren, voortgestuwd door dezelfde wind die de regen aanvoerde. Ze voerden de kletsnatte vlag van Munew. De opvarenden gingen ordelijk en snel aan land, niet ver van ons vandaan, onder de brug. Thurrig was erbij, en Custennin ook, en diens jonge zoon Gorai. Ze hadden een fors deel van de milities van Munew bij zich, plus de krijgshaftige matrozen van Thurrig zelf. Ik zat er een ogenblik met open mond naar te staren, terwijl het strijdgewoel om mij heen afnam. Ik gaf het sein dat we het even moesten aanzien. Niemand ging naar hen toe. Ik had geen flauw idee aan wiens kant ze stonden. Voor zover ik dat kon zien, gold dat ook voor alle anderen, van beide partijen. Toen zag ik hoe Ap Erbin zijn vaandeldragers bevel gaf de vaandels van zijn ala hoog te steken. Gorai zag het en wees er opgewonden naar, terwijl hij iets tegen zijn vader zei. Ik schatte hem niet ouder dan een jaar of vijftien, zestien – veel te jong om al op een slagveld te zijn. Ik kon me niet voorstellen wat er in Custennins hoofd omging. De strijd woedde voort, maar omringd door mijn ala voelde ik me veilig genoeg om aandacht te besteden aan de troepen die aan wal gingen.

Op dat moment zag ik Marchel zelfverzekerd op haar vader toe rijden. Ze reed aan het hoofd van een penoen ruiters uit Narlahena. Hoewel ik mij achter haar bevond, ver weg aan de andere kant van het slagveld, kon ik aan de achteloze arrogantie waarmee ze het hoofd rechtop hield zien dat ze wist dat deze troepen aan haar kant stonden. Ik haalde adem om de signalen te geven die de ala opdracht zouden geven zich om te keren en zich klaar te houden voor een nieuwe stormaanval. Op dat moment zag ik dat Thurrig iets tegen een zeeman naast zich zei. Toen zag ik de vrouw opkijken naar Custennin, alsof ze van hem een bevestiging verwachtte. De jonge Gorai zwaaide enthousiast met zijn armen. Op dat moment werd de rood-groene vlag van het Groot Koninkrijk op het voorste schip gehesen en zag ik hoe Thurrig met een soepele beweging zijn bijl uit zijn gordel trok en afwachtte.

Wat er gebeurde toen die twee elkaar bereikten, kon ik niet zien, omdat een stel maniakale Jarnse monniken juist op dat moment een emmer water over mij heen plensden terwijl ze luidkeels de Blanke God prezen. Ik weet niet wat ze ervan verwachtten. Zij en hun vrienden hadden zich door het strijdgewoel heen gewrongen om bij mij te komen, maar de twee met het water hadden niet eens wapens bij zich. Padarn doodde de ene monnik, en ik de andere. De rest was al dood. Ik was nog veel natter dan ik al was geweest, maar ook een stuk kwader. Toen ik weer naar de schepen keek, zag ik alleen nog strijdgewoel.

Ik vond dat ik genoeg tijd had verspild. Luth, Ap Erbin en ik wisselden trompetsignalen uit en reden weer de heuvel op.

Er ontstond grote wanorde toen een enorme vlammende bal midden in Ap Erbins ala belandde. Ik weet niet of Ap Erbins strijdros krankzinnig werd of dat Ap Erbin het doelbewust deed. Anders dan alle anderen hadden hij en ik dit vuur al eerder gezien. Ik heb altijd graag willen denken dat hij de tijd heeft gehad om te besluiten wat er moest gebeuren. Ze stormden de ala uit zonder iemand te raken, regelrecht naar Guthrums linie bij de vuurslingermachine. De vijand aarzelde en deinsde toen voor hem terug, zoals hun geraden was. Zijn botten en dat van zijn paard schemerden al door het vuur heen en zijn zwaard sloeg blauwe vonken toen hij het voor een laatste maal omlaag liet suizen, voordat zijn botten uiteenspatten bij zijn val.

Hierop hief Alswith een machtige kreet aan: 'Dood!' Ze stond rechtop in de stijgbeugels en smeet haar helm af, zodat haar lange rode haar los kwam te hangen. Het wapperde niet achter haar aan, zoals bij Foreth was gebeurd, want de regen plakte het tegen haar hoofd. Niettemin herkenden we het allemaal als een teken van rouw.

Ap Erbins ala, die beter had moeten weten, volgde haar meteen toen zij haar paard wendde en in volle galop terugreed naar het centrum van het strijdgewoel, waar de Jarns hun schildmuur opnieuw formeerden. Ze scandeerden 'Garand!' – Ap Erbins eigenlijke naam, hoewel hij er altijd een hekel aan had gehad en hem daarom nooit had gebruikt – afgewisseld met 'Vuurhaar' en 'Dood!'. Ze bestormden de vuurslingermachine en hakten het ding én de Jarns die het bemanden aan stukken, waarna ze woest om zich heen begonnen te hakken, zonder een greintje orde of discipline. Dit was – zoals Duncan dikwijls had gezegd – wat er altijd gebeurde als man en vrouw of zelfs twee geliefden zij aan zij streden en een ervan werd gedood. In alle jaren die ik heb gevochten was dit de enige keer dat ik dit meemaakte. Ik geef toe dat het laakbaar is, maar het is wel menselijk en ik heb het net zo ervaren wanneer een goede kameraad van mij sneuvelde. Het zou mogelijk zijn geweest om man en vrouw in de alae te scheiden, maar het is niet mogelijk alleen met mensen te strijden die je onverschillig laten. Destijds begreep ik Alswith volkomen, en voor de rest van Ap Erbins ala had ik ook meer begrip dan wenselijk was. Ik had tranen op mijn wangen en miste Ap Erbin meteen al. Het zou voor mij een enorme opluchting zijn geweest om ook de strijdkreet 'Dood!' aan te heffen en in het wilde weg om me heen te hakken.

Een deel van Ayls troepen op de brug had contact gemaakt met een deel van de oprukkende Jarns en ik zag Arling erbij. Ze maakten het onze strijders heel moeilijk. We vielen hen van beide kanten aan, terwijl onze eigen Jarns pal stonden tegen de vijand. Toen, op het moment dat mijn eerste penoen zich op de Jarns stortte en hun linie wankelde, zag ik Walbern ap Aldred in de Jarnse linie strijden, maar met Tanagaanse wapens.

Ik keek om me heen, op zoek naar Ohtar, benieuwd naar zijn reactie. Hij bevond zich tussen zijn mannen, niet ver achter mij. Ik zag dat hij zijn armbanden afdeed en ze aan zijn strijdmakkers gaf, die er hevig tegen leken te protesteren. Toen ontdeed hij zich ook van zijn zwaard, schild, gordel enzovoort, terwijl hij iets zei tegen de man die alles in ontvangst nam. Later hoorde ik dat hij had gezegd: 'Zorg dat dit in Anlaf komt als dat nodig is, en maak me niet te schande.' Toen, ongewapend, hief hij zijn gezicht op naar de hemel en bracht zijn handen omhoog naar de berenkop van zijn mantel. Zijn strijdmakkers deden een stap naar achteren, zodat hij iets voor hen kwam te staan. In alle rust, zonder overbodig misbaar, veranderde Ohtar in een beer. Hij hield de berenkop voor zich en drukte zijn gezicht erin, alsof het een masker was. Onder die omstandigheden leek het niet in het minst opzienbarend, eerder onvermijdelijk. Hij was nog altijd Ohtar, maar nu in alle opzichten een beer, een machtige beer uit de bossen van Norland of Jarnholme – het soort beer dan in Tir Tanagiri nooit was gezien. Hij was groter dan ikzelf toen hij zich op zijn achterpoten oprichtte en brulde. Ayls mannen begonnen zich terug te trekken, ook al hield Luths ala zich achter hen gereed om toe te slaan.

Toen stapte Walbern uit zijn linie naar voren en deed hetzelfde als zijn grootvader had gedaan. De beide beren richtten zich hoog op, brullend en grommend. Binnen een paar tellen vlogen ze elkaar aan, bijtend en klauwend. De Jarns uit Aylsfa herstelden hun linie; sommigen grijnsden zelfs en maakten smerige gebaren naar de mannen uit Bereïch. Ik vroeg me af of ik moest ingrijpen, en hoe ik dat zou moeten doen. Het was onmogelijk de twee beren te verwisselen: Ohtar was groter en donkerder. Hij leek ook de overhand te hebben in dit gevecht, hoewel ze allebei bloed op hun vacht hadden. Toevallig ving ik over Ohtars schouder heen een glimp op van Luths stomverbaasde gezicht en begon luidkeels te lachen – ik kon er niets aan doen.

Naarmate het gevecht tussen de twee beren voortduurde, leek Ohtar steeds groter en beerachtiger te worden. Er kwam abrupt een eind aan toen Walbern zich terug liet vallen op zijn voorpoten en wegstormde, dwars door zijn eigen linies, waarbij hij links en rechts vroegere strijdmakkers omverkegelde. Ohtar achtervolgde hem in een gestage galop, waarbij hij onderweg woest uithaalde naar mannen uit Aylsfa die probeerden hem te hinderen. Even later sloegen ze allemaal op de vlucht. Luth, die het met open mond en ogen als schoteltjes had gadegeslagen, maakte ruim baan voor de beren, die in noordoostelijke richting hun weg vervolgden, Walbern nog steeds voorop en achtervolgd door Ohtar.

Luths ala leek korte metten te maken met de Jarns uit Aylsfa die hun gelederen hadden verbroken. De Bereïchers hieven een gejuich aan en maakten aanstalten om naar voren te stormen, maar voordat ze iets overijlds konden doen, begon Alfwin bevelen te schreeuwen en herstelden ze hun linie.

Degenen die erbij waren geweest en het overleefden, zeiden later dat zij de lichamen van grootvader Ohtar en zijn kleinzoon Walbern tussen de gevallenen hadden gevonden. Niemand heeft echter ooit beweerd dat hij Ohtars berenmantel had gevonden, of iets van Walberns persoonlijke eigendommen had teruggebracht naar de verwanten van zijn moeder.

19

Ze houwde hem neer, de helleveeg, nadat Wulfstan en Woimar, zijn kameraden en trouwe volgelingen die in hun leven zo lang aan zijn zijde hadden gestaan, in afwachting van zijn woord voor hem waren gevallen en hem voorgingen van het slagveld naar de Zalen des Doods.

– Uit: *De Slag bij de Agned*

Nadat Ohtar was verdwenen en ze hun gelederen weer hadden gesloten, moesten we verwoede strijd leveren om de vijand terug te drijven. Na een poosje, toen het ernaar uitzag dat we aan de winnende hand waren, zag ik hoe Arling zich staande probeerde te houden, omring door zijn getrouwen. Ik gaf het handsignaal dat betekende dat iedere penoen de strijd naar eigen inzicht moest voortzetten en ging mijn eigen penoen voor, richting Arling.

Dat was de fase in de strijd waarin ik – op weg naar Arling – Ayl doodde. Het was mijn bedoeling niet, en ik heb het sindsdien altijd betreurd. Ik was met Ayl bevriend geweest en had het brood met hem gebroken. Hij was een goede man geweest, voor een Jarnse koning. Bovendien hebben we daarna jarenlang te maken gehad met zijn afschuwelijke broer Sidrok, totdat zijn zoon volwassen was. Op dat moment dacht ik echter aan niets van dat alles; hij was eenvoudigweg een hinderpaal tussen mij en Arling. Hij stapte naar voren, denkend dat ik wel zou aarzelen, en toen ik mijn zwaard uit zijn borst rukte, was de uitdrukking op zijn gezicht zo verbaasd dat ik erom moest lachen. Zo ging ik door en doodde lachend twee getrouwen van Arling voordat hij en ik eindelijk de zwaarden kruisten.

Hij had zichzelf koning van Jarnholme en Tir Tanagiri genoemd, en zelfs Grote Koning van alle Jarns, waar dan ook, maar het meest positieve dat ik van Arling Gunnarsson kan zeggen, is dat hij dapper genoeg was om pal te staan en te vechten toen het erop aankwam. Hij deinsde niet terug, hoewel ik te paard zat en hij niet, en hoewel hij wist dat hij ten dode gedoemd was. Ik heb geen van de goden op wie Ulf een beroep had gedaan zien komen om hem op te eisen, maar betwijfel geen moment dat ze zich om hem heen hadden geschaard. Ik zag hen in zijn ogen, toen hij eindelijk viel. Hij was verslagen, vernederd, veracht en verblind door zijn eigen verwatenheid. Hij werd neergehouwen als een opgejaagd dier. Uiteindelijk stierf hij, verdrinkend in zijn eigen bloed. Ik liet hem achter op het slagveld, als een prooi voor de kraaien.

Alfwin verzamelde zijn eigen troepen en die van Ohtar en ze stormden met nieuwe moed de helling af, terwijl de Jarns uit Jarnholme en Aylsfa terugweken. Ik keek omhoog naar de commandopost, in de hoop op bevelen, maar de regen en de mist maakten die onzichtbaar. Ik stuurde een ordonnans naar boven en verzamelde mijn ala om mij heen. Gezamenlijk reden we de helling op naar de barrière van wagens, om van paard te verwisselen.

Voordat ik er kon komen, moest ik me een weg zoeken door gevallen wapendragers en paarden. De spieswerpers en steenslingeraars hadden de juiste afstand gevonden en veel leden van Urdo's ala waren daar het slachtoffer van geworden. Overal lagen gesneuvelde kameraden. Ik zag de artsen bezig om Beris te helpen, die een speer door haar arm had gekregen. Iets hoger op de heuvel zag ik Masarn op de grond, gewond maar nog in leven, met een paar van zijn wapendragers om hem heen. Elwith beduidde me dat ik nodig was, zodat ik erheen reed en afsteeg. Ik gaf de teugels van Helderoog over aan een wapendrager en knielde in de modder neer naast Masarn.

Zijn benen waren verpletterd door een enorm brok steen, weggeslingerd door een van de oorlogsmachines. Er was geen hoop meer voor hem. Het deel van mijn geest dat kalm bleef, was verbaasd over het feit dat hij nog niet dood was.

'Ap Gwien! Zeg tegen Ap Gwien...' zei hij terwijl hij me recht in de ogen keek.

'Ik ben er, Masarn,' zei ik. 'Wat is er? Wat moeten ze mij zeggen?'

'Zeg Ap Gwien dat ik het heb gedaan. Ik neem alle verantwoordelijkheid op me. Zij zal het begrijpen. Hoop ik.'

'Ik begrijp het, Masarn,' zei ik, hoewel ik geen flauw idee had waarover hij het had. Ik weet niet of hij me heeft gehoord of zelfs maar besefte dat ik bij hem was.

'O, Sulien!' zei hij. Het klonk zowel verbitterd als tevreden. Toen vlood het leven uit zijn lijf. Hoewel zijn ogen nog open waren, keek hij er niet meer doorheen.

Juist op dat moment kwam er een nieuwe hagelbui van door een machine weggeschoten spiesen omlaag. Nog net op tijd kon ik me met mijn schild beschermen, maar Helderoog werd geraakt in de achterhand. 'We moeten hier weg, ze hebben zich ingeschoten,' zei ik. 'Breng de gewonden in veiligheid; de rest rijd met mij mee.'

Ik steeg weer op, bijtend op mijn lip, en toen pas vroeg ik me af wie Masarns ala nu leidde. Masarn was in feite de tribuun, want Urdo was de prefect van zijn ala en hij bevond zich op zijn commandopost. Toen, te laat, begreep ik wat hij me had willen vertellen. Darien was de vaandeldrager. Hij moest de ala leiden.

We moesten evengoed van paard verwisselen. Ik reed voor de ala uit naar boven. Toen we de barrière van wagens hadden bereikt, ondernam Angas' ala verwoede pogingen om die te slechten. Darien vocht aan het hoofd van de resten van Masarns ala, ongeveer drie penoenen sterk. Ik zag Ulf en Rigol in de positie van een decurio. Ik gebaarde naar de trompetters en we stormden erheen om Darien te ondersteunen. De paarden waren erg moe en veel snelheid konden we niet maken, maar Angas' ala keerde zich om en begon tegen ons te strijden. Zij waren minder moe dan wij en minstens even goed, en nagenoeg elk ogenpaar dat mij boven een lans aankeek, had in betere tijden naar mij gelachen. Ik zag Ap Cathvan brullend van links op me toestormen, maar Ap Madog velde hem. Elk ogenblik op zich was een verbitterd gevecht. Ik probeerde de ala zo goed mogelijk te dirigeren, maar algauw degenereerde de strijd tot een woeste schermutseling. Toen zij zich eindelijk terugtrokken om zich te hergroeperen, hadden we al heel veel wapendragers en paarden verloren. Dat hadden zij ook, uiteraard. In het strijdgewoel had ik Angas niet gezien, maar nu ze zich hergroepeerden zag ik hem. Hij had zijn helm in de strijd verloren en ik zag een wond aan zijn slaap. Zijn kaken stonden strak en hij had donkere wallen onder zijn ogen.

Ik wilde wanhopig graag opnieuw aanvallen, maar het was nu bitter noodzakelijk om van paard te verwisselen. Helderoog zweette hevig en haalde schurend adem. Angas zat klem waar hij was, tussen ons, de barrière van wagens en de commandopost. Die kon ik nu zien, maar er werden voor mij geen signalen gegeven – alle seinen waren bedoeld voor de strijd aan de voet van de helling. Ik had geen idee wat er beneden gaande was. Ik wilde Luth of Cadraith niet laten komen, voor het geval ze meer nodig waren waar ze waren. De militie bij de wagens hadden ook zware verliezen geleden, maar ze hielden stand. Emer zat nog te paard en ze was tot nu toe ongedeerd gebleven. Ik beduidde de stalknechten om de reservepaarden te brengen. Zodra we ze hadden, konden we Angas bestormen. Ondanks onze zware verliezen beschikten we, versterkt met het restant van Urdo's ala, over een ala op volle sterkte. Terwijl de paarden werden gebracht, riep ik Darien, Ulf en Rigol bij me om te zeggen hoe ik hen wilde positioneren.

We waren tijdens een veldslag al vaak van paard verwisseld en hadden het honderden keren geoefend, tot het iets was dat we nagenoeg konden doen zonder erbij na te moeten denken. Ik hield vier penoenen in het zadel, de drie nieuwe en die van mezelf, tussen de twee penoenen die van paard verwisselden en Angas, zodat hij ons niet onverhoeds kon bestormen en overvallen op het moment dat we op de grond stonden. Hij viel niet aan, maar zat naar mij en Darien te staren terwijl we met elkaar overlegden. Pas toen er drie penoenen op verse paarden tussen ons door naar voren waren gekomen, stak hij zijn vaandels en ging in de aanval. Het was echter geen frontale aanval op ons, maar een aanval in tegengestelde richting, naar de commandopost.

Ik had kunnen weten wat hij van plan was. Het werd een nachtmerrie. Alle zorgvuldig geoefende orde veranderde in kolkende chaos. Helderoog had geen fut meer voor een stormaanval. Ik slingerde me op Glimmers rug en gaf hem de sporen, achter Angas aan. Darien, Rigol en Ulf reden voorop, direct gevolgd door de ala. We reden zo snel als we konden, heuvel op, en zaten hen algauw op de hielen.

Urdo was zo goed beschermd als maar mogelijk was. Ohtar, Alfwin en Atha hadden hun beste krachten om hem heen verzameld, uitsluitend hun eigen gezworenen – sterke, dappere veteranen. Terwijl ik die schildmuur naderde en ernaar keek, bedacht ik hoe vreemd het was dat zij aan onze kant vochten en door een vijandelijke ala werden bestormd; ze waren geen vijand die door mij werd bestormd. Ik zag voornamelijk de baardige, bleke gezichten van Jarns, met wat groepjes uit de milities van Derwen en Segantia en hier en daar wat blauwbeschilderde Isarnaganen. Ze stonden pal tegenover Angas' stormaanval, de lansen gereed om diens paarden op te vangen.

Kort voordat ik de linie bereikte, zag ik Angas erdoorheen breken en vallen; zijn paard was onder hem dood ineengezakt. Glimmer struikelde over Angas' gevallen paard. Ik sprong uit het zadel toen hij viel, en viel bijna zelf ook vanwege de hevige schok waarmee mijn benen op de grond belandden.

Ik stond in de bres vlak achter Angas, die nu afgesneden was van zijn ala. Zijn mannen stonden maar enkele passen achter hem, maar Urdo stond tegenover hem en alles leek zich afschuwelijk langzaam te voltrekken. Angas had zijn langgesteelde bijl in de hand, die Thurrig hem had leren hanteren toen hij als rekruut bij de alae was gekomen. Urdo had zijn zwaard, het zwaard dat de godin hem op de top van de heuvel Foreth had geschonken. Mijn longen brandden in mijn borst toen ik naar voren rende. Angas liet zijn bijl woest omlaag suizen naar Urdo's hoofd en Urdo draaide zich een kwartslag om de bijl met de rand van zijn schild weg te stoten. Het lukte hem bijna; hij was sterk en snel en had Angas kunnen doorsteken voordat hij een tweede keer kon toeslaan. Hij draaide zich op het natte gras echter net iets te ver om. De bijl beet in zijn schouder en verbrijzelde zijn sleutelbeen voordat ik er was om het te verijdelen.

In een slag heb je geen tijd om te rouwen en niets in dit leven kan ongedaan worden gemaakt.

Urdo gleed naar de grond, dood, of er zo dichtbij dat er geen kans meer was op herstel. Toen Urdo's lichaam de grond raakte, leek hij erin op te lossen alsof hij uit regenwater bestond. Waar hij was gevallen was niets te zien dat erop wees dat daar ooit iemand had gestaan. Op dat moment bereikte ik Angas, die nog naar de grond staarde. Darien bereikte hem op hetzelfde moment en Angas zou gestorven zijn als zijn ala niet zover was opgedrongen dat zijn wapendragers om ons heen stonden. Ik bracht hem een flinke houw in zijn been toe voordat iemand zich van zijn paard liet vallen, tussen ons in. Een tijdlang moesten we strijden op leven en dood. Darien, Ulf, Rigol en ik stonden ruggelings op de plaats waar Urdo was gevallen. De grond was er glibberig van modder en bloed. We hadden het grootste deel van een ala tegen ons en het merendeel van Urdo's lijfwacht was al gevallen. Rigol viel en Ulf werd in zijn zij geraakt, waardoor hij veel trager werd. Toen was Govien met mijn ala bij ons en werd de druk op ons minder. Na een tijdje sloeg het schamele restant van Angas' ala op de vlucht toen Cadraiths ala ons bereikte en hen verdreef.

Pas toen er geen vijand meer tegenover me stond, kon ik naar Urdo kijken. Hij was er. Hij lag op de grond en keek met een flauwe glimlach naar me op, beslist gewond, maar kennelijk nog in leven. Ik kneep mijn ogen stevig dicht, voordat ik weer keek en alleen een hoop vochtige bladeren zag, met een vorm die vaag leek op het lichaam van een liggende persoon. Cadraith was afgestegen en lag op zijn knieën naast Urdo, huilend. Even was ik te verbaasd om me te bewegen. Ik kon Urdo en de bladeren samen of afzonderlijk zien, alsof ze allebei even concreet waren als de regen op mijn gezicht. Urdo wenkte Darien, die naar hem toe liep en neerknielde. Toen keek hij om zich heen, zonder zijn hoofd te bewegen – alleen zijn ogen bewogen. 'Raul?' vroeg hij, alsof het uitspreken van het woord hem grote inspanning kostte.

Raul had zich ook op de commandopost bevonden en ik vreesde het ergste. Hij kwam echter hinkend naar ons toe. Angas' ala had zich op de plek geconcentreerd waar ik me bevond en er waren meer verdedigers in leven dan ik had gedacht. Rauls capuchon en het weinige haar op zijn hoofd was doorweekt. Hij boog zich naar Urdo, die zacht iets tegen hem zei.

'Garah?' zei Urdo, en opnieuw waren het alleen zijn ogen die bewogen. Garah kwam achter hem vandaan. Ik wist dat hij haar had gezien voordat hij haar met zijn ogen had kunnen ontdekken. Ik hield mijn adem in.

'Alfwin?' zei hij. 'Nee, te ver. Cynrig zal namens de Jarns getuigen.' Cynrig steeg af en kwam naar voren. Anders dan het merendeel van de ala had hij geen schrammetje opgelopen.

Urdo glimlachte en nam, ten overstaan van Cadraith, mijzelf, Raul en Garah, omringd door de resterende leden van de militie en de wachtende kring van wapendragers, de hand van Darien in de zijne. Op dat moment werd de regen minder en veranderde in een licht waas, precies zoals op de vroege ochtend het geval was geweest.

'Laat dit worden vernomen,' zei hij terwijl hij zijn handpalmen omhoog bracht en ze weer liet zakken, vlak boven de grond. 'Hier tussen aarde en hemel, gebonden aan mijn eigen wil, beloften en verwachtingen, schenk ik, Urdo ap Avren ap Emrys, als Grote Koning jou, Darien Suliensson, mijn nalatenschap. Luister, mijn vorsten, mijn volk en alle goden van hemel en aarde, huis en haard en alle clans van mensen; hoor dit aan, Barmhartige Eeuwig-genadige Blanke God die alle eden kent.' Hij wachtte en leek adem te halen, maar de adem die hij aantrok was de wind die rondom ons leek te zuchten. De regen was nu volledig opgehouden. 'Ik geef u Darien Suliensson tot Grote Koning van Tir Tanagiri en tot opperbevelhebber van dit eiland. En ik zeg u, hij heeft het geboorterecht. In zijn aderen stroomt het bloed van Vinca, het bloed van de oude koningen van Tanaga en het bloed van de koningen van Jarnholme. Wat echter meer is, hij zal de vrede en de wet die ik voor mijn land en volk heb gevestigd handhaven. Hij is mijn erfgenaam en weloverwogen keuze. Neemt u hem aan?'

We bulderden hem onze instemming toe. 'Darien!' scandeerden we. De wolken in het westen weken uiteen en een paar stralen van de namiddagzon braken erdoorheen.

Darien stond op en nam zijn helm af. Zijn gezicht was betraand, maar hij zag eruit als een ernstige jonge god. 'Ik weet niet hoe ik u zal dienen als koning, maar ik zal mijn uiterste best doen,' zei hij. Weer scandeerden we zijn naam, hoewel ik het gevoel had alsof mijn keel werd dichtgeknepen en mijn ogen brandden.

Toen ik weer naar Urdo keek, zag ik niets dan een hoop natte bladeren en twijgen. Geen van de anderen scheen iets ongewoons op te merken. Toen kon ik Urdo weer zien liggen en wenkte hij me.

'We moeten aan de weet zien te komen hoe het staat met de strijd en dan doorvechten,' verklaarde Darien, die meteen een reeks verstandige bevelen begon uit te delen.

Ik liep naar Urdo en knielde naast hem neer. Ik wilde iets zeggen, maar wist niet wat; het was alsof ik al alles had gezegd, of dat alles wat ik had willen zeggen, nooit kon worden gezegd. Ik wist niet eens of hij er wel was, noch wist ik of dat wat er gebeurde datgene was wat de goden voor Tir Tanagiri konden doen. Hij had bij zijn naam gezworen en ik zag dat hij nu deel uitmaakte van het gebeente van het land. Toch was hij nog Urdo, mijn koning, die vol geduld en vertrouwen naar mij keek. Ik wist dat hij mij zag en begreep, zoals altijd. Zelf kon ik nog niets zeggen, en huilen kon ik ook niet meer. Ik legde mijn hand op de zijne en voelde onder de bladeren het gevest van zijn zwaard. Ik wist op dat moment wat hij van mij wilde. Ik nam het zwaard en legde dat van mij, gehavend en bebloed, naast hem neer. Raul keek me bevreemd aan, maar zei niets. Ik weet niet wat ik zou hebben gedaan als hij had geprobeerd me ervan te weerhouden.

De stalknecht kwam me Glimmer brengen, die bij zijn val niet gewond was geraakt. Ik steeg op en nam mijn plaats in de ala weer in. We reden terug naar de strijd. Angas' ala had zich in de boerderij verschanst. Guthrum en een deel van Ayls troepen hadden de brug nog steeds in handen. Flavien, Cinvar en Cinon streden tegen Alfwin en onze infanterie in het midden. Custennin en Marchel waren dood. Gorai en Thurrig verdedigden hun schepen. De vuurslingeraar was volledig verwoest, maar de rest van de oorlogsmachines vormden nog steeds een gevaar.

Er is me verteld dat we door zijn blijven vechten totdat de duisternis ons dat onmogelijk maakte. Er is me verteld dat we nog drie stormaanvallen hebben ondernomen en dat Govien Galba's ala zo goed had weten te leiden als een tribuun maar kon doen, totdat hij te zwaar gewond was geraakt om nog te kunnen rijden. Er is me verteld dat ik had gebruld als een demon en honderden vijanden had gedood (plus wat oude vrienden die naar het andere kamp waren overgelopen), dat alles zonder ook maar even te aarzelen of zelf een schram op te lopen. Het schijnt dat mijn zwaard niet eens bebloed was geraakt. Het is best mogelijk. Misschien dat ik er op dat moment wat troost uit kon putten. Het is me allemaal ontschoten, behalve wat me door anderen later is verteld. Ik herinner me zelf niets meer van de rest van die dag, nadat ik Glimmer weer had bestegen, mijn kaken op elkaar klemde en Urdo's zwaard stevig in mijn hand nam.

20

Het karakter van de koning is de achilleshiel van de monarchie. Het is in handen van de goden ons de koning te zenden die wij verdienen.
– Aristokles van Lossia in *The rechtvaardige stadstaat*

Ik kon me niet goed herinneren waarom ik in het gras lag, maar het was niet ongerieflijk. 'Mijn zoon Anlaf wordt koning van Bereïch, als het land ermee instemt,' hoorde ik Alfwin zeggen. 'Hij is daar al. En wat het land rondom Thanarvlid betreft – Alswith kan het als regent beheren totdat haar zoon oud genoeg is.'

'Alswith kan het voor zichzelf regeren, en haar zoon na haar,' zei Darien. Ik opende mijn ogen. Het was nacht. Voor me groepten Darien, Alfwin, Raul, Emer en een aantal andere mensen samen rondom een lantaarn.

'Dat is bij ons de gewoonte niet,' zei Alfwin. Hij had een zwachtel om zijn been en zag er nog bleker uit dan anders.

'Dat is me bekend,' zei Darien geduldig. 'Het is echter ook bij jullie niet de gewoonte dat een vrouw ten strijde trekt om haar vader en haar man te wreken, en toch heeft Alswith dat gedaan. Het land is aan Ap Erbin en haar samen geschonken; het is niet het land van zijn voorouders, waarin zij een vreemde is. Zij is een lid van het koningshuis van Tevin. Ze beschikt over de nodige bekwaamheden. In Tir Tanagiri kan zij als koning regeren, en dat zal ze ook.'

'Dat is waar, we zijn nu in dit land,' beaamde Alfwin. Hij had het in het Tanagaans gezegd, maar het Jarnse woord voor 'land' gebruikt.

Ik kwam overeind – voorzichtig. Ik scheen nergens gewond te zijn. 'Hebben we gewonnen of verloren?' vroeg ik.

Ze draaiden zich direct allemaal naar mij om. 'Dat is wat we proberen vast te stellen,' zei Raul.

'We weten niet waar ze allemaal zijn,' zei Darien. 'Urdo is...' Hij aarzelde en ik wist dat hij wist wat ik wist. 'Op sterven na dood. Ap Erbin is dood, net als Ohtar en Custennin. We hebben veel manschappen verloren – meer dan de helft. Zij hebben echter meer troepen verloren, ongeveer tweederde. Behalve de koningen die jij hebt gedood, is ook Marchel dood. We geloven dat Flavien nog leeft; zijn strijdkrachten hebben zich tenminste nog enigszins ordelijk teruggetrokken. Waar Cinon is, weten we niet, het is mogelijk dat hij gesneuveld is zonder dat iemand het heeft gezien. Guthrum verdedigde de brug nog toen we voor de nacht wapenstilstand sloten. Angas en de schamele rest van zijn ala zitten nog steeds in de boerderij.'

'Wat weten we van Morthu?' vroeg ik.

'Die is de hele dag door niemand gezien,' zei Emer.

Ik maakte een grimas. 'En hoe zit het met Cinvar?'

Er viel een onbehaaglijke stilte waarin ze elkaar aankeken. Na een ogenblik deed Darien zijn mond open. 'Jij hebt Cinvar gedood,' zei hij. 'Je hebt vandaag eigenhandig drie van de koningen gedood. Dat zal altijd in de herinnering voortleven.'

Het zou voortleven in de herinnering, maar niet in de mijne, want ik wist er niets meer van. Niet dat ik me al te veel aantrok van Cinvars dood, want hij was een stomkop geweest. 'Het is echter niet genoeg, als Morthu nog in leven is,' zei ik.

Darien knikte.

Er kwam een ordonnans aanrennen. 'Broeder Cinwil wenst met iemand te spreken,' zei hij. Hij had zoveel haast dat de woorden bijna over elkaar heen buitelden.

'Waar komt hij vandaan?' vroeg Darien zonder aarzelen.

'Van de brug,' antwoordde de ordonnans.

'Ga jij met hem praten, Raul,' zei Darien. 'Zeg hem dat we bereid zijn Guthrums capitulatie te aanvaarden als hij terug wil keren in de vrede. Als we dat achter de rug hebben, wacht ons een moeilijker taak, in de persoon van Angas.'

Er ontstond daarna wat komen en gaan terwijl Raul en broeder Cinwil met elkaar onderhandelden. Atha kwam naar ons toe om met ons te praten. Ze vroeg hoe het met Urdo was en kreeg van Darien te horen dat hij de dood nabij was. 'Dan ga ik maar weer, want ik moet de *Hymne der ouderen* voor mijn gewonden zingen,' zei ze toen ze weer wegging.

'De vloek werkt nog steeds?' vroeg ik. Hun gezichten spraken boekdelen. Ik werkte me overeind. 'Ook ik moet naar de hospitaaltenten.'

De eerste die ik er zag, was Ulf. Ap Darel was bezig de gapende wond in zijn zij dicht te naaien, terwijl hij hem de les las omdat hij er de hele dag mee was blijven vechten. Ik probeerde de hymne tegen wapenrot en stuitte op dezelfde blokkade die ik aldoor al had bespeurd. De *Hymne der ouderen* werkte echter wel en algauw viel ik terug in het ritueel dat ik inmiddels in de hospitaaltenten had ontwikkeld: ik liep van de ene wapenbroeder naar de andere, zong de hymne en zei een paar bemoedigende woorden, voordat ik verder ging. Padarn was er, net als Beris, Govien en tal van andere goeie vrienden. Het leek wel alsof iedereen me wilde uithoren over Urdo; ze vroegen of de zon werkelijk door was gebroken toen Urdo afkondigde dat Darien zijn erfgenaam was en of hij nu de Grote Koning was. Ze wilden weten of ze hem Darien ap Urdo moesten noemen, of Darien Suliensson. Ik zei dat ze hem dat zelf zouden moeten vragen.

In de derde rij van gewonden die nog konden lopen vond ik Thurrig. Ik was verheugder hem te zien dan ik onder woorden kon brengen. 'Wat doe jij hier, ouwe zeerover?' vroeg ik.

'Ach, wat schrammen,' zei hij achteloos. 'Denk maar niet dat ik hier zou zijn, ware het niet dat de mensen afschuwelijke verhalen vertellen over een vloek die zou maken dat iedere schram een lelijke wond wordt die je de kop kan kosten.'

'Niet als ik er iets tegen kan doen,' zei ik, waarna ik over zijn lichte verwondingen – die inderdaad niet meer waren dan wat schrammen – de hymne zong. 'Ik zag jullie uit de schepen komen, jou en Custennin,' zei ik.

'Besluiteloos tot het laatste moment, zoals altijd,' zei Thurrig met een daverende lach. 'Linwen en Dewin zouden hem in Caer Thanbard hebben gehouden totdat de beslissing was gevallen. De jonge Gorai wilde echter voor Urdo, de vrede en eer strijden, en voor zijn oom, de held Ap Erbin. Iemand moet hem die romantische ideeën eens uit het hoofd slaan, maar hij zal niettemin een betere koning zijn dan zijn vader. Custennin zelf wist dat hij iets wilde doen, maar wat wist hij niet goed. Hij dacht dat hij zich misschien bij de opstandelingen kon aansluiten om te vechten voor de Blanke God. Nou, hij mag hem nu eeuwig prijzen. Tijdens de hele reis stroomopwaarts hebben we geruzied. In een burgeroorlog is het altijd moeilijk kleur te bekennen, omdat je vrienden hebt in beide kampen. Zelf nam ik pas een besluit toen ik Marchel op me af zag komen, denkend dat ze garen kon spinnen bij het schenden van haar eed. Nou, ze zal nu wel beter weten. Ik begrijp niet hoe ze op de gedachte is gekomen dat ik haar wel al mijn listen zou hebben bijgebracht.'

'O Thurrig,' zei ik, want ik wist hoeveel hartzeer hij ervan moest hebben, al praatte hij er nog zo luchtig over. 'Ik heb je kleinzonen een halve maand geleden in Derwen gezien. Het zijn prima kerels, verstandige kerels, en een van hen heeft vermoedelijk nu zelf een kind, te oordelen naar de buik van zijn vrouw, toen. Amala heb ik ook gezien, en ze zag er goed uit.'

'Amala zit in Caer Tanaga,' zei Thurrig. 'Ze heeft me geschreven; ze wilde dat ik naar haar toe kwam en de schepen meebracht, zodat we weg konden varen naar Narlahena. Omdat ze háár daar vergiffenis hebben geschonken, schijnt ze te denken dat ze mij ook wel zullen vergeven. Ze vergeet echter hoe hardnekkig herinneringen kunnen zijn.'

'Ik heb me altijd afgevraagd wat je daar hebt misdaan, dat ze je hebben verbannen,' zei ik.

'Dat is al bijna een halve eeuw geleden en ik heb het niemand verteld. Je dacht toch zeker niet dat ik het jou nu ging vertellen?' vroeg Thurrig. Hij grijnsde. 'Ik heb niet eens datgene gedaan waarvan ze mij verdenken. Of beter gezegd, ik heb er maar de helft van gedaan. Ik negeerde een bevel en won een zeeslag tegen de Skaths. De andere helft, koning Thudimir doden, heb ik niet gedaan. Ik weet echter wel wie het deed, maar ik heb iedereen altijd laten denken dat ík het had gedaan.'

'Wie dan?' vroeg ik.

Hij wenkte me naderbij, zodat ik mijn oor bij zijn mond bracht. 'Amala!' fluisterde hij. Ik keek hem sceptisch aan. Ik kon me niet voorstellen dat *zij* ooit iemand had kunnen vermoorden. Thurrig grinnikte. 'Kom met me praten als je nadenkt over een manier om Caer Tanaga binnen te komen, want als Amala verwacht dat ik kom, moet er een manier zijn.' We keken elkaar ernstig aan en hij rolde met zijn ogen om me attent te maken op de anderen om ons heen. 'Het spijt me ontzettend van Urdo,' zei hij. 'Ik heb zijn vader en zijn grootvader ook gediend en zal ook graag zijn zoon dienen.'

Juist op dat moment wrong Darien zich door de drom van ziekenhelpers en artsen heen en kwam naast mij staan. 'U hebt mijn Huis en mijn land al deze jaren trouw gediend en nooit beter dan vandaag,' zei hij, Thurrigs gezonde hand pakkend. 'Heeft mijn moeder de hymne al voor u gezongen?'

'Dat heb ik,' antwoordde ik. 'We praatten alleen nog wat.'

'Op dit moment wacht er niemand anders,' hernam hij. 'En ik zou graag even met je praten, als je het niet erg vindt.'

'Waar?' vroeg ik. We hadden onze tenten op de helling opgezet. Het wemelde in het kampement van mensen, uiteraard.

'Laten we doorlopen tot de bosrand,' stelde Darien voor.

'Ik kom gauw weer met je praten, Thurrig,' beloofde ik hem, voordat ik Darien naar buiten volgde. Al over een paar dagen zou het vollemaan zijn, maar nu joegen er wolken langs haar gezicht, waardoor het licht van het ene moment op het andere veranderde, nog voor we de bosrand bereikten.

'Wat is er?' vroeg ik.

Darien bleef staan. 'Het geeft me zo'n vreemd gevoel. Het is iets heel anders om erfgenaam te zijn dan koning, en ik begrijp nog steeds niet goed wat Urdo nu eigenlijk overkomen is.'

'Hij is dood,' zei ik, en opeens voelde ik het gewicht van dat feit. 'Jij bent nu Grote Koning en iedereen wil dat je dat bent.'

'Er is nog zoveel dat ik had willen leren,' zei hij. 'Nu moet ik echter een besluit nemen over wat ons te doen staat. Angas wil vrede. Angas heeft altijd vrede gewild. Morthu heeft hem opgestookt tegen Urdo. Hij was direct bereid ermee in te stemmen dat Morthu terecht moet staan wegens zwarte magie. Maar hij verlangt van mij dat ik hem vergiffenis schenk omdat hij Urdo heeft gedood, en ook wil hij dat ik met zijn dochter trouw. Eigenlijk wil hij zeggen dat hij een rechtvaardige strijd heeft gestreden en dat zijn grieven nu zijn weggenomen. Kan ik hem vergeven, denk je?'

Ik aarzelde. Ik wist dat ik hem zou moeten zeggen hem vergiffenis te schenken en vrede met hem te sluiten. Angas zou die vrede eerbiedigen, mits Morthu dood was. Ik had Angas altijd graag gemogen. Ik kon nog niet helder over Urdo's dood denken, maar zelfs nu de drang tot doden die in mij was opgeweld bevredigd was en ik hem in leven kon laten, zou ik Angas zelf nooit vergiffenis kunnen schenken. Ik zou hem nooit meer als een vriend kunnen omhelzen. 'Dat kan ik zelf niet,' zei ik eindelijk. 'Ik heb best begrepen wat Morthu met hem heeft gedaan. Ik weet waarom Angas tegen ons heeft gevochten. Ik heb zelfs met hem te doen. Maar hem vergiffenis schenken? Nooit.'

'Ik weet het niet,' zei Darien zacht. 'Ik zal hoe dan ook met iemand moeten trouwen, en gauw ook. Dat zou een goede manier zijn om de onrust in het noorden weg te nemen, ook al is het meisje mijn achternicht.'

'Je achternicht?' vroeg ik.

'Van twee kanten,' zei Darien, en ik zag hem in het maanlicht glimlachen. 'Rowanna was Eiranns tante en Angas is Avrens kleinzoon.'

Hij deed me denken aan Veniva, die met haar hele hart zou instemmen met zo'n verbintenis. Trouwens, er wás helemaal geen verwantschap, want hij was Urdo's zoon niet. Dat kon ik echter niet zeggen. 'Het lijkt me ver genoeg, waar het de verwantschap betreft,' zei ik.

'Raul denk er ook zo over,' bevestigde Darien. 'Trouwen is natuurlijk geen kleinigheid. Waarom ben jij nooit met Urdo getrouwd?' vroeg hij onverwachts.

Ik kneep mijn ogen samen. Het was bij geen van ons beiden ooit opgekomen, maar ik kon hem dat moeilijk zeggen zonder hem duidelijk te maken dat Urdo zijn vader niet was. Aan de andere kant wilde ik ook niet tegen hem liegen. Ik dacht terug aan die avond in de stallen van Caer Tanaga, toen ik als jong meisje Urdo met Mardol had horen praten. 'Urdo wilde een diplomatiek huwelijk. En ik was geen serieuze optie.'

'Je was de dochter van de heerschap van Derwen!' zei Darien.

'Eh, dat wel,' zei ik, maar ik had nu steviger grond onder de voeten. 'Dat betekende destijds echter veel minder dan het nu doet. Toen was Derwen een nietig, onbetekenend vorstendommetje. De groei die het land intussen heeft doorgemaakt, is voor een groot deel te danken aan Urdo's vrede. Bijna niemand had ooit van ons gehoord. Urdo zelf heeft zijn hersens afgepijnigd voordat hij begreep waar ik vandaan kwam, toen ik hem dat vertelde.' Ik glimlachte bij de herinnering. 'Nu is Derwen een koninkrijk dat het vermelden waard is. We hebben een grote ala plus een militie, en we hebben een florerende handel.' Ik beet op mijn tong, om mezelf te beletten uitleg te gaan geven over alle dingen die we maakten en exporteerden. Ik wilde niet te veel als Veniva klinken, ook al was ik trots op de groei die Derwen had doorgemaakt. 'Maar in die tijd stelden we niets voor; we waren niet meer dan een uithoek van het land. Ik zou Urdo geen nuttig bondgenootschap hebben opgeleverd. En hij was nog jong en had er tien aan iedere vinger.'

'Samen een kind hebben – dat moet toch iets betekenen,' zei Darien.

'Dat wel, maar ik had er geen idee van wát,' zei ik eerlijk. 'Ik was heel jong, weet je, jonger dan jij nu.' Het was moeilijk te geloven, maar hij was twintig geweest, en ikzelf pas achttien toen Darien werd geboren. 'Urdo was zelf ook nog erg jong – en hij dacht toen nog meer dan genoeg tijd te hebben. En Urdo had, nog meer dan een diplomatiek nuttig huwelijk, behoefte aan een koningin. Die vond hij in Elenn. Hij heeft veel van haar gehouden, dat weet ik. Ze is werkelijk een goede koningin voor Tir Tanagiri geworden, en ik zou er niets van terecht hebben gebracht. Ik wilde trouwens geen koningin zijn. Ik wilde gewoon zijn wie ik nu ben. Nee, zelfs geen heerschap van Derwen. Dat ben ik zo goed als ik kan, omdat het mijn plicht is. Ik wilde echter alleen maar wapendrager zijn, een van Urdo's getrouwen. Als ik al ambitie had, was dat prefect worden – en ik wilde de beste zijn.'

'Dat ben je ook,' zei Darien ernstig.

'Een van de besten,' beaamde ik voorzichtig. Het was waar dat er maar weinig mensen waren die mij tijdens de exercities nog iets konden leren.

'Je hebt vandaag drie koningen gedood,' zei Darien. 'Ik zou zo denken dat je geworden bent wat je wilde. Jij hoeft helemaal geen koningin te zijn. Je bent de beste van alle prefecten geworden.'

'Soms blijkt datgene wat je wilde, achteraf toch niet te zijn wat je wilt,' zei ik zwaarmoedig. Ik wilde dat Urdo weer zou leven, en ook wilde ik vrij zijn, zodat ik met een lans, een zwaard en wapenbroeders om me heen door het land kon trekken.

'Ik weet het,' zei Darien. 'Ik wilde het gevoel hebben dat ik als Urdo's erfgenaam door niemand in twijfel kon worden getrokken en niet de op een na beste keuze zou zijn, geen bastaardzoon. Urdo en ik hebben erover gedacht het over een paar jaar bekend te maken, als alle koningen mij kenden en ik al prefect zou zijn. Hij gaf me echter te verstaan dat er geen twijfel aan was dat hij mij zou kiezen, zelfs als hij tot een keuze zou worden gedwongen. Maar ik wilde dat iedereen er zo over zou denken. Vooral jij,' zei hij zachter.

'Maar zo denk ik er ook over!' zei ik. 'Darien, ik ben geweldig trots op je!'

'Maar nu het zover is, is het niet datgene wat ik wil. Meer dan wat ook zou ik met Urdo willen praten. Maar hij is...'

'Dood, en jij bent nu Grote Koning,' zei ik.

'Hij is dood, ja, maar er is geen stoffelijk overschot; hij ligt daar en zijn gebeente is in het land verzonken, maar toch spreekt hij soms. Ik ben nog niet als Grote Koning erkend; niemand heeft mij trouw gezworen,' zei hij. Hij zag er nog zo jong uit, in het maanlicht bijtend op zijn lip.

Daarom knielde ik voor hem in dat maanlicht en zwoer hem namens het land Derwen trouw. Maar ik herhaalde niet mijn wapendragerseed. Hoewel die ook eindigt met de dood, voel ik me er nog altijd gebonden aan, waar het mijn plichten jegens Urdo betreft.

Nadat Darien had geantwoord, stond ik weer op. En toen – juist op het moment dat de wolkensluier wegtrok van de maan – zag ik Dariens gezicht verstarren. 'Moeder, de bomen!' fluisterde hij, alsof hij nauwelijks durfde spreken.

Ik draaide me om, benieuwd naar wat hij zag. In de bomen was beweging gekomen: van elke soort werd een exemplaar zienderogen groter. Ze vormden een kring om ons heen en bogen voor Darien. Rondom ons begonnen we muziek te horen, muziek die langzaam steeds luider werd en die ik herkende als het lied van alle groene en groeiende dingen op het eiland. Ik kon het land toen voelen, net zoals ik dat thuis kon, in Derwen. Dit was echter het hele eiland dat tot Darien sprak: de bergen van Bregheda en Demedia, de veengebieden van Tevin, enzovoort. Iedere rotsformatie, rivier en boerderij en ook elk woud maakte zich bekend als een bestanddeel van het hele weefsel, een bestanddeel van de muziek van het hele eiland, ongeacht of hij het al kende of niet.

De maan scheen nu volop, want de tijd van wolken was voorbij. Ik ervoer mezelf als rijdend op Appel, zoals altijd als het land notitie van mij nam. En zoals altijd, hoewel ik wist dat mijn geliefde hengst dood was, voelde het zo vanzelfsprekend aan dat ik geen tijd had het als vreemd te ervaren. Ik nam een beetje afstand van Darien toen ze door de bomen naderden, de beschermers van Tir Tanagiri, precies zoals de vorige keer dat ik hen had gezien, toen ik thuiskwam in Derwen en mijn plaats innam als heerschap van Derwen. Urdo had toen naast mij gezeten, zoals ik nu naast Darien zat. Turth was er, en Hithwen de Witte Reebok, Hithun het Hert, Hoivar de Uil, Palug de Kat, en tal van anderen. Ze kwamen uit de schaduwen het maanlicht in om zichzelf bekend te maken aan de nieuwe koning. Ik zat rustig op Appels rug en keek omlaag naar Darien terwijl ze een voor een naar hem toekwamen om hem te begroeten. Zijn gezicht was een en al verwondering in het maanlicht, en hij strekte naar ieder van hen zijn hand uit, voordat ze naar de bomen teruggingen om daar te wachten. Als laatste kwam Ohtar Bearsson, beschermer van de Jarns op Tir Tanagiri. Darien omhelsde hem, hoewel Ohtar nu groter was dan onverschillig welke man of beer die ooit door de wakende bossen was gekomen.

Ook Urdo was er; hij leunde tegen een eik, tegenover mij aan de andere kant van de tra. Ik keek nog eens goed – misschien was hij een boom? Het was echter alsof het hele bos, de hele helling, heel het land, nu Urdo's lichaam was, zoals het meer op de top van de heuvel Foreth het lichaam van de Moeder was geweest toen wij haar hadden bezocht. Hij was niet dood, evenmin als Ohtar, want hij zou niet meer incarneren in een nieuw lichaam voor een nieuw leven. Hij was nu voor eeuwig Urdo, niet als mens, maar als een bestanddeel van het land. Het was niettemin een schrale troost in mijn verdriet om de man die mijn vriend was geweest. Hij keek naar mij, maar we spraken niet. Er waren geen woorden, er konden op dit moment in de tijd geen woorden zijn, alleen de machtige akkoorden van de muziek van het land terwijl dit nieuwe bewustzijn Dariens aderen doorstroomde en de lucht om ons heen in trilling bracht. Zelfs als iedere muzikant in het land tegelijkertijd had gespeeld, zou dat niet de harmonie hebben gecreëerd die we in de verrukkelijke thema's van deze muziek hoorden.

Na een poosje, terwijl we wachtten, kwam er een moment dat ook de hoge goden zich kenbaar maakten, hoewel het leek alsof ze er altijd al waren geweest, zoals het natuurlijk ook was. Gangrader, de Heer der Gevallenen, was er, samen met Heider en Tew en andere goden van de Jarns die ik niet herkende. Darien boog beleefd voor hen, een voor een, en zij stonden boven de bomen en wachtten eveneens.

Darien stond eenzaam in het midden van de tra, want Appel en ik hadden ons teruggetrokken naar de bomen. Even liet hij het hoofd zakken. Toen tastte zijn ene hand kort naar zijn halssteen. Hij strekte zijn handen uit, de handpalmen eerst naar de grond en dan naar de hemel gekeerd. Er ontstond een verwachtingsvolle stilte, hoewel de muziek geen moment trager werd of ophield. Toen was er het licht, een licht dat niet afkomstig was van de zon of de maan, maar dat alles zo duidelijk zichtbaar maakte dat het scherper werd omlijnd en groter en meer zichzelf leek. Alles straalde van binnenuit een weldadig licht uit en de muziek die uit alle bestanddelen van het eiland had bestaan, verenigde zich tot een machtig lied, een loflied op het licht, een loflied op de mensgeworden God wiens offer alle wezens in staat had gesteld meer zichzelf te worden. Alles was liefde, warmte en veiligheid; alles was op zijn plaats en groeide en bloeide. Het loflied was een bevestiging die recht uit het hart kwam en de ziel volledig vulde.

Een ogenblik lang ervoer ik het, toen Darien zijn armen ophief. Het licht bestond uit alles wat ik liefhad: heel het land en de vrede. Zelfs de goden zongen. Diep in mijn innerlijk was er echter nog iets dat kil bleef, en mijn hart zei nee. Misschien was het mijn stijfkoppige natuur, die weigerde het oude los te laten. Of misschien kwam het door mijn verdriet, dat me belette me helemaal over te geven aan dit loflied. Ik wendde Appels hoofd weg van het licht en staarde naar de duisternis achter mij. Ogenblikkelijk zweeg het loflied, nu weinig meer dan een herinnering achter mij. Het was alsof ik een troosteloze woestenij in keek, een vlakte van as; en ver weg op die vlakte zag ik een duistere stad, grauw afstekend tegen de duisternis, een stad waarvan de torens spiesen waren en waarvan het hart vervuld was van boosaardigheid. Morthu was daar, Morthu en de rest van zijn soort, maar Morthu was de kern van het kwaad dat ik kon zien en benoemen. Er waren daar ook duistere goden – sommige vormloos, andere met vormen en namen die ik vreesde. Bijna had ik me weer omgedraaid naar het licht; ik voelde er niets voor om te haten en te vernietigen, zoals Morthu deed. Appel hinnikte echter en het antwoord bestond uit het gekras van massa's kraaien. Op dat moment wist ik dat Gangrader achter mij stond.

Mijn hart zei opnieuw nee. Ik weigerde resoluut Morthu af te staan aan de duisternis. Dat zou een verkeerde keuze zijn, of eigenlijk was het geen keuze. Niemand zou me dwingen die te maken. Ik hief Urdo's zwaard op. Het licht bewoog zich over het zwaardblad voor mij. Ik haalde diep adem en herinnerde mij het sterrenlicht boven de zee. Zonder duisternis kon er geen licht zijn. Elk licht werpt zijn schaduwen, en zonder schaduwen zou er geen licht zijn omdat alles dan licht was. Ik herinnerde mij hoe de zon door de wolken kon schijnen, en ook herinnerde ik mij iedere donkere nacht waarin ik had gewaakt over een koud kampement en de schoonheid die in de duisternis was had kunnen zien. Ik herinnerde mij de kleuren van het ochtendgloren, als ik de nacht was doorgekomen en ze mocht begroeten.

Met iedere herinnering duwde ik mijn eigen duisternis die vlakte op. Mijn duisternis had bomen, en wind, en het bulderen van de branding. Achter mij hoorde ik het diepe grommen van een beer. Mijn duisternis was een welkome vriend, verschillend van het licht. Ik dacht terug aan een raam in een boerderij tijdens een nachtelijke rit, lang geleden; achter dat raam was iemand geboren of gestorven. Ik dacht terug aan de duisternis op de top van de Foreth. Ik rook het wier in het water van het meer van de Moeder, hoog in de heuvels van Bregheda. Ik hield het zwaard omhoog en keek ernaar, in het besef dat een zwaard kan doden, maar dat sommige mensen tot doden bereid moeten zijn om de vrede in stand te houden. Mijn duisternis was geen aanval op het licht, maar iets anders, dat reëel was, en goed. Een bliksemschicht spleet de hemel voor mij open en overal om mij heen hoorde ik zware donderslagen. Opeens lag het meer voor mij, donker onder de hemel, tussen de blauwe lichtflitsen. Ik wierp het zwaard het water in, zoals ik Urdo had beloofd. Ik zag haar hand omhoog komen om het te vangen. Toen voelde ik een hand op mijn schouder. Het was echter niet de hand van Gangrader, maar die van de Heer van de Virtuoze Hand. Hij drukte me een speer in de hand en ik zag hoe het wapen een blauw licht uitstraalde. Kijkend naar de speer wist ik dat dit een van de grote schatten van het land was, even belangrijk als Urdo's zwaard en in mijn hand zelfs nog belangrijker, omdat de speer voor mij bestemd was.

Zodra ik de speer aannam, hoorde ik de muziek achter mij weer aanzwellen, maar deze keer met meer resonantie, vergelijkbaar met een in duisternis schijnend licht, of met de klanken van een harp in een grote hal, onaantastbaar voor de kille wind erbuiten.

De grauwe citadel was nu bijna omgeven door mijn weldadige duisternis. Het leek alsof hij op een rotspunt rustte, ver van mij vandaan. Toen zag ik Morthu op de muren staan; hij richtte een oorlogsmachine op mij. Darien posteerde zich naast mij, in een harnas met de glanzende kleuren blauw en goudgeel. Ohtar stond aan mijn andere zij en gromde uitdagend. Achter mij stonden Urdo en Gangrader, de Hemelvader, Turth en Bregheda, de Heer van het Licht, de Heer van de Virtuoze Hand, de Heider, de Vrouwe van Wijsheid en alle goden in hun gelederen, en ook de Blanke God Zelf, een tengere Sinean met een baard, gekleed in een lendendoek.

Morthu's oorlogsmachine slingerde een machtige bol van zwart vuur naar ons. Ik bracht mijn speer omhoog, maar zag te laat dat de bol niet op mij was gericht, maar op Darien. Zo snel als een gedachte sprongen Appel en ik voor Darien terwijl de bol rondom ons uit elkaar barstte.

21

Met staalkoude ogen en een zwaard van kil staal galoppeert zij door het strijdgewoel en zaait dood en verderf, steeds op zoek naar strijders om uit te nodigen. Ze kiest degenen die 's avonds mogen feestvieren; en zij lacht of jammert als zij degenen besluipt die zij zal vellen.
– Uit: *Walkurja*

De wereld om mij heen ging uit als een uitgeblazen kaars en ik werd verpletterd door de wanhoop die als een loden gewicht op mij viel. Ik rende zo hard mogelijk in het donker door de bossen, moederziel alleen en ten prooi aan volslagen wanhoop. Ik had al lange tijd gerend en was moe. Er was echter geen mogelijkheid om te rusten of me te verschuilen. Het was voor mijn gedachten moeilijk houvast te vinden op het oppervlak van mijn geest. Steeds als er een gedachte opkwam, veranderde deze in een spiraal die uitliep in een vreselijke, mijn wanhoop versterkende cirkel. Het was alsof ik iedere cirkel meer dan eens doorliep – en sommige zelfs vele keren, zodat ze niet alleen afschuwelijk waren maar me ook afschuwelijk vertrouwd werden. Ik rende zonder het bos om mij heen te zien; ik accepteerde eenvoudigweg wat ik zag, zonder erbij te denken. Overal om mij heen zag ik bomen en schaduwen van bomen, en het bos bleef zich uitstrekken hoe ver ik ook liep. Meer dan eens zag ik ogen die me in het struikgewas volgden: een beer, kat of grote, zilvergrijze hond. Ik week voor ze uit, eerder uit zelfafkeer dan uit vrees. Een tijdlang rende ik gedachteloos door, een tijd zonder maat, totdat mijn voet achter een graspol bleef haken en ik languit voorover smakte, gekneusd en snikkend. Ik had mezelf met de speer bijna een oog uitgestoken. Hij straalde geen licht meer uit. Mijn hand was verkrampt, zo hevig had ik hem omklemd. Bijna had ik hem onbezonnen weggesmeten, ware het niet dat ik wist dat er een reden was dat ik hem moest houden. Ik staarde er een tijdje naar voordat ik me herinnerde dat hij me toevertrouwd was.

Wat had ik me wel verbeeld toen ik daar te midden van de goden stond en geschenken van hen aannam, bijna in de waan dat ik een der hunnen was? Nu, alleen in dit kille, donkere bos, wist ik dat ik maar al te menselijk was. Mijn fouten hadden geleid tot Urdo's dood, en nu hij gestorven was, was er niets in de wereld meer waarvoor ik wilde leven. Ik kon nog bijdragen aan Urdo's vrede door Derwen te regeren, maar dat zou voor mij een vreugdeloze, holle bezigheid zijn. De loden last van mijn intense verdriet en eenzaamheid maakten dat ik me dubbelvouwde. Plichten waren er maar een armzalig dun schild tegen. Niettemin, de speer was mij toevertrouwd en ik zou erover waken. Hoewel de oogmerken van de goden mijn verstand te boven gingen, wist ik dat ze er waren geweest. Ik weigerde om hun vertrouwen in mij te beschamen. Ik was daar geweest, ook al was het moeilijk voor me het duidelijk voor de geest te houden.

Hoe was ik erbij gekomen te denken dat ik op Appels rug zat? Appel was dood, lang geleden gesneuveld bij Caer Lind. Opeens, eenzaam tussen deze vreemde bomen, besefte ik hoever ik van huis was. Dit waren niet de bossen die ik kende, dit was niet mijn land, dat zich Appel kon herinneren. Hier was ik een vreemde, een ongenode en onwelkome eenling. Ik werkte mezelf overeind en begon weer in den blinde te rennen, op onvaste benen op zoek naar een uitweg, zodat ik af en toe tegen een boom stootte. Na een poosje bleef ik staan, gooide mijn hoofd in de nek en huilde luid.

Hoe had ik het in mijn hoofd gehaald te proberen de vorm van de wereld te veranderen, als zelfs mijn eigen familie me niet eens vertrouwde? Onder de ritselende takken voelde ik me alleen, in het besef dat ik geen echte familie had. Darien kende ik nauwelijks – en nu stond hij zelfs op het punt Angas vergiffenis te schenken voor de moord op Urdo. Mijn vader was dood. De broer die ik had liefgehad was dood, net als de broer die ik had veracht. Mijn zus was gestorven nadat ze had geprobeerd mij te vergiftigen. Mijn moeder was oud en had mij nooit waardig genoeg gevonden. Ik huilde en krabde door de gevallen bladeren en de humus van de bosgrond, zodat ik een sterke rottingsgeur losmaakte die me bijna liet kokhalzen.

Waarom was ik zo stom geweest de slag te overleven? In het maanlicht, eenzaam tussen de gevallen bladeren, kon ik plotseling Emer begrijpen, die naar voren was gestormd om de dood te zoeken. Bijna benijdde ik haar om haar illusies. Ik had al zo lang geleden begrepen dat een heldhaftige dood in de strijd uiteindelijk alleen maar pijn, bloed en dood is, een eind aan een leven. Urdo was dood. Ik had mijn koning overleefd, en daarmee ook mijn doel in dit leven. Ik had mijn plicht verzaakt door hem niet te verdedigen. Ik was niet op tijd bij hem geweest. Ik jammerde en huilde en rolde heen en weer. Ook nu lag de speer me in de weg, alsof hij me aan zijn bestaan wilde herinneren.

Wat had ik gedaan, door Urdo's zwaard weg te werpen? In dit kille bos, eenzaam, wist ik dat ik nu niets meer had dat me aan hem kon herinneren. De speer had ik al die tijd omklemd, maar nu omhelsde ik hem en snikte luid. Even putte ik er troost uit, maar toen haatte ik hem. Hij herinnerde mij eraan hoe ik mijn plicht had verzaakt. Het liefst had ik hem weggesmeten. Ik overwoog of ik hem zou gebruiken tegen mezelf. Ik haatte de speer. Ik haatte mezelf. Ja, ik haatte de hele wereld. Op dat moment haatte ik zelfs Urdo, omdat hij mij in de steek had gelaten door te sterven. Altijd had ik van hem verwacht dat hij me zou zeggen wat ik moest doen, maar nu zou ik nooit meer zekerheid hebben. Woest rukte ik aan mijn haar, zodat ik hele plukken lostrok. Op de een of andere manier had de pijn een kalmerende uitwerking op mij. De pijn, zo wist een deel van mijn geest, was mijn bondgenoot. Ik zag een raaf op een kale tak voor mij zitten, inktzwart afstekend tegen het duister.

Waarmee had ik gedacht bezig te zijn, met mijn aanwezigheid hier? Eenzaam onder deze boomtakken, die zich naar me uitstrekten als behoeftige handen, wist ik dat ik thuis had moeten blijven om mijn plichten te vervullen en over mijn mensen te waken; aan hén had ik verplichtingen, zelfs al zouden ze mij haten. Ik wist dat ik mezelf nooit zou hervinden; nooit zou ik de weg terug naar huis vinden, terug naar het volk dat mij had vertrouwd en dat ik in de steek had gelaten. Ik greep naar de speer om hem weg te gooien, maar haalde mijn duim open aan de weerhaken, een echte beginnersfout. Dit was me na mijn twaalfde nooit meer overkomen. Wat was ik toch een stomme idioot; ik wist niet eens meer hoe ik met een speer behoorde om te gaan! In een reflex zong ik de geneeshymne voor mijn duim. Het verbaasde me niet in het minst toen er niets gebeurde, zodat de wond bleef steken en er bloed uit drupte. Dit was per slot van rekening wat ik verdiende – ik verdiende het dat zelfs de goden mij in de steek lieten.

Toen ik mijn opengehaalde duim in mijn mond stak, keek ik door de pijn heen op en zag dat het niet helemaal waar was dat ze mij allemaal in de steek hadden gelaten. Gangrader was er. Hij stond tegen een boom geleund voor me en keek onderzoekend op me neer. Ik begreep dat hij me eindelijk kwam opeisen. Ik zou hier in dit bos sterven aan onderkoeling, om het offer dat Ulf van mij had gemaakt te voltooien.

Wat had ik eigenlijk gedacht te doen door mijn leven te leven? Alleen met Gangrader, in dit koude, winterse bos, wist ik dat mijn hele leven sinds Ulf mij aan hem had gewijd als het ware een uit het vuur getrokken brandende tak was geweest, uitgestoken in de volgende kille nacht. Ik had gevochten en geregeerd, gelachen en gehuild en mezelf levend gewaand, maar in werkelijkheid was ik al die tijd dood geweest zonder het te beseffen. Ik keek naar hem en haatte hem. Hij stond in een plas maanlicht, leunend tegen een grote esdoorn. Op de grond lag wat grauwe sneeuw. Hij had een donkere mantel om zich heen en op zijn schouder zat een raaf. Een van zijn oogkassen was leeg en donker. Hij staarde me aan, zonder te spreken. Ik staarde terug, een en al wanhoop.

Hij bleef daar naar mij staan kijken totdat er woede in mij opkwam. Ook woede is een bondgenoot, fluisterde een gedachte me van ver weg toe. Ik trok die woede om mij heen als een warme deken, totdat de woede me helemaal vervulde. 'Waar denk jij mee bezig te zijn, Heer der Gevallenen,' vroeg ik, 'om mij tegen mijn wil te komen opeisen?' Mijn stem klonk me dof en toonloos in de oren, hopeloos. Ik vroeg niet waarom het erger zou zijn om door Gangrader te worden opgeëist, dan als een waanzinnige door een bos te rennen. 'Nu ben je hier in dit bos om mij te halen, al heb ik jou nooit aanbeden of een beroep op je gedaan om het offer dat Ulf Gunnarsson van mij maakte waardeloos te maken, omdat het tegen mijn wil was.'

Gangrader lachte bars, waarmee hij me nog kwader maakte. 'Zij die niet willen, zijn niet minder welkom,' zei hij in het Jarns.

Vol verontwaardiging staarde ik naar hem op. 'Van alle belachelijke en barbaarse ideeën die ik in de loop der jaren van Jarns heb gehoord, is dit wel het ergste. Hoe zou zoiets ooit mogelijk zijn? De hele zin van een offer is immers dat het met heel het hart wordt gebracht. Dit is weerzinwekkend.'

'Het zou lang duren voordat je de instemming verkreeg van al degenen die je op het slagveld hebt achtergelaten voor de kraaien,' zei hij, nu in het Tanagaans.

'Dat is iets anders. Zij zouden mij even vlug hebben gedood,' zei ik, nu op mijn hurken, terwijl ik haar hem opkeek. 'Dat is geen offer.'

'Wat voor verschil zou het maken als mijn dienaar een speer wierp, tussen de wachtende zwaarden en ogen door, om vervolgens de oogst aan mij op te dragen?'

'Alle verschil van de wereld!' schreeuwde ik hem toe terwijl ik opsprong. 'De goden hebben hun macht, maar mensen hebben hun vrije wil. Jij kunt mij niet tegen mijn wil komen opeisen.'

'Heeft Ulf geen wil?' vroeg hij. Nog voor ik kon antwoorden dat Ulfs wil voor mij niet bindend kon zijn, vervolgde hij: 'En zou jij alle jaren dat je mij trouw hebt gediend afdoen als zonder waarde? Ze noemen jou en mij "zij die de gevallenen kiezen".' De overschaduwde helft van zijn gezicht leek te glimlachen.

'Ik heb jou nooit gediend en je hebt het recht niet mij te komen opeisen,' zei ik.

'Roep je mij niet aan als je hulp nodig hebt?'

'Dat heb ik nooit gedaan,' zei ik. Ik verschoof de speer losjes in mijn hand. Ik had geen idee of dit wapen een god kon verwonden. Ik was niet gewoon met goden te vechten. Niemand was dat. Ik was echter ook niet gewend tegen goden te schreeuwen, wat dat aanging. Ik begon me af te vragen waarmee ik eigenlijk bezig was, en waarom ik dat deed.

'Toch ben ik hier, nu jij hulp nodig hebt,' zei hij. 'En wat heb je mij te offeren?'

'Wat voor hulp?' vroeg ik behoedzaam. Ik herinnerde hoe Ulf me had gewaarschuwd dat ik Gangraders verdraaide beloften nooit moest geloven. Ik had hem trots geantwoord dat Gangrader me nooit iets had beloofd.

Hij lachte en de raaf vloog heel even op van zijn schouder, voordat hij er weer op landde en mij met zijn zwarte kraaloog fixeerde. Op de kale tak boven zijn hoofd zat er nog een, realiseerde ik me. Die kraai had al die tijd strak naar me zitten staren. Onbehaaglijk maakte ik me los van die borende blik.

'Ben je al ver genoeg teruggekomen van de wanhoop dat je de kust van behoedzaamheid hebt bereikt?' vroeg hij. 'Uiteindelijk zou je de weg zelf wel hebben teruggevonden. Zullen we dat netelige vraagstuk van wie nu eigenlijk wie dient laten rusten, om te bespreken hoe we vanaf hier verder moeten?'

'Je bent niet gekomen om mij op te eisen?' vroeg ik, nog onzeker en verward. Ik had de weg terug van de wanhoop die Morthu mij in het gezicht had geslingerd nog niet helemaal afgelegd.

'Wie kan zeggen wat van mij is?' vroeg hij in het Jarns, nu met een stem die heel anders klonk. Hij glimlachte slinks.

Op dat moment begon ik onverhoeds te huilen, want ik herinnerde me hoe Gangrader die woorden had uitgesproken tegen de heks Morwen, en dat Urdo diezelfde woorden had gebruikt in Caer Tanaga, zo lang geleden. Op de heuvel Foreth had Ulf mij gevraagd of ik geen profijt had gehad van mijn wijding aan Gangrader. Al twee keer was Gangrader op het toneel verschenen om mij te redden. Dat nam echter niet weg dat ik hem niet zelf als beschermgod had gekozen.

Het waren deze tranen, afkomstig uit mijn hart en niet uitgelokt door middel van magie, die Morthu's wanhoop uit mijn ogen spoelden. Terwijl ik ze met de rug van mijn hand afwiste, kon ik weer duidelijk zien. Op dat moment huiverde ik, nu ik voor het eerst zag waarnaar ik keek: kale takken, neerdwarrelde lichte sneeuw. 'Het is winter,' zei ik dom. Ik herinnerde me de nacht op Foreth, die drie etmalen had geduurd, en de keer dat Darien een dag lang Turth was gevolgd, terwijl het wachten op zijn terugkomst in mijn beleving vijf dagen had geduurd. 'Is er een half jaar verstreken sinds ik als een gek wegrende? Is Urdo al begraven? Wat is er met Morthu gebeurd? Heeft de vloek nog kracht?'

'De tijd is de werelden ontrukt, zei Gangrader, weer in het Jarns, zodat ik me afvroeg waarom hij eerder Tanagaans had gesproken en waarom hij nu weer verviel in het Jarns. 'Je bent buiten de tijd niet zonder vrienden.'

Ik begreep er niets van. 'Ben ik nog in de tijd der goden?'

'Jij staat hier alleen in de tijd, zoals wij de tijd ervaren,' zei hij, weer in het Tanagaans. 'Bladeren vallen, sneeuwvlokken dwarrelen, als werelden in tijd veranderen. Dit woud is de wereld niet, totdat wij dat verkiezen en niet totdat er iemand kijkt om de tijd vast te stellen. Dus is er voortgang, maar nooit teruggang, niet voor ons en niet voor jullie, in het weefsel van de tijd. Zwarthart zou jou hebben uitgestoten om te weeklagen, met het doel zichzelf de tijd toe te eigenen, zonder jou erin. Het kwam niet bij hem op te bedenken dat we dan allemaal moesten wachten. Niemand heeft gekeken en de tijd wacht nog altijd; hij is blijven hangen in het moment waarop jij kwam, het ogenblik waarop de koning terugboog voor de bomen.'

'Deze tijd is dus niet echt?' vroeg ik, proberend mijn weg te vinden door het raadsel van wat hij had gezegd. Ik keek naar de raaf op de kale tak, die er zo concreet uitzag als alles wat ik ooit had gezien.

'Dit moment zal reëel zijn in de tijd,' zei hij.

'Er is dus een weg terug?'

'Er zijn vele wegen,' antwoordde hij, opnieuw met een glimlach.

'Is er ook een weg terug tot vóór dat moment?' zei ik hoewel ik wist dat het vergeefse hoop was. Ik moest het desondanks vragen. 'Terug naar de ochtend van de slag?'

'Geen macht vermag deze wet te buigen of te breken,' zei hij.

Ik haalde adem, maar bedacht me. Dit was, zo veronderstelde ik, het moment waarop ik hem om hulp zou moeten vragen, zodat hij met mij kon onderhandelen. Hij zag eruit alsof hij het verwachtte. Wat hij had gezegd over onwillige offers kon bedoeld zijn geweest om mij om de tuin te leiden. Als ik nu iets zei, onverschillig wat, zou dat een smeekbede om hulp zijn, waarmee ik mezelf tot datgene zou maken dat ik volgens hem al was. Ik omklemde de speer steviger en zei niets; ik keek hem alleen strak aan. Pijn was mijn bondgenoot geweest; woede een andere bondgenoot. Net zoals ik mijn bondgenoten had gekend, zelfs door die ondoordringbare mist van wanhoop heen, onderkende ik nu dat ook Gangrader mijn bondgenoot was, ook al zou hij mij een rad voor ogen draaien als hij kon. Ik was mezelf weer en de loodzware leegte van wanhoop had niet langer greep op mij.

Ik bleef wachten. Ik hield mijn ademhaling zo gelijkmatig mogelijk, al kon ik het kloppen van mijn hart niet beheersen. De angst was ik voorbij; ik had alle hoop en wanhoop achter mij gelaten en verkeerde nu in een staat van ware roekeloosheid. Ik wist niet wat Gangrader wilde of zelfs of het hetzelfde was als wat ik wilde. Zijn Walkurja zijn was beter dan in Morthu's macht te moeten wanhopen. Dat besefte ik nu, maar het was niet wat ik wilde. En ik had deze nacht al te veel mijn wil moeten buigen om nu nog te zwichten.

Ik stond daar en bleef naar Gangraders onbeweeglijk gezicht staren. Ik wist zelfs niet of er werkelijk een weg terug was. Als die er niet was, moest ik zeven maanden hebben verloren, of misschien zelfs zeven jaren of, erger kon het niet, zeventig maal zeven jaren, zoals het mensen in verhalen overkwam die in een berg verdwenen voor een feest van één nacht, waarna ze de berg verlieten en tot de ontdekking kwamen dat al hun vrienden dood waren, en dat al hun kinderen zelf oud waren geworden. Als het zo was, zou ik het moeten verduren. Ik zag op dat moment die mogelijkheid onder ogen, en hoewel ik haar verfoeide, geloofde ik wel dat ik het zou kunnen verdragen als dat noodzakelijk was.

Terwijl ik daar zo stond, leunend op de speer die mij was geschonken, rouwde ik. Urdo was dood, en ook Masarn, Ap Erbin en zoveel andere vrienden. Ik rouwde in stilte om allen die bij de Agned waren gesneuveld terwijl ik hun namen door mijn geest liet gaan. Ik rouwde zelfs om Ayl, die ik zelf had gedood; maar ik rouwde niet om Marchel of Arling. Ik rouwde om Masarns vrouw, Garwen, en hun dochter, die naar mij was vernoemd. Ik rouwde om alle mensen die Morthu in Caer Tanaga zo wreed had gedood, alleen om genoeg kracht te verzamelen om heel Segantia te kunnen vervloeken; en ik rouwde om alle wapendragers die vanwege de vloek waren gestorven, terwijl ik al hun namen noemde, voor zover ik ze kende. Daarna rouwde ik om Duncan en Conal en alle anderen die in deze oorlog de dood hadden gevonden nadat Aurien mij had vergiftigd. Om Aurien rouwde ik zoals ze was geweest. Ik ging verder terug en rouwde om Galba en allen die bij Foreth waren gevallen; en toen ging ik door de Grote Oorlog terug om te rouwen voor mijn vader Gwien, en nog verder terug naar Caer Lind, om te rouwen voor Enid, Geiran, Bran, Osvran en Appel. Zo bleef ik staan, om ook nog te rouwen voor alle wapenbroeders die in schermutselingen of tijdens de training waren gevallen; en tot slot rouwde ik om Rudwen ap Duncan en mijn broer Darien.

Toen ik hen allemaal in mijn herinnering had opgenomen, begon ik door al mijn gevechten heen naar voren te gaan, door iedere nederlaag of overwinning. Toen ik uitkwam bij de Slag bij de Agned was dat even pijnlijk voor me als het aanraken van een verse wond, maar ook al deze gevechten bewaarde ik in mijn herinnering. Toen ik dat had gedaan, staarde ik nog steeds naar Gangrader en staarde hij míj aan, alsof we nooit meer in beweging zouden komen.

Ik dacht aan de wijze waarop ik Derwen had bestuurd, en aan mijn liefde voor het land en mijn zorgen voor mijn volk. Ik hoorde Urdo weer zeggen dat ik het uitstekend had gedaan – beter dan hij had verwacht. Ook hoorde ik Darien weer zeggen dat ik de beste prefect van allemaal was. Ik bedacht hoe ik mezelf onder Morthu's wanhoop had gehaat en hoe ik die wanhoop van mij af had geduwd, net zoals ik zijn duisternis in de nacht van mij weg had geduwd met mijn eigen milde duisternis. Ik herinnerde me hoe Veniva op de treden van het bordes van de hal goedkeurend naar me had gekeken. Ik herinnerde me hoe de kleine Gwien op en neer had staan dansen terwijl hij wachtte totdat ik klaar was met Bode droogwrijven, omdat hij zo blij was mij in Magor te zien. Osvran placht altijd te zeggen dat we nooit arrogant mochten zijn, maar dat het goed was om trots te zijn op wat we waren. Ik had dit zelf ook jarenlang mijn wapendragers voorgehouden, maar pas op dit moment had ik het zelf begrepen.

'Ga je mij om hulp vragen?' zei Gangrader in het Jarns. Ik schrok bijna toen de stilte na zo lange tijd werd verbroken.

Ik fronste mijn wenkbrauwen bij het zien van zijn lach, maar toen lachte ik zelf ook. Nu pas overwoog ik wat hij eerder had gezegd. Geen van de goden had gekeken, zodat ik kon teruggaan naar het moment in de tijd waarop ik die had verlaten. Ik begreep niet wat het betekende om 'in de tijd te kijken', althans, niet als de goden deel uitmaakten van het wereldweefsel, maar kennelijk was dit iets wat zij van mij verlangden. Mijn lach verwekte vreemde echo's, en er gleed wat sneeuw van een hoge tak. Ik haalde adem. 'O zeker, ik zal om hulp vragen.' Ik bracht mijn armen omhoog, eerst met de handpalmen omlaag en daarna omhoog, alsof ik op het punt stond een eed af te leggen. Hiervoor bestond geen hymne, er waren geen woorden die me konden helpen mijn weg te vinden. 'Albian,' zei ik, 'Stralende, als ik U ooit heb gediend, zend mij dan het licht dat mij de weg kan wijzen, terug naar de door de zon beschenen wereld waarin ik thuishoor. Merthin, Heer Boodschapper, help mij nu, wijs mij de juiste weg om dit bos te verlaten, terug naar mijn eigen tijd. Moeder Coventina, die mij water bracht op de top van de heuvel Foreth, help mij de weg terug te vinden naar Uw wereld, die ik heb verlaten.'

Gangrader was er niet meer. Waar hij had gestaan, zag ik het vage begin van een voetpad dat om de esdoorn heen liep. Ik keek op en zag de raaf op de tak nog altijd naar mij staren. Ik stak mijn tong uit naar het beest. De maan verschool zich achter een wolk, zodat de hemel donker werd.

Ik zette een eerste stap op het voetpad. Er gebeurde niets. De bomen stonden hier niet dicht opeen. Voorzichtig liep ik verder. Mijn voeten leken de weg bijna te kennen, zoals ze dat thuis in Derwen zouden doen. Ik liet mijn gedachten nog eens gaan over wat ik had gevraagd – zouden ze mij terugbrengen in Derwen, in plaats van terug naar de nacht die ik verlaten had? Ik liep door en merkte dat mijn voeten door hopen gevallen bladeren schuifelden die onder mijn voeten ritselden. De lucht rook naar de herfst. Voor mij uit begon de hemel te lichten. Het pad leek zich langs een helling omlaag te slingeren. Ik zag geweien door de bomen en roodbruine flanken schoten langs mij heen toen een kudde herten me tegemoet kwam, zo dichtbij dat ik ze bijna had kunnen aanraken. De laatste was een groot hert met grote, peilloos diepe bruine ogen, en ik wist dat ik Hithun opnieuw had gezien. Ik ging verder, behoedzaam, en liep nu, in het licht van de dageraad, over varens en mos, langs de laatste verwelkte wilde hyacinten. Ik zag wilde rozen en braamstruiken in volle bloei; ze glansden wit als sneeuw voordat de kleuren terugkeerden in de wereld.

Vanuit het kampement kwamen twee voetgangers mij tegemoet. Ik had niet het gevoel dat ik me moest haasten om bij hen te komen, zodat ik bleef waar ik was. Plotsklaps besefte ik dat ik hevige dorst had. Ik zette mijn waterzak aan mijn mond en dronk hem helemaal leeg. Tegen de tijd dat ik hem liet zakken, waren ze zo dicht bij me dat ik zag dat het Ulf en Garah waren. De uitdrukking op hun sterk verschillende gezichten was identiek.

22

Ik was daar waar de krijgslieden
van Tir Tanagiri sneuvelden;
ik heb hen zien vallen.
Zelf leef ik;
zij zijn in hun graf.
– 'Overzicht der veldslagen'

Ik nam plaats op een omgevallen olm, dik begroeid met mos, klimop en bruin eekhoorntjesbrood. Garah en Ulf... In het waterige zonlicht kwamen ze naast me zitten, aan weerskanten van mij.

Garah begon de Moeder vurig dank te zeggen voor mijn veiligheid, nu ze er zeker van was dat ik er werkelijk was, nagenoeg ongedeerd en bij mijn volle verstand.

Ulf, kenmerkend voor hem, gromde alleen iets. 'De mensen hebben al dagen glimpen van je opgevangen,' zei hij. 'Maar steeds was je een ogenblik later verdwenen.'

'Dagen?' zei ik. Het hart zonk me in de schoenen.

'Dit is de ochtend van de derde dag na de slag,' antwoordde Garah vriendelijk.

Het had even gemakkelijk honderd jaar kunnen zijn. Ik had dankbaar behoren te zijn, zoals ik wist, maar toch was ik razend.

'Wat is er in die tijd gebeurd?' vroeg ik terwijl ik mijn weerbarstige haar wegstreek uit mijn ogen.

'Zou je niet liever eerst naar beneden gaan voor een bad?' vroeg Garah. 'En heb je geen honger?'

Een bad nemen zou heerlijk zijn en mijn maag rommelde bij alleen al de gedachte aan eten, maar ik was niet voorbereid op de goed bedoelde maar overweldigende aandacht die ze aan mij zouden schenken als ik terug was in de ala. Trouwens, ik wilde eerst weten wat ik had gemist. 'Vertel het me nu maar,' zei ik.

'Morthu en Cinon zijn in Caer Tanaga,' zei Garah. 'Elenn is daar nog en ik weet niet wat ze over de slag te horen heeft gekregen. We weten niet goed wat we met ze aan moeten. Het zal niet gemakkelijk zijn ze daar weg te krijgen, maar ze kunnen weinig uitrichten zolang ze in de stad zijn. Niet dat wij in staat zouden zijn hen te belegeren.'

'Toch wel,' wierp Ulf tegen. 'We zouden mensen op beide oevers van de Tamer moeten hebben en er moet een blokkade komen op de rivier, maar we zijn ertoe in staat.'

'Iedereen uit Bereïch snakt ernaar om naar huis te gaan,' zei Garah. 'Dat geldt ook voor Atha en haar schepen. Ze zullen het uitzingen, maar ze hebben er al meer dan genoeg van.'

'Hoe staat het met het andere kamp?' vroeg ik.

'Flavien heeft zijn kamp wat verderop opgeslagen en om vrede gevraagd,' zei Garah. 'Raul, moeder Teilo en broeder Cinwil zijn druk met ze aan het onderhandelen. Dat doen ze ook met Hengist Guthrumsson voor Cennet, en Sidrok Trumwinsson voor Aylsfa. De overlevenden van Arlings volk die achter zijn gebleven, hebben ermee ingestemd terug te gaan naar Jarnholme zodra ze er toestemming voor krijgen. Een deel van hen is echter nog in Caer Tanaga, bij Morthu.'

'Waarmee hebben Flavien, Hengist en Sidrok ingestemd?' vroeg ik.

'Ze hebben allemaal ingestemd met de Raad der Koningen en met Glyn als koning van Bregheda,' zei Garah, rollend met haar ogen. 'Waarom zij daarmee zouden moeten instemmen, is mij een raadsel. Er is overeengekomen dat als er ergens geen verwante erfgenaam is, de Raad der Koningen zal beslissen.' Dit was uiteraard precies het soort beslissingen dat Urdo de raad had toegedacht. 'Ze hebben gisteren geruzied over het losgeld dat voor de gesneuvelden moet worden betaald; en vandaag waren ze bereid om over te gaan tot het accepteren van Tereg ap Cinvarras als koning van Tathal.'

'Tereg? Ik dacht dat hij Pedrog heette?'

'Tereg is zijn jongere broer,' zei Ulf. 'Ze behoorden allebei tot de ala van Ap Erbin. Pedrog was decurio; ik heb hem tamelijk goed gekend. Hij is gesneuveld toen ze de oorlogsmachines bestormden. Tereg is wimpeldrager. Je moet de *Hymne der ouderen* voor hem hebben gezongen, want op de avond na de slag lag hij in de hospitaaltent naast mij.'

'We zullen dus een aantal piepjonge koningen krijgen,' zei ik, hoewel dat nauwelijks ter zake deed. Ik liet ze in gedachten de revue passeren en wist opeens wie ze niet hadden genoemd. 'Hoe is het met Angas?' vroeg ik. Garah aarzelde en keek me bevreemd aan. Ik glimlachte zo goed mogelijk. 'Waarmee heeft híj ingestemd?'

Garah aarzelde opnieuw.

'Het is goed,' knikte Ulf. 'Ap Gwien is niet iemand die wraak doorvoert tot voorbij het gezonde verstand.'

'Alsof ík dat niet weet!' snauwde Garah. 'Je zit hier toch als het levende bewijs? Als ze zich per se had willen wreken, had je al vijf jaar geleden in het stof gebeten, nadat je Morien had gedood.' Opnieuw rolde ze met haar ogen.

'Ap Theophilus was er getuige van dat Morien Gunnarsson uitdaagde. Het was een gerechtvaardigd duel en geen schending van Urdo's wet,' zei ik.

'Ja, maar als jij uitzinnig gebeten was op wraak, zou je de bloedvete niet zijn vergeten,' zei Ulf.

'O, da's waar ook. Ik ben vergeten het jullie te zeggen. Ik heb Arling in de slag gedood.'

Garah begon te lachen. 'Dat weet iedereen,' zei ze. 'Het verhaal over de manier waarop jij drie koningen hebt gedood, is er niet korter op geworden naarmate het verder werd verteld.'

'Dank je,' zei Ulf eenvoudig. Garah keek hem aan, verbaasd.

'We hadden het over Angas,' hielp ik hen herinneren.

'Angas heeft vrede gesloten,' zei Ulf.

'Darien heeft me op de avond na de slag verteld dat Angas hem een huwelijksalliantie had aangeboden.'

'En was dat de reden waarom je als een waanzinnige wegrende?' vroeg Garah voorzichtig.

Ik begon te lachen, totaal overrompeld. 'Nee. Het was Morthu die me tot waanzin dreef,' zei ik, toen ik mezelf weer in de hand had. 'Heeft Darien het jullie niet verteld?'

'Niet in geuren en kleuren,' zei Garah.

'Was Morthu er dan bij?' vroeg Ulf. 'Ik dacht dat hij de avond na de slag in Caer Tanaga was?'

'Dat was hij ook,' zei ik. 'Hij strekte zich echter mentaal naar mij uit en dreef me met zijn zwarte magie tot waanzin. Later hebben de goden mij de weg terug gewezen.'

Garah fronste haar voorhoofd. 'Je hebt *goden* gezien?' vroeg ze aarzelend.

'Heus, ik ben weer helemaal normaal,' zei ik, met een klopje op haar arm. 'Ik zag ze allemaal bij Darien, maar uiteindelijk hebben ze mij alleen maar geholpen zoals ze zouden hebben gedaan voor iemand die in een bos verdwaald was geraakt. De enige met wie ik heb gesproken, was de Heer der Gevallenen.' Ulf gromde geërgerd. 'Ik heb geen akkoord met hem gesloten,' verzekerde ik hem haastig.

Ulf mompelde een Jarns woord in zijn baard. Misschien was het zoiets als 'Goed zo!', maar het kan best iets heel anders zijn geweest. Ik zag ervan af hem ernaar te vragen. De herinnering aan de ogen van Gangrader die naar mij staarden was nog vers.

'Wat wilde hij?' vroeg Garah zacht, hoewel ze me aankeek alsof ze nog steeds vermoedde dat mijn verstand op de loop was gegaan.

Het was een onmogelijke vraag. Ik vroeg me af of ik zelf wel wist hoe het antwoord luidde. 'Ik denk...' begon ik voorzichtig, maar opeens had ik zekerheid. 'Hij wilde – ze wilden het in feite allemaal graag – dat ik terug zou keren naar het hier en nu. Er is iets dat ik móet doen. Wat het is, weet ik niet, maar ik weet wel dat het belangrijk is.'

Ze gaapten me allebei aan en ook nu met precies dezelfde uitdrukking op hun gezicht. Ik lachte niet. 'Waarom zijn jullie eigenlijk samen en waarom waren jullie naar mij op zoek?'

Ze keken elkaar schuldbewust aan. 'Eigenlijk waren we niet op zoek naar jou,' zei Ulf. 'We waren hier alleen naar toe gelopen om elkaar onder vier ogen te spreken.'

'Laat je door mij daar niet van weerhouden,' zei ik, lichtelijk gekrenkt.

'Ik hoopte je hierboven terug te vinden,' zei Garah. 'Ik heb geen idee waarover Ulf met mij wilde praten.'

Ulf keek me behoedzaam aan. 'Het doet er niet toe,' zei hij.

'Toe maar, waar gaat het om?' vroeg ik nieuwsgierig.

'Over een manier om in Caer Tanaga door te dringen,' zei hij tenslotte met gedempte stem, hoewel er niemand in de buurt was die ons had kunnen horen. 'Jij bent eruit gekomen, Ap Gavan. Er moet dus ook een manier zijn om erin te komen. Geen ingang die geschikt is voor een hele ala, uiteraard, en geen eerbare toegang voor een Grote Koning, maar als jij eruit hebt weten te komen, betekent dit dat er voor één persoon een manier is om binnen te komen en Morthu te doden. Ik zou het kunnen. En dat zou een eind maken aan deze vloek, die iedereen noodlottig wordt. Bovendien zou het hem beletten nog anderen kwaad te doen.'

'Elenn en haar mensen zijn nog in de stad, bedoel je die?' zei Garah. 'Hij doet er gruwelijke dingen. Ver buiten alle regels van oorlogvoering. Darien zei dat tegen Angas, en die was het met hem eens.'

Ik herinnerde mij hoe Ap Madog me naar de veiligheid van de inwoners van Magor had gevraagd, waarop ik hem had verzekerd dat de kans klein was dat zij ooit een slagveld zouden betreden. Ik kon nauwelijks geloven dat ik zo naïef was geweest. Ik huiverde.

'Zij ook, maar er zijn er nog veel meer,' antwoordde Ulf. 'Morthu heeft om een schip gevraagd waarmee hij weg zou kunnen komen naar Narlahena; dat is het laatste nieuws wat ik over hem heb vernomen. Sta even stil bij wat hij daar zou kunnen aanrichten. Hij zou er een nieuw complot kunnen bedenken, net als Marchel heeft gedaan. Dan zou hij over tien, vijftien jaar terugkomen en moeten we dit alles opnieuw doormaken. En zelfs als hij dat nalaat, kan hij ons vervloeken met alle mogelijke epidemieën, zoals deze vloek. En de Grootvader van Helden zegt dat er alleen een eind aan kan worden gemaakt door hem te doden. Segantia zou in een woestijn veranderen. Berth ap Panon is gestorven aan wapenrot en hij is niet de enige. Zolang Morthu in leven is, zijn we geen van allen veilig.'

'Heeft Inis werkelijk gez...' begon ik, maar toen herinnerde ik me opeens dat ik Urdo daarvan niet meer hoefde te overtuigen. Zolang ik hier op de omgevallen olm zat, had ik totaal vergeten dat hij niet in het kampement was. 'Waar hebben ze Urdo begraven?' vroeg ik onverwachts.

'Hij is de dood nabij, maar leeft nog wel,' zei Garah. 'Hij is in zijn tent. Hij zegt nauwelijks iets en schijnt niet te weten of er iemand bij hem is of niet, maar soms hoort hij wat Darien tegen hem zegt en geeft dan antwoord.'

Ik kon me niet indenken waarom dit zo lang moest duren. Aangezien hij dood was, zou het ongetwijfeld beter zijn iedereen te laten weten dat hij dood was, zodat Darien duidelijk namens zichzelf kon regeren. 'Ah...' zei ik.

Garah legde vol meeleven haar hand op de mijne, maar trok hem weer terug. 'Ik vind werkelijk dat je een bad moet nemen,' zei ze. 'Je zit onder de schrammen en een dikke laag vuil – erger nog dan na Caer Lind.'

'Ik ga zo naar beneden,' beloofde ik. 'Jij stond echter op het punt Ulf uit te leggen hoe hij in Caer Tanaga kan komen om Morthu te doden.'

'Je gaat het me niet beletten?' vroeg Ulf.

'Beletten?' Ik omklemde mijn speer. 'Integendeel. Ik ga met je mee!'

'Zal Darien dat goed vinden?' vroeg Garah.

'Waarschijnlijk niet, aangezien hij aan het onderhandelen is,' zei ik. 'Daar komt nog bij dat hij Morthu graag zelf wil doden, ook al weet hij dat zoiets een te groot risico voor hem is. Wij zouden het echter kunnen doen zonder hem ermee lastig te vallen voordat Morthu dood is.'

'Ik ben een niemand,' zei Ulf. 'Ik ben maar een gewone wapendrager uit Jarnholme. Darien zou me kunnen verstoten, als ik betrapt werd. Maar jij bent de moeder van de Grote Koning! Je kunt en mag niet het risico lopen Morthu zo'n gijzelaar in de schoot te werpen.'

'Of ik de moeder van de Grote Koning ben, heeft er niets mee...' begon ik nijdig, maar Garah viel me in de rede.

'Jij bent heerschap van Derwen,' zei ze. 'Je zou de zoveelste jonge koning achterlaten als jij stierf.'

'Dat is waar,' zei ik langzaam. 'Vrouwe Veniva, mijn moeder, zou het wel redden, maar het zal zeker nog vijf jaar duren voordat de kleine Gwien oud genoeg is om zelf koning te worden. Aan de andere kant heb ik ook in de slag meegevochten en had daarbij om kunnen komen. Toch was dat voor mij geen enkel beletsel.'

'In de slag, ja, maar niemand anders zou hebben kunnen doen wat jij hebt gedaan. Je *moest* wel deelnemen aan de strijd,' zei Garah. 'Caer Tanaga binnensluipen is iets dat iedereen zou kunnen doen, als het beslist nodig is dat te doen.'

'Ik wil alleen gaan,' zei Ulf. 'Dat is het veiligst. Op die manier heb ik de minste kans te worden opgemerkt. Ik zou al weg zijn geweest zonder er iemand iets van te vertellen, ware het niet dat ik eerst de weg moet weten.'

'Hoe wil je hem overhalen met jou te duelleren?' vroeg Garah. 'Hij zal niet willen. Hij zal zijn magie op je loslaten en je geest tegen je keren als je hem te na komt.'

Ulf ging verzitten, onrustig. 'Ik was niet van plan eerst met hem te praten,' zei hij. Garah en ik staarden hem alleen maar aan. 'Inderdaad, ja, ik ben bereid hem te vermoorden, als dat de enige manier is om hem te doden!' zei hij na een ogenblik. Te luid. Een paar geschrokken duiven vlogen klapwiekend op uit de bomen achter ons.

'Ik moet er met Darien over praten,' zei ik terwijl ik de speer tussen mijn handen om en om draaide.

'Je zei net zelf dat hij het niet goed zal vinden,' zei Ulf.

'Hij mag geen onderhandelingen beginnen voor een regeling waarbij Morthu in leven blijft, zodat hij kwaad kan blijven stichten,' zei ik. 'Maar Caer Tanaga binnensluipen en Morthu vermoorden, komt neer op het schenden van de vrede en Urdo's wet. Ik heb hem vervloekt, en toen ik dat deed, wist ik dat deze vloek houvast zou vinden. De vloek zal hem vellen.' Ik was er zeker van..

'We kunnen niet met de handen over elkaar blijven zitten wachten totdat dat gebeurt,' zei Ulf. 'De goden zenden alleen hulp aan hen die zelf initiatieven nemen.'

'Hoewel ik het evenmin eens ben met moord,' zei Garah, 'vraag ik me af, sinds ik heb gehoord dat jij hem hebt vervloekt, of hij zichzelf soms door magie in leven houdt, ondanks de vloek, door andere mensen te doden en uit hun zielen kracht te putten.'

Ik voelde de smaak van gal opkomen en slikte heftig. Zou Masarns vrouw vanwege mijn vloek zijn omgekomen? Ik herinnerde me die koude winterochtend, lang geleden op de kade van Caer Tanaga, toen zij en haar kinderen gepofte kastanjes hadden staan eten. 'We moeten hem een halt toeroepen,' zei ik terwijl ik opstond. 'Een beleg gaat te lang duren, zelfs als het mogelijk zou zijn.'

'Moord is een lelijk woord,' zei Ulf, naar mij opkijkend. 'Het is echter niet tegen de vrede als een man de wet overtreedt en er daarna voor ter verantwoording wordt geroepen. Denk even terug aan de manier waarop Arvlid is gestorven, nadat Urdo ons ertoe had overgehaald niets tegen Morthu te ondernemen. Als ik destijds mijn zin had gedaan, zou Morthu al acht jaar onder de groene zoden hebben gelegen. Dan zou er geen oorlog zijn gekomen en dan zouden veel goede mensen nu nog in leven zijn. En jij wilde het even graag als ik!' Hij keek me recht in de ogen. Het was waar. Ik had daar sindsdien altijd spijt van gehad. Ik knikte. Hij vervolgde: 'Als de goden je hier hebben teruggebracht omdat ze daar een reden voor hebben, zou je misschien toch maar met me mee moeten gaan. Misschien kun jij hem op een eervolle manier doden. Maar mét of zonder jou, de wereld moet van hem worden verlost, zoals zij ook van Arling is verlost.'

'Niet op die manier,' zei ik. 'Ik wil hem even graag dood als jij, maar we mogen Dariens regering niet laten beginnen met een moord. Dat is niet wat de goden wensen.' Ik keek naar de speer, die eruitzag als iedere andere speer. Daarna keek ik naar het haardunne, witte littekentje in mijn duim, dat eruitzag alsof het al ten minste tien jaar geleden was genezen. 'De Smid heeft mij dit wapen gegeven voor een of ander doel, maar dat was niet het doden van Morthu. Misschien kreeg ik hem om Elenn en de burgers van Caer Tanaga te redden. Ik moet er echter eerst met Darien over praten. Wellicht is er een manier dat te doen zonder door de verwarmingstunnels te sluipen.'

'Je hebt kans dat die doorgang niet veilig is,' zei Garah. 'Hij weet dat ik ontkomen ben en Elenn kan hem hebben verteld hoe ik dat heb gedaan. Je weet zelf hoe het is als je met hem praat: alles wat hij zegt lijkt zo redelijk als iets maar kan zijn, zodat je geneigd bent hem gelijk te geven. Als hij haar wijs heeft gemaakt dat ik een verraadster ben, zal ze hem misschien de ingang hebben gewezen. Dan zal hij die in elk geval hebben geblokkeerd, of daar iemand hebben geposteerd om iedereen die langs die weg naar binnen probeert te komen een warm onthaal te bezorgen. Bovendien zijn sommige doorgangen heel nauw – ik weet niet met zekerheid of een van jullie erdoor zal kunnen komen.'

'Dat risico neem ik,' zei Ulf koppig.

Ik schudde het hoofd. 'Ik ga op zoek naar Darien,' zei ik, en draaide me om, al op weg naar het kampement.

Garah haastte zich achter mij aan. 'Ga je je niet eerst wassen?' vroeg ze. 'Hij zal het druk hebben met die vredesbesprekingen, maar vermoedelijk komt hij terug zodra hij hoort dat je er weer bent. Waarschijnlijk heb je tijd genoeg om een bad in de rivier te nemen.'

'Lijkt me een goed idee,' zei ik. Ik keek achterom naar Ulf, die nu met zijn handen op zijn knieën zat. Hij zag eruit als iemand die zich afgewezen voelt. 'Als we een plan hebben om een groep de stad in te smokkelen, zorg ik dat jij er deel van uitmaakt, Ulf.'

'Dank je,' zei hij wrokkig.

'En als er íemand door de oude verwarmingstunnels gaat, ben ik het wel,' zei Garah.

'Je zei net zelf hoe gevaarlijk dat zou zijn!' zei ik.

'Voor iemand die de weg niet goed kent, zou het nog veel gevaarlijker zijn, vooral als die iemand groter is dan ik,' zei Garah schouderophalend.

We daalden af naar het kampement. Onmiddellijk werd ik bestormd door mensen die hun bezorgdheid kenbaar wilden maken, zoals ik van tevoren had geweten. Ik legde hun uit dat ik door Morthu's zwarte magie tot waanzin was gedreven, maar ik vertelde niets over wat er was gebeurd met de tijd of over het ingrijpen van de goden. Ik had me die moeite kunnen besparen. Tot op de huidige dag wordt er beweerd dat het in die bossen spookt, en wie zal dat tegenspreken?

Eindelijk had ik de rivier bereikt. Ze zeggen dat de rivier na de slag om de brug rood was verkleurd van het bloed, maar het water had nu alweer zijn vertrouwde bruine kleur. Ulf had zich ergens teruggetrokken, ik denk om te mokken over het feit dat het hem niet was toegestaan Morthu op eigen initiatief te vermoorden. Elidir boende me duchtig af met zeep en Govien probeerde me uit te leggen hoe hij de ala tijdens mijn afwezigheid had gereorganiseerd. Garah zat driftig op mijn harnas te poetsen, toen opeens alles stil werd. Ik keek op om de reden ervan te ontdekken, nog bezig met het losmaken van de leren riem onder mijn arm.

Angas was er. Hij was nog niet lang uit het water en had een handdoek in de hand. Hij had een lelijke wond in zijn dij, veroorzaakt door mijn zwaard, zijn schouders waren blauw en groen verkleurd, en zijn hoofdhaar hing druipend af.

'Sulien,' zei hij, 'mijn oude kameraad...' Zijn stem stierf weg en er welden tranen in zijn ogen op.

Ik keek naar hem, zonder te beseffen dat ik naar mijn zwaard tastte voordat mijn hand de lege schede vond. 'Verrader,' zei ik.

Hij stapte achteruit alsof ik hem plotseling in het gezicht had geslagen. 'Moeten we vijanden zijn?' vroeg hij. Vanuit mijn ooghoeken zag ik Garahs hevig geschrokken gezicht.

'Nee,' antwoordde ik. 'Nee, koning van Demedia, wij hebben geen bloedvete. De Grote Koning heeft vrede met jou gesloten. Als jij je aan de wet kunt houden, kan ik dat zeker. Van Derwen heb jij geen wraak te vrezen.' De tranen biggelden zijn baard in, maar ik bleef hem ijskoud bejegenen.

'Urdo beval ons elkaar als vrienden te omhelzen, toen we ruzie hadden over zijn geboorte,' zei hij. Ik wist het nog heel goed, die eerste nacht dat ik uitreed met de ala, de lansen omhoog wijzend naar de ondergaande zon. 'Sulien...'

'Derwen zal de vrede met Demedia bewaren,' herhaalde ik.

Hij boog het hoofd. 'Ik had gehoopt dat je het zou begrijpen.'

'O, ik begrijp het maar al te goed,' zei ik. 'Ik heb zelfs met je te doen. Dat van Morthu begrijp ik. Je had echter al tijdens de onderhandelingen over vrede zo met me kunnen praten als je nu doet. Je had kunnen ophouden het oor te lenen aan Morthu. En je hebt Urdo uit eigen vrije wil en eigenhandig gedood. Dat alles kan ik jou niet vergeven. En wat mijn eigen geestesgesteldheid betreft, Angas, oude vriend, als je nu niet maakt dat je uit mijn ogen komt, zal ik mijn best doen jou eigenhandig te doden.'

Daar zou ik trouwens veel voldoening uit hebben geput. Hij liep echter weg, zonder omkijken. Ik legde de rest van mijn harnas af en daalde af naar de rivier.

23

Geen groter man is er dan Aulius,
die de staat heeft gerestaureerd; een
groot veldheer, kunstbeschermer
en landsbestuurder is hij, Aulius,
beroemdste zoon van Moeder Vinca.

Na zijn overwinning op de Sifacianen
en de hunnen, onze verraderlijke burgers,
keerde hij in triomf terug naar Vinca,
uitgeroepen tot de vader van zijn land:
een vredevorst en verlosser van de staat.

Vanaf de noordsneeuw tot de zuidwoestijn,
in het imperium, van 't ene eind naar 't andere.
ervaart eenieder zijn welwillendheid,
zijn milde genade en goedertierenheid.
Elkeen buigt voor hem of schrijft een loflied.
– Flaccus' *Ode op Aulius 2*:
'De burgeroorlogen voorgoed voorbij'

Zodra ik me had afgedroogd en schone kleren had aangetrokken, overlegde ik met Govien om antwoorden op zijn dringendste vragen te vinden. Ik wenste dat Emlin er was, of Masarn, wat dat aangaat, of Ap Erbin. Ik nam mij voor om voortaan al mijn decurio's zo op te leiden dat zij in geval van nood ook het werk van een tribuun konden doen. De moeilijkheid was niet dat Govien het niet kon; hij kon het aan – alleen vertrouwde hij zichzelf te weinig. Ik kon me vinden in al zijn beschikkingen en stelde hem gerust. Daarna ging ik op zoek naar Darien.

Hij zat voor Urdo's grote tent te redetwisten met een man met een vollemaansgezicht, gekleed in een gescheurde en geblakerde toga. Toen ik naderbij kwam, maakte hij een gebaar dat betekende dat de man kon gaan, waarop de man zijn hand vastpakte. Ik stapte naar voren. Ik had de speer bij mij, zonder erbij na te denken, en nu voelde ik hoe hij gereed lag in mijn hand. Voordat ik hem kon bereiken, trokken twee van Dariens gardisten de man van hem weg. Ze tilden hem op en smeten hem in een modderpoel, waarna ze met de hand op hun zwaard zijn haastige aftocht gadesloegen.

'Wie was dat?' vroeg ik nieuwsgierig.

'Ap Alexias uit Caer Custenn,' antwoordde Darien, de man volgend met zijn ogen. Hij wenkte een gardist. 'Stuur iemand achter hem aan en zorg dat we weten waar hij heengaat. Hij mag het kampement niet verlaten. Breng hem bij me zodra je hem dingen ziet doen die niet door de beugel kunnen.'

'Ja, heer,' antwoordde de gardist. Hij beende weg.

Er wachtten nog anderen op een onderhoud met Darien, maar hij vroeg hen later terug te komen. 'Ik wens een poosje alleen met mijn moeder te praten. Als Raul komt, stuur hem dan door, wil je?'

Zodra we alleen waren, slechts omringd door de lijfwachten en ordonnansen, die op zodanig afstand wachtten dat zij wel handsignalen konden zien, maar ons bedaarde gesprek niet konden horen, vervolgde Darien: 'Ap Alexias is een van de mannen die de oorlogsmachines bedienden. Hij weet niets van hun constructie, hij weet alleen hoe ze werken. Hij is de enige overlevende van de mannen uit Lossia die deze dingen bedienden. Hij verwacht van mij dat ik hem een schip ter beschikking stel dat hem kan terugbrengen naar Caer Custenn.'

'Is het werkelijk?' snoof ik.

'Ik heb hem gezegd dat het hem vrij stond mee te varen met ongeacht welk koopvaardijschip uit Narlahena. Ongetwijfeld zal hij daar wel een schip kunnen vinden dat naar het oostelijke deel van de Middenzee vaart. Hij zegt dat hij al zijn geld en bezittingen is kwijtgeraakt toen hun kamp werd geplunderd. Hij scheen van mij schadevergoeding te verwachten.'

'Zou hij zo weinig afweten van oorlog?' vroeg ik.

Darien schudde het hoofd. 'Grenzenloze brutaliteit, volgens mij. Hij is hier echter ver van huis. Als hij nou nog verstand had gehad van de bouw van oorlogsmachines, zou ik misschien wel een plaatsje voor hem hebben gevonden.'

'Hij heeft zich wel overgegeven?'

'Ze hebben zich allemaal overgegeven, op Morthu en Cinon na. Nu ze hebben verloren, zullen ze op zijn minst zo verstandig zijn om te gaan onderhandelen over vredesvoorwaarden. Het is om je de haren uit je hoofd te trekken. We hadden al een halve maand geleden zover kunnen zijn, als ze hadden willen luisteren. Gelukkig is het een stuk gemakkelijker, nu Morthu er niet meer bij is.'

'Morthu is het onderwerp waarover ik met je wilde praten,' zei ik aarzelend.

'Hij is beslist ons grootste probleem,' knikte Darien. Hij keek me ernstig aan en opeens veranderde zijn gezicht en leek hij tien jaar jonger; niet meer de zelfverzekerde jonge koning, maar een onzekere jongeman. 'Ik heb je nog niet welkom terug geheten, moeder. Waar heb je toch gezeten?'

'Ik heb de nodige moeite gehad om de weg terug te vinden,' zei ik.

'Dat vurige ding dat Morthu naar me gooide...' begon hij.

'Ik zat er middenin,' zei ik, zonder uit te leggen wat het was. 'De goden hebben mij geholpen de weg terug te vinden.'

'Dan dank ik hen uit de grond van mijn hart,' zei Darien. 'En jou erbij.'

'Ik had het moeten afweren met deze speer, maar ik was niet snel genoeg,' zei ik onbeholpen. 'Maar Morthu, degene die dat ding naar ons toe slingerde, is nog altijd in leven. Hij bevindt zich nog steeds op ons eiland, ginds in Caer Tanaga, en richt daar veel schade aan. Ik heb gehoord dat je onderhandelingen met hem voert en dat hij misschien zal ontkomen?'

'Hij heeft aangeboden naar Narlahena te vertrekken en nooit meer terug te komen,' zei Darien. 'Hij heeft een duel geweigerd. Hij heeft de koningin en de burgerij van Caer Tanaga in gijzeling.'

'Hij mag niet ontkomen,' zei ik. 'Hij moet worden berecht. Ik ben blij dat hij dat duel van de hand heeft gewezen, want ook dat zou onvoldoende zijn. Het zou nauwelijks beter zijn dan Caer Tanaga binnensluipen om hem te vermoorden, nu we hebben gewonnen en de vrede moeten herstellen. Hij moet hoe dan ook voor zijn magische praktijken en zijn verraad worden berecht, in het openbaar. We mogen niet toestaan dat hij zijn gif verder kan verbreiden, maar als hij in stilte verder leeft of in stilte sterft, heb je alle kans dat zijn kwaad niet mét hem sterft. Het is niet alleen zijn vloek die nog steeds leden van de ala doodt; dat geldt ook voor de leugens die hij nog steeds verspreidt. Je weet hoe sluw hij kan zijn. Het is een sluipend gif. Je weet dat hij de vrede ernstig kan schaden. Hij moet terechtstaan, en wel zo spoedig mogelijk.'

Dariens ogen glansden. 'Hoe kunnen we hem overhalen zich te laten berechten?' vroeg hij.

'Door hem ertoe te dwingen,' zei ik. 'Neem Caer Tanaga in en neem hem gevangen; en daarna dwing je hem om terecht te staan, snel, nu iedereen nog hier is.'

'Hoe kunnen we Caer Tanaga innemen?'

'Net zoals Arling het deed. Snel en vanaf het water, op een moment dat de verdediging verslapt. Dit idee komt van Thurrig; hij deed die suggestie op de avond na de slag. Amala is er, en ook Gomarionsson, en het restant van Arlings gezworenen. Amala heeft Thurrig een brief geschreven waarin ze hem vraagt haar te komen halen en terug te brengen naar Narlahena. Als Thurrigs vloot – of dat deel van zijn vloot dat hier is – Caer Tanaga nadert, met Thurrig op de voorplecht, zodat ze hem duidelijk kunnen zien, zullen ze misschien denken dat hij hen vriendschappelijk gezind is, zodat ze hem de kans geven aan te leggen. Op dat moment kunnen wij mensen binnen de stad hebben, zodat we haar kunnen innemen.'

Darien stak een hand op en een van de wachtende ordonnansen haastte zich naar hem toe. 'Zoek admiraal Thurrig en vraag hem of hij hierheen wil komen,' zei hij.

Ze rende weg, het loshangende haar wapperend om haar gezicht. Iedereen liet het hoofdhaard loshangen of had het afgesneden, al naargelang zijn of haar zeden en gebruiken. Er waren in het kampement na de Slag bij de Agned nauwelijks mensen over die geen verlies te betreuren hadden.

'Als dit lukt, zouden we binnen de muren zijn, maar nog niet in de citadel,' zei Darien. Hij begon lijnen te tekenen in het zand – schepen en het aantal krijgslieden dat ze konden meevoeren. 'Bovendien weten ze beslist dat Thurrig in de slag aan onze kant heeft meegevochten.'

'Ongetwijfeld,' zei ik. 'Toch zou het kunnen lukken. Hij zou zijn eigen vlag kunnen voeren, waarmee hij hen in de war kan brengen. Het is niet nodig dat ze zich lang voor het lapje laten houden – we hebben niet veel tijd nodig. Wat de citadel betreft, ik ben er net nog aan herinnerd dat Garah eruit heeft weten te komen. Iemand zou langs dezelfde weg naar binnen kunnen gaan om de poort te openen. Dat zal echter uitermate gevaarlijk zijn omdat Morthu inmiddels misschien weet hoe ze eruit is gekomen. Ze staat erop als vrijwilliger terug te gaan.'

'Hoe lang ben je al terug, moeder?' vroeg Darien.

Ik zweeg verward en keek naar de zon. 'Twee uur, misschien iets langer,' zei ik. 'Hoezo?'

Hij grijnsde me toe. 'Omdat je nu al een plan hebt bedacht. En dat niet alleen, je hebt zelfs al vrijwilligers. Wanneer zou deze strafexpeditie moeten vertrekken?'

'Zo snel mogelijk. Als je het ermee eens bent, vanavond nog. De Agned mondt ten zuiden van Caer Tanaga uit in de Tamer, zodat we eerst stroomafwaarts en daarna stroomopwaarts kunnen varen. Dan hebben ze geen idee waar we vandaan komen. Tegelijkertijd zouden de alae naar de stad kunnen rijden, zodat ze ons kunnen helpen binnen te komen.'

'Het zal meer tijd kosten om de alae erheen te brengen, maar ze zouden hard nodig zijn,' zei Darien. 'Met hoeveel schepen dacht je erheen te gaan?'

'Drie, dacht ik. Meer schepen zou meteen argwaan wekken, en met drie schepen hebben we net genoeg mensen.'

'Ik heb geen idee hoeveel verdedigers ze in de stad hebben,' zei Darien met een frons. 'Cinon is daar ook, en ik weet niet hoeveel man ze er hebben achtergelaten toen ze naar het slagveld kwamen.'

'Het moet een plotselinge aanval worden, zodat we ze verrassen,' zei ik. 'En de burgers van de stad zullen onze kant kiezen zodra ze zien wie wij zijn.'

'Heb je soms ook al vrijwilligers voor de schepen klaarstaan?'

'Ik heb Ulf Gunnarsson beloofd dat hij mee kan,' zei ik. 'Anderen heb ik nog niet.' Ik had er nog niet tot in bijzonderheden over nagedacht, maar onder het spreken kreeg ik een idee. 'We zouden voor de helft armigers kunnen nemen die we hebben opgeleid om in kleine ruimten te opereren, terwijl de tweede helft zou kunnen bestaan uit Jarnse infanteristen die wat ervaring in de oorlog tegen de Isarnaganen hebben opgedaan. Waarschijnlijk zijn de krijgslieden van Atha het meest ervaren in het vechten in steden, maar ik kan er niet van uitgaan dat ze van ophouden weten.'

'Ik plaagde je maar wat, met die vrijwilligers,' zei Darien. 'Ik sta ervan te kijken dat je er al twee hebt. Zoekt Ulf misschien nog steeds de dood? Het heeft me verbaasd dat hij de slag heeft overleefd. Hij mag vanzelfsprekend mee, als hij dat wil – hij verdient het ten volle. Vlak nadat de arme Rigol viel ving hij een houw op die voor mij was bestemd. Zonder Ulf waren we nu misschien met net genoeg mensen voor Urdo's erewacht.'

'Het heeft erom gespannen,' beaamde ik.

'Zelf heb ik geen schrammetje,' zei Darien. 'Ik geloof dat jij, ik en broeder Cinwil de enigen in beide kampen zijn die zonder ook maar een lichte verwonding uit de strijd zijn gekomen.'

Ik schudde mijn hoofd bij de gedachte. 'Wat Ulf aangaat,' zei ik na een ogenblik, 'ik denk niet dat hij er per se op uit is om de dood te vinden. Volgens mij wil hij niets liever dan Morthu doden. Meer nog, ik denk dat hij gewoon brandt van verlangen om iets te doen, het maakt niet uit wat. Ik heb datzelfde verlangen, maar dat is niet de eigenlijke reden waarom ik aan deze expeditie wil deelnemen. Ik heb een gevoel dat er iets is dat ik beslist moet doen; en ik denk dat de goden er zeker van wilden zijn dát ik het zou doen. Deze expeditie is het, denk ik.'

'Als Masarn nog had geleefd, zou ik hebben gewild dat je achterbleef,' zei Darien. 'Je bent hard nodig en dit wordt een gevaarlijke onderneming. Er is echter niemand anders die een strijdmacht als deze kan commanderen, tenzij Thurrig zelf het bevel op zich zou nemen – maar hij is al oud. Een van de andere koningen het bevel geven, zou even erg zijn als jou sturen. De nieuwe decurio's zijn er nog te onervaren voor. En uiteraard heeft de arme Luth een maand nodig voordat hij een nieuw plan kan bevatten.'

'Wie commandeert de alae?' vroeg ik.

'Dat doe ik zelf,' zei Darien als terloops.

'En de vredesbesprekingen dan?'

'Er is al bijna overeenstemming bereikt en Raul heeft de zaak goed in handen. Hoe het ook zij, we willen de koningen in Caer Tanaga hebben voor de berechting van Morthu, als we hem tenminste levend te pakken krijgen.'

'En Cinon? Dood of levend?'

Darien wachtte even. 'Dood zou beter zijn,' zei hij zacht. 'Hij is een stomkop die afstamt van een hele reeks stomkoppen. Hij heeft een dochter die pas twee jaar oud is, en hij heeft geen andere erfgenaam. Het is wellicht het beste om heel Nene door Alswith te laten regeren, naast haar eigen land. Haar zoon kan Cinons dochter huwen als ze oud genoeg zijn en ze elkaar kunnen verdragen, zodat de alliantie officieel is. Hij koestert een onredelijke haat tegen alle Jarns, hoewel hij veel Jarns onder zijn onderdanen telt. Urdo heeft de afgelopen vijf jaar veel smeekbeden van de Jarnse boeren uit Nene ontvangen. Ik zou hem liever kwijt zijn dan rijk.'

Voordat ik nog iets kon zeggen, zag ik Thurrig naar ons toekomen, de helling op.

'Blij te zien dat het beter met je gaat,' zei hij tegen mij, voordat hij Darien met een buiging begroette.

'Mijn moeder maakt het prima en ze heeft een plan,' zei Darien, waarna hij het in grote trekken uitlegde.

Thurrig grijnsde bij de gedachte aan het snel innemen van de stad. Hij kreunde bij het zien van Dariens getallen, maar brulde van verontwaardiging over het idee dat hij er nog die avond heen zou moeten. 'Onmogelijk!' zei hij. 'De wind, het tij, de stromingen bij de samenvloeiing van de Agned en de Tamer! Hebben jullie wel eens gevaren? Een schip is geen paard dat je alleen maar in de juiste richting hoeft te zetten, of telkens een andere kant uit kunt laten rijden, op het scherp van de snede. Bij gunstige wind is een schip de snelste manier om ergens te komen, maar zonder wind kom je langzamer vooruit dan een wandelaar. En als we de wind mee hebben als we de Agned afzakken, hebben we hem stroomopwaarts de Tamer op juist tegen – of vice versa, wat in deze tijd van het jaar waarschijnlijker is.'

'Ik zou hiervandaan eerder in Caer Thanbard zijn dan in Caer Tanaga. Als ik morgenochtend vertrek, mogen we ons gelukkig prijzen als we er morgen tegen zonsondergang zijn.'

'Morgen tegen zonsondergang dus,' zei Darien. 'Wanneer vaar je af?'

Thurrig zweeg, nog volop bezig aan zijn betoog, zodat hij een ogenblik verder sputterde zonder iets te zeggen; hij stikte er bijna in. Ik schoot in de lach. 'Ja, lach maar,' zei hij toen hij weer op adem was en meelachte. 'Ik heb veel te veel tijd doorgebracht met Custennin, en was vergeten hoe doortastend een koning beslissingen kan nemen.'

'Je geeft je rekenschap van het gevaar?' vroeg Darien. 'Misschien hebben ze meteen door dat jij ons trouw bent gebleven.'

Thurrig keek hem taxerend aan. 'Ik wist het al toen ik het plan opperde, Suliensson. Het lijkt me een goeie kans. En wat je vraag over mijn vertrek betreft: ik zal even snel beslissen als jij en zeggen dat we weg kunnen zodra iedereen klaar is. Water heb ik al ingenomen.'

De speer leek even in mijn hand te bewegen, alsof hij gebrand was op de naderende strijd. 'Zal ik vast vrijwilligers oproepen?' vroeg ik.

'Zo dadelijk,' zei Darien. 'Ik wilde nog iets anders met je bespreken.'

'Dan hebben jullie mij niet meer nodig,' zei Thurrig. 'Tot straks bij de schepen.'

Glimlachend keek ik hem na.

'Hij heeft ons Huis al vier generaties gediend en bleef altijd zichzelf,' zei Darien. Hij glimlachte eveneens.

'Thurrig is een beste kerel, en zo eerlijk als goud.' Ik keek hem aan. 'Waar wilde je het over hebben?'

'Als ik de alae verplaats, breken we het hele kampement op en laat ik iedereen ons volgen naar Caer Tanaga,' zei Darien zelfverzekerd. 'Als we de stad innemen, is dat mooi. Als dat onmogelijk is, draait het uit op een lange belegering, en zoiets kun je maar beter van zo dichtbij mogelijk doen. Ook is er de kwestie Urdo.'

'Die is dood,' zei ik.

'Dood, ja, maar we hebben geen stoffelijk overschot dat we kunnen cremeren of begraven.' Darien staarde voor zich uit alsof hij ver weg iets zag. 'Sommigen denken dat ze hem nog kunnen zien, net zoals wij in die hoop bladeren. Af en toe spreekt hij tot mij. Hij is nu een van de krachten van het land. Niemand schijnt zich af te vragen hoe het mogelijk is dat hij zo lang op het randje van de dood zweeft. We zullen hem echter moeten begraven, of we moeten iets anders doen dat iedereen duidelijk maakt dat hij er niet meer is. Vind je dat ik het hier en nu moet doen, of bij Caer Tanaga? En wat zal er gebeuren als mensen hem in het land zien, terwijl ze weten dat hij dood is?'

Ik deed mijn mond open om te zeggen dat het erger zou zijn naarmate het langer duurde, maar plotseling zat Urdo bij ons. Ik zag dat hij niet meer was dan de schaduw van de tent en de helling van de heuvel, maar toch kon ik zijn gezicht in het veranderende licht herkennen, en ook herkende ik de buiging van zijn knieën als hij zat. Wat er in mijn innerlijk omging was tegenstrijdig, net als op het moment dat hij mij zijn zwaard had gegeven. Er was zoveel te zeggen dat ik niet kon uitspreken. In plaats daarvan merkte ik dat ik mijn mond sloot en alles ongezegd liet. Hij keek trouwens naar me alsof hij het allemaal al wist – alle dingen die ik nooit onder woorden had kunnen brengen. Hij sprak niet tot mij, maar wendde zich tot Darien, die hem zwijgend observeerde.

'Caer Tanaga,' zei hij. 'Laat de vrouwen mij afleggen.' Het was de term die Jarnsvrouwen gebruikten voor het gereedmaken van een dode voor zijn of haar begrafenis. 'Zet me daarna in een bootje en laat me wegdrijven.'

'Ze zullen ontkennen dat je dood bent,' zei Darien onzeker.

'Er zullen er altijd wel een paar zijn die dat zeggen,' glimlachte Urdo.

Toen was hij weg en waren het zonlicht en de schaduwen niet meer dan wat ze waren.

'Dat is dan geregeld,' zei ik. Mijn stem klonk wat hol, zelfs in mijn eigen oren.

'Zoiets zouden de mensen niet moeten zeggen,' zei Darien, pratend naar de plaats waar we Urdo hadden gezien. 'Ze zullen zich het een en ander afvragen over de Blanke God.'

De Blanke God, die volgens het *Boek der herinneringen* na zijn dood was teruggekomen en te midden van zijn vrienden had gewandeld en af en toe was verschenen als ze hulp nodig hadden, om dan weer te verdwijnen. Zo was het doorgegaan totdat hij verder was gegaan om een nieuw soort god te worden.

'Wat er lang geleden in Sinea precies is gebeurd weet ik niet, maar de Blanke God is een echte tegenwoordigheid,' zei ik, terugdenkend aan het licht dat alle dingen één had gemaakt en alle muziek had verenigd tot één overweldigende melodie. 'Soms vind ik dat priesters wel erg zelfverzekerd praten over dingen waarover niemand zekerheid kan hebben. Mensen die de goden werkelijk kennen, praten eerder als Inis dan als vader Gerthmol.'

'Urdo zong met ons in dat licht,' zei Darien, alsof dit hem over iets geruststelde. 'Vader Gerthmol mag dan soms te zelfverzekerd praten, maar Inis wordt door niemand begrepen.'

'Volgens mij is dat de geestestoestand die je moet hebben om de goden werkelijk te begrijpen,' zei ik. 'En als andere mensen jou dan niet kunnen begrijpen, wel, dat moet dan maar. Als de goden zich met ons verstaan, doen ze dat op een niveau dat ons iets duidelijk maakt zonder dat we enige moeite hoeven te doen om het te begrijpen. Hun oogmerken zijn voor ons ondoorgrondelijk.'

'Je zei dat ze jou de weg terug hebben gewezen,' zei Darien. 'Soms heb ik ook het gevoel dat zij iets van mij willen, maar ik weet niet wát.'

Ik dacht aan de manier waarop Gangrader in het maanlicht en leunend tegen de esdoorn naar mij had staan staren. Ook herinnerde ik me hoe hij ervoor had gezorgd dat Darien werd geboren. Ik had in die ijskoude beek gestaan om te proberen het teken dat Ulf met zijn bloed op mijn buik had geschreven weg te boenen. Toch zat Darien hier, ruim twintig jaar later, en keek me in alle rust aan. Ik had de drang hem tegen al dat soort dingen te beschermen, wat natuurlijk absurd was, want hij was nu Grote Koning en moest als zodanig tussen de goden en mensen in staan.

'Ze hebben mij een voetpad door de bossen gewezen,' zei ik. 'Ze gaven mij deze speer. Samen met hen stonden we tegenover Morthu. Ze zullen meer kennis hebben van de dingen dan wij, maar toch stonden we samen pal.'

Darien keek me ernstig aan. 'Die weldadige duisternis die je van je afduwde – die zal ik nooit vergeten. Ik zal me aan Urdo's wet houden, die voorschrijft dat geen enkele god – en geen enkel geloof – hoger mag worden gesteld dan alle andere.'

'En ik zal nooit jouw licht vergeten,' zei ik glimlachend.

24

'Onze kracht schuilt niet in stenen, maar in onze harten, maar de kracht van stenen toont hoe de kracht van het hart overwint.'
– Naien Macsen van Castra Rangor in *De stadsmuren*

De eerste keer dat ik Caer Tanaga had gezien, was toen ik met Garah uit Thansethan was gevlucht nadat Morwen mij bijna had gedood. Mijn borsten waren toen pijnlijk gezwollen van de melk, en zij had me geholpen ze af te kolven in een greppel langs de weg, waarin we ons hadden verborgen uit angst voor Morwens achtervolging. Na een poosje waren we uit de greppel gekomen en verder gereden over de heirbaan, en we hadden er smeriger en onfatsoenlijker uitgezien dan twee meisjes op paarden ooit hadden gedaan. Toen we op de top van een heuvel kwamen, zagen we Caer Tanaga beneden ons liggen. De geglazuurde muren en torens van de citadel blonken in het licht van de ochtendzon. Vanaf het eerste moment vond ik het de mooiste stad die ik ooit had gezien. Caer Gloran had indruk op me gemaakt met haar grootte, maar Caer Tanaga had op slag mijn hart gestolen, met zijn rode en witte torens die aan wapperende banieren deden denken, hoog op een heuvel naast de rivier.

Omdat ik in de stad had gewoond en al zeker honderd keer terug was gekomen, zowel in oorlogstijd als gedurende de vrede, vanuit het noorden, oosten of westen, was ik aan de aanblik gewend geraakt, maar altijd maakte mijn hart een sprongetje als ik de stad terugzag. Of het nu aan het eind van een vermoeiende oefendag was, of omdat ik erheen moest om de stad tegen Ayl te verdedigen, of gewoon maar vanuit Derwen een bezoek afstak, altijd had ik een bijzonder gevoel gehad bij de aanblik. In al die jaren was dit de eerste keer dat ik Caer Tanaga over water naderde. Van onderaf zag alles er heel anders uit, vooral bij zonsondergang. De stad leek op te rijzen uit de heuvel.

Ik had mezelf innerlijk schrap gezet omdat ik wist dat ik de vijandelijke vlaggen op de torens zou zien wapperen. Ik had zo vaak omhoog gekeken om te zien welke alae er zouden zijn, en of Urdo terug was van deze of gene reis. Nu keek ik gespannen omhoog – en fronste mijn voorhoofd. Ik keek opzij naar Thurrig, die even perplex leek als ik.

'Arling is een Jarn, uiteraard, dus had hij geen vlag, alleen een standaard. Vlaggen zijn een teken van beschaving,' zei hij langzaam. 'Misschien vonden ze het niet de moeite waard er verandering in te brengen.'

'Dat wel, maar waarom zouden ze de koninkrijksvlag weg hebben gehaald en wél de Maan van Nene laten wapperen? Arlings standaard is daar evengoed, trouwens. Ik kan hem zien.'

De standaard werd zichtbaar toen een windvlaag Urdo's groen-witte standaard met het gouden Galopperende Paard een ogenblik in het volle zicht bracht.

'Misschien willen ze zich overgeven,' zei Thurrig, maar hij schudde het hoofd terwijl hij dat zei. 'Nee, dan zouden ze de koninkrijksvlag hebben gehesen. Dat lijkt me tenminste waarschijnlijker dan Urdo's vlag.'

'Dat is Urdo's Paard niet,' zei Garah. Ze stond met beide handen aan de reling en staarde strak omhoog terwijl het schip tegen de wind in laveerde. 'Dit is het Rennende Paard van het Huis Emrys. Ik neem aan dat Morthu zijn eigen vlag heeft gehesen.'

'Daar heeft hij het recht niet toe!' protesteerde ik.

'Zijn moeder liet het altijd op al haar kleren borduren, weet je nog?' zei Garah.

'Morwen was daartoe gerechtigd,' zei ik. 'Min of meer.' Ik zweeg en dacht even na. 'Zij was Avrens dochter. Zelfs na haar huwelijk zou ze persoonlijk het recht hebben gehad haar familiewapen te voeren. Het is ongebruikelijk, maar ze was van hogere geboorte dan Talorgen. Dat betekent echter niet dat ze het recht had dit over te dragen aan haar kinderen.'

'Wapperde die vlag ook toen jij hier was?' vroeg Thurrig aan Garah.

'Niet gezien,' zei Garah. 'Ik kon echter geen moment weg uit de citadel. Niemand heeft er ooit iets over gezegd. Wat kon Morthu anders hebben gehesen? Angas is niet hier en hij is het niet eens met wat hij doet, dus zou de Doorn van Demedia niet op zijn plaats zijn. Hij bezit zelf geen land en heeft dus ook geen eigen vlag.'

'Als hij geen koning of groot bevelhebber is, hoort hij helemaal geen vlag te hijsen,' gromde Thurrig, vergenoegd langs de grote mast opkijkend naar de blauwe vlag met het Rode Schip die hij al vijftig jaar de zijne mocht noemen.

Terwijl we praatten was het schip steeds naderbij gekomen, zodat we opeens de stad om ons heen hadden en al bijna de kade hadden bereikt. We waren nu al te dichtbij voor de oorlogsmachines op de muren, zodat die ons niet konden raken. Onze troepen hielden zich schuil onder de regenzeilen, onzichtbaar maar gereed voor de strijd.

Ik wendde me tot Garah. Ze glimlachte berustend. 'Ja, ik weet heel zeker dat ik door die verwarmingstunnels wil,' zei ze, voordat ik iets kon zeggen. 'En ja, ik ben me terdege bewust van de gevaren. Morthu kan te weten zijn gekomen hoe ik ben ontsnapt, zodat hij me misschien wel opwacht. Ja, ik heb een vlijmscherpe dolk. Nee, jij kunt niet mee – je bent veel te groot en ze hebben je hier nodig.'

Ik slaakte een zucht. 'Ben ik echt zo voorspelbaar?'

Garah en Thurrig moesten allebei lachen. 'Je had op het punt kunnen staan te zeggen dat je wenste dat je een strijdros bij de hand had,' merkte Thurrig op. Het was een lange reis geweest.

We naderden de kade zonder moeilijkheden. We hadden nog niet kunnen bepalen op wat voor verzet we zouden stuiten. Het belangrijkste was dat we de drie schepen aan de kade kregen, als het even mogelijk was, zodat we al onze troepen beschikbaar hadden. We hadden allerlei dingen besproken, zoals de mogelijkheid om van het ene scheepsdek naar het andere te springen, als dat noodzakelijk mocht zijn.

Op de kade stond een groep krijgslieden van Arling ons op te wachten. 'Wie komt naar Caer Tanaga?' riep hun aanvoerder.

'Admiraal Thurrig, op uitnodiging van zijn echtgenote. Hij komt jullie helpen zodat sommigen van jullie terug kunnen naar waar jullie thuishoren.'

'Voor mij geen moment te vroeg,' antwoordde de Jarnsman.

Thurrig lachte, maar de strijdbijl in zijn hand maakte een schokkerig beweginkje. Ze bleven aan een stuk door kletsen, alles even dubbelzinnig, toen we langszij de kade kwamen. Een van onze matrozen wierp een tros naar de kade en een man op de kade ving hem op. Hij was een van de vaste dokwerkers van Caer Tanaga; ik had hem vaak genoeg gezien als ik hier langskwam om me over te laten zetten naar Aylsfa. Hij kende mij ook, uiteraard. Toen zijn blik de mijne kruiste, zag ik zijn ogen groot worden. Ik legde mijn vinger tegen mijn lippen, maar het was al te laat. Hij slaakte een luide triomfkreet en wierp zich op de Jarnsman die met ons had staan praten. De andere dokwerkers zagen wat er gebeurde, maar ze aarzelden. Ik sprong op de verschansing, waarbij ik bijna voorover viel, en slaakte onze strijdkreet. Nog voor we het schip af waren was er al niemand meer te zien die zich tegen ons wilde verzetten.

We ontscheepten ons zo snel mogelijk. Garah rende meteen langs me heen naar de poort van de citadel, om te proberen die te openen. Terwijl we ons in formatie opstelden, dromden de burgers van de stad om ons heen samen en vertelden ons hoe blij ze waren ons te zien. Toen ze hoorden dat de alae ook in aantocht waren, renden een paar burgers naar de stadspoort om die open te gooien. Een oude, dikke priester die een kerk aan de kade had, omhelsde me alsof ik familie van hem was en hulde van vreugde dat hij mij zag. Steeds meer mensen stroomden hun huizen uit, reagerend op het gejuich. Caer Tanaga had zwaar geleden onder de bezetter, en nu wij er waren om hen te leiden, waren de mensen meer dan bereid te vechten. Ze hadden ons niet echt nodig gehad; ze hoefden alleen maar te gaan geloven dat ze konden winnen. Ze kwamen met alles wat ook maar even als wapen kon dienen: houten knuppels, roestige infanteriezwaarden, keukenmessen, spaden, hooivorken. Ik geloof niet dat er na een half uur nog maar één lid van de bezettingsmacht in de benedenstad in leven was. Toen we door de straten opmarcheerden naar de citadel, zwol de kleine compagnie die Thurrig en ik hadden meegebracht aan tot een grote woedende menigte.

Terwijl we vorderden naar de poort, hoorde ik zachte hoefslagen op de kinderkopjes achter mij. Het klonk als een koerier, zodat ik de troep halt liet houden. Onze eigen krijgslieden bleven prompt staan, maar de razende menigte kolkte om ons heen. Ze lieten de ruiter door. Het was een van de stalknechten en hij bereed Urdo's merrie, Danser, die Urdo hier had gelaten toen hij wegreed, de oorlog in.

'Wat voor nieuws heb je?' vroeg ik de stalknecht.

'Waar is de koning, Ap Gwien?' wilde hij weten.

'Urdo is zwaargewond geraakt in de slag en hij is de dood nabij,' zei ik, hoewel ik de woorden uit mijn keel moest wringen. 'Zijn erfgenaam Darien is nu Grote Koning van Tir Tanagiri.'

De menigte schrok en hun zuchten plantten zich voort als rimpels in een vijver. Achter mij vertelden de mensen elkaar door wat ik had gezegd.

'Ze hadden mij gezegd dat de koning terug was,' zei de stalknecht, die eruitzag alsof ik hem een klap in het gezicht had gegeven. 'Ze kwamen naar ons toe om de poort te openen en zeiden dat hij per schip aangekomen was. Ik dacht dat hij zijn paard nodig zou hebben.'

Danser liet haar donkere hoofd zakken om aan mijn schouder te neuzen. Ze was in puike conditie, ook al was ze al twintig jaar oud en moeder van zeven veulens. Ze had Urdo tijdens de Slag bij Foreth gedragen en zag eruit alsof ze het elk ogenblik wéér zou doen. Ik streelde haar over de neus. Ze was uitgerust met haar mooiste sjabrak.

'Hij komt niet terug en zal zijn paard niet nodig hebben,' zei Thurrig. 'Ap Gwien kan hem berijden; alle anderen gaan te voet. We moeten deze stad in Urdo's naam bevrijden.'

Het klonk mij hard in de oren, maar de menigte brulde van opwinding. Deze keer klonk het duidelijk anders dan het gejuich aan de kade; de woede klonk er nu in door. De stalknecht liet zich uit het zadel glijden en reikte mij Dansers teugels aan. Ik zwaaide me in het zadel en hield mijn speer rechtop. Even later moest ik flink mijn best doen om te voorkomen dat ze iemand verpletterde onder haar brede hoeven, toen de hele menigte inclusief onze soldaten met kracht naar voren drong.

Ik aarzel om datgene wat er toen gebeurde een slag te noemen, of zelfs maar een schermutseling. Voor de grote poort van de citadel bevond zich nog een andere poort, die wij de uitvalspoort plachten te noemen. Hij gaf vanuit de straat toegang tot een exercitieplein en we hadden er tamelijk veel last van als je eigenlijk ergens anders wilde zijn, zodat we er zelden gebruik van maakten. De poort was altijd gesloten. Ik had overwogen of we door deze poort naar binnen zouden gaan, maar had dat denkbeeld vrijwel meteen van me af gezet. De poort was eenvoudigweg te moeilijk open te breken en van binnenuit gemakkelijk te verdedigen. Cinon gaf echter leiding aan de verdediging van Caer Tanaga, en hij dacht er anders over. Hij moest zoveel mogelijk van zijn krijgslieden op het exercitieplein hebben verzameld – niet alleen zijn eigen militie, maar ook een deel van Arlings Jarns. Toen we de uitvalspoort naderden, ging hij open en stormden zijn troepen naar buiten, goed bewapend en geharnast, uitgerust en klaar om te vechten. Het kunnen er wel duizend zijn geweest, maar ze konden met hun overmacht in de straat weinig uitrichten. De burgers van Caer Tanaga stortten zich op hen als een troep uitgehongerde wolven die een kreupel hert bespringen.

Ik zag hoe twee vrouwen met keukenmessen een Jarnsman die zeker anderhalve kop groter was dan zij neerstaken. Daarna had een van de twee een speer en de tweede zijn lange mes en schild. Dit kon model staan voor de hele strijd. Die was kort, maar het werd een slachting. Danser brieste van opwinding, precies zoals Appel altijd had gedaan. Ze was te goed getraind om een stormloop te ondernemen als er geen ruimte was, maar ze schopte met haar voorhoeven een man tegenover ons dood. Zelf doodde ik een krijgsman uit Nene en zag hoe koning Cinon voor mij aan stukken werd gehakt. Een van de mensen die op hem inhakten, was een laarzenmaker die ik kende. 'Daar is geen tijd voor! Hij is allang dood!' bulderde ik. Tot mijn opluchting lieten ze Cinons lijk vallen en keken om zich heen, op zoek naar nog meer levende vijanden.

Terwijl ik dat ook deed, zag ik dat ze probeerden de uitvalspoort weer te sluiten. Ik schreeuwde een paar bevelen en de gedisciplineerde kern van mijn troepen stortte zich op hen om de poort open te houden.

Tegen de tijd dat de strijd voorlopig ten einde leek, beende Thurrig naar mij toe. Hij zat onder het bloed, maar niets ervan was van hemzelf. Hij leek enigszins buiten adem. 'Zullen we langs deze weg de citadel binnengaan?' vroeg hij. 'Ik weet dat de grote poort te prefereren is, maar deze is tenminste open.'

'Ik betwijfel of we hen kunnen tegenhouden,' zei ik, vooroverbuigend om zacht te kunnen spreken. Ik gebaarde naar de menigte. 'Ga jij met je troepen voorop. Aangezien ik de enige ben die bereden is, zal ik naar de grote poort rijden om te zien of Ap Gavan erin geslaagd is die te openen. Ze moet er nu zo ongeveer zijn.'

'Zodra je het weet, kom je het ons vertellen, ja?' zei Thurrig. Hij blies adem omhoog langs zijn gezicht, alsof hij zijn gezicht wilde koelen. Danser danste een pasje achteruit.

'Vergeet niet dat we Morthu levend willen hebben, als het even mogelijk is,' zei ik.

'Ik weet niet of ik ze in het gareel kan houden,' zei hij, 'maar ik zal eraan denken.'

'Ik ben zo terug,' zei ik terwijl ik Dansers hoofd wendde, naar boven toe.

Toen ik wegreed, hoorde ik Thurrig achter mij bevelen bulderen, waarna de menigte luid brulde. De straat leek merkwaardig breed, zo zonder de gebruikelijke kramen voor de huizen. Ook leek hij griezelig verlaten, na het gedrang van de menigte beneden. Het herinnerde me aan de eerste keer dat ik Caer Lind was binnengereden. Ik zag vrijwel meteen dat de grote poort gesloten was en toomde Danser in. Er stond iemand boven op de poort. Ik had daar zelf vaak genoeg gestaan als ik wachtcommandant was. De poort maakte deel uit van de gesloten ringmuur. De trap erachter daalde af naar de citadel. Het vreemde was dat de figuur die ik zag op Elenn leek. Ik reed wat verder, voorzichtig.

Elenn stond midden op de poort, precies op het hoogste punt van de boog, en ze leunde op een borstwering, die daar tot aan haar heupen reikte. Haar voeten bevonden zich ongeveer twee lichaamslengten boven mijn hoofd. De grote poort eronder was hermetisch afgesloten. Ik wist nog hoe ze jaren eerder in de poort had gestaan, met de gouden welkomstbokaal in haar handen. Nu hing haar golvende haar los, ongekamd, en haar ogen waren roodomrand. Ze droeg een hemd van ongeverfd linnen, zonder overgooier. En ze staarde naar mij omlaag met een haat die ik onmogelijk zou kunnen beantwoorden.

'Elenn...' zei ik.

'Hoe waag je het mijn naam te gebruiken?' vroeg ze. Ogenblikkelijk herkende ik in haar dezelfde krankzinnige zelfhaat en volslagen wanhoop waarmee Morthu mij het bos in had gejaagd. Ik zou die waanzin uit haar kunnen trekken zoals Gangrader voor mij had gedaan, door deze haat naar buiten te keren, weg van haarzelf. Die wetenschap hielp me de woorden te vinden die ik zocht.

'Ik heb niets gedaan ten nadele van jou,' zei ik.

'En heb jij mijn gemaal niet ertoe gebracht naast jou de plaats van een echtgenoot in te nemen, in het volle zicht van heel Derwen?' vroeg ze. 'En heb jij niet in Caer Gloran het bed met hem gedeeld? En heb je hem geen zoon gebaard?'

'Mijn moeder heeft Urdo in Derwen als een verwant omhelsd, dat is alles,' zei ik. 'Mijn zoon Darien was al drie jaar oud toen jij met Urdo in het huwelijk trad. En ben je niet bereid hem op zijn erewoord geloven als hij jou zegt dat hij sinds dat huwelijk met geen enkele sterfelijke vrouw heeft geslapen?'

Er verscheen een ondiepe rimpel in haar voorhoofd, alsof ze erover nadacht en een dunne strohalm vond in een moeras van leugens.

Op dat moment stapte Morthu uit de beschutting van de trap. Hij sleepte Garah met zich mee, haar voor zich houdend als een schild. Zijn ene arm lag om haar leest om haar te dwingen mee te komen, en zijn andere arm omklemde haar keel. In die hand blonk een mes. Hij zou haar kunnen doden voordat ik hem te pakken kon nemen, onverschillig wat ik deed. 'Jij bent geen sterfelijke vrouw! Jij bent een demon, dat weet iedereen,' zei hij.

Ik was zo kwaad dat ik hem de strot had kunnen doorbijten als hij dicht genoeg in mijn buurt had gestaan. 'Laat de koningin van Bregheda los,' hoorde ik mezelf verbazingwekkend rustig zeggen. 'En dan, Morthu ap Talorgen, kunnen we het erover hebben wiens ziel zwart is van kwaad, ook al denk ik dat jij er liever over wilt praten hoe ik zou kunnen voorkomen dat de burgers van Caer Tanaga jou aan flarden scheuren.'

'Dacht je dat werkelijk?' vroeg hij terwijl hij een stap dichter naar de borstwering zette, Garah nog steeds voor zich houdend. Ze leek zich te ergeren en tegelijkertijd bijna in haar lot te berusten.

'Dat hebben ze al met Cinon ap Cinon van Nene gedaan,' zei ik. 'Ze zijn zelfs al in de citadel.'

Elenn schrok zichtbaar, maar Morthu staarde spottend op mij neer. 'Wel, als jij dan een heel leger bij je hebt, waarom zijn ze dan niet bij je?' hoonde hij. 'Waarom ben jij met alleen je stalknecht,' – hij rukte aan Garahs haar – 'je paard en je schoothondje hierheen gekomen?'

'Ik ben geen hond van Ap Gwien, maar jaag altijd op eigen houtje,' hoorde ik Ulf achter mij zeggen. Ik draaide me niet naar hem om, hoewel ik er geen idee van had gehad dat hij me achterna was gekomen. Elenn fronste haar voorhoofd en wreef erover, alsof ze pijn had, maar toen boog ze zich naar voren en keek Ulf ernstig aan.

'Is mijn gemaal in leven?' vroeg ze.

'De dood nabij,' antwoordde Ulf, die onder het spreken naar voren was gelopen, zodat hij nu tussen mij en de poort stond.

'Laat dat hondje maar keffen,' zei Morthu zorgeloos. Elenn leek echter te geloven wat Ulf had gezegd. 'Wat kom je me eigenlijk aanbieden, Sulien? Als jij werkelijk troepen bij je hebt, zullen ze geen moment op de gedachte komen hierheen te gaan, tenzij *ik* dat wil.'

'Ik bied jou helemaal niets voordat je de koningin van Bregheda loslaat,' zei ik.

'En dan zul jij me doden met die verraderlijke speer die je zo stevig omklemt,' zei Morthu. Hij versterkte zijn greep om Garahs keel zo woest dat ze ineenkromp en even haar ogen dichtdeed. Elenn kromp eveneens ineen toen ze dat zag.

Ik had nauwelijks gemerkt dat ik de speer vasthield. Ik keek er even naar, voordat ik weer naar hem opkeek en hem uitlachte. Elenn schrok opnieuw toen ze me hoorde lachen. Toen staarde ze in stomme verbazing naar mij en daarna naar Morthu. 'Deze speer is te goed voor jouw zwarte bloed,' zei ik. Voor zover ik dat kon bepalen, scheen dat hem te verrassen. 'Ik ben hier om je een eerlijke en wettige berechting te bieden.'

'Ten overstaan van de Grote Koning?' vroeg hij.

'Uiteraard.'

'En als ik word vrijgesproken staat het me vrij om naar Narlahena te zeilen, of waarheen dan ook?'

'Als je onschuldig was, ongetwijfeld,' zei ik.

Dat was het moment waarop Elenn in actie kwam. Ik vermoed dat Morthu het aan mijn gezicht heeft gezien, want hij kon het haar onmogelijk zelf zien doen. Ze trok een dunne dolk uit haar mouw en stapte doelbewust op hem af. Ze haalde uit naar de zijkant van zijn nek, maar op dat moment stapte hij achteruit.

'O nee, mijn liefste,' zei hij zacht en op tedere toon. Ze keken elkaar aan. Een ogenblik lang bleef Elenns arm opgeheven, de dolk in haar hand. Hij ging heel langzaam naar beneden, als een stuk boomschors dat loskomt van de stam. Het afschuwelijke was dat ik niets kon doen. Ik kon nauwelijks ademen totdat de arm langs haar zij hing. Toen ik iets probeerde te zeggen, bleven de woorden me in de keel steken. Morthu bleef haar strak aankijken. 'Wat deed je nu toch?' zei hij, heel vriendelijk. 'Wie heeft jou zo behekst dat je mij wilde aanvallen, jouw enige ware liefde?'

Even langzaam als de hand met de dolk omlaag was gegaan, kwam nu haar linkerhand omhoog en raakte Morthu's gezicht aan. Ze kwam een stap naar voren, haar gezicht naar hem toe als voor een kus. De stilte om ons heen was folterend. Ik was zelf verstrikt in de betovering, niet in staat om tussenbeide te komen of zelfs maar weg te gaan. Ik wilde Morthu niet doden, ik wilde dat hij zou worden berecht, maar als ik het had gekund had ik hem op dat moment gedood. Ik bracht de speer omhoog. De enige reden dat ik hem niet gooide, was omdat ik er niet zeker van kon zijn dat ik niet per ongeluk Garah of Elenn zou doden.

Toen Elenns mond die van Morthu bijna had bereikt, slaakte Ulf een oorverdovende, woordloze kreet. Hij was zo wit geworden dat zijn mond een bloederige streep in zijn huid leek, en zijn neusvleugels waren nog witter. Hij sperde ze open als een paard dat zo lang had gegaloppeerd dat het aan het eind van zijn krachten was. Zijn schreeuw verbrak de betovering een moment en Elenn bracht de dolk weer omhoog. Ik zag haar hand beven toen Morthu haar met zijn wil dwong hem weer te laten zakken.

Op dat moment stormde Ulf naar voren, met open mond alsof hij opnieuw wilde brullen, maar er kwam geen geluid uit. Hij smeet zich met zijn volle gewicht tegen de houten poort, die alleen een beetje trilde. Ulf stapte achteruit en smeet zich nog eens tegen de poort. Morthu staarde

Elenn nog altijd aan en haar hand trilde, de dolk tussen hen in, alsof ze niet kon besluiten of ze er Morthu of haar eigen hart mee wilde doorsteken. Garah wrong zich in allerlei bochten, proberend zichzelf te bevrijden toen hij zich bewoog. Op hetzelfde moment smeet Ulf zich voor de derde keer tegen de poort. Deze keer sprak hij erbij, want hij deed met een enorme, vreeswekkende stem een beroep op Gangrader. Garah worstelde en slaagde erin wat afstand te scheppen tussen haar keel en Morthu's mes.

Op dat moment stond ik paraat, de speer klaar om te werpen. Nu kon ik me weer bewegen en was ik vrij om datgene te doen wat me het beste leek. Het was alsof ik alle tijd van de wereld had om na te denken over de vraag of ik de worp kon riskeren of niet. Als ik dat deed zou ik Morthu naar alle waarschijnlijkheid doden. Dat zou, zoals ik wist, gevolgen hebben die voor mij onmogelijk te overzien waren. Op dat ene, heldere moment had ik het gekund. Ik haalde mijn arm naar achteren, mikte nauwkeurig en wierp de speer toen, met heel mijn hart en al mijn kracht. De speer die de Smid mij had geschonken, raakte het punt waarop ik had gemikt, midden in de sluitsteen van de boogpoort onder hun voeten.

De inslag van de speer verwekte een machtige donderslag. Danser steigerde van schrik en deinsde terug. Waarschijnlijk zou ze dat niet hebben gedaan als ik Urdo was geweest, maar hoewel ze me goed kende, had ze niet genoeg vertrouwen in mij om rustig te blijven staan bij zo'n overdonderend geluid. Het kostte me slechts een ogenblik om haar weer in de hand te krijgen, maar het duurde niettemin te lang. De poort stortte in, als blokken die een kind wat slordig op elkaar had gestapeld. De zware steenblokken bleven nog heel even hangen, maar kwamen toen de een na de ander met donderend geweld en in een dikke stofwolk omlaag. Het duurde lang voordat het stof omlaag was gedwarreld. Minutenlang kon ik niemand van de mensen naar wie ik had zitten kijken onderscheiden. Het enige wat ik zag, was een enorme puinhoop van steenblokken en versplinterde stukken hout, omgeven door een opbollende stofwolk. Toen ontwaarde ik Elenn. Ze zat op een steenblok opzij van de resten van de grote poort. Haar witte hemd zat onder het steenstof, maar ze scheen ongedeerd te zijn. Ze had de dolk nog in haar handen en draaide hem om en om.

Ik dreef Danser naar voren. 'Je mankeert niets?' vroeg ik, alsof er een klein incidentje was geweest en we vriendinnen waren.

'Ulf Gunnarsson heeft mijn val gebroken,' zei ze, met een handgebaar.

Toen pas zag ik Ulf, slap op de grond naast haar. Zijn been, het been dat ik had verwond, zodat hij altijd mank had gelopen, was verpletterd en lag onder een steenblok. Hij moest haar hebben opgevangen en opzij gezet, maar was al doende door de vallende blokken geraakt. Ik steeg af en boog me over hem heen. Zijn ogen waren open.

'Ah, eindelijk kom je me dan toch opeisen,' zei hij, zo zacht dat ik hem nauwelijks kon verstaan. Het praten bezorgde hem pijn, dat was duidelijk. 'Dood me! Vlug, Sulien!'

'Stel je niet aan,' zei ik. 'Dat been ben je kwijt, uiteraard, maar je blijft waarschijnlijk wel in leven.'

'Ik heb mijn rug gebroken, en ook iets vanbinnen,' zei hij.

'Zelfs dat betekent niet dat je gaat sterven.'

'Gangrader haalde de poort neer,' zei Ulf glimlachend. Er droop bloed uit zijn mondhoek. Toen, nog zachter, bijna op vertrouwelijke toon, zei hij: 'Ik zou timmerman geworden zijn als ik in een andere familie geboren was. Dat was wat ik graag wilde doen; daar had ik aanleg voor, zoals we allemaal wisten. Ik zou hoe dan ook in de leer zijn gegaan en alles aan Arling hebben gelaten, als hij het waard was geweest. Ik was zeventien toen mijn moeder overleed. Ik ben zo stom geweest mij te binden aan de Ravengod, in mijn onbezonnenheid. Ik ging scheep met Ragnald om de krijgskunsten te leren. Toen deed ik jou onrecht en verwoestte mijn eigen geluk. Hij heeft echter zijn belofte gehouden, al zijn dubbelzinnige beloften, en nu kwam hij toen ik een beroep op hem deed.'

Ik had hem kunnen zeggen dat het de speer was geweest die de poort had doen instorten. 'Ik weet zeker dat hij zal komen en voor je zal pleiten, om je te helpen op een goede manier terug te komen,' zei ik. 'Zal ik Elenn vragen met je te praten? Ze is hier, je hebt haar gered.'

'Wie had dit ooit kunnen geloven,' zei hij. 'Als je dit vooruit had geweten, zou je nooit met Conal hebben geduelleerd. Ik ben blij dat ze veilig is en het spijt me ontzettend van Ap Gavan.'

'Garah,' stamelde ik geschrokken. Ik keek om me heen. Links van mij zag ik haar hand onder de sluitsteen van de boogpoort. Mijn speer zat nog in de steen en trilde na.

'Ik kon ze niet allebei opvangen,' zei Ulf.

Ik had er zelf moeten staan om Garah op te vangen, ook al wist ik direct dat ik waarschijnlijk ook door de steenblokken zou zijn verpletterd als ik het had geprobeerd. 'Je hebt een heldendaad verricht,' zei ik.

Ulf deed zijn ogen even dicht. 'Waar is Morthu?'

'Ik ben hier,' zei de stem van Morthu vanuit de puinhoop, even vast en zelfverzekerd als ooit. Elenn schrok er zo van dat ze opsprong en zichzelf bijna verwondde met het mes. Er was geen spoor van hem te bekennen.

'Hij zit gevangen tussen de steenblokken,' zei ik. 'Maak je over hem maar geen zorgen. Zijn plannen zijn op niets uitgelopen. Hij zal eerlijk worden berecht en een rechtvaardige dood sterven.'

'De poort is ingestort, maar ik vertrouw erop dat je de buitenste muur van de stad goed laat bewaken,' zei Ulf. Op dat moment zag ik hem een grote bloedbel blazen en was hij er niet meer, alleen nog zijn ontzielde lichaam. Ik rouwde om hem, bijna alsof hij een vriend van mij was geweest.

'We hadden het over een schip naar Narlahena voor de koningin en mijzelf,' zei Morthu doodgemoedereerd, alsof er niets was gebeurd.

Ik keek naar Elenn. Ze zat zo stil als een standbeeld naar de puinhoop te kijken. Er biggelden tranen over haar wangen, maar ze verroerde zich niet en gaf geen kik.

'We hadden het over een eerlijke berechting wegens zwarte magie,' zei ik. Ik bewoog mijn hand vlak voor Elenns gezicht om haar aandacht te trekken, en gebaarde toen naar Danser. Ze staarde me wezenloos aan. Toen echter scheen ze het paard op te merken. Ze keek me indringend aan, hard en wantrouwig. Ik reikte haar Dansers teugels aan. Ze nam ze aan, een en al scepsis.

'Zie je nu hoe onbillijk het is?' zei Morthu. 'Als jij het doet en een hele muur laat instorten, noem je het natuurlijk eerlijke tovenarij. Maar als ik een kleinigheid doe, heb je het meteen over zwarte magie.'

Met die woorden schoof hij het steenblok boven hem weg alsof het een zachte kaas was en richtte zich op in het late zonlicht. Zodra Elenn hem zag, kwam ze in actie. Ze werkte zich omhoog totdat ze op het steenblok stond waarop ze had gezeten en gebruikte het om Danser te bestijgen. Ze leek heel nietig op haar rug en deed me denken aan de kinderen van Garah als ik ze op een strijdros had gezet voor een ritje.

'Het is zwarte magie omdat jij je ziel hebt verkwanseld om het te doen,' zei ik tegen Morthu, om hem af te leiden van Elenn.

'Wat moest ik anders, nadat jij mijn moeder had vermoord en zij mij niets meer kon leren?' vroeg hij. 'Ach ja, ik zou het bijna vergeten; ik word geacht te zeggen dat ook zij zwarte magie bedreef, en haar nagedachtenis te vervloeken, zoals de hele wereld doet – zelfs haar eigen kinderen. Wat is magie anders dan volledig vertrouwen op jezelf en weigeren je iets aan te trekken van de beperkingen die de goden je opleggen, alleen omdat zij bang zijn dat mensen sterker zullen worden dan zijzelf? Zij zijn geen haar beter dan wij. Het enige verschil met ons is dat zij weten hoe zij de kracht moeten gebruiken. Zij dwingen ons tot de wankele stapjes van een baby, terwijl we zouden kunnen rennen, omdat wij over een wil beschikken en zij niet. Wij zijn werkelijk groter dan de goden, als we maar de moed hebben om gebruik te maken van de macht die we van onszelf hebben.'

Tijdens die hele redevoering vermeed ik het bewust naar Elenn te kijken, zodat ze weg kon komen, maar nog steeds hoorde ik geen hoefslagen. 'En het tot waanzin drijven of doden van onschuldige mensen is noodzakelijk om macht te verwerven als die van een god?' vroeg ik.

'Dat waren vijanden en geen mensen die telden,' zei hij.

'Waar ben jij toch op uit, Morthu?' vroeg ik. 'Heeft Darien gelijk? Wil jij werkelijk alles wat we hebben opgebouwd vernietigen, en ons erbij? En waarvoor? Alleen uit haat?'

Hij lachte. 'Omdat jullie allemaal zo verdomd trots waren op wat jullie deden,' zei hij. 'Het enige waar jullie je druk over maakten, was de oorlog en de vrede, maar nooit over de mensen. Mensen gaan *mij* ter harte. Ik weet wat zij willen.'

'Je zult misschien wel weten wat ze willen, maar je geeft geen zier om anderen, behalve om jezelf,' zei Elenn. Ze zat roerloos op Dansers rug. 'Je bent nog altijd die jongen van negen die zijn verdorven moeder verloor. Alle liefde en aandacht van de wereld zouden nooit voldoende zijn om dat zwarte gat in je binnenste te vullen.' Het klonk alsof ze met hem te doen had.

'Je beschouwde dit alleen maar als een spel, om aandacht te krijgen?' zei ik vol ongeloof. 'Al dit bloedvergieten?'

'Ah, je noemt het een spel?' zei Morthu, met een hardere klank in zijn stem dan ik er ooit in had gehoord. 'Een spel – en dat terwijl ik Urdo heb gedood?'

'Angas heeft hem gedood,' zei ik. 'Waar was jij, tijdens de Slag bij de Agned, toen de rivier rood kleurde van het bloed van alle dapperen die aan weerskanten zijn gesneuveld? Hield je je hier verscholen?'

'Jij spreekt alleen omdat ik het goedvind,' zei Morthu. 'Als ik dat wens, zal je tong aan je gehemelte kleven en er nooit meer van loskomen.'

'Ik denk dat jij minder begrijpt van de werking van de wereld dan je zelf denkt,' zei ik, alsof ik niet in het minst uit het veld geslagen was door een dergelijk dreigement, afkomstig van een man die zojuist steenblokken opzij had geduwd alsof het veren kussens waren.

'O, dacht je dat?' snierde hij. 'De goden kunnen jou nu niet meer helpen. Door jou terug te brengen naar de plaats vanwaar jij het bos inrende, hebben ze zich aan hun eigen regels verplicht. Ik zou je benen kunnen bevriezen, zodat je spieren afsterven. Nog voor de goden in actie kunnen komen, zou er niets meer van over zijn, zodat je voorgoed kreupel zou zijn en alleen nog in een speciaal zadel kunt zitten. Dan kun je nooit meer vechten. Ja, ik geloof dat ik dát maar zal doen. Het zou beter zijn dan jou te doden, want ik zou jou zien leven zonder alles waarvoor je hebt geleefd.'

Links van mij stak de speer nog in de sluitsteen; rechts van mij zat Elenn op Danser. Ze had zich al die tijd niet verroerd. Morthu was er beslist goed in andermans angsten te kennen. Ik was na die vergiftigingspoging met bilzekruid voortdurend bang geweest voor verlamming. Ik gaf Danser een harde mep op de achterhand. 'Naar de stallen!' schreeuwde ik – naar de merrie, niet naar haar berijder. Danser was een verstandig paard en deed wat ik haar opdroeg. Op hetzelfde moment dat Morthu werd afgeleid door Elenns vlucht, rukte ik de speer uit de sluitsteen en ramde Morthu met de stompe kant hard in de maag. Hij ging neer zoals iedereen neer zou zijn gegaan. Ik draaide de speer om en zette de punt op zijn keel.

'Ik wil dat jij blijft leven om te worden berecht,' zei ik. 'Maar daar ben ik niet zó op gebrand dat ik je niet zou doden als dat nodig was.'

Ik hoorde hoefslagen en opeens wat Luth er, met zijn hele penoen om mij heen. Hij grijnsde vrolijk. 'We konden je niet vinden,' zei hij. 'We hadden al overal gezocht, maar het was niet bij me opgekomen hier te gaan kijken, totdat we de koningin naar buiten zagen komen. We hebben de stad én de citadel.'

'Mooi,' zei ik. 'Ik heb hier de zwarte magiër Morthu ap Talorgen. Ik zou niet weten hoe we hem gevangen kunnen houden totdat we hem hebben berecht, tenzij ik hier blijf staan, met deze speer op zijn keel. Ga snel Darien halen, en de Grootvader van Helden. Hij zal misschien een manier kennen.'

25

Een ijzeren bescherming,
een arendshorst in de bergen;
hoe de waarheid te kennen?
Dit is geen raadsel, dus zullen
we het nooit doorgronden.
– Lafada ap Fial: *De Orakelraadsels*

Darien kwam niet persoonlijk. Hij stuurde Raul en Inis. Ze kwamen te voet en droegen lantaarns. Pas op dat moment realiseerde ik me hoe donker het was geworden. Raul stelde voor Morthu in de hoogste torenkamer op te sluiten en de trappen te bewaken. Inis stelde voor de oren van de bewakers dicht te stoppen met bijenwas.

'Ook is er een bezwering tegen magie,' zei hij. 'Die zal tegen hemzelf niet werken, maar ik zou die kunnen zingen in de kamer waarin hij opgesloten wordt, en ook voor de bewakers.'

'Ik stem in met een eerlijke berechting,' zei Morthu, gekweld en waardig tegelijk. 'Ik begrijp volstrekt niet waarom iedereen tegen mij is. Ik leg me neer bij een eerlijk proces waar de beschuldigingen tegen mij in alle openbaarheid worden uitgesproken, en niet via insinuaties. Een eerlijk proces, ten overstaan van de koningen.'

'De Grote Koning zal jou berechten,' zei Raul.

'Dan wordt het geen eerlijk proces,' zei Morthu. 'Dat duivelskind zal naar zijn moeder luisteren en niet naar mij. Dan wordt het haar woord tegen het mijne.'

'Je hebt wel een groot vertrouwen in de zelfbeheersing van de trouwe heldin Sulien,' merkte Inis op.

Ik moest lachen. Ik had er nooit over nagedacht, maar het was waar: er zouden niet veel mensen bereid zijn iemand ervan te beschuldigen een demon te zijn als die vermeende demon hem de punt van een speer op de keel houdt – tenzij zo iemand het daadwerkelijk geloofde.

'Zullen de koningen er op zijn minst bij zijn om er als getuigen op toe te zien dat het er eerlijk aan toegaat?'

'Dat zullen ze,' zei Raul. 'Iedereen die ervan getuige wil zijn, mag erbij zijn, want het zal ten overstaan van het volk gebeuren. Het lijdt geen twijfel dat heel veel mensen erbij willen zijn.'

'Ik onderwerp me aan een eerlijk proces en het is nergens voor nodig mij te bejegenen als een eerloze verworpeling,' zei Morthu.

'Toch zul je de nacht in de hoogste torenkamer doorbrengen,' zei Raul. Een aantal wapendragers van Luth voerden hem weg en hij ging mee, maar met duidelijke tegenzin.

'Ik ga erheen om mijn bezweringen te zingen, voor zover ze iets uithalen,' zei Inis. 'En ook om over hen te waken. Gaan jullie maar naar je familie.'

'Ik zou met Darien willen praten,' zei ik.

'Je moeder is hier,' zei Raul. 'Er is een schip uit het westen aangekomen, met bisschop Dewin en de weduwe van Gwien aan boord.'

'Samen?' vroeg ik geschrokken.

Inis moest lachen.

'In elk geval waren ze op hetzelfde schip,' zei Raul.

'Ik moet snel achter Zwarthart aan, voordat hij zijn bewakers vergiftigt,' zei Inis. Hij vertrok zonder verdere plichtplegingen. Zijn enorme schaduw zwaaide onrustig in het licht van de lantaarns.

'Bedoelt hij dat hij hen kan vergiftigen met woorden?' vroeg ik.

Raul schudde het hoofd. 'Geen idee waarom hij zulke dingen zegt.'

'Er zijn veel waarheden die alleen op die manier kunnen worden gezegd,' zei Inis, die zijn hoofd om de hoek had gestoken.

Raul maakte een sprongetje, en Inis trok zijn hoofd terug. We wachtten even alvorens verder te praten.

'Dat idee over berechting zit me niet lekker,' zei Raul. 'Morthu heeft gelijk dat veel ervan neerkomt op jouw woord tegen het zijne.'

'Garah en Ulf zijn dood, ja, maar Elenn is er steeds bij geweest.'

Raul schudde sceptisch het hoofd. 'Ze zal misschien niet willen spreken. En helaas, de stenen *kunnen* niet spreken, al kan ik het een en ander in ze lezen.' Hij hield zijn lantaarn omhoog en tuurde naar de puinhoop, vooral de plek waar Morthu de stenen opzij had geschoven, en daarna naar het gat dat de speer in de sluitsteen had achtergelaten.

Ik had me niet meer met hem op mijn gemak gevoeld sinds hij tijdens zijn koorts voor mij was teruggedeinsd. 'Ik ben géén demon,' zei ik stoutmoedig.

Hij keek beschaamd voor zich. 'Ik heb nooit gezegd dat je dat was,' zei hij. 'Er zijn echter genoeg mensen die dat beweren, zodat alleen jouw woord hen niet op andere gedachten zal brengen.'

'Je hebt wél gezegd dat ik het was,' wierp ik tegen. Ik was te moe om nog diplomatiek te kunnen zijn. 'Wij hebben altijd aan dezelfde kant gestaan, Raul, namelijk aan Urdo's kant. Je wéét dat ik geen demon ben. Waarom heb je dan niettemin het gevoel dat ik er een zou kunnen zijn?'

In het onrustige licht keek Raul me aan. 'Daar heb ik over nagedacht toen ik bezig was van die koorts te herstellen,' zei hij. 'Voor een deel kwam het voort uit jaloezie, net als bij de koningin. Ik wist dat het onterecht was en heb ermee geworsteld. Urdo had in zijn hart genoeg ruimte voor ons allemaal. Het andere deel ervan durfde ik nog niet onder ogen te zien. Hoe kan ik erkennen dat jij een goed mens bent als je blijft weigeren God te aanvaarden?'

'Er moet voor mij een plaats zijn in jouw wereld, waar mensen goed kunnen zijn en toch jouw god niet aanbidden.'

'In Thansethan wordt over een dergelijke mogelijkheid niets onderricht,' zei Raul. 'Urdo heeft geprobeerd het mij uit te leggen. Het was echter voor mij gemakkelijker te geloven dat jij een demon was dan het niet te geloven.' Hoofdschuddend, zijn gezicht een en al twijfel, voegde hij eraan toe: 'Als ik in mijn hart erken dat jij geen demon bent, tast dat de fundering aan waarop ik mijn hele leven heb gebouwd. Want als het aanbidden van God niet het hoogste goed is, het enige goed en de enige bron van eer, waar zou het leven dan toe dienen? Ik weet het, deze twijfel is iets tussen mij en God, iets waarmee ik in het reine moet zien te komen.' Hij glimlachte onzeker. 'Toch is dit niet waarom het draait. Ik wéét inderdaad dat jij geen demon bent. Maar aan jouw woord zullen de vromen nauwelijks enig gewicht toekennen.'

'De koningin zal ook moeten getuigen,' zei ik.

'Als ze daartoe bereid is.'

'Ik zal het er met Darien over hebben,' zei ik. 'Trouwens, er zijn veel burgers in de stad die er getuige van zijn geweest dat hij magie bedreef en mensen doodde om zelf meer macht te krijgen.'

Juist op dat moment kwam er een groep om de lichamen van Ulf en Garah op te halen voor hun begrafenis. Ze begonnen de steenblokken weg te ruimen. Glividen kwam naar boven en begon te mopperen over de verwoeste grote poort. Ik wilde niet met de architect praten, zodat ik Raul bij hem achterliet en af begon te dalen naar de uitvalspoort. Toen ik die had bereikt, voelde ik me echter niet in staat om naar binnen te gaan en met Veniva en Darien te spreken. In plaats daarvan daalde ik verder af, naar de stallen. Ik wilde me ervan overtuigen dat Danser veilig en wel in haar box stond. Ook wilde ik naar mijn eigen paarden omzien en ze helpen verzorgen.

Vroeger had me dat altijd geholpen. Zelfs na Appels dood had ik een bezoek aan de stallen steeds als weldadig ervaren. Nu sprak iedere box en elke baal hooi me van Garah, zoals ze was geweest toen we voor het eerst in Caer Tanaga waren. Ik had nog niet de tijd gehad haar dood te verwerken. Nu herinnerde ik me hoe we onderweg van Thansethan naar hier grappen met elkaar hadden gemaakt over wat er op haar grafsteen zou moeten staan. 'Hier ligt Garah ap Gavan. Ze was moedig, hield van paarden en was zo dom één keer te veel naar Sulien ap Gwien te luisteren.' Hoe kon ik dit ooit uitleggen aan Glyn en de kinderen? Ik was verblind door tranen toen ik tussen de zacht briesende en tevreden kauwende paarden door liep. Ik herinnerde me hoe Garah in deze stal Sterrelicht had verzorgd, en de keer dat ik hier 's avonds laat had gezeten en dat gesprek had gehoord tussen Mardol en Urdo. Het gaf me een vreemd gevoel. Het was mijn schuld niet dat ze dood was. Ze was vrijwillig de tunnels in gegaan om de grote poort te openen. Misschien was het nutteloos, achteraf, maar dat hadden we in geen geval van tevoren kunnen weten. Ik huilde niet uit gevoelens van schuld of zelfmedelijden, maar omdat ze mij nooit meer goedmoedig zou plagen.

Ik weet niet hoe lang ik tegen Helderoogs geduldige nek heb staan huilen. De stalknechten en de weinige wapendragers negeerden mij en deden hun werk. Na een poosje begon ik Helderoog te roskammen, om haar te verlossen van het stof van de weg. Het was een bezigheid die me troost schonk. Toen ik klaar was, ging ik verder met Glimmer. Toen ik mijn hand naar achteren stak om de grotere roskam te pakken, drukte iemand mij hem in de hand. Ik draaide me niet om en ging gewoon verder. 'Dank u, heer,' zei ik alleen. In kameraadschappelijke stilte werkte ik verder.

Nadat ik klaar was met Glimmer ging ik weer omhoog naar de citadel. In de straten wemelde het van vrolijke mensen. Ik beantwoordde iedere groet. Toen ik de uitvalspoort had bereikt, lieten de schildwachten me dadelijk door.

'Weet je misschien waar mijn moeder logeert?' vroeg ik aan de dichtstbijzijnde, een van Alfwins mannen, die met mij per schip hierheen waren gekomen.

'Ik zou het niet weten,' zei hij. 'Maar de Grote Koning heeft naar u gevraagd. Hij is in de werkkamer, boven.' Hij wees met zijn hand en ik bedankte hem.

De binnenhof vertoonde de sporen van de strijd die hier had gewoed. De lijken waren weggehaald, maar hier en daar waren de kinderkopjes glibberig van bloed en slijm. Tegen de tijd dat ik de deur had bereikt die toegang gaf tot de trappen, struikelde ik bijna over iets kleins en glibberigs. Toen ik ernaar keek, zag ik dat het de helft van iemands hand was – een handpalm met vingers. Hoewel daar geen begrijpelijke reden voor was, hoorde ik opeens Conals stem in mijn hoofd zeggen: 'Er zal minder met het zwaard worden gevochten, of er zullen meer eenhandige mensen zijn.' *Van een vriend of een vijand?* vroeg ik me af. Het viel niet te bepalen. Ik schopte de hand een hoek in, waar hij niemand in de weg zou liggen. Morgenochtend zou er genoeg tijd zijn voor een grote schoonmaak.

Darien bevond zich in Urdo's werkkamer en zat op een van de stoelen met dunne poten. De tafel was al overdekt met paperassen, maar ze waren keurig opgestapeld. Veniva zat in de andere stoel een stuk van een perkamentrol te lezen. Ze hield hem op armslengte van zich af, zoals ze altijd deed om duidelijker te kunnen zien. Ze keken allebei op bij mijn binnenkomst.

'Ah, daar ben je eindelijk,' zei Veniva. Ze liep me tegemoet om mij te omhelzen, en Darien deed hetzelfde.

'Wat brengt ú hier?' vroeg ik.

'Het nieuws dat de Slag bij de Agned was gewonnen en dat Darien zou worden gekroond, waarna zijn getrouwen de eed moeten zweren,' zei ze. 'Ik heb Galbian en de kleine Gwien meegebracht. Ze slapen nu in onze kamer, maar ze verlangen ernaar jou te zien, vooral Gwien.'

'Ik zal blij zijn ze te zien,' zei ik, 'net zoals ik blij ben u te zien. Dit is pas de tweede keer dat ik u ooit ergens ver van huis heb gezien.'

'Het is pas de tweede keer dat ik vanuit Derwen verder dan Magor ben gekomen, sinds mijn trouwen,' beaamde Veniva. 'Ik heb Emlin de leiding gegeven in Derwen, want ik kon mee met een schip dat eerst Caer Thanbard en daarna Caer Segant aandeed, voordat we stroomopwaarts voeren. Bisschop Dewin en Linwen ap Cledwin zijn er ook; ze zijn hier om de jonge Gorai van advies te dienen.'

'Gorai is hier?' vroeg ik. Het had me grote moeite gekost hem ervan te weerhouden om met de schepen mee te gaan.

'Morgen pas; hij komt met het voetvolk mee,' zei Darien. 'Om twaalf uur 's middags zullen we Morthu berechten. Tegen die tijd zullen Alfwin, Flavien, Hengist en Sidrok ook allemaal hier zijn.'

'Welke getuigen hebben we?' vroeg ik. 'Raul zei dat er vermoedelijk een probleem zal zijn als ik moet getuigen. En Garah is dood.'

Dariens gezicht betrok. 'Ik heb het gehoord,' zei hij. 'Ik zal haar missen. Ze was altijd hier, tot vorig jaar. Toen ik voor de eerste keer in Caer Tanaga was, is ze heel vriendelijk voor mij geweest toen ik me eenzaam voelde. Ze heeft me een massa over paarden geleerd. Ze was een fijne vriendin. Ze wist echter welk risico ze nam toen ze als vrijwilliger de tunnels in ging om de grote poort te openen. Daarom heeft ze van tevoren een beëdigde verklaring afgelegd, met Luth en Cadraith als getuigen.'

'Ik heb het net gelezen,' zei Veniva. 'Niemand had het beter onder woorden kunnen brengen. Heb je haar werkelijk lezen en schrijven geleerd, Sulien?'

'Ja, maar dat is al zo lang geleden dat ik het al bijna was vergeten. Ze kon al heel wat jaren lezen en schrijven.' *En vooral lijsten maken*, dacht ik. Ik zag weer voor me hoe ze in deze kamer resoluut punten op een lijst zat door te strepen.

'Dan zijn ook de dienaren er nog,' zei Darien. 'We hebben meer dan genoeg bewijsmateriaal tegen hem.'

'En Elenn?' vroeg ik.

Er viel een onbehaaglijke stilte. 'Zij wilde per se met Urdo spreken. Ze leek zichzelf niet,' legde Veniva uit.

'Morthu heeft haar in zijn ban. Ze heeft zich er pas voor een deel aan ontworsteld. Waar is ze nu?'

'Ze ging naar Urdo kijken,' zei Darien met een lichte frons. 'Voor een deel? Ik heb nog nooit zoiets gehoord. Ik dacht dat de betovering pas kon worden verbroken door Morthu's dood. Denk jij dat ze er morgen beter aan toe zal zijn? Goed genoeg om tegen Morthu te getuigen?'

'Ik weet het niet,' zei ik. 'Ik zou er niet op rekenen.'

'Ook zonder haar hebben we meer dan genoeg bewijs,' zei Darien. 'Waar ik me zorgen over maak, is waarom hij zo gretig instemde met een proces. Zou hij een of andere truc achter de hand hebben, denk je?'

'Het zou me niet verbazen,' antwoordde ik. Ik liep naar de vensterbank en ging zitten. Ik was vermoeider dan ik dacht. 'Hij bleef maar vragen of jij erbij zou zijn, en alle koningen. Misschien is hij van plan jullie allemaal te beheksen.'

'Teilo zal erbij zijn, en Raul,' zei Darien. 'En Inis ook. We moeten hem wettig berechten en zijn schuld aantonen; dan pas kunnen we hem voor zijn wandaden executeren.'

'Ik weet het,' zei ik. 'Volgens Inis bestond er een bezwering die werkzaam was tegen magie, al scheen hij daar niet al te zeker van te zijn. Zal Angas ook hier zijn?'

'Hij is hier al; hij kwam met zijn ala mee,' zei Darien.

'Het was een ingewikkelde zaak om iedereen in te kwartieren. Dalmer en Celemon lopen zich de benen uit het lijf. Wat de citadel betreft – dat was een nachtmerrie, zonder Garah of de koningin om hier orde te scheppen. Ik heb een tribuun nodig die me dat werk uit handen kan nemen.'

'Wat jij nodig hebt, is een sleutelbewaarder,' zei Veniva vlot. 'Zo iemand zal eerder een soort kwartiermeester voor je sterkte zijn dan een tribuun. En er is er een in aantocht – je aanstaande gemalin is al onderweg. Ze zal morgen hier zijn, als de wind gunstig blijft voor schepen die de Tamer opvaren.'

'Morgen?' zei Darien toonloos. 'Zelfs als Angas meteen na ons akkoord een koerier naar Demedia heeft gestuurd, kan die boodschap nog nauwelijks in Dun Idyn zijn – laat staan dat het meisje morgen al hier is.'

'Dat zou zo zijn als ze in Dun Idyn had gezeten,' zei Veniva. 'Ze bevond zich echter in Cennet, bij de grootmoeder naar wie ze is vernoemd. Je zult deze beide Ninians morgen hier hebben, volgens het nieuws dat ik in Caer Segant heb vernomen. Je kunt dus op dezelfde dag gekroond en getrouwd zijn – en meteen gaan zorgen voor achterkleinkinderen voor mij, en erfgenamen voor het koninkrijk.'

'Ze was Angas' sleutelbewaarder in Dun Idyn, maar zal zich vertrouwd moeten maken met de gang van zaken in Caer Tanaga,' zei Darien, die zo verstandig was mijn laatste opmerking te negeren.

'Ze is pas achttien,' waarschuwde Veniva. 'Je kunt er geen staat op maken dat ze het meteen allemaal goed zal doen. Toch denk ik dat zij van alle beschikbare prinsessen de beste keus is, ook al is ze een achternicht van je.'

'Ja,' zei Darien. 'Voor mij gaf een goede regeling met het noorden de doorslag.'

Veniva begon aan een langdurige genealogische uitweiding. Ik geeuwde, en meteen onderbrak ze zichzelf. 'Je zou in bed moeten liggen, Sulien.'

'Ik denk dat ik eerst maar eens naar de thermen ga,' zei ik, het besluit nemend terwijl ik dat zei. 'Ik ben helemaal stijf en vermoeid na die reis per schip, en ik voel me vies. Daarna zal ik gaan slapen. Trouwens, waar slaap ik, weet u dat? In de barakken?'

'Je hoort hier, in de citadel,' vond Veniva.

'Volgens mij heeft Govien jouw spullen al naar de barakken gebracht,' zei Darien.

Ik omhelsde hen allebei en ging weg. De thermen waren verlaten. Er brandden een paar kaarsen, maar er was geen dienaar te bekennen. Het water was aangenaam warm en er was een heel rek droge handdoeken. Ik nam een kijkje in de wapenkamer. Die was leeg, en ook daar was niemand. Ik had de speer meegenomen naar de thermen en liet hem boven op mijn kleren liggen, zodat ik hem duidelijk kon zien, binnen grijpafstand vanuit het bad. Ik wilde er geen enkel risico mee nemen, zelfs niet voor dit heerlijke warme water.

Ik boende mezelf schoon met zeep, spoelde me af en dook toen het bad in om de stijfheid en pijn uit mijn spieren te verdrijven. Zwemmen deed ik niet; ik liet me op mijn rug in het water drijven, met een half oog op mijn speer. Ik voelde hoe mijn pijntjes wegebden. Zodra ik iemand aan hoorde komen, raakte ik gespannen. Ik stond in het water, met mijn hand op de speer, toen Emer binnenkwam. Ze snoof minachtend.

'Jullie Vincanen toch. Jullie schijnen niet eens te merken dat je geen draad aan je lijf draagt, zolang jullie je wapen maar bij de hand hebben.'

Ik moest lachen en liet me weer in het water zakken. 'Het wapen ís het belangrijkste. Kom erin.'

Ze kleedde zich uit en liet zich in het bad glijden. 'Dit is werkelijk een van de grote zegeningen van de beschaving,' zei ze, zich ontspannend in het warme water.

'Je bent bij de Agned gelukkig niet gewond geraakt,' merkte ik op. Ze had het oude litteken op haar gezicht en het litteken rond haar enkel, achtergelaten door de verwonding die ze had opgelopen toen Conal tijdens onze vlucht vanuit Magor naar Derwen door Auriens lijfwachten was gedood. Verder was er niets aan haar te zien, afgezien van twee of drie bleke littekentjes op haar armen en benen die duidelijk ook al oud moesten zijn, en de strepen die haar zwangerschap op haar buik had achtergelaten.

'Ik ben de enige van mijn volk die er ongedeerd af is gekomen,' zei ze. 'Ik zou me er schuldig over moeten voelen – vijfhonderd van mijn strijders meenemen naar de oorlog, alleen omdat ik dood wilde. En nu ben ik hier, zonder een schrammetje, terwijl de helft van mijn mensen is gesneuveld en de andere helft gewond.'

'Dacht jij werkelijk dat iemand zijn uiterste best moet doen voordat een Isarnagaan bereid is te vechten?' vroeg ik.

Ze lachte. 'Daar zeg je iets,' erkende ze. 'Ze zouden niet mee zijn gegaan als ze het niet hadden gewild.'

'En je vocht voor een goede zaak, ongeacht wat jouw persoonlijke reden was om de strijd aan te gaan,' hernam ik.

Ze dook een ogenblik onder en kwam weer boven. 'De moeilijkheid is dat het geen enkel verschil maakt in mijn gevoelens.'

'Dacht je dat jij de enige bent die iemand heeft verloren?' vroeg ik.

'Dat is niet hetzelfde,' zei ze. 'Ik heb Conal leren kennen toen ik acht was. Voor mij is er nooit een ander geweest.'

Als ze haar gemaal en haar dochter niet meetelde, althans. 'Ik heb deze avond om Garah gerouwd,' zei ik. 'Ze is met mij meegegaan toen ze vijftien was, en ik zeventien. Ze heeft haar eigen leven geleefd en is haar eigen dood gestorven, en zowel haar leven als haar sterven is goed geweest. Zonder mij zou ze misschien in Derwen zijn gebleven en daar een rustig leven hebben geleid, en dat zou wellicht net zo goed zijn geweest – wie zal het zeggen? Ze heeft twintig jaar lang mijn leven mooier gemaakt – twintig jaar van onwankelbare vriendschap. En zo was het ook met Masarn, met Ap Erbin en...' Ik wachtte even. 'En met Urdo. Je mist hem, natuurlijk mis je hem, en vergeten zul je hem nooit, maar je kunt toch de draad van je leven weer opnemen.'

'Jullie hebben het over mijn gemaal,' zei Elenn. Ik sprong op. Ze stond tegen de achtermuur van de badruimte, naast de blaker bij de deur naar de kleedkamers. Ik had haar niet horen aankomen. Ze droeg hetzelfde vuile linnen hemd en haar gezicht was dat van een gekwelde vrouw.

'Ik had het over vriendschap,' zei ik. Ik had die woorden het liefst weer ingeslikt zodra ik ze impulsief had uitgesproken. Ik wist dat Elenn niets begreep van vriendschap tussen mannen en vrouwen. Zo ongemerkt als ik kon liet ik mijn benen zakken totdat mijn voeten de badvloer raakten – op die manier kon ik de speer onmiddellijk grijpen als dat nodig mocht zijn. Ik was eerder bang dat ze de speer zou grijpen en zichzelf er per ongeluk aan zou bezeren dan dat ik vreesde dat ze mij iets aan zou willen doen.

'Mijn gemaal,' herhaalde ze. In haar stem klonk woede en verdriet door.

'Kom het water in, Elenn,' zei Emer.

'In bad met de twee vrouwen die mij haten en kwaad willen doen? Ik peins er niet over.' Haar stem klonk onverzoenlijk.

'Morthu heeft je behekst, Elenn,' zei ik. 'Hij heeft je leugens ingefluisterd. Wij haten jou niet. In geen geval ik.'

'Ik evenmin, zus,' zei Emer.

'Iederéén heeft me voorgelogen,' zei ze. 'Waarom heeft Ulf me willen wijsmaken dat Urdo de dood nabij was als hij al dood is?'

'Je kunt op twee manieren de dood nabij zijn,' zei ik. Emer smoorde een lach – ze was geschrokken. 'Bovendien wist Ulf het niet. We hebben steeds gezegd dat hij de dood nabij was, omdat hij ook na zijn dood tot ons bleef spreken.'

'Dat deed hij tegen mij ook,' zei Elenn, die opeens zichtbaar onrustig werd – iets dat haar totaal vreemd was. 'Hij zei me dat hij niet met jou had gesproken.'

'Na zijn dood niet tegen mij, nee,' zei ik. Ik koos mijn woorden met zorg. 'Hij sprak met anderen waar ik bij was.'

'Ik heb hem gevraagd of Darien werkelijk zijn zoon was,' zei Elenn. 'Morthu had me verteld dat hij dat niet was, maar de vrucht zou zijn van incest tussen jou en je broer.'

'Dat heeft hij Angas ook wijsgemaakt,' zei ik. 'Ik begrijp volstrekt niet hoe mensen dit soort dingen kunnen geloven. Het is zo vergezocht dat ik nooit heb willen geloven dat mensen zoiets voor zoete koek zouden slikken.'

'Weet je ook wat Urdo mij heeft geantwoord, over Darien?' vroeg ze.

'Nee, dat weet ik niet,' zei ik eerlijk. Darien was in alle belangrijke opzichten wel degelijk Urdo's zoon, afgezien van bloedverwantschap. Ik wijdde een gedachte aan de arme Ulf, wiens koude lichaam wachtte op de begrafenis. Het vaderschap dat hij over Darien had, leek mij het minst van belang. Over een paar minuten zou dat eindigen, aangezien het alleen door de wil van Gangrader een bloedband was.

'Hij zei: "Dat is hij nu",' zei ze. 'Zelfs Urdo verdraait zijn woorden zo dat ik niet begrijp wat ze betekenen. "Dat is hij nu". "Geen andere sterfelijke vrouw". Wat moet ik daarmee? Morthu beroofde me van mijn wil, ja, maar hoe kan ik op iemand vertrouwen als ik niet in staat ben leugens van waarheid te onderscheiden?'

Ik overwoog mijn antwoord nog toen Emer haar mond opendeed. 'Weet je nog toen wij kinderen waren?' vroeg ze, een geruststellend ritme in haar stem. 'Weet je nog hoe Maga ons drieën altijd commandeerde en ons van alles en nog wat liet doen, en hoe Allel altijd met open armen voor ons klaarstond als we ons hadden bezeerd? Maga mopperde dan op hem en noemde hem zwak en dom. En dan zei hij: "Ja, lieverd, je kijkt dwars door me heen – ik bén zwak en dom en nu betrap je me weer met een zak vol pruimen die ik voor de kinderen heb geplukt." Maga beloofde altijd van alles en verdraaide ze achteraf, maar je wist altijd dat Allel zou doen wat hij zei, ook al beloofde hij veel minder. En toen jij negen jaar oud was, en ik acht, en de pleegkinderen uit Oriel bij ons kwamen, duwde Darag jou een boom uit en had je een gat in je knie. Later zat er een korst op en zag Maga het op een dag toen de wond netjes was genezen. Ze zei toen dat je die korst eraf moest trekken omdat hij los zat. En jij vroeg of dat pijn zou doen, en Maga zei, nee hoor, helemaal niet. Waarop Allel tussenbeide kwam en zei dat het wel pijn zou doen, al was het maar een beetje, maar het zou een goede pijn zijn die je knie helemaal beter zou maken.'

'Ja, mijn vader kon ik vertrouwen,' zei Elenn, alsof ze iets moois en kostbaars ontdekte. 'Hij is ver weg van hier, in Connat.' Haar gezicht had zich enigszins ontspannen en was niet meer dat masker van gekweldheid waarmee ze binnen was gekomen. 'Maar nu kan ik naar huis, als ik dat wil. Ik kan nu alles doen wat ik wil, want ik ben geen koningin meer.'

'Ik heb, als ik met je praatte, soms een deel van de waarheid voor me gehouden,' zei Emer, 'maar ik heb nooit tegen je gelogen. Ik heb je ook de waarheid over Conal verteld, toen je ernaar vroeg. Je weet best dat ik jou niet haat.'

Ik maakte me klein in het warme, bewegende water en probeerde zo onopvallend mogelijk te zijn. Dit kon ik maar beter overlaten aan Emer. Ik wenste dat ik meteen naar bed was gegaan, in plaats van hierheen.

'Ik weet het niet,' zei Elenn. 'Je haatte Maga, onze moeder, maar ze wist dat niet. Je was zelfs blij dat ze dood was en hebt haar moordenaar omhelsd.'

'Zo was het niet,' wierp Emer tegen. 'Ik hield van Conal om wat hij was – Conal. Je weet dat ik altijd gek op hem ben geweest. Het kon me alleen niet schelen dat hij Maga had gedood.'

'Hoe heb je ooit de eer van de familie zo kunnen verraden?' vroeg Elenn. 'Hoe kon je van de man houden die jouw eigen moeder had gedood?'

'Als we dan toch de waarheid zeggen,' zei Emer uitdagend, 'zou ik – als dat niet onbehoorlijk was – eigenlijk moeten zeggen dat ik blij was en hem als een held beschouwde toen hij moeder had gedood. Ja, ik haatte haar. Ze gebruikte ons, zowel jou als mij, en ze was nog wreder tegenover de arme Mingor. Ze dwong hem iets te zijn wat hij niet wilde zijn, alleen omdat *zij* het wilde.'

'Jij en Min konden niet met haar omgaan,' zei Elenn. 'Ik heb wel van haar gehouden; mij heeft ze nooit kwaad gedaan. Ze heeft me veel geleerd over de omgang met mannen en hoe je een hofhouding bestiert – en die kennis is me geweldig van pas gekomen. Ze had het altijd met jou aan de stok omdat jij het haar lastig maakte.'

'Ja, en hoewel jij haar oogappel was, heb je alles wat verkeerd was diep in je binnenste opgeborgen waar zij er niet bij kon. Dacht je soms dat ik dat niet wist?' zei Emer. 'Ik heb het gezien! En ik wilde niet zo'n muur om me heen hebben als jij had. Bij de Ravengod, Elenn, ze huwelijkte je uit aan vijf mannen die beloofden Zwarte Darag te doden, de een na de ander. Hoe kun je nu zeggen dat zij jou nooit kwaad heeft gedaan? Die muur om je heen – dat is een gevolg van al dat kwaad, hoeveel je er ook aan mag hebben gehad. Het is een verdedigingsmiddel, dat zeker, geweldig. Maar hoe zou iemand nog dicht genoeg bij je kunnen komen? Er zit nu een scheur in, maar de laatste keer – tot aan deze avond – dat ik een menselijke uitdrukking op je gezicht heb gezien, was toen Ap Dair terugkwam en zei dat Urdo met je wilde trouwen. Toen wist je dat je eindelijk weg kon gaan van haar.'

'Ik was pas achttien,' zei Elenn. 'Elk meisje van die leeftijd is blij dat ze kan trouwen, en ik zou zelfs de gemalin van de Grote Koning worden! En het waren er geen vijf. Ik ben verloofd geweest met Ferdia, maar Darag heeft hem gedood voordat ik met hem kon trouwen.'

'Hij was te eerzaam om te leven,' zei Emer.

'Ja,' zei Elenn. Haar gezicht was nu normaal, voor zover ik dat in het licht van de kaarsen kon onderscheiden. Ik ontspande me enigszins. 'Ik had Ferdia kunnen vertrouwen, als hij in leven was gebleven,' zei ze. Ze legde haar hand tegen haar borst, maar liet hem ongemerkt weer zakken. Ik keek opzij naar Emer, en ze knikte me toe; ze wilde dat ik iets zou zeggen.

'Waar is je halssteen, Elenn?' vroeg ik vriendelijk.

'Morthu heeft me gedwo...' zei ze, maar ze slikte de rest in. 'Ik krijg wel weer een andere. Ik zal Thansethan bezoeken en daar een andere vragen. Ik heb vertrouwen in vader Gerthmol en de anderen in Thansethan.' Ze zweeg opnieuw en keek omlaag naar mij. 'Ik mag Darien heel graag, weet je. Ik neem hem niets kwalijk van wat jij hebt gedaan.'

'Ik ben blij dat je van hem kunt houden,' zei ik bedaard. 'Hij is zeer op je gesteld. Hij was heel ontsteld toen Garah ons vertelde wat jullie overkomen was. Hij wist ogenblikkelijk dat Morthu jou had behekst.'

'Ik heb altijd gedacht dat hij Urdo's zoon was,' zei ze.

'Weet je, als het erom gaat de leugens van Morthu te geloven, heb ik de indruk dat hij zichzelf in dit opzicht heeft tegengesproken,' zei Emer. 'Als Darien Urdo's zoon niet is, kan Sulien onmogelijk Urdo's leenman zijn. Het is onmogelijk dat beide dingen waar zijn.'

Elenn dacht er een ogenblik over na en glimlachte toen. Opeens zag ik wat Emer had bedoeld met een scheur in een muur. Plotseling zag ik dat iedere andere glimlach die ik ooit op haar gezicht had gezien heel beheerst en doelbewust was geweest, in vergelijking met deze lach, die haar gezicht leek te openen. Ik wenste dat Urdo dit had kunnen zien. Ze nam drie stappen naar voren en sprong met hemd en al het water in, tussen mij en Emer, waarna ze met water begon te spetteren. Ze zag er minder mooi uit dan ik haar ooit had gezien, maar ook het meest menselijk.

'Eindelijk komt de waarheid naar voren,' zei ze terwijl ze Emer omhelsde. Toen, na een korte aarzeling, omhelsde ze ook mij. Ik beantwoordde haar omhelzing. *Ach, vooruit maar*, dacht ik en voelde me oud. *Dit is nu de waarheid.*

26

Aangaande tovenarij: allen die ervoor worden veroordeeld, zullen worden bestraft met de dood. En allen die tovenarij onderrichten of een ander aanbieden hem of haar daarin te onderrichten, of in ongeacht welke andere orakelkrachten, zullen eveneens worden bestraft met de dood, opdat de kennis ervan volledig verdwijne.
– Uit het Vincaanse wetboek

Toen we ons de volgende ochtend op de grote binnenhof verzamelden voor de kroningsplechtigheid en Morthu's berechting, ging Elenn gekleed in een gewaad van groene en goudkleurige stof, en was haar gezicht even mooi en ondoorgrondelijk als altijd. Haar inktzwarte haar was geborsteld en glansde in de zon, maar het hing los over haar schouders. Toen ik dat zag, nam ik mijn helm af en schudde ook mijn eigen haar uit. Alswith, die met de andere koningen naast mij wachtte, keek me nieuwsgierig aan.

'Wat doe je?' vroeg ze.

'Ik laat mijn haar los hangen omdat ik in de rouw ben,' zei ik.

'Is het bij jullie niet de gewoonte het af te snijden?'

'Dat is de Vincaanse zede. Wij snijden ons haar af en gooien het op de brandstapel. En tot de tijd dat het weer is aangegroeid blijven we in de rouw. Na Foreth sneed iedereen in Galba's ala haar of zijn haar af. Tot nu toe heb ik het altijd afgesneden als ik om iemand rouwde, maar ik heb er de tijd niet voor gehad. En nu ik Elenn zo zie, leek het me goed om het nu volgens de zeden van Tanagan te doen.'

'Vind je dat ik het ook los moet laten hangen?' vroeg ze. Achter haar hoofd, dat ze had omwikkeld met een grijze sjaal, zag ik Veniva naar buiten komen, de binnenhof op. Ze had de twee kinderen van Galba en Aurien bij zich. Glividen onderschepte haar en begon haar een vraag te stellen. Gwien begon op de kinderkopjes van de ene voet op de andere te dansen, maar na een bestraffend woord van zijn grootmoeder stond hij plotseling stil en kaarsrecht.

'Na Agned heb je het gedaan,' zei ik. 'Wat is de zede van de Jarns?'

'Je hoofd ontbloten is gewoonlijk een teken dat je je overgeeft,' zei ze. 'Vrouwen worden geacht zich uitsluitend over te geven aan hun echtgenoot – vandaar al die sjaals en gewaden. Als we in de rouw zijn, dragen we donkere kleuren.'

'Niemand bij de Agned heeft gedacht dat jij je overgaf,' zei ik.

'Ik deed het ook om te provoceren; niet alleen omdat ik rouwde,' gaf ze toe. 'Ik gaf me alleen over aan het lot; aan de dood die uit het niets was gekomen om Ap Erbin zo abrupt op te eisen. Als hij normaal in de strijd was gesneuveld, zou ik niet zo kwaad zijn geweest dat ik de ala zo onnadenkend liet aanvallen.'

'Jullie hebben die oorlogsmachines verwoest,' zei ik. 'Ik denk niet dat er ook maar iemand is geweest die het als een gebaar van overgave heeft gezien. Ik heb trouwens meer dan genoeg Jarnse boeren blootshoofds gezien, wat dat aangaat.' Aan de andere kant zag ik Thurrig en Amala heftig met elkaar praten, waarbij ze drukke gebaren maakten. Zo te zien scheen Amala aan het langste eind te trekken, maar ik zag Thurrig glimlachen.

'Die boeren hadden zich overgegeven aan hun heren,' zei ze schouderophalend. 'Het lijkt allemaal zinloos als je er goed over nadenkt. Vooral hier, waar ze geen andere heer boven zich hebben dan de koning. De meeste boeren in Nene zijn zo.'

Elenn stak de binnenhof over naar het gras recht tegenover mij, waar ze naast moeder Teilo, Raul en een kleine groep andere priesters van de Blanke God ging staan. Ik keek rond naar Emer en ontdekte haar in de menigte, bij Inis.

'Ze zullen zo blij zijn dat ze straks jou hebben in plaats van Cinon, dat ze het niet erg zullen vinden dat hun koning nu een vrouw is.' Ik hoopte dat Flavien het niet kon horen. Hij bevond zich aan het andere uiteinde van de gemarkeerde ruimte voor de koningen en praatte met Rowanna. De hele binnenhof was een mengeling van orde en chaos.

Alswith beet op haar lip. 'In elk geval de Jarns, hoop ik. Het waren de Tanaganen die op Cinons hand waren. En degenen die nog leven zullen moeilijkheden veroorzaken. Het zal zwaar worden. Ik mis Ap Erbin nog iedere minuut. Hij zei altijd dat hij oud en dik begon te worden, en dat ik hem niet meer leuk zou vinden. Dan plaagde ik hem ermee – maar nu is hij dood. Ik kan niet eens naar behoren om hem rouwen omdat ik nu al deze verantwoordelijkheid heb en van alles en nog wat moet doen. Daar komt nog bij dat ik niet eens terug kan naar huis, maar naar mijn nieuwe residentie moet, Caer Rangor.'

'Het valt niet mee een koning te zijn,' knikte ik.

'Ik heb het gevoel dat ik niet hier zou moeten staan, maar bij mijn alae die daar aangetreden staat,' zei ze met een gebaar.

'Dat gevoel heb ik ook,' bekende ik. Govien had het bevel over Galba's ala. Mijn ala, in feite Urdo's persoonlijke ala, was sterk uitgedund. Gisteren was er opnieuw een decurio gesneuveld. Darien zou er veel aandacht aan moeten besteden om er weer de strijdmacht van te maken die de ala was geweest. Elwith stond op de plaats van de prefect en keek wat bangelijk om zich heen, zoals iedereen overkomt die voor het eerst zo'n commando heeft. Ze bleef haar gouden eikenbladeren verschikken, alsof ze niet kon geloven dat die werkelijk van haar waren.

'En daar zijn de kinderen,' zei ze. 'En al die mensen uit Nene die mij nog niet kennen. Alfwin zei dat ik in naam van Harald moest regeren, maar Darien heeft me gezegd dat ik namens mezelf kon regeren, en de kleine Harald na mij.'

'Ik vind dat je je haar los moet laten hangen,' zei ik. 'Je staat hier als de verpersoonlijking van Nene, en Nene is een gemengd koninkrijk. Je hebt Jarns bloed in de aderen, maar je zoon is uit beide volken voortgekomen en jij wilt als koning over beide volken regeren.'

Alswith bracht haar handen omhoog naar de sjaal en schudde haar vlammendrode haar uit.

Gorai kwam naar buiten, samen met zijn tante Linwen en bisschop Dewin. Hij boog voor hen, kennelijk om afscheid van hen te nemen. Ze staken over naar de tribune, naar Raul. Gorai wandelde langs Glividen, die eindelijk aanstalten leek te maken Veniva te laten gaan. Toen hij langs de ala van Luth liep, riep zijn oom, Aneirin ap Erbin, hem bij zich. Ze praatten enkele ogenblikken met elkaar, voordat Aneirin hem stevig op de schouders sloeg en hem door liet lopen.

'Je hoeft niet te vragen tot wie die jongeman zich zal wenden als hij raad nodig heeft,' zei Alswith goedkeurend.

'Je mag Aneirin wel?' vroeg ik.

'Hij is verreweg de beste van de hele familie, afgezien van mijn Ap Erbin, uiteraard,' zei ze. 'Er steekt meer in hem dan alleen zijn liederen, en het zijn heel boeiende liederen.'

Nu kwam Gorai naar ons toe. Met een buiging heetten we hem welkom. Ik was heel blij met zijn aanwezigheid, enkele ogenblikken later, toen Veniva met mijn neefjes naar ons toekwam. Gorai was slechts een jaar ouder dan Galbian en die twee hadden altijd veel te bepraten. Ik kon toen nog niet vermoeden dat dit het begin was van een trouwe vriendschap, en van een alliantie in de Raad der Koningen die zou voortduren tot aan hun dood, of zelfs daarna, aangezien Galbians dochter Veniva met Gorai's zoon Cledwin zou gaan trouwen. Op dat moment was ik alleen blij dat ze elkaar bezighielden. Ik zag Glividen druk gebarend met Inis praten.

'Wat wilde Glividen?' vroeg ik Veniva.

'Nog meer nonsens over het stelsel van verwarmingstunnels onder de citadel hier. Ik zei hem dat Garah er gisteren doorheen was gekomen, zodat het toen niet geblokkeerd kon zijn geweest. Hij begon me omstandig uit te leggen hoe het werkt. Hij zegt dat die tunnels recht onder onze voeten lopen.'

'Hij heeft u wel lang aan de praat gehouden voor zoiets,' zei ik. Inis had Teilo gewenkt, en ik zag dat ze naar het tweetal toe ging. Glividen stond nog steeds te gebaren en Teilo leek haar best te doen ze allebei tot bedaren te brengen.

'Ik heb hem verteld van Ninian.'

'Waar is ze?' vroeg ik.

Veniva keek om zich heen voordat ze me weer aankeek. Ze zou nooit zoiets vulgairs doen als wijzen. 'Daar, naast Atha, met Angas en haar grootmoeder Ninian. Ze heeft een sjaal om haar hoofd, zodat je het niet kunt zien, maar ze heeft rood haar.'

Ik keek nog eens goed. Voor zover ik het kon bepalen, leek ze me een verstandig meisje. Ze was lang en slank, maar zou nooit voldoende gewicht hebben om een wapendrager te kunnen zijn. Ik hoopte dat ze Darien zou bevallen.

Op dat moment klonken de trompetten, om ons te waarschuwen dat Darien op het punt stond naar buiten te komen. Veniva ging naast Emer en Inis staan. Angas haastte zich er ook heen en nam zijn plaats in.

'Sommigen zeggen dat Darien had moeten wachten totdat alle koningen erbij konden zijn,' zei Gorai.

'Wie zijn er dan niet?' vroeg Galbian hem.

'Glyn van Bregheda, en Anlaf Alfwinsson, Ohtars erfgenaam in Bereïch,' zei Gorai. 'Bovendien zijn de erfgenamen van sommige koningen er niet.'

'De koningen uit het noorden die niet zo snel zover konden reizen, zullen de eerstvolgende keer dat ze in Caer Tanaga zijn de Grote Koning trouw zweren,' zei ik. We hadden langdurig over dit punt gediscussieerd. Als een van hen een minder betrouwbare bondgenoot was geweest, zou het beter zijn geweest ermee te wachten. In werkelijkheid hadden we de meeste koningen al hier en Darien had volgehouden dat een officiële eed van trouw in Caer Tanaga, zoals Urdo die in het begin van hen had verlangd, een prima manier was om de vrede te bevestigen. Alles was op dezelfde manier gearrangeerd. Toen ik bedacht dat ik nu stond waar mijn vader met mijn broer Darien had gestaan toen hij zijn eed van trouw aan Urdo aflegde, kreeg ik het gevoel dat alles hier zijn wortels had. Rowanna was de enige die er bij de vorige kroning ook bij was geweest; en zij stond op dezelfde plaats als destijds, kaarsrecht en eenzaam. Tereg stond waar Uthbad zou hebben gestaan. Cinon de Oudere zou op de plaats hebben gestaan die Alswith nu innam. Hij kon erbij zijn geweest als de erfgenaam van zijn vader, ik was er niet zeker van. Hertog Galba zou op de plaats van Galbian hebben gestaan, en aan mijn andere zij zou niemand hebben gestaan. Ik keek om. Alfwin maakte een buiginkje. Ik zag Sidrok minachtend grinniken, maar hij trok zich terug toen ik hem strak aankeek. Hij was niet half de man die zijn broer was geweest. Hij zou Ayl nooit zelf hebben gedood, maar hij was er duidelijk blij om dát hij dood was. Hij had Ayls zoon Trumwin bij zich, die tien jaar oud was. De jongen begon te glimlachen toen hij me zag, voordat hij zich herinnerde dat ik zijn vader had gedood en zijn blik waardig afwendde. Hengist Guthrumsson stond naast hem. Ik kon me niet herinneren of zijn vader bij Urdo's kroning de eed had afgelegd, of later. Ohtar zou de laatste plaats in de rij hebben ingenomen, of zijn kleinzoon Anlaf Alfwinsson, als die erbij was geweest. Ik vroeg me af wat er van Walbern was geworden, na het berengevecht met zijn grootvader.

Er klonk opnieuw trompetgeschal toen Darien naar buiten kwam. Hij droeg de donkerblauwe toga die hij op het feest aan de vooravond van de Slag bij de Agned had gedragen. Hij had de zware gouden halsband om, en de al even zware armband van Ulf om zijn pols. De toga werd bijeengehouden door de fibulae uit de familieschat van Derwen – ik had er deze keer op gestáán. Hij kwam zwijgend naar voren, de kroon in zijn handen. Hij liep rechtstreeks naar de vrije strook gras tussen de menigten, totdat hij op de steen onder de eik stapte: de Koninkrijkssteen in het midden van de grote binnenhof van Caer Tanaga, het hart van het Groot-Koninkrijk Tir Tanagiri.

Hij kroonde zichzelf met exact dezelfde woorden en gebaren die Urdo had gebruikt, naar het voorbeeld van Avren en Emrys. Alleen riep hij de Blanke God aan om zijn getuige te zijn en toe te zien op zijn eed en zijn huwelijk met het land. Ik keek naar Veniva, die het met tranen in de ogen en een glimlach om haar mond volgde. Zij en Raul hadden de halve nacht gewerkt om de exacte bewoordingen van de eed te formuleren.

Toen Darien zichzelf had gekroond, kwamen de koningen en hun erfgenamen een voor een naar hem toe, knielden voor hem en legden de eed van trouw aan hem af. Voor mij was het een hernieuwing, maar voor hen een nieuwe eed. Na iedere eed omhelsde Darien de koning als deze opstond. Angas raakte hij nauwelijks aan, maar de manier waarop hij mij omhelsde was echt en hartelijk. Vervolgens wandelde Darien naar de alae. Iedere ala zwoer hem afzonderlijk trouw, waarbij iedere armiger de god van zijn keuze tot zijn getuige riep en Darien hen welkom heette in naam van de Blanke God. Toen dit was gedaan, wendde hij zich tot het volk, dat zich verdrong onder de lange zuilengang – zoveel mensen als er daar een plekje hadden kunnen veroveren. Ze juichten luid voor hem, en wij anderen deden hetzelfde.

Hierna hield Darien een korte rede over de Raad der Koningen, de wet en de vrede van Urdo. Steeds als hij een pauze inlaste, juichten we hem toe.

Hij eindigde met een zin over Morthu: 'Hij zal mij worden voorgeleid om te worden berecht.' Degenen onder ons die gewapend naar de kroning waren gekomen, legden hun wapens af voor het proces en kwamen terug. Darien overhandigde zijn zwaard aan Ap Caw, die erover moest waken, en de oude stalknecht liep ermee weg, zo trots alsof hij een baby in zijn armen hield.

Het werd doodstil. Darien wandelde terug naar de Koninkrijkssteen. Inis kwam uit de menigte naar voren en begon overal water te sprenkelen en zijn bezwering tegen magie te zingen. Bisschop Dewin tuitte afkeurend zijn lippen, maar niemand ging weg. Hier en daar bleef Inis staan en porde met zijn wijsvinger in een ventilatiegat van het verwarmingssysteem. Ik vroeg me af of hij zulke dingen ooit in Oriel had gezien en er niet goed raad mee wist.

Na een poosje escorteerden twee bewakers Morthu naar voren. Hij liep tussen hen in en liep doelbewust over het gras totdat hij recht tegenover de rij koningen stond. Hij droeg het harnas van een wapendrager. Ik vroeg me af wie hem dat had gegeven. Misschien was het het enige kledingstuk dat hem paste. De bewakers verwijderden zich, zodat hij alleen in het midden kwam te staan.

'Wie beschuldigt mij, en hoe luidt de aanklacht?' begon hij, als een vorst die van mening is dat hem onrecht wordt aangedaan.

'Ik, Darien ap Urdo van het Huis Emrys, Grote Koning van Tir Tanagiri, beschuldig u, Morthu ap Talorgen, van zwarte magie, opruiing en hoogverraad.'

'Welk recht heb jij op die naam?' vroeg Morthu brutaal. 'Je moeder was niet gehuwd met jouw vader; en wie kan zeggen wie jouw vader is? Is zij bereid naar voren te komen en het ten overstaan van de goden te zweren?'

Even dacht ik dat hij zijn dreigement had waargemaakt om mij zo te beheksen dat mijn mond voor eeuwig aan mijn gehemelte zou plakken, want ik kon geen woord uitbrengen. De koningen om mij heen hielden de adem in en de meesten keken mijn kant uit.

Toen begon Darien te lachen. 'Hier hebben we een voorbeeld van het soort opruiing waarover ik het zojuist heb gehad, en nog wel uit je eigen mond,' zei hij. 'Het is geen nieuws dat mijn moeder nooit met mijn vader gehuwd is geweest, en het is evenmin nieuws dat zij voor mijn geboorte elkaars minnaars waren in Caer Gloran, dat mijn vader mij zijn leven lang heeft erkend als zijn zoon, en dat hij mij ten overstaan van alle goden, vorsten en strijders op het slagveld bij de Agned uitriep tot zijn erfgenaam toen hij stervende was. Bovendien is de naam van mijn moeder haar leven lang nooit in verband gebracht met een andere man. Maar goed, als je dat beter bevalt, zal ik mezelf Darien Suliensson noemen, want dat is de naam die mijn vader gebruikte toen hij verklaarde dat ik zijn erfgenaam was.

Onder die naam heb ik de kroon aangenomen en zal ik ook regeren.'

Er werd overal om mij heen geknikt. 'Belachelijk, die Morthu,' mompelde Gorai tegen Galbian. Alswith gaf een klopje op mijn arm.

'Is Sulien ap Gwien bereid daarop te zweren?' drong Morthu aan.

'Wij zijn hier niet om mijn moeder in verlegenheid te brengen, maar om jouw hoogverraad te onderzoeken,' zei Darien. 'Echter, voor we beginnen: ben je bereid ten overstaan van de goden te zweren dat je de waarheid zult zeggen?'

'Waar word ik van beschuldigd?' vroeg Morthu opnieuw.

'Zwarte magie,' zei Darien. 'Om precies te zijn, het verbranden van je eigen ziel om je magie kracht te geven. Opruiing, namelijk het opstoken van de koningen van Tir Tanagiri om tegen hun rechtmatige koning in opstand te komen. En hoogverraad, namelijk samenzweren met de vijanden van je eigen land, waarbij je met name de balling Marchel ap Thurrig en Arling Gunnarsson van Jarnholme uitnodigde een invasie te plegen.'

'Bij alle goden die ik liefheb,' zei Morthu, 'ik zweer dat ik onschuldig ben op alle punten van deze aanklacht en dat ik niets dan de waarheid zal zeggen.'

Angas bewoog zich onrustig en ik vroeg me af of hij ook had bedacht dat er maar weinig goden konden zijn die Morthu liefhad.

'Het is gebruikelijk de Blanke God tot je getuige te roepen en Hem te laten toezien op je eed,' zei Darien.

'Maar het is niet de wet,' zei Morthu. *Hij heeft gelijk, uiteraard*, bedacht ik knarsetandend.

Hierna werd de procedure begonnen van het aandragen van bewijzen tegen Morthu. Veniva las Garahs verklaring voor. Verscheidene dienaren en burgers van Caer Tanaga legden belastende verklaringen af. Vervolgens getuigde Flavien over de opruiende activiteiten van Morthu, bedoeld om hem tot rebellie te verleiden. Sidroks verklaring klonk nagenoeg identiek, net als die van Hengist Guthrumsson. Na hem kwam Atha naar voren. Ze zag er beheerst uit, en heel gewoontjes. Zij sprak over de brieven die hij haar had gestuurd. Daarna was het mijn beurt. Zo kort als ik kon gaf ik uitleg over Aurien en Daldaf, eraan toevoegend dat hij dit complot zelf had bekend, net als de diefstal van de brieven van Angas aan mij. Vervolgens deed ik verslag van de gebeurtenissen van de vorige dag, hier in de citadel, die op zich al meer dan voldoende bewijzen van zijn zwarte magie waren. Als laatste kwam Elenn naar voren, met Teilo aan haar zijde. Zij getuigde met zachte stem en bevestigde wat ik had gezegd. Ook bevestigde ze de juistheid van Garahs beëdigde verklaring over de mensenoffers en ze zei dat ze zelf ook door hem was behekst en tegen haar wil was gedwongen dingen te doen.

Toen zij haar plaats weer had ingenomen, hief Morthu zijn hoofd op.

'Kan ik nu spreken?' vroeg hij. 'Mag ik mezelf verdedigen, of word ik door deze samenzwering van mijn vijanden veroordeeld zonder eerst te worden gehoord?'

'Je kunt spreken,' zei Darien geduldig.

'Om te beginnen verdraaien de koningen die nu beweren dat ik hun heb geschreven, de gebeurtenissen. Er is correspondentie tussen hen en mij geweest, ja, en we hebben het over rebellie gehad. Dat is echter geen misdaad, zoals wordt bewezen door het feit dat zij gepardonneerd zijn. Zij waren degenen die mij en mijn broer brieven schreven met de bedoeling op te stoken tot oorlog op grond van hun gerechtvaardigde grieven, en niet op mijn aandringen. Ten tweede, Sulien ap Gwien en haar stalknecht Garah ap Gavan hebben leugens verteld, vanwege de haat en het wantrouwen dat zij altijd tegen mij heeft gekoesterd vanaf de dag dat zij mijn moeder had vermoord. En wat de laatste getuige betreft kan ik mijn onschuld bewijzen. Toen zij verliefd op mij werd en toenaderingspogingen deed, heb ik een tijdlang geprobeerd haar te weerstaan, aangezien ze de gemalin was van koning Urdo. Toen hij dit ontdekte, heeft hij me naar Demedia verbannen, hoewel ik onschuldig was. Na mijn terugkomst zei ze dat ik, aangezien Urdo zo goed als dood was, geen scrupules meer hoefde te hebben en wierp ze zich in mijn armen. Ze probeert nu aan alle blaam te ontkomen en ieders sympathie te wekken met dit onzinverhaal over beheksing en tovenarij. Ze verdient eerder medelijden dan veroordeling.'

Elenn stond doodstil, haar gezicht even neutraal alsof hij het over iemand anders had gehad.

'En hoe dacht je het brandoffer van honderd wapendragers en burgers van Caer Tanaga te verklaren?' vroeg Darien.

'Ook zo'n leugen. Ze hebben je gevraagd die kring van brandplekken te bekijken. Het is waar dat we een brandstapel hebben gemaakt om de doden te cremeren, en dat is alles. Mijn vijanden zweren tegen mij samen. Er zijn er die dat doen omdat ze mij haten, maar de meesten willen alleen maar alle schuld op mij afwentelen. En als jij niet vanwege hen bevooroordeeld bent, komt dat door jouw moeder – en over die waarheid mag je zelf oordelen. Je zult misschien zeggen dat hun samenzwering tegen mij onwaarschijnlijk is, en niet meer dan fantasie, maar overweeg dan op dezelfde gronden wat ik volgens hen zou hebben gedaan en hoe geloofwaardig dát is.'

'Waarom zou Atha over jou liegen?'

'Wie kan zeggen waarom Isarnaganen iets doen of laten?' Hij haalde zijn schouders op, en sommigen in de menigte begonnen te grinniken.

'En Rigga van Rigatona?' vroeg Darien.

'Wie?' vroeg Morthu, maar ik kon zien dat hij hier niet op voorbereid was.

'Rigg, van Rigatona. Zij heeft vanuit Caer Custenn geschreven over jouw samenzwering met Arling Gunnarsson.' Darien zwaaide met de brief die ik had doorgestuurd naar Urdo, toen dit alles was begonnen. Het leek al jaren geleden, maar er was sindsdien nauwelijks anderhalve maand verstreken.

'Dat zal wel een vervalsing zijn die jouw moeder heeft gemaakt,' zei Morthu. Hij staarde Darien aan alsof hij hem uitdaagde hem te veroordelen.

Dit was de eerste openbare handeling van Dariens bewind. Hij moest niet alleen recht doen, maar iedereen moest ervan overtuigd zijn dat het recht wás. Als er op dat moment onder de koningen zou zijn gestemd, ben ik er niet zeker van of Morthu niet genoeg van hen tot andere gedachten had gebracht om hem vrij te spreken.

'En jouw magie?'

'Waar blijven de bewijzen voor die zogenaamde magie?' antwoordde Morthu.

'We hebben alle bewijzen gehoord,' zei Darien terwijl hij op Morthu toeliep. 'Garahs schriftelijke verklaring en Suliens gesproken getuigenis doe jij af als leugens. Zal ik Raul en Glividen vragen ons te vertellen hoe het kon dat de grote poort instortte? Moet ik eenieder die ooit iets met jou te maken heeft gehad het een en ander laten vertellen over incidenten die op zichzelf onbetekenend lijken, maar samen onweerlegbaar bewijsmateriaal vormen?'

Ik keek naar Morthu en zag hoe hij zijn ogen samenkneep bij Dariens nadering. Ook zag ik hoe zijn gezicht verstrakte, alsof hij alleen maar wachtte totdat Darien dicht genoeg bij hem zou zijn. Hij had geen wapen bij zich, evenmin als ik. Niet dat ik werkelijk dacht dat hij zich op Darien zou werpen, want het was niet dat soort gelaatsuitdrukking.

Terwijl ik nog stond te bedenken wat voor uitdrukking het precies was, sprong Inis plotseling naar voren. 'Zwarthart is naar Caer Tanaga gekomen!' schreeuwde hij. 'Hoor mij aan, o Aarde!'

Toen gebeurde er van alles tegelijk. Darien zette nog een stap naar voren, maar op dat moment klonk er een dof geluid dat klonk als WHOEMP. Grote steekvlammen schoten op uit de grond, in een brede band die begon waar ik stond en eindigde waar Elenn stond, tegenover mij. Bijna nog voor ik het had gezien, klonk er een daverende knal en was het vuur weg. Een golf warme mist breidde zich snel uit op kniehoogte en golfde over de grond. Ik was er op dat moment niet zeker van of het allemaal wel echt was, maar aangezien ik later ontdekte dat het haar op mijn benen was verschroeid, moet het wel echt zijn geweest.

Morthu stond met onuitsprekelijke haat in zijn ogen naar Inis te staren. 'Dat was geen magie!' snauwde hij.

'Niet in het minst,' beaamde Inis opgewekt. 'Dat was alleen olie voor de vuurslingeraars die jij in de verwarmingstunnels hebt laten opslaan. En je stak die olie in brand met een doodgewone vonkbezwering. Veroordeel deze man niet voor magie, koningen en prinsen; hij zou jullie alleen maar hebben gedood met brandende olie.'

Gorai moest erom lachen.

'We hadden allemaal dood kunnen zijn,' zei Darien, lichtelijk geschokt. 'Ook moord is een halsmisdrijf,' voegde hij eraan toe. 'Bedankt Inis, voor wat je hebt gedaan.'

'Ik nam alleen de lucht rondom het vuur weg, en het leven uit het hart ervan,' zei Inis, alsof het allemaal heel verklaarbaar was en alsof het mogelijk was om wat hij had gedaan in een oogwenk te doen. Hij klonk schuchter.

'Welnu, Morthu,' zei Darien.

Morthu probeerde een stap naar hem toe te doen, maar viel voorover op zijn knieën. 'Mijn voeten!' krijste hij.

Teilo stapte uit de menigte naar voren. 'De vloek treft hem nu zelf,' zei ze. 'Hij was zo-even niet goed in staat om magie te bedrijven, en nu heeft de bezwering die hij probeerde de weg naar hemzelf ontsloten voor de vloek. En elk leven dat hij heeft geofferd om de vloek op afstand te houden maakt de vloek nu sterker.'

Morthu bleef krijsen. Ik boog me naar voren om te zien wat er gebeurde. Het leek alsof het gras Morthu bij zijn voeten en enkels had gegrepen en hem niet meer losliet. Ik zag hoe het zich om zijn benen wikkelde. 'Snij me los!' schreeuwde hij, met zijn vingers aan het gras rukkend.

Ik hoorde Inis' kakelende lach. 'Jij hebt zojuist geprobeerd hen allemaal te vermoorden en denkt nu werkelijk dat ze jou zullen lossnijden?'

Ik keek om me heen om te zien of iemand er aanstalten toe maakte. Flavien stond zijn kleren af te kloppen, duidelijk geschrokken. Alle anderen leken verbijsterd. Gwien stond met grote ogen toe te kijken. 'Zijn voeten komen los,' zei hij.

Het was waar. De naakte botten lagen afzonderlijk op het onschuldige gras, als de botten van iemand die al heel lang dood is. Elk bot was gescheiden van de andere, als op een van de anatomische illustraties in de boeken van Ap Darel. Morthu's graaiende vingers waren nu ook door het gras gegrepen, en hij werd op zijn handen en knieën naar voren getrokken, terwijl het gras al naar zijn armen reikte.

'Help!' brulde Morthu. 'Ik zal jullie al mijn bezweringen leren! Wie mij helpt, maak ik Grote Koning! Ik zal je leren hoe je als een god kunt zijn! Je krijgt alles wat je maar wilt – macht, minnaars, comfort! Haal me weg van dit gras! Jullie staan er zelf ook op, weet je? Hoe weten jullie dat het zich niet tegen jullie zal keren als het met mij klaar is? Til me op!'

'En hoe wou jij dan verder leven? Gedragen in een stoel? Of dacht je te kunnen lopen met veren onder je benen?' vroeg Inis, een toonbeeld van maniakaal plezier.

'Het is niet dit dodelijke gras waarover jij bent gestruikeld,' zei Teilo. 'Dit is de wraak van de aarde die jij je leven lang hebt geminacht.'

Alswith leek misselijk en zelfs Darien was lijkbleek. Het ergste van alles was nog dat er geen druppel bloed vloeide. Ik was er intens blij om, maar tegelijkertijd gruwde ik ervan. Alleen Inis leek ervan te genieten, want hij danste lachend in het rond. Hij liep de menigte in, nam Elenn bij een arm en trok haar naar voren.

'Elenn!' krijste Morthu. 'Help me! Snij me los!'

Ze spuwde hem in het gezicht. 'Moge iedereen die mijn eer bezoedelt zo eindigen,' zei ze kil.

Zelfs ik huiverde. Ze maakte zich los van Inis' hand en liep terug naar Teilo, die Elenn tegen haar schouder trok, als een kind dat zijn ogen wil verbergen. Teilo was zelf niet bang om toe te kijken. Op de gezichten om mij heen zag ik felle haat, misselijkheid, walging en, op sommige, vluchtig leedvermaak. Raul kon zijn ogen niet geloven. Bisschop Dewin stond perplex. Broeder Cinwil zag eruit alsof zijn maag op het punt stond zich om te keren. Teilo keek als enige onaangedaan toe, alsof ze er later iemand gedetailleerd verslag van zou moeten doen.

Toen Morthu ophield met zijn geschreeuw om hulp en er alleen nog rochelgeluiden uit zijn mond kwamen, gaf Teilo Elenn aan Raul over en liep weer naar voren.

'Het is tijd voor genade,' zei ze tegen Darien. 'Dood hem nu.'

Darien knikte en greep naar zijn zwaard, maar herinnerde zich toen dat hij het niet bij zich had. We stonden allemaal op onze kleren te kloppen en deden dezelfde ontdekking. Tegen de tijd dat een schildwacht op Dariens teken reageerde en naar buiten kwam, was het al te laat en was er van Morthu niets anders over dan een keurig gerangschikt geraamte.

Ik was blij dat hij dood was en hoopte dat alle verraders en tovenaars met hun giftige tong op dezelfde manier aan hun eind zouden komen. Dat neemt niet weg dat ik later nooit meer iemand heb vervloekt.

27

Laat de doden zacht gedragen worden;
en laat hen die leven zich afvragen
wat er morgen te kiezen valt.
– Rolandliederen, nr. 5

Tegen zonsondergang kwam een dienaar mij vragen of ik naar Elenn wilde gaan voor het afleggen. Darien had me die ochtend verteld dat er een boot klaar zou liggen, maar het was me ontschoten. Daardoor was ik de laatste die de kleine kamer binnenstapte waar ze bezig waren de lijkbaar gereed te maken. Elenn verwelkomde me beheerst. Mijn moeder en Alswith waren bezig met het schikken van korenbloemen en rozen rondom een blok hout dat, als je er op een bepaalde manier naar keek, leek op Urdo, uitgestrekt en met gesloten ogen. Het was een knoestig, verweerd stuk van een eikenstam, met de bast er nog aan. Ik heb geen idee waar ze het vandaan hadden gehaald.

Emer hield zich wat afzijdig, alsof ze het niet graag aanraakte. Rowanna had het druk met kleinigheden en depte telkens haar ogen af. Haar zuster, Ninian, was er niet bij; ze was kennelijk niet uitgenodigd, ook al had ze de kroning bijgewoond. Ninian ap Gwyn was er wel. Ze keek af en toe onzeker naar Elenn en het stuk boomstam. Ik ving een glimp op van haar haar, dat inderdaad even rood bleek te zijn als dat van Alswith. Het zag er vreemd uit in combinatie met haar huid, die donkerder was dan die van Alswith. Ik heb mensen Ninian weleens een schoonheid horen noemen, maar dat leek me vooral een kwestie van beleefdheid. Niettemin zag ze er opvallend uit toen ze jong was.

Alswith droeg dezelfde grijze overgooier als die ze bij de kroning had gedragen. Alle anderen waren luisterrijk gekleed, en opgetuigd met al het goud dat ze bezaten. Een ogenblik lang voelde ik me niet op mijn plaats, zo in mijn harnas. Toen hielp ik mezelf eraan herinneren dat Urdo me dit harnas na Caer Lind had geschonken en dat het geschikt was om het waar dan ook te dragen.

De boomstam op de baar was Urdo en toch ook weer niet. Soms had ik het idee dat hij het was, maar meestal zag ik alleen het hout. Hij was nu een kracht van het land. Hij kon iedere gedaante aannemen die hij maar wilde en kon ook maken dat elk bestanddeel van het land eruitzag zoals hij bij zijn leven had gedaan.

Toen alles tot Elenns tevredenheid was, namen we met z'n zessen de baar op en droegen hem naar buiten. Emer en ik droegen het voeteneinde, Ninian en Alswith liepen in het midden, en Veniva en Rowanna droegen het hoofdeinde. Elenn liep voor ons uit, met de veelkleurige bloemen die de mensen haar hadden gestuurd in haar kapsel gevlochten.

In de citadel vormden Darien en de koningen een erehaag totdat we hen voorbij waren, waarna ze ons door de straten van de stad naar beneden volgden. Veel wapendragers sloten zich erbij aan, net als heel veel burgers van de stad. Het leek op een processie. Mensen openden hun deuren om ons voorbij te zien komen. Sommigen huilden openlijk. Anderen zeiden Urdo luidkeels vaarwel alsof ze dachten dat hij hen nog kon horen.

'Waar brengen ze Urdo heen?' hoorde ik een kleine jongen zijn moeder vragen.

'Naar een magisch eiland, waar hij beter kan worden,' zei de moeder terwijl ze de tranen uit haar ogen wiste.

De baar was niet zwaar; lang niet zo zwaar als hij zou zijn geweest als we werkelijk Urdo's lichaam hadden moeten dragen. Eindelijk bereikten we de kade. Elenn beduidde ons dat we de baar midden op een speciaal daarvoor vervaardigde kist in de boot moesten leggen. Toen stapte ze de boot in en posteerde zich bij de voorsteven. Alswith liep naar de roeiriem die als roer zou dienen.

Emer, Veniva, Ninian en Rowanna deden een stap terug, zodat ze tussen de menigte kwamen te staan. Niemand had mij gezegd wat ik werd geacht te doen. Ik keek naar de baar en zag dat het Urdo was, geen twijfel aan. Hij zag eruit alsof hij lag te slapen. Ik herinnerde me een nachtelijke reis, lang geleden, toen ik in gezelschap van Urdo na Moriens dood op de terugweg was naar Derwen. Bij de overtocht van de Havren was Urdo in slaap gevallen. Toen had hij er precies zo uitgezien.

Ik stapte in de boot en posteerde me bij de achtersteven, naast zijn voeten. Als ik over hem mocht waken nu hij dood was, zoals ik bij zijn leven had gedaan, zou ik dat doen.

De kade stond vol mensen. De zon was bezig onder te gaan en ik dacht dat ze wel de *Hymne van de terugkeer* zouden zingen. Dat deden ze niet; ze stonden er alleen maar – sommigen wuivend en anderen huilend, maar ze keken ons allemaal na.

Alswith stuurde de boot naar het midden van de rivier totdat de stroom ons meenam. We voeren snel stroomafwaarts. We hadden niet besproken waar we heen zouden gaan, of wat we er zouden doen als we er eenmaal waren. Spreken deden we niet, zelfs niet nu we de stad en de menigte achter ons hadden gelaten. We lieten de boot eenvoudigweg drijven, alsof we, zolang dat gebeurde, niet hoefden na te denken over de lange duur van de tijd die zich voor ons uitstrekte langs de donkere stroom.

Het leven ging door, uiteraard. En we hielden de vrede in stand, dat is het belangrijkste.

Darien werd een goede koning en Ninian een goede koningin. Ze kregen kinderen, en hun zoon is nu Grote Koning van Tir Tanagiri. Hij verenigt in zijn aderen het bloed van Emrys, Hengist en Gewis, en dat van mijn eigen familie, waaruit vanaf de dagen der bomen de heerschappen van Derwen zijn voortgekomen. Darien is twintig jaar geleden gestorven op dezelfde manier als mijn vader – op zoek naar een remedie tegen een epidemie. Hij heeft nooit geweten dat Urdo niet zijn echte vader was. En als hij het wél wist, heeft hij me dat nooit laten merken. Voor Ulf heeft hij in Caer Tanaga een gedenksteen opgericht, waarin een passende tekst is uitgehouwen.

Voor mij was de Raad der Koningen een ware beproeving, maar het was een middel om de koningen te weerhouden van gewapende strijd en moet dus als een zegen worden beschouwd. Dertig jaar lang zaten Angas en ik aan de raadstafel tegenover elkaar en keken elkaar vijandig aan, zelfs als we het over iets eens waren. Hij heeft veel gedaan om de stabiliteit van het koninkrijk te bevorderen en is vermoedelijk de beste koning die Demedia ooit heeft gehad. Hij was mijn grote vriend geweest, maar ik heb hem nooit vergiffenis geschonken.

Oorlogen hebben zich niet meer voorgedaan. De meeste Jarns die nu naar Tir Tanagiri komen, vestigen zich in Tevin, Nene, Aylsfa of Bereïch, want ze weten dat ze daar welkom zijn. In plaats van speren en dolken brengen ze hun vrouwen en de rest van hun families mee, én hun ploegen en voortreffelijke houtbewerkingsgereedschappen.

De priesters van de Blanke God zijn alomtegenwoordig. Mensen die de halssteen niet dragen, zijn een uitzondering. Het staat echter iedereen nog altijd vrij de goden van zijn of haar eigen keuze te vereren of erbij te zweren. Het voorbeeld van Munew is door enkele koninkrijken gevolgd, maar niet het hele land heeft zich aan de Blanke God toevertrouwd, zoals Tir Isarnagiri had gedaan.

Na Morthu's gruwelijke dood bleek de geneeshymne tegen wapenrot weer te werken. De zieken werden beter en de wereld werd weer zoals ze behoorde te zijn. Er hebben zich sindsdien geen moeilijkheden meer mee voorgedaan, ook niet met andere bezweringen die ik ken.

Elenn trok zich terug in Thansethan en werd non; later werd ze moeder-overste van de kloostergemeenschap. Zo kwam het dat ze uiteindelijk namens Thansethan zitting nam in de Raad der Koningen en ik haar terugzag. Ik heb er nooit met haar over gesproken, maar te oordelen naar de manier waarop ze over andere dingen sprak, moet ze onder de monniken en nonnen heelheid en vertrouwen hebben gevonden.

Ik regeerde Derwen en fokte paarden. In de Raad had ik zitting totdat ik er te oud voor werd en mijn plaats overdroeg aan mijn achterneef. Gwien stierf door een ongeluk tijdens het exerceren toen hij nauwelijks vijftig jaar oud was. Langzaam namen mijn kracht en gezondheid af. Ik behield ze langer dan de meesten – ik bleef tot aan mijn tachtigste paardrijden. Nu lijkt het alsof ik het nooit op de waarde heb geschat die het verdient, in de dagen dat ik na het wakker worden en ontbijten de hele dag in het zadel zat, om na het avondeten direct in slaap te vallen en de volgende dag hetzelfde te doen.

Urdo mis ik iedere dag. Soms zie ik hem nog in een hoop gevallen bladeren of een plooi in het land. Ook duwt hij me zo nu en dan in de stallen nog een roskam in de hand, of schuift hij de inktpot naar me toe als ik in een bundel zonlicht zit te schrijven. We praten nooit. Waarom weet ik niet. Er is zoveel te zeggen, maar ik heb steeds het gevoel dat het niet juist zou zijn. Ik mis mijn vrienden uit die jaren, maar het leven gaat door, zoals ik al zei. Ap Lew is heerschap – in feite koning – van Dun Morr. Ze rijdt vaak naar me toe voor een bezoekje. Zij begrijpt hoe mijn geest werkt. Ik heb haar als meisje in de ala getraind en ze ontwikkelde zich tot de grootste wapendrager van haar generatie. Ze moest naar Varni om haar oorlogen uit te vechten, want daar waren geen leden van haar Huis meer over. Nu we allebei te oud zijn geworden om te vechten, zitten we vaak aan tafel te schrijven, of elkaar te vertellen hoe het vroeger allemaal was. Zoals wat het is om jong te zijn, en 's morgens wakker te worden in het geloof dat de dag vandaag beter zal zijn dan de dag van gisteren. Dat gevoel heb ik nooit gehad voordat Urdo en de alae mij hoop gaven. Inmiddels ben ik drieënnegentig. Ik besteed veel tijd aan terugblikken op mijn leven. We hebben de vrede gehandhaafd. We hebben de beschaving in stand gehouden, ongeacht wat Veniva daarover heeft gezegd. We hebben steden, bibliotheken, watermolens, sikkels, ploegen en thermen. Wat had Vinca meer te bieden? In vrede hun werk kunnen doen is een groot goed voor mijn boeren. De wereld is veranderd en nog eens veranderd, en de wereld die ik mij herinner is een tijd van legenden geworden. Ik houd mezelf voor dat dit goed is. We hebben de vrede gewonnen. Haar handhaven is weliswaar minder opwindend, maar even noodzakelijk. De belastingen billijk houden en een heirbaan aanleggen tussen Magor en Derwen, en vandaar naar Nant Gefalion zijn concrete taken die inspanning vergen. Ja, ik ben oud en kijk dikwijls terug. Als ik echter vooruit blik, heb ik hoop voor de toekomst.

Soms zeg ik dat ik nog altijd jong ben, maar niemand begrijpt dat. Ze hebben geen behoefte aan mijn gedachten over de manier waarop ze hun kinderen moeten leren lezen en schrijven. Ze willen alleen dat ik verhalen vertel uit de dagen van koning Urdo. Soms echter, als ik hen die verhalen tegen elkaar hoor vertellen, merk ik dat alleen de geruchten in het geheugen zijn blijven hangen.

Daarom heb ik mezelf aan het schrijven gezet, zelfs over de dingen die ik niemand ooit heb verteld. Het gaat me er echter ook om dat Urdo's naam zal voortleven en de waarheid niet helemaal in vergetelheid zal raken. Het was een mooie waarheid. En het is een goede vrede, want we hebben een betere wereld gecreëerd.

Ik stond daar achter in de boot die stroomafwaarts dreef. Elenn staarde recht voor zich uit. Alswith omklemde de roeiriem waarmee ze stuurde met één hand, op zoek naar een geschikte plaats om aan te leggen. Ze was altijd goed in het hanteren van boten. Ik keek naar Urdo's gezicht, slapend of dood, hier of elders. Alswith stuurde naar een vlak stukje oever onder bomen. Ik zei het enige waarvoor ik na zijn dood woorden kon vinden, in de wetenschap dat hij het zou horen.

'Slaap nu, mijn heer, ik zal waken over uw rust.'

Dit waren de laatste woorden die mijn oudtante Sulien, de dochter van Gwien Openhand, heeft geschreven. Ze werd voor het laatst gezien op de tiende dag na Midwinter in het vijfenzestigste jaar na Urdo's overwinning. Ik heb drie nette kopieën van haar geschriften laten maken. Een ervan zal ik verzegelen in lood en in de muur laten metselen, zoals zij wenste.

Over wat er over haar verscheiden wordt gezegd – zoals het verhaal dat er een grote, zwarte hengst onder een schitterende sjabrak in de kleuren ijzergrijs en goud de poort in kwam draven, en dat zij zich met de gratie en kracht van haar jeugd in het zadel zou hebben geslingerd, en dat de derde voetstap van dit strijdros geen grond meer zou hebben geraakt, of dat niemand hen weg heeft zien gaan – nou ja, daar kan ik alleen maar over zeggen dat geen enkel vroom persoon daar geloof aan kan hechten.